ACTES NOIRS
série dirigée par Manuel Tricoteaux

LE PACTE

DU MÊME AUTEUR

L'HYPNOTISEUR, Actes Sud, 2010.

Titre original :
Paganinikontraktet
Editeur original :
Albert Bonniers Förlag, Stockholm
© Lars Kepler, 2010
Avec l'accord de Bonnier Group Agency, Stockholm

© ACTES SUD, 2011
pour la traduction française
ISBN 978-2-7427-9941-1

LARS KEPLER

Le Pacte

roman traduit du suédois
par Hege Roel-Rousson

ACTES SUD

Quand, par une nuit claire, un large bateau de plaisance est retrouvé à la dérive dans le pertuis de Jungfrufjärden, au sud de l'archipel de Stockholm, c'est le calme plat. L'eau bleu-gris s'abandonne à des mouvements doux comme la brume.

Le vieux qui approche dans sa barque appelle à plusieurs reprises mais il se doute qu'il n'obtiendra pas de réponse. Cela fait presque une heure qu'il observe le bateau à moteur dériver lentement vers le large sous l'effet du courant.

L'homme manœuvre son embarcation et vient l'accoler au yacht. Il remonte les rames, s'amarre à la plate-forme située à l'arrière du bateau, grimpe à l'échelle en inox et enjambe le bastingage. Un transat rose trône au milieu du pont arrière. Le vieux attend un petit moment et tend l'oreille. N'entendant pas le moindre bruit, il ouvre la porte vitrée et descend un petit escalier menant au salon. Au travers des grandes fenêtres, une lueur grise tombe sur les meubles en teck verni et le tissu bleu nuit des canapés. Il avance dans le prolongement des marches au lambris éclatant, passe devant la kitchenette obscure, la salle de bains et pénètre dans la grande cabine. Une faible lumière s'infiltre par les hublots situés près du plafond, éclairant un lit double en forme de flèche. Près de la tête de la couchette, une jeune femme vêtue d'une veste en jean est appuyée contre le mur, en position assise, les cuisses écartées. Sa main repose sur un coussin rose. Elle regarde le vieil homme droit dans les yeux avec un mélange d'étonnement et d'inquiétude. Il lui faut un moment pour comprendre que la femme est morte.

Une pince en forme d'oiseau blanc retient ses longs cheveux noirs. Une colombe de la paix. Quand le vieux s'approche et touche sa joue, sa tête bascule en avant, un filet d'eau s'échappe de la commissure de ses lèvres et coule le long de son menton.

Le mot musique signifie en réalité "l'art des Muses" et trouve ses origines dans la mythologie grecque. Les neuf Muses étaient toutes les filles du puissant Zeus et de Mnémosyne, déesse de la mémoire. La véritable Muse de la musique, Euterpe, est habituellement représentée une flûte aux lèvres et son nom signifie "qui sait plaire". Le don qu'on appelle musicalité n'a pas vraiment de définition communément acceptée. Certains ne sont pas en mesure de distinguer le changement de fréquences entre les notes tandis que d'autres sont doués d'une mémoire extraordinaire et d'une oreille absolue qui leur permet de reconnaître une note en dehors de tout contexte.

Bien des génies musicaux ont traversé l'histoire. Certains sont devenus très célèbres, comme Wolfgang Amadeus Mozart, qui fit le tour des plus grandes cours d'Europe dès l'âge de six ans, ou Ludwig van Beethoven, qui a composé ses œuvres majeures après être devenu complètement sourd.

Le violoniste et compositeur de légende Niccolò Paganini naquit en 1782 à Gênes. Aujourd'hui encore, très peu de violonistes sont capables de jouer les œuvres rapides et complexes qu'il a composées. Jusqu'à sa mort, le musicien fut poursuivi par une rumeur selon laquelle il devait son exceptionnel talent à un pacte qu'il aurait conclu avec le diable.

1

UNE PRÉMONITION

Un frisson parcourt le dos de Penelope Fernandez. Les battements de son cœur s'accélèrent et elle jette un coup d'œil par-dessus son épaule. Peut-être, à cet instant, a-t-elle une prémonition de ce qui se passera plus tard dans la journée.

Malgré la chaleur qui règne dans le studio, Penelope ressent une sensation de fraîcheur sur le visage. Celle-ci persiste depuis qu'elle a quitté la loge de maquillage. On a appuyé une éponge humide contre sa peau pour y déposer du fond de teint et on a détaché de ses cheveux la pince ornée d'une colombe pour les imprégner de mousse et accentuer le mouvement de ses boucles.

Penelope est présidente de la SFSF, l'association suédoise pour la paix et l'arbitrage. On la conduit en silence sur le plateau du journal télévisé où elle s'installe dans la lumière des projecteurs face à Pontus Salman, le P.-D.G. du fabricant d'armes Silencia Defence AB.

Stefanie von Sydow, la présentatrice, change de sujet, bat des cils en direction de la caméra et commence à parler des licenciements qui ont suivi l'achat de la société anonyme Bofors par le groupe de défense nationale britannique BEA Systems Limited. Elle se tourne ensuite vers Penelope :

— Penelope Fernandez, dans plusieurs débats sur le sujet, vous avez vivement critiqué la gestion des exportations d'armes suédoises. Récemment, vous l'avez comparée au scandale français de l'Angolagate. Des politiciens de premier plan et des hommes d'affaires ont été inculpés pour corruption et trafic d'armes et condamnés à de lourdes peines de prison… mais on ne peut pas vraiment dire qu'il y ait eu une affaire de ce genre en Suède ?

— Il y a deux interprétations possibles, répond Penelope Fernandez. Soit nos politiciens fonctionnent différemment, soit c'est notre système judiciaire qui fonctionne différemment.

— Vous savez très bien, dit Pontus Salman, que nous avons une longue tradition de…

— La législation suédoise, l'interrompt Penelope, interdit toute fabrication et exportation de matériel de guerre.

— Vous faites évidemment erreur, dit Salman.

— Paragraphes 3 et 6 de la loi relative au matériel de guerre, pour être exacte, rétorque Penelope.

— Mais Silencia Defence a obtenu une autorisation de principe, sourit-il.

— Oui, sinon il s'agirait de trafic d'armes à grande échelle et…

— Mais en l'occurrence, il se trouve que nous avons l'autorisation, la coupe-t-il.

— N'oubliez pas ce à quoi va servir ce matériel de guerre…

— Attendez un peu, Penelope, intervient la présentatrice avant de faire un signe de tête à Pontus Salman, qui a levé la main pour signaler qu'il n'avait pas terminé.

— Toutes les affaires sont examinées au préalable, explique-t-il. Soit directement par le gouvernement, soit par l'ISP, l'Inspection pour les produits stratégiques, dont vous avez peut-être entendu parler.

— L'équivalent existe en France, objecte Penelope. Pourtant, du matériel de guerre d'une valeur de huit milliards de couronnes a pu atterrir en Angola, malgré l'embargo sur les armes des Nations unies…

— Nous parlons de la Suède, ici.

— Je comprends que les gens ne veuillent pas perdre leur emploi, mais je serais curieuse de savoir comment vous justifiez l'exportation de quantités de munitions aussi énormes au Kenya. C'est un pays qui…

— Vos critiques ne reposent sur rien de concret, l'interrompt-il. Rien, pas le moindre détail, je me trompe ?

— Je ne peux malheureusement pas…

— Disposez-vous d'éléments tangibles ? demande Stefanie von Sydow.

— Non, répond Penelope Fernandez avant de baisser les yeux. Mais je…

— Dans ce cas, je crois que vous devriez me présenter vos excuses, dit Salman.

Penelope l'affronte du regard. Elle bout de colère et de frustration, mais elle se force à rester muette. Pontus Salman lui adresse un sourire désolé, puis parle de l'usine de Trollhättan. Deux cents emplois ont été créés à la suite de l'autorisation obtenue par Silencia Defence de lancer la production. Il explique le mécanisme de l'autorisation de principe et détaille le processus de fabrication. Il s'attarde pour gagner du temps.

Penelope se contente d'écouter et ravale son amour-propre. Elle se dit qu'elle va bientôt rejoindre Björn sur son bateau. Ils feront le lit en forme de flèche situé à l'avant, rempliront le frigo et le petit congélateur. Puis ils dégusteront de l'aquavit dans des verres givrés étincelants, des harengs marinés, de petites pommes de terre, des œufs durs et du pain craquant. Ils dresseront la table sur le pont arrière, jetteront l'ancre près d'une petite île et mangeront au soleil pendant des heures.

*

Penelope Fernandez quitte le studio de Sveriges Television et marche en direction de Valhallavägen. Elle avait attendu pendant presque deux heures afin de poursuivre le débat dans une autre émission matinale mais le producteur a fini par lui expliquer qu'ils avaient décidé de la déprogrammer au profit d'un sujet sur les cinq astuces minceur en prévision de l'été.

Au loin, dans le quartier résidentiel de Gärdet, elle aperçoit la tente colorée du cirque Maximum. Un soigneur arrose deux éléphants avec un tuyau. L'un d'entre eux lève la trompe et attrape le jet d'eau dans sa gueule.

Penelope a vingt-cinq ans et des cheveux noirs bouclés qui lui arrivent aux épaules. Une courte chaîne en argent, ornée d'une petite croix qu'elle a reçue pour sa communion solennelle, brille autour de son cou. Sa peau douce a une teinte dorée. Celle de l'huile d'olive vierge ou du miel, comme l'avait un jour écrit un garçon de sa classe, au collège, dans un exercice où ils devaient se décrire mutuellement. Ses yeux sont grands et graves. On lui a dit plus d'une fois qu'elle ressemblait trait pour trait à l'actrice Sophia Loren.

Penelope appelle Björn avec son portable pour lui dire qu'elle est en route, qu'elle va prendre le métro à Karlaplan.

— Penny ? Il s'est passé quelque chose ? demande-t-il d'une voix inquiète.

— Non, pourquoi ?

— Tout est prêt, j'ai laissé un message sur ton répondeur, il ne manque plus que toi.

Dans le long escalator qui descend abruptement vers le métro, un malaise sourd l'envahit. Son pouls s'accélère. Elle ferme les yeux. L'escalator s'enfonce dans les profondeurs et l'air se rafraîchit de plus en plus.

Penelope Fernandez est originaire de La Libertad, l'un des plus grands départements du Salvador. Sa mère, Claudia Fernandez, a été emprisonnée durant la guerre civile et Penelope est venue au monde dans une cellule où quinze autres femmes incarcérées avec elle se sont improvisées sages-femmes. Claudia était médecin et avait activement participé à des campagnes d'information pour sensibiliser le plus grand nombre aux droits fondamentaux. Elle s'était retrouvée dans les geôles du régime pour avoir promu le droit de se syndiquer auprès de la population indigène.

Penelope n'ouvre pas les yeux avant d'arriver sur le quai du métro. L'oppressante sensation d'enfermement s'est dissipée. Elle pense de nouveau à Björn qui l'attend au club nautique de Långholmen. Elle adore plonger nue du bateau et nager avec la mer et le ciel pour seuls compagnons.

Le métro fonce et de grandes secousses se font ressentir. La lumière du soleil envahit les fenêtres quand la rame sort du tunnel et arrive à la station de Gamla stan.

Penelope Fernandez déteste la guerre, la violence et les armes. Une aversion qui l'a poussée à entreprendre des études de sciences politiques à Uppsala. Puis, elle a travaillé pour l'organisation Action contre la Faim au Darfour avec Jane Oduya. Elle a écrit un article très remarqué pour *Dagens Nyheter* sur les femmes des camps de réfugiés et leurs difficultés à retrouver une vie normale après les sévices qu'elles ont subis. Enfin, il y a deux ans, elle a remplacé Frida Blom à la tête de la SFSF.

Penelope descend à Hornstull et sort dans la lumière du soleil. Elle ressent soudain une inquiétude inexplicable. Elle se dirige vers Söder Mälarstrand, traverse le pont menant à Långholmen d'un pas rapide et continue vers le port de plaisance. La poussière du gravier s'attarde comme une brume dans l'air immobile.

Le bateau de Björn mouille à l'ombre du pont Västerbron. L'eau reflète un filet de lumière qui ondule, plus haut, sur l'acier des longerons. Elle l'aperçoit sur le pont arrière, un chapeau de cow-boy sur la tête. Il est immobile, les bras le long du corps.

Penelope met deux doigts dans sa bouche et siffle comme un voyou. Björn tressaille, son visage est livide, comme s'il avait eu très peur. Il regarde en direction de la route et la voit. Il a encore l'air inquiet quand il s'approche de la passerelle.

— Qu'est-ce qu'il y a ? demande-t-elle en continuant à descendre l'escalier.

— Rien, répond Björn, qui remet son chapeau en place et s'efforce de sourire.

Ils s'embrassent. Ses mains sont glacées et le dos de sa chemise mouillé.

— Tu es trempé de sueur, dit-elle.

Björn détourne le regard.

— Je suis parti en catastrophe.

— Tu as bien pris mon sac ?

Il hoche la tête avec un geste en direction de la cabine. Le bateau tangue légèrement sous elle. Elle sent l'odeur du bois verni et du plastique chauffé par le soleil.

— Hé ho ? dit-elle d'une voix claire. Tu es avec moi ?

Ses cheveux couleur paille sont réunis en petites dreads qui pointent dans toutes les directions. Ses yeux bleu clair sont enfantins, espiègles.

— Oui, répond-il en baissant les yeux.

— Qu'est-ce qui te préoccupe ?

— Rien, je veux juste qu'on soit ensemble.

Il enroule ses bras autour de sa taille :

— Qu'on fasse l'amour sous les étoiles.

Il frôle ses cheveux avec ses lèvres.

— C'est à ça que tu rêves ? dit-elle tout bas.

— Oui.

Sa franchise la fait rire :

— La plupart… des femmes en tout cas, trouvent ça un peu surfait. Etre allongé par terre entre les tourbières et les pierres et…

— C'est comme de se baigner toute nue.

17

— A toi de m'en convaincre, dit-elle d'un ton malicieux.

— Compte sur moi.

Un petit rire lui échappe :

— Et comment comptes-tu t'y prendre ? dit-elle au moment où son téléphone se met à sonner dans son sac.

Björn semble se figer au bruit de la sonnerie. Son visage devient livide. Sur l'écran, elle constate que c'est sa petite sœur.

— C'est Viola, explique-t-elle rapidement avant de décrocher. Salut, frangine.

Une voiture klaxonne et elle entend sa sœur crier quelque chose dans le combiné.

— Pauvre con.

— Qu'est-ce qui se passe ?

— C'est fini. J'ai quitté Sergej.

— Encore.

— Oui, dit Viola à voix basse.

— Je suis désolée.

— Ce n'est pas grave, mais… Maman m'a dit que vous sortiez avec le bateau et je me suis dit… je me joindrais bien à vous, si ça ne pose pas de problème.

Silence.

— Te joindre à nous, répète Penelope en entendant le manque d'enthousiasme de sa voix. On a besoin de passer un peu de temps ensemble avec Björn, mais…

2

LE POURSUIVANT

Penelope est à la barre. Elle porte un léger sarong bleu noué autour des hanches et un haut de bikini blanc orné du symbole de la paix au-dessus du sein droit. La lumière d'été se répand sur elle à travers la fenêtre. Délicatement, elle contourne le phare de Kungshamn et manœuvre ensuite le grand bateau dans l'étroit bras de mer.

Sa petite sœur Viola se lève du transat rose sur le pont arrière. Elle y était assise depuis une heure. Le chapeau de cowboy de Björn sur la tête et d'énormes lunettes de soleil sur le nez, elle fumait un joint d'un geste alangui.

Vaguement, Viola tente à cinq reprises de ramasser avec ses doigts de pied la boîte d'allumettes sur le plancher avant de laisser tomber. Penelope ne peut s'empêcher de sourire. Viola entre par la porte vitrée du salon et demande si elle doit prendre le relais.

— Sinon, je descends me faire une Margarita, dit-elle en continuant vers le bas de l'escalier.

Sur le pont avant, Björn est allongé sur un drap de bain. Une édition de poche des *Métamorphoses* d'Ovide lui sert d'oreiller.

Penelope constate que les fixations de la rambarde, à ses pieds, sont rouillées. Björn a reçu le bateau de son père en cadeau pour ses vingt ans, mais il n'a pas eu les moyens de l'entretenir. C'est la seule chose que son père lui ait jamais offerte en dehors d'un voyage. Pour ses cinquante ans, il avait invité Björn et Penelope dans un de ses plus beaux hôtels de luxe, le *Kamaya Resort*, sur la côte est du Kenya. Penelope n'a pu supporter que deux jours la vie à l'hôtel avant de rejoindre l'organisation française Action contre la Faim, au camp de réfugiés de Kabbum, au Darfour, dans le Sud du Soudan.

Penelope réduit le régime de croisière de huit à cinq nœuds à l'approche du pont Skurusund. Ils n'entendent rien du trafic dense, loin au-dessus d'eux. Tandis qu'ils glissent sous l'ombre du pont, elle aperçoit un canot pneumatique noir contre un pilier en béton. Il ressemble à ceux utilisés par les *kustjägare**. Un Zodiac avec une coque en fibre de verre et des moteurs très puissants. Il y a quelqu'un dans le bateau. Un homme accroupi, de dos, dans l'obscurité. Elle ignore pourquoi son pouls s'accélère à la vue de ce type, quelque chose avec sa nuque et ses habits noirs. Bien qu'il ait le dos tourné, elle se sent observée. En revenant à la lumière du soleil, elle s'aperçoit que tout son corps frissonne. La chair de poule persiste sur ses bras un long moment. Une fois passé la presqu'île de Duvnäs, elle augmente la vitesse à quinze nœuds. Les deux moteurs intégrés grondent, l'eau écume derrière eux et le bateau accélère rapidement. Le téléphone de Penelope sonne. Elle reconnaît le numéro de sa mère. Elle a peut-être vu le débat à la télé. Elle se dit un instant qu'elle l'appelle pour lui dire qu'elle était belle et qu'elle s'en est bien sortie, mais elle sait qu'il n'en est rien.

— Salut, maman.

— Aïe, chuchote sa mère.

— Qu'est-ce qui se passe ?

— Le dos… il faut que j'aille chez le chiropracteur, dit Claudia.

On dirait qu'elle remplit un verre d'eau au robinet.

— Mais je voulais juste voir si tu avais parlé avec Viola.

— Elle est ici, sur le bateau, répond Penelope en entendant sa mère boire.

— Elle est avec vous, formidable… je me suis dit que ça lui ferait du bien.

— Oui, dit Penelope à mi-voix.

— Qu'est-ce que vous allez manger ?

— Ce soir du hareng mariné, des pommes de terre, des œufs…

— Elle n'aime pas le hareng.

— Maman, Viola m'a téléphoné pour…

* Les *kustjägare* (KJ), ou *coastal rangers* en anglais, sont des groupes d'élite de reconnaissance marine des forces armées suédoises. *(Toutes les notes sont de la traductrice.)*

— Je sais que tu n'avais pas prévu qu'elle vienne, interrompt Claudia. C'est bien pour ça que je te demande.

— J'ai fait quelques boulettes de viande, répond Penelope d'une voix patiente.

— Il y en aura assez pour tout le monde ?

— Assez ? Ça dépendra de…

Elle se tait et fixe l'eau étincelante. Puis dit calmement :

— Je lui céderai ma part.

— S'il n'y en a pas assez, c'est tout ce que je dis.

— Je comprends, dit Penelope à voix basse.

— Trop dur pour toi, c'est ça ? demande sa mère avec une irritation retenue.

— C'est juste que… Viola est quand même grande et…

— Là, tu me déçois.

— Pardon.

— Tu les manges bien, mes boulettes, pour Noël et la Saint-Jean et…

— Je ne suis pas obligée, rétorque rapidement Penelope.

— Parfait. Dans ce cas c'est décidé.

— Ce que je veux dire, c'est que…

— Tu ne viendras pas pour la fête de la Saint-Jean, lance sa mère d'une voix bouleversée.

— Mais enfin, maman, pourquoi est-ce que tu es toujours obligée de…

Un clic retentit, sa mère a raccroché. Penelope sent la frustration l'envahir. Elle regarde le téléphone, puis l'éteint.

Le bateau glisse silencieusement sur les reflets de la végétation côtière. L'escalier qui descend vers la kitchenette grince. Peu de temps après, Viola apparaît d'un pas mal assuré, un verre de Margarita à la main.

— C'était maman ?

— Oui.

Viola sourit :

— Elle a peur que je n'aie rien à manger ?

— Il y a de quoi manger, répond Penelope.

— Maman pense que je suis incapable de prendre soin de moi.

— Elle s'inquiète, c'est tout.

— Elle ne s'inquiète jamais pour toi.

— Je suis grande.

Viola déguste son verre et regarde par le pare-brise :

— J'ai vu le débat à la télé.

— Ce matin ? Avec Pontus Salman ?

— Non, c'était… la semaine dernière. Tu parlais avec un homme arrogant qui… il avait un joli nom et…

— Palmcrona.

— C'est ça, Palmcrona…

— Je me suis énervée, je suis devenue toute rouge, j'avais les larmes aux yeux. Je voulais me réciter les paroles de *Masters of War* de Bob Dylan ou me tirer de là en claquant la porte.

Quand Penelope tend les bras pour ouvrir la lucarne, Viola lui jette un coup d'œil et dit d'un ton léger :

— Je ne pensais pas que tu te rasais les aisselles.

— Non, mais j'ai été tellement dans les médias que…

— La vanité l'a emporté, plaisante Viola. Comment va le maillot ?

— Moyen…

Penelope soulève le sarong et Viola éclate de rire.

— Björn aime bien, sourit Penelope.

— Il ne peut pas dire grand-chose, avec ses dreads.

— Mais toi, tu te rases partout comme il faut.

La voix de Penelope se durcit :

— Pour tes types mariés et tes crétins bien musclés…

— Je sais que je n'ai pas un très bon jugement.

— Uniquement dans ce domaine.

— Je n'ai jamais fait les choses comme il faut.

— Tu devrais juste décrocher tes diplômes et…

Viola hausse les épaules :

— J'ai passé mes exams, figure-toi.

Ils fendent doucement l'eau transparente. Des mouettes suivent le bateau à haute altitude.

— Ça s'est passé comment ?

— J'ai trouvé ça facile, dit Viola avant de lécher le sel sur le bord de son verre.

— Alors, ça s'est bien passé, sourit Penelope.

Viola hoche la tête et pose le verre.

— Bien comment ? demande Penelope en la poussant légèrement de la hanche.

— Très bien, dit Viola la tête baissée.

Penelope pousse un cri de joie et serre sa sœur dans ses bras.

— Tu comprends ce que ça veut dire ? s'exclame-t-elle d'une voix excitée. Tu peux faire les études que tu veux, entrer dans n'importe quelle université, tu n'as qu'à choisir entre les écoles supérieures de commerce, des études de médecine ou une école de journalisme.

Sa sœur rit, les joues écarlates. Penelope la serre à nouveau, faisant tomber son chapeau. Elle caresse Viola sur la tête et arrange ses cheveux comme elle le fait depuis qu'elles sont petites. Elle enlève la pince avec la colombe de ses propres cheveux et l'attache dans ceux de sa sœur. Elle la regarde et sourit d'un air satisfait.

3

UN BATEAU DÉRIVE DANS LE PERTUIS
DE JUNGFRUFJÄRDEN

La proue fend la surface lisse tel un couteau. Tout va très vite.
De grands remous se déchaînent contre la côte. Ils font des
embardées sur les vagues et l'eau les éclabousse tandis que
le bateau bondit sur la houle. Les moteurs grondants, Penelope met le cap sur le pertuis. La proue se soulève et l'écume
blanche se scinde le long de la coque jusqu'à la poupe.

— Tu es folle, Madicken*, crie Viola. Elle retire la pince de
ses cheveux, exactement comme elle l'a toujours fait petite,
juste au moment où la coiffure était achevée.

Björn se réveille lorsqu'ils s'arrêtent à l'île Gåsö. Ils achètent
des glaces et prennent un café. Viola veut jouer au minigolf
et l'après-midi est déjà très avancée quand ils se remettent en
route.

A bâbord, le pertuis s'étend à perte de vue. Ils ont dans l'idée
d'accoster à Kastskär, une île longue et étroite, complètement
déserte. Il y a au sud une baie verdoyante où ils comptent jeter
l'ancre, se baigner, faire un petit barbecue et passer la nuit.

— Je descends m'allonger un moment, dit Viola dans un
bâillement.

— Vas-y, répond Penelope en souriant.

Viola descend l'escalier tandis que Penelope regarde droit
devant elle. Elle ralentit sans quitter des yeux la sonde électrique qui repère les bas-fonds tandis qu'ils approchent de Kastskär. La profondeur diminue rapidement, de quarante à cinq
mètres.

* *Du är inte klok, Madicken* ("Tu es folle, Madicken") est un film suédois
pour enfants réalisé par Göran Graffman (1979), basé sur les livres d'As-
trid Lindgren et sur le personnage de Madicken.

Björn entre dans la timonerie et embrasse Penelope dans le cou :

— Je commence à préparer le repas ?

— Viola a sans doute besoin de se reposer une heure.

— On dirait ta mère, dit-il tendrement. Elle a déjà téléphoné ?

— Oui.

— Pour voir si Viola a pu venir avec nous, c'est ça ?

— Oui.

— Vous vous êtes disputées ?

Elle fait non de la tête.

— Qu'est-ce que tu as ? Tu es triste ?

— Non, c'est juste maman qui…

— Quoi ?

Penelope essuie ses larmes dans un sourire.

— Je ne suis pas la bienvenue pour la fête de la Saint-Jean, dit-elle.

Björn l'enlace.

— Tu ne devrais pas te préoccuper d'elle.

— Je sais.

Penelope dirige lentement le bateau vers le creux de la baie. Les moteurs ronronnent docilement. Ils sont désormais si près de la terre qu'elle peut sentir la douce odeur de la végétation. Ils jettent l'ancre, manœuvrent pour donner du mou et s'approchent des rochers. Björn saute à terre avec le cordage et l'amarre autour d'un tronc d'arbre.

Le sol est couvert de mousse. Il demeure là, à observer Penelope. Au cliquetis du cabestan, quelques oiseaux remuent dans la cime des arbres.

Penelope enfile un jogging et des baskets blanches, saute à terre et prend la main que lui tend Björn. Il l'enlace :

— On va explorer l'île ?

— Tu n'étais pas censé me convaincre de quelque chose ? demande-t-elle d'une voix insistante.

— Les avantages du droit d'accès à la nature.

Elle hoche la tête en souriant.

Il écarte ses cheveux et laisse ses doigts effleurer ses joues rebondies et ses épais sourcils noirs.

— Comment tu fais pour être si belle ?

Il dépose un léger baiser sur sa bouche puis se dirige vers la forêt.

Au centre de l'île s'étend une petite clairière parsemée de gros bouquets d'herbe sauvage. Des papillons et des bourdons volettent au-dessus des fleurs. Il fait chaud au soleil, au loin l'eau brille entre les arbres. Ils s'immobilisent, hésitent, se regardent en souriant, puis reprennent leur sérieux.

— Imagine que quelqu'un arrive, dit-elle.

— Il n'y a que nous sur cette île.

— Tu en es sûr ?

— Combien d'îles y a-t-il dans l'archipel de Stockholm ? Trente mille ? Sans doute plus.

Penelope enlève son haut de bikini, s'extirpe de ses chaussures, retire son pantalon, sa culotte et se retrouve soudain toute nue dans l'herbe. La première sensation d'embarras est presque aussitôt remplacée par une joie sans mélange. L'odeur de la mer sur sa peau et la terre encore chaude l'excitent. Björn la regarde, fasciné. Elle est grande, ses bras sont musclés et pourtant délicieusement charnus. Sa taille fine et ses fortes cuisses lui donnent un air de déesse antique. Les mains de Björn tremblent lorsqu'il se débarrasse de son T-shirt et de son bermuda à fleurs. Il est plus jeune qu'elle, il a un corps de garçon, presque imberbe, les épaules déjà brûlées par le soleil.

— Maintenant, c'est à moi de te regarder, dit-elle.

Il rougit et la rejoint avec un grand sourire.

— Je n'ai pas le droit ?

Il secoue la tête, enfouit son visage au creux de son cou, dans ses cheveux.

Ils s'embrassent, immobiles, simplement collés l'un à l'autre. Penelope sent sa langue chaude dans sa bouche et une vive sensation de bonheur traverse son corps. Elle chasse un sourire afin de pouvoir poursuivre le baiser. Leurs respirations s'accélèrent. Elle sent l'érection de Björn, le battement de son cœur qui s'intensifie. Fiévreux, ils s'allongent dans l'herbe et trouvent une place entre les bouquets. Sa bouche cherche ses seins, ses mamelons bruns, il embrasse son ventre et écarte ses cuisses. Il a l'impression que leurs corps étincellent dans le soleil couchant. Elle est déjà mouillée et pleine de désir quand il commence à la lécher, délicatement et très lentement. Au bout d'un court moment, elle est obligée de repousser sa tête. Elle serre les cuisses, sourit, les joues enflammées. Elle lui souffle de venir, l'attire à elle, le guide de la main et le laisse glisser en elle. Il respire lourdement dans son oreille tandis qu'elle fixe le ciel rose.

Plus tard, elle se redresse dans l'herbe chaude, s'étire, fait quelques pas et regarde en direction des arbres.

— Qu'est-ce qu'il y a ? demande Björn d'une voix pâteuse.

Elle le regarde. Il est assis nu par terre et lui sourit.

— Tu t'es brûlé les épaules.

— Comme chaque été.

Il tâte délicatement la peau rouge.

— On y retourne ? J'ai faim, dit-elle.

— Je voudrais juste nager un peu.

Elle enfile sa culotte et son jogging, met ses chaussures et garde le haut du bikini à la main. Elle laisse son regard parcourir sa poitrine nue, les muscles de ses bras, le tatouage sur son épaule, son bronzage imparfait, son regard clair et malicieux.

— La prochaine fois, c'est à toi d'être en dessous, dit-elle avec un sourire.

— La prochaine fois, répète-t-il gaiement. Tu es déjà accro, je le savais.

Elle rit et lui fait non de la main. Il s'allonge avec un sourire et regarde le ciel. Elle l'entend siffler pour lui-même tandis qu'elle retraverse la forêt en direction du rivage rocailleux où ils ont accosté. Elle s'arrête et enfile le haut du bikini avant de poursuivre jusqu'au bateau.

Quand Penelope monte à bord, elle se demande si Viola dort toujours dans la cabine arrière. Elle va mettre une casserole de pommes de terre nouvelles et quelques ombelles d'aneth à rissoler puis elle ira se laver et se changer. Etrangement, le pont arrière est trempé comme après une averse. Viola a dû le rincer pour une raison ou une autre. Le bateau lui semble différent. Bien qu'elle ignore pourquoi, tout à coup Penelope frissonne. Elle se sent mal à l'aise. Lorsque les oiseaux arrêtent brusquement de chanter, le silence est presque complet. Seuls un faible clapotis contre la coque et le grincement sourd du cordage autour de l'arbre se font entendre. Penelope reprend soudain conscience de ses mouvements. Elle descend l'escalier vers la poupe, constate que la porte de la cabine des invités est ouverte. La lampe est allumée, mais Viola n'est pas là. Les mains tremblantes, elle frappe à la porte des petites toilettes. Elle ouvre, passe la tête, puis retourne sur le pont. Plus loin dans la baie, elle aperçoit Björn qui est sur le point d'entrer dans l'eau. Elle lui fait signe, mais il ne la voit pas.

Penelope ouvre les portes vitrées du salon, passe devant les canapés bleus, la table en teck et la timonerie.

— Viola ? appelle-t-elle doucement.

Elle descend dans la kitchenette, sort une casserole et la pose sur la plaque. Son cœur se met à battre plus fort dans sa poitrine. Elle jette un coup d'œil dans la grande salle de bains puis avance jusqu'à la cabine qu'elle partage avec Björn. Elle ouvre la porte, balaie du regard la pièce sombre et croit d'abord voir son reflet dans le miroir. Viola est assise sur le bord du lit, immobile, la main posée sur le coussin rose de Myrorna.

— Qu'est-ce que tu fais là-dedans ?

Penelope s'entend poser la question bien qu'elle ait déjà le sentiment que quelque chose ne va pas. Le visage de Viola est mouillé et livide, ses cheveux sont trempés, raides et ternes. Penelope s'approche, prend le visage de sa sœur entre ses mains, pousse un faible gémissement puis lui crie :

— Viola ? Qu'est-ce que tu as ? Viola ?

Mais elle comprend déjà ce qui se passe, ce qui cloche. Aucun souffle ne s'échappe du corps de sa sœur, aucune chaleur n'émane de sa peau, il ne reste plus rien d'elle, la flamme s'est éteinte. L'étroite chambre s'assombrit, semble se refermer sur Penelope. Elle gémit d'une voix étrangère, trébuche en arrière, renverse des habits, se cogne violemment l'épaule contre le montant de la porte, se retourne et court en haut de l'escalier.

En arrivant sur le pont arrière, elle halète comme si elle avait failli s'étouffer. Elle tousse et regarde autour d'elle. Une peur glaciale s'est emparée de tout son être. A cent mètres sur la plage, elle aperçoit un inconnu vêtu de noir. Penelope le reconnaît confusément. Elle sait que c'est le même individu qui se trouvait dans un Zodiac à l'ombre du pont, et qui leur tournait le dos lorsqu'ils passaient. Elle comprend que l'homme en noir a tué Viola et qu'il n'en a pas encore fini.

L'homme se tient sur la plage et fait signe à Björn qui nage à vingt mètres du bord. Il lui crie quelque chose en levant le bras en l'air. Björn l'entend et s'arrête, bat l'eau de ses jambes et scrute la grève. Le temps semble s'arrêter. Penelope se précipite à la timonerie, fouille dans le tiroir à outils, trouve un couteau Mora et court jusqu'au pont arrière. Elle voit les brasses lentes de Björn, les ondes que dessine l'eau autour de lui. Il regarde l'homme d'un air perplexe. L'homme lui fait signe d'approcher, veut qu'il le rejoigne. Avec un sourire mal assuré, Björn commence à nager vers la plage.

— Björn, crie Penelope le plus fort possible. Va vers le large !

L'homme sur la plage se retourne vers elle et court en direction du bateau. Penelope coupe l'amarre, glisse sur le pont en bois humide, se relève, titube jusqu'à la timonerie et démarre le moteur. Sans regarder, elle remonte l'ancre et enclenche simultanément la marche arrière.

Björn a dû l'entendre, car il s'est détourné de la plage et nage maintenant vers le bateau. Penelope le dirige sur lui et voit au même moment que l'homme a changé de direction, il monte au pas de course la pente qui mène de l'autre côté de l'île. Elle suppose que l'homme a laissé son canot pneumatique dans la baie nord. Ils ne pourront pas lui échapper. Les moteurs grondant, elle vire pour rejoindre Björn. Elle crie, s'approche, ralentit et lui tend une gaffe. L'eau est froide. Il a l'air effrayé et exténué. Sa tête disparaît sans arrêt sous la surface. Elle le blesse avec la pointe de la gaffe et son front se met à saigner.

— Tiens bon, crie-t-elle.

Le Zodiac commence déjà à contourner l'île. Elle entend distinctement le bruit des moteurs. Le visage de Björn se contracte de douleur. Après plusieurs tentatives, il réussit enfin à saisir la gaffe. Elle le tire vers la plate-forme aussi vite qu'elle le peut. Il attrape le bord. Elle lâche la gaffe et la voit dériver dans l'eau.

— Viola est morte, crie-t-elle en entendant le désespoir et la panique se mêler dans sa voix.

Dès que Björn s'est agrippé au marchepied, elle se précipite à la timonerie et met les gaz à fond. Björn passe de l'autre côté du bastingage et elle l'entend hurler de mettre le cap sur la presqu'île d'Ornäs. Le mugissement des moteurs du hors-bord s'approche derrière eux. Elle braque en dessinant une courbe abrupte sur l'eau, la coque gronde violemment.

— Il a tué Viola, gémit Penelope.

— Attention aux écueils, dit Björn en claquant des dents.

Le Zodiac a contourné l'îlot de Stora Kastskär et pris de la vitesse au large. Le sang coule le long du visage de Björn. Ils gagnent rapidement la grande île. Björn se retourne et aperçoit l'autre bateau à trois cents mètres environ.

— Rejoins le ponton !

Elle tourne, enclenche la marche arrière et arrête le moteur dès que l'avant du bateau heurte le ponton avec fracas. La coque racle contre une échelle en bois humide. Les vagues se fracassent contre les rochers avant de se retirer. Le bateau bascule sur le côté, les marches sont réduites en morceaux. L'eau passe au-dessus du bastingage. Ils quittent le bateau et atteignent le ponton. Ils entendent les craquements de la coque qui le percute violemment dans les remous. Ils courent vers la côte, le Zodiac se rapproche dangereusement. Penelope glisse, prend appui avec sa main et escalade, haletante, les rochers du rivage en direction de la lisière de la forêt. Derrière eux, les moteurs du canot s'éteignent, Penelope a conscience que leur avance est dérisoire. Elle file avec Björn entre les arbres, pénétrant dans les profondeurs de la forêt. Dans l'affolement, ses pensées n'obéissent plus à aucune logique, elle cherche désespérément des yeux un endroit où se cacher.

4

L'HOMME FLOTTANT

Le paragraphe 21 du code de police décrit comment un agent doit préparer l'accès à une maison, une chambre ou tout autre lieu, lorsqu'on suspecte que s'y trouve une personne décédée, inconsciente ou incapable d'appeler à l'aide.

En ce samedi du mois de juin, c'est à l'agent John Bengtsson qu'a échu la mission d'inspecter un appartement au dernier étage du 2, Grevgatan. Celui de Carl Palmcrona, le directeur général de l'ISP, l'Inspection pour les produits stratégiques. Dernièrement, il ne s'est pas rendu à son travail et a manqué un rendez-vous avec le ministre des Affaires étrangères.

Ce n'est pas la première fois que John Bengtsson s'introduit dans un appartement pour y rechercher un mort ou un blessé. Dans la majeure partie des cas, ce sont les membres de la famille, redoutant un suicide, qui donnent l'alerte. Des parents silencieux, terrifiés, doivent attendre dans la cage d'escalier pendant qu'il sonde les pièces une à une. Parfois, il retrouve des jeunes hommes dont le pouls est quasiment imperceptible après une overdose. Parfois, il s'agit de scènes de crime, de femmes mortes à la suite de maltraitances à la lueur de la télévision du salon.

John Bengtsson a apporté les outils nécessaires pour forcer la porte et un pistolet de crochetage. Il pénètre dans le grand hall, prend l'ascenseur jusqu'au cinquième étage et sonne à la porte. Après avoir attendu un moment, il pose son lourd sac au sol et inspecte le verrou de la porte blindée. Il entend soudain un bruit diffus dans la cage d'escalier, comme si quelqu'un marchait à pas feutrés à l'étage inférieur.

L'agent John Bengtsson demeure un instant immobile, puis il tend la main pour appuyer sur la poignée : la porte n'est pas fermée à clef, s'ouvre et tourne docilement sur ses quatre gonds.

— Il y a quelqu'un ? crie-t-il.

Personne ne lui répond, il franchit donc le seuil en traînant son sac sur le sol, referme derrière lui, essuie ses pieds sur le paillasson et pénètre dans le grand vestibule.

Une douce musique lui parvient depuis la pièce voisine. Il rejoint la porte, frappe et entre. Il découvre une pièce spacieuse, meublée très sobrement de trois canapés Carl Malmsten et d'une table basse en verre. Sur le mur, un petit tableau représente un navire pris dans une tempête.

Une lueur bleue glaciale émane d'une chaîne stéréo plate et transparente. Les enceintes diffusent la musique d'un violon mélancolique.

Il traverse la pièce jusqu'à la double porte et l'ouvre. Elle donne sur un salon pourvu de hauts vitraux art nouveau. La lumière estivale s'infiltre par les petits carreaux supérieurs.

Un homme flotte au milieu de la pièce blanche.

C'est une vision surréaliste.

Médusé, John Bengtsson fixe l'homme mort. Une éternité semble s'écouler avant qu'il ne distingue un fil à linge attaché au crochet du lustre.

L'homme, habillé élégamment, est immobile, comme figé dans un grand saut, les chevilles étirées et les pointes de ses chaussures tendues vers le sol.

Il est pendu – mais John Bengtsson ne peut définir ce que la scène a de si singulier, il a le sentiment que quelque chose lui échappe.

Il n'est pas autorisé à franchir le seuil. La pièce où le corps a été découvert doit rester intacte. Il sent les rapides battements de son cœur, déglutit avec force, mais ne parvient pas à détourner son regard de l'homme flottant au centre de la pièce.

Un nom résonne dans la tête de John Bengtsson, tel un faible chuchotement : *Joona, il faut que je parle avec Joona Linna.*

Il n'y a rien dans la pièce excepté cet homme pendu qui, selon toute vraisemblance, est Carl Palmcrona, directeur général de l'ISP.

Au plafond, le fil par lequel il est suspendu est attaché au crochet au centre de la rosace.

L'homme n'avait rien sur quoi grimper, se dit Bengtsson.

La hauteur sous plafond est d'au moins trois mètres cinquante.

John Bengtsson s'efforce de se calmer, de rassembler ses esprits et d'enregistrer tout ce qu'il voit. Il croit distinguer quelques petites taches de sang dans les yeux écarquillés du pendu. Il porte un manteau léger sur son costume gris et des souliers. Une mallette noire et un téléphone portable gisent à côté de la flaque d'urine qui s'est formée sous le corps.

Soudain, l'homme pendu frémit.

John Bengtsson inspire profondément.

Un bruit sourd résonne au plafond, des coups de marteau retentissent au-dessus, quelqu'un traverse la pièce à l'étage. Un second bruit se fait entendre et le corps de Palmcrona frémit de nouveau. Une perceuse bourdonne, puis s'arrête. Un homme crie quelque chose. Il a besoin de plus de fil. L'enrouleur du fil ! crie-t-il.

John Bengtsson sent son pouls reprendre un rythme normal à mesure qu'il s'éloigne de la pièce. La porte du vestibule est grande ouverte. Il s'immobilise, pourtant certain de l'avoir refermée. Il a pu se tromper. Il sort de l'appartement. Avant de faire un rapport à sa brigade, il appelle Joona Linna de la Rikskrim*.

* Abréviation de Riskriminalpolisen.

5

RIKSMORDSKOMMISSIONEN*

C'est la première semaine de juin. Les habitants de Stockholm sont réveillés très tôt le matin par le soleil qui se lève à 3 h 30 depuis plusieurs semaines. Le début de l'été a été exceptionnellement chaud, les merisiers et les lilas ont fleuri en même temps. De lourdes grappes de fleurs diffusent leurs arômes depuis le parc Kronoberg jusqu'à l'entrée de la Rikspolissty-relsen**.

La Rikskrim est la seule police centrale opérationnelle en Suède en charge de la criminalité lourde au niveau national et international. Son directeur, Carlos Eliasson, observe les pentes abruptes du parc Kronoberg depuis la fenêtre de son bureau situé au huitième étage. Un téléphone à la main, il compose le numéro de Joona Linna. La messagerie se déclenche une nouvelle fois, il raccroche, repose le téléphone et consulte sa montre.

Petter Näslund entre dans la pièce en se raclant doucement la gorge, puis s'appuie sur le mur contre une banderole de supporter.

Depuis la pièce voisine, on entend le murmure d'une conversation téléphonique sur les mandats d'arrêt européens et le système de renseignements à l'intérieur de l'espace Schengen.

— Pollock et ses gars seront bientôt là, dit Petter.

— Je sais lire l'heure, répond Carlos d'une voix douce.

— Les tartines sont prêtes en tout cas.

Carlos réprime un sourire :

— Tu sais qu'ils sont en train de recruter ?

---

* Commission nationale d'enquête criminelle.
** Direction centrale de la police.

Petter rougit et baisse la tête, puis lève les yeux :

— J'allais… Tu penses à quelqu'un qui pourrait convenir à la Riksmordskommissionen ?

La Riksmordskommissionen est composée de six experts qui collaborent à des enquêtes criminelles partout en Suède. Cette commission travaille de manière systématique à partir d'une méthode nommée PUG, dédiée aux crimes graves.

Les membres de la Riksmordskommissionen fournissent un travail colossal et sont tellement sollicités qu'ils ont rarement le temps de se réunir au commissariat.

Petter Näslund a quitté le bureau, Carlos est maintenant installé dans son fauteuil et regarde ses poissons paradis évoluer dans l'aquarium. Lorsqu'il tend la main pour attraper leur boîte de nourriture, le téléphone sonne.

Il décroche :

— Oui.

— Ils montent, dit Magnus, de l'accueil.

— Merci.

Une dernière fois, Carlos tente de joindre Joona Linna avant de se lever, de jeter un œil à son reflet dans le miroir et de quitter son bureau. A peine est-il arrivé dans le couloir que l'ascenseur émet un tintement. Ses portes s'ouvrent silencieusement. A la vue des membres de la Riksmordskommissionen, le souvenir du concert des Rolling Stones auquel il a assisté il y a quelques années avec des collègues lui revient immédiatement à la mémoire. Les musiciens qui étaient entrés sur scène avaient l'air d'être des hommes d'affaires décontractés ; tout comme les membres de la Riksmordskommissionen, ils étaient vêtus de costumes-cravates sombres.

Sorti de l'ascenseur en premier, on trouve Nathan Pollock, ses cheveux gris réunis en queue de cheval. Il est suivi d'Erik Eriksson, dont les lunettes sont ornées de diamants, ce qui lui vaut le surnom d'Elton. Derrière eux flâne Niklas Dent, aux côtés de P. G. Bondesson. Tommy Kofoed, le technicien de la police scientifique, ferme la marche, le dos voûté, en fixant le sol d'un air renfrogné.

Carlos les conduit à la salle de réunion. Le directeur des opérations, Benny Rubin, est déjà installé à la table ronde, un café noir posé devant lui, et les attend. Tommy Kofoed prend une pomme dans la corbeille à fruits et la mange en mâchant bruyamment.

Nathan Pollock le regarde en souriant et secoue la tête lorsque celui-ci s'arrête avec un air interrogateur au milieu d'une bouchée.

— Bienvenue, commence Carlos. Je suis ravi que vous ayez tous pris le temps de venir car nous avons quelques sujets importants à l'ordre du jour.

— Joona Linna n'était-il pas censé participer ? demande Tommy Kofoed.

— Si, répond Carlos d'une voix hésitante.

— Il fait comme il veut, lâche Pollock à voix basse.

— C'est lui qui a résolu l'affaire des meurtres de Tumba il y a un ou deux ans, dit Tommy Kofoed. J'y pense sans arrêt, le fait qu'il était persuadé… il savait dans quel ordre les meurtres avaient été commis.

— Contre toute espèce de logique, sourit Elton.

— Je m'y connais en criminalistique, poursuit Tommy Kofoed. Mais Joona a juste observé les traces de sang, ça me dépasse…

— Il a saisi l'ensemble de la scène, dit Nathan Pollock. Le degré de violence, l'effort, le stress et à quel point les pas dans la maison semblaient fatigués comparés à ceux des vestiaires.

— Je n'arrive toujours pas à y croire, marmonne Tommy Kofoed.

Carlos s'éclaircit la voix et baisse les yeux sur l'ordre du jour informel que constituent les feuilles disposées devant lui.

— La police maritime nous a contactés ce matin, dit-il. Il semble qu'un vieux pêcheur ait retrouvé le cadavre d'une femme.

— Dans le filet ?

— Non, il a vu un grand yacht dériver près de l'île de Dalarö, il l'a rejoint à la rame, est monté à bord et l'a trouvée assise sur la couchette de la cabine avant.

— Ce n'est pas vraiment une affaire pour la commission, répond Petter Näslund en souriant.

— Elle a été assassinée ? demande Nathan Pollock.

— Sans doute un suicide, répond aussitôt Petter.

— Il n'y a rien d'urgent, dit Carlos en prenant une part de gâteau au sucre. Je voulais simplement le mentionner.

— Autre chose ? demande Tommy Kofoed d'un ton maussade.

— On a une demande de la police de Västra Götaland, dit Carlos. La feuille est sur la table.

— Je ne vais pas pouvoir m'en occuper, déclare Pollock.

— Vous êtes tous accablés de travail, je le sais, dit Carlos en essuyant lentement les miettes devant lui. On devrait peut-être procéder différemment et parler du… du recrutement à la Riksmordskommissionen.

Benny Rubin jette à ses collègues un regard lourd de sens avant de leur expliquer que la direction a conscience de leur grande charge de travail et que par conséquent la première mesure adoptée a été de prévoir des fonds pour renforcer la commission d'un poste supplémentaire.

— La parole est à vous, dit Carlos.

— Ce serait peut-être bien que Joona soit là pour ce point ? demande Tommy Kofoed en s'inclinant au-dessus de la table pour atteindre les sandwichs emballés sous cellophane.

— Ce n'est pas dit qu'il vienne, dit Carlos.

— On peut boire un peu de café pour commencer, propose Erik en réajustant ses lunettes scintillantes sur son nez.

Tommy Kofoed ôte le plastique d'un sandwich au saumon, enlève le brin d'aneth, presse un peu de citron et déroule la serviette qui entoure les couverts.

Soudain, la porte s'ouvre et Joona Linna, les cheveux blonds en pagaille, entre dans la salle de réunion.

— *Syö tilli, pojat,* lance-t-il en finlandais, le sourire aux lèvres.

— Exactement, rit Nathan Pollock. Mangez votre aneth, les gars.

Nathan et Joona se regardent, amusés. Tommy Kofoed rougit et secoue la tête en souriant.

— *Tilli,* répète Nathan Pollock avant d'éclater de rire quand Joona va remettre le brin d'aneth sur le sandwich de Tommy Kofoed.

— On pourrait peut-être poursuivre la réunion, dit Petter.

Joona serre la main de Nathan Pollock, suspend sa veste sombre sur le dossier d'une chaise libre et s'installe.

— Excusez-moi, dit Joona à mi-voix.

— Bienvenue, dit Carlos.

— Merci.

— On était sur le point de parler du recrutement.

Il se pince la lèvre inférieure tandis que Petter Näslund se tortille sur sa chaise.

— Je crois… je crois que je vais laisser la parole à Nathan, poursuit Carlos.

— D'accord, volontiers, là, je ne parle pas seulement en mon nom, commence-t-il. A vrai dire… on est tous d'accord, on espère que tu voudras bien te joindre à nous, Joona.

Pendant un moment, la pièce reste plongée dans le silence. Niklas Dent et Erik Eriksson hochent la tête. Dans le contre-jour, on ne distingue que la masse noire de la silhouette de Petter Näslund.

— Nous le souhaitons vivement, dit Tommy Kofoed.

— J'apprécie la proposition, répond Joona qui passe les doigts dans ses cheveux épais. Vous êtes très performants, vous l'avez bien démontré, et je respecte ce que vous faites…

Ils fixent la table, un sourire crispé sur les lèvres.

— Mais personnellement… je ne peux pas travailler à partir de la méthode PUG.

— On le sait, on l'a compris, s'empresse de répondre Kofoed. Elle est un peu rigide, mais elle peut aussi être utile, il s'est avéré que…

Il s'interrompt.

— On voulait quand même te le proposer, dit Nathan Pollock.

— Je ne crois pas que ça soit pour moi, répond Joona.

Ils baissent les yeux, certains hochent la tête et Joona s'excuse lorsque son téléphone sonne. Il se lève et quitte la salle de réunion. Après quelques minutes, il revient pour récupérer sa veste.

— Je suis désolé, dit-il. Je serais bien resté pour la réunion, mais…

— Il s'est passé quelque chose de grave ? demande Carlos.

— C'était John Bengtsson de la brigade anti-criminalité, dit Joona. Il vient de trouver Carl Palmcrona.

— Trouver ?

— Pendu, répond Joona.

Son visage s'assombrit et ses yeux semblent scintiller comme du verre gris.

— Qui est ce Palmcrona ? demande Nathan Pollock. Je n'arrive pas à le situer.

— Directeur général de l'ISP, répond aussitôt Tommy Kofoed. C'est lui qui dirige l'export d'armes suédois.

— Tous les services de l'ISP ne sont-ils pas classés secret-défense ? demande Carlos.

— Si, répond Kofoed.

— Alors, c'est sans doute quelqu'un de la Sûreté qui s'en occupera.

— J'ai promis à John Bengtsson de passer, répond Joona. Il y a quelque chose d'étrange là-bas.

— Quoi ? demande Carlos.

— C'est… Non, avant tout je dois aller voir ça de mes propres yeux.

— Ça a l'air intrigant, dit Tommy Kofoed. Est-ce que je peux me joindre à toi ?

— Si tu veux, répond Joona.

— Dans ce cas, je suis de la partie moi aussi, déclare Pollock.

Carlos tente de leur rappeler qu'ils sont en réunion, mais comprend vite que c'est peine perdue. Les trois hommes quittent la salle ensoleillée et se retrouvent dans la fraîcheur du couloir.

6

PAR OÙ LA MORT EST ARRIVÉE

Vingt minutes plus tard, l'inspecteur Joona Linna gare sa Volvo noire sur Strandvägen. Une Lincoln Town Car gris métallisé s'arrête derrière lui. Joona sort de sa voiture et attend ses deux collègues de la Riksmordskommissionen. Ensemble, ils contournent l'angle du bâtiment et passent la porte du 2, Grevgatan.

Dans l'ascenseur qui s'élève en grinçant vers le dernier étage, Tommy Kofoed, de sa voix morne si caractéristique, demande à Joona ce qu'il sait déjà de l'affaire.

— L'ISP a signalé que Carl Palmcrona avait disparu. Il n'avait pas de famille et aucun de ses collègues ne le fréquentait personnellement. Quand il ne s'est pas présenté à son travail, on a chargé la brigade de vérifier ce qui se passait. John Bengtsson s'est rendu chez Palmcrona où il l'a retrouvé pendu dans son appartement, puis il m'a appelé. Il m'a dit qu'il soupçonnait un crime et il voulait que je passe sans tarder.

Les rides du visage tanné de Nathan Pollock se creusent :

— Qu'est-ce qui lui faisait croire qu'il pourrait s'agir d'un crime ?

L'ascenseur s'arrête et Joona fait coulisser la grille. John Bengtsson les attend devant la porte de l'appartement de Palmcrona. Il interrompt sa lecture et Joona lui serre la main :

— Voici Tommy Kofoed et Nathan Pollock, de la Riksmordskommissionen.

Ils se saluent sobrement.

— La porte n'était pas fermée à clef quand je suis arrivé, commence John. Il y avait de la musique. J'ai trouvé Palmcrona pendu dans une des grandes pièces. J'ai ramassé pas mal de gars dans ma vie, mais là, franchement… je doute que ce soit un suicide et si on songe au statut de Palmcrona dans notre société, alors…

— Tu as bien fait d'appeler, dit Joona.

— Est-ce que tu as examiné la victime ? demande Kofoed d'un ton grave.

— Je ne suis même pas entré dans la pièce, répond John.

— Très bien, marmonne Kofoed qui pose des plaques de cheminement au fur et à mesure de son avancée.

Après quelques secondes, Joona et Nathan Pollock peuvent à leur tour pénétrer dans le vestibule. Bengtsson patiente près d'un canapé bleu. Il désigne la double porte qui est restée entrebâillée. Joona avance sur les plaques de cheminement et pousse entièrement les deux battants.

Une lumière chaude envahit le salon. Carl Palmcrona pend au milieu de la grande pièce. Il est vêtu d'un costume clair, d'un pardessus léger et porte des souliers. Des mouches grouillent sur le visage livide, autour des yeux et de la bouche. Elles pondent de petits œufs jaunes et bourdonnent autour de la flaque d'urine et de la petite mallette à terre. Le fil à linge est entré profondément dans le cou de Palmcrona, la chair est marquée d'un sillon couleur pourpre et du sang s'est écoulé à l'intérieur de la chemise.

— Exécuté, constate Tommy Kofoed en enfilant une paire de gants.

L'air maussade qu'il affichait plus tôt s'est instantanément évaporé. Il s'agenouille en souriant et commence à photographier le corps pendu.

— On va sans doute retrouver des blessures au niveau de la colonne cervicale, dit Pollock en désignant la nuque du cadavre.

Joona observe le plafond, puis le sol.

— Il s'agit donc d'une mise en scène, poursuit Kofoed d'une voix enthousiaste en mitraillant le corps avec son appareil photo. Je veux dire, le meurtrier ne s'efforce pas de masquer le crime, au contraire, il veut dire quelque chose, faire passer un message.

— Oui, c'est ce que je me suis dit, enchaîne John Bengtsson, zélé. La pièce est vide, il n'y a pas de chaises ni d'échelle sur lesquelles grimper.

— Alors, quel est le message ? poursuit Tommy Kofoed en baissant son appareil photo pour examiner le corps, les yeux plissés. La pendaison est liée à la trahison, Judas Iscariote qui…

— Attends un peu, l'interrompt doucement Joona.

Ils le regardent faire un geste en direction du sol.

— Quoi ? demande Pollock.

— Je pense qu'il s'agit d'un suicide, dit Joona.

— Tout à fait classique comme suicide, dit Tommy Kofoed en riant un peu trop fort. Il a battu des ailes, puis il a volé jusqu'au…

— La mallette, poursuit Joona. En mettant la mallette sur le chant, il a pu arriver à monter.

— Mais pas jusqu'au plafond, argumente Pollock.

— Il a pu attacher la corde au préalable.

— Je crois que tu te trompes.

Joona hausse les épaules et marmonne :

— Ajouté à la musique et aux nœuds, ça…

— Et si on jetait un coup d'œil à cette mallette ? demande résolument Pollock.

— Avant, je dois faire quelques prélèvements, dit Kofoed.

Ils observent en silence le corps trapu et courbé de Tommy Kofoed qui avance à quatre pattes. Il déroule un film plastique noir recouvert d'une fine couche de gélatine sur le sol et appuie ensuite délicatement dessus avec un rouleau en caoutchouc.

— Est-ce que tu peux sortir quelques sachets scellés et un grand sac kraft ? demande-t-il en désignant le sac de matériel.

— Carton ondulé ? demande Pollock.

— Oui, merci, répond Kofoed en réceptionnant le sachet scellé lancé de loin par Pollock.

Il relève les traces biologiques au sol et fait ensuite signe à Nathan Pollock d'entrer.

— Tu vas trouver des empreintes de chaussures sur un des chants de la mallette, dit Joona. Elle s'est renversée en arrière et le corps s'est balancé en diagonale.

Nathan Pollock ne dit pas un mot, il s'approche de la mallette en cuir et s'agenouille. Sa queue de cheval argentée retombe sur l'épaule de sa veste quand il se tend pour mettre la mallette sur le chant. On distingue nettement des empreintes de chaussures qui marquent le cuir noir.

— Je te l'avais dit, triomphe Joona.

— Merde alors, dit Tommy Kofoed, visiblement impressionné.

Il sourit à Joona de tout son visage fatigué.

— Suicide, marmonne Pollock.

— En tout cas d'un point de vue purement technique, dit Joona.

Ils observent le corps pendu.

— Qu'est-ce qu'on a là, dis-moi ? demande Kofoed, toujours souriant. La personne qui gère de l'export suédois de matériel de guerre s'est suicidée.

— Rien qui nous concerne, soupire Pollock.

Tommy Kofoed retire ses gants et fait un geste en direction de l'homme pendu :

— Joona ? C'était quoi l'histoire des nœuds et de la musique ?

— Ça, c'est un nœud d'écoute double, dit Joona en indiquant le nœud autour du crochet au plafond. J'ai fait un rapprochement avec la longue carrière de Palmcrona au sein de la marine.

— Et la musique ?

Joona s'arrête et l'observe longuement :

— Et toi, quelles réflexions tu te fais sur la musique ?

— Je n'en sais rien, c'est une sonate pour violon, dit Kofoed. Début du XIXᵉ ou…

Il s'interrompt lorsqu'on sonne à la porte. Les quatre hommes se regardent, surpris. Joona se dirige vers l'entrée, les autres le suivent mais s'arrêtent dans le salon pour qu'on ne puisse pas les voir depuis la cage d'escalier. Joona traverse le couloir menant au vestibule, s'arrête, hésite à se servir du judas, et s'abstient finalement. Il sent un léger courant d'air s'infiltrer par le trou de la serrure lorsqu'il appuie sur la poignée. La lourde porte s'ouvre lentement. Le palier est très sombre. Le minuteur de la lumière s'est déjà arrêté et seule la lueur roussâtre qui traverse les vitres éclaire la cage d'escalier. Soudain, Joona perçoit une faible respiration tout près de lui. Un souffle rauque, presque lourd. Joona avance sa tête avec précaution pour regarder derrière la porte tandis que sa main descend sur la crosse de son pistolet. Une grande femme aux mains imposantes se tient dans le filet de lumière qui passe entre la porte et le chambranle. Elle doit avoir dans les soixante-cinq ans. Elle est immobile. Un grand pansement couleur chair recouvre sa joue. Ses cheveux gris sont coupés court, en une coiffure à la Jeanne d'Arc. Elle regarde Joona droit dans les yeux et sans l'ombre d'un sourire lui demande :

— Vous l'avez descendu ?

7

DES MAINS SECOURABLES

Joona pensait arriver à temps pour la réunion prévue à 13 heures avec la Riksmordskommissionen. D'ici là, il devait seulement déjeuner avec Disa dans le jardin de Rosendal, sur l'île de Djurgården. Comme il était arrivé en avance, il patienta un moment au soleil en observant la brume qui flottait au-dessus des vignes. Enfin, il aperçut Disa, son sac en tissu sur l'épaule. Son visage fin aux traits intelligents était parsemé de taches de rousseur printanières et ses cheveux, qui d'habitude étaient toujours réunis en deux tresses négligées, étaient pour une fois relâchés et recouvraient ses épaules. Elle avait apporté un soin particulier à sa toilette, elle portait une robe à fleurs et des sandales compensées.

Ils s'enlacèrent délicatement.

— Salut, dit Joona. Comme tu es belle !

Ils allèrent se servir au buffet et s'installèrent à une table à l'extérieur. Joona remarqua que ses ongles étaient vernis. Elle était chef archéologue et avait souvent les ongles coupés court et recouverts de terre. Le regard de Joona vagabondait entre ses mains et les arbres fruitiers du jardin.

Disa avait entamé son assiette et parlait la bouche pleine :

— Le duc de Kurzeme a offert un léopard à la reine Christine. Elle le gardait ici, à Djurgården.

— Je ne le savais pas, dit Joona d'une voix calme.

— J'ai lu dans les livres de comptes du château que le Ränte-kammaren* a versé quarante thalers en pièces d'argent pour couvrir les frais funéraires d'une fille qui s'était fait déchiqueter par le léopard.

---

* Chambre qui administrait les biens du royaume jusqu'en 1877.

Elle s'inclina en arrière et prit son verre dans les mains. Puis ajouta d'un ton ironique :

— Ne monopolise pas la conversation, Joona Linna.

— Pardon, dit Joona. Je…

Il se tut et sentit soudain une certaine lassitude l'envahir.

— Quoi ?

— S'il te plaît, continue l'histoire sur le léopard.

— Tu as l'air triste…

— Je pense à maman… hier, ça a fait un an qu'elle nous a quittés. Je suis allé déposer un iris blanc sur sa tombe.

— Ritva me manque énormément.

Elle reposa ses couverts et demeura un moment silencieuse.

— La dernière fois que je l'ai vue, tu sais ce qu'elle m'a dit ? Elle m'a pris la main, puis elle m'a dit que je devais te séduire et faire en sorte de tomber en cloque.

— Je n'en doute pas, rit Joona.

La lumière du soleil se reflétait dans les verres et scintillait dans les yeux sombres de Disa.

— J'ai répondu que je ne pensais pas que ça soit possible, elle m'a conseillé de te quitter et ne plus jamais regarder en arrière, de ne plus jamais revenir.

Il hocha la tête mais ne savait pas quoi dire.

— Alors, tu finirais tout seul, poursuit Disa. Un grand Finnois solitaire.

Il caressa ses doigts :

— Je ne le veux pas.

— Quoi ?

— Devenir un grand Finnois solitaire, dit-il d'une voix douce. Je veux être avec toi.

— Et moi, j'ai envie de te mordre. Assez fort même. Tu peux me l'expliquer ça ? Mes dents me démangent dès que je te vois, répondit Disa en souriant.

Joona tendit la main pour la toucher. Il savait qu'il était déjà en retard pour la réunion avec Carlos Eliasson et la Riksmordskommissionen, pourtant il restait là, face à Disa, et discutait avec elle tout en songeant qu'il aurait dû se rendre au Musée nordique pour contempler la couronne de mariée samie.

*

En attendant l'arrivée de Joona Linna, Carlos Elisasson avait parlé à la Riksmordskommissionen du cas de la jeune femme retrouvée morte sur un bateau dans l'archipel de Stockholm. Benny Rubin avait écrit dans le procès-verbal que cette enquête n'était pas urgente, et qu'il fallait attendre le résultat des investigations menées par la police maritime.

Joona était arrivé avec un peu de retard et à peine la réunion avait-elle commencé que John Bengtsson, de la brigade anti-criminalité, avait appelé. Ils se connaissaient depuis de nombreuses années et jouaient ensemble au bandy depuis plus de dix ans. John Bengtsson était un homme sympathique, mais lorsque son cancer de la prostate avait été diagnostiqué, les liens avec la plupart de ses amis s'étaient distendus. Bengtsson était désormais rétabli, mais comme ceux qui ont vu la mort de près, il avait quelque chose de fragile, d'hésitant.

Joona était dans le couloir devant la salle de réunion, il écoutait John Bengtsson. Sa voix lente trahissait cette fatigue extrême qui se manifeste souvent après un stress intense. Il décrivait comment il avait découvert le corps du directeur général de l'Inspection pour les produits stratégiques pendu dans son appartement.

— Suicide ? demanda Joona.

— Non.

— Meurtre ?

— Tu veux pas venir, plutôt ? Je n'arrive pas à y voir clair. Le corps flotte au-dessus du sol, Joona.

*

Avec Nathan Pollock et Tommy Kofoed, Joona venait de constater qu'il s'agissait d'un suicide lorsqu'on sonna à la porte de l'appartement de Palmcrona. Une grande femme se tenait sur le palier, dans l'obscurité, tenant des cartons de nourriture dans ses mains imposantes.

— Vous l'avez descendu ? demanda-t-elle.

— Descendu ? répéta Joona.

— Le directeur Palmcrona, dit-elle sobrement.

— Qu'est-ce que vous voulez dire par "descendre" ?

— Je vous demande pardon, je suis une simple femme de ménage, je pensais…

Embarrassée, elle se dirigea vers l'escalier. Elle s'arrêta net quand Joona répondit à sa première question :

— Il est toujours pendu.

— Oui, dit-elle avant de se retourner vers lui, le visage impassible.

— Vous l'avez vu dans la journée ?

— Non.

— Pourquoi m'avez-vous demandé si nous l'avions descendu ? Il s'est passé quelque chose ? Vous avez vu quelque chose ?

— Un nœud coulant dans le crochet du lustre, dans le petit salon.

— Vous avez vu le nœud ?

— Evidemment.

— Mais vous n'avez pas eu peur qu'il ne s'en serve ?

— Mourir, ce n'est pas un cauchemar, répondit-elle en refoulant un sourire.

— Pardon ?

La femme se contenta de secouer la tête.

— Comment imaginez-vous qu'il est mort ? demanda alors Joona.

— Le nœud coulant a dû se resserrer autour de son cou, répondit-elle d'une voix éteinte.

— Et comment le nœud s'est-il retrouvé autour de son cou ?

— Je ne sais pas… peut-être a-t-il eu besoin d'un coup de main ?

— Qu'est-ce que vous voulez dire par là ?

Ses yeux se dérobèrent. Joona crut qu'elle allait s'évanouir, mais elle prit appui sur le mur, revint à elle et dit d'une voix faible :

— Les mains secourables ne manquent pas.

8

L'AIGUILLE

La piscine du commissariat est vide et silencieuse. Derrière la vitre, tout est sombre. Il n'y a personne à la cafétéria. L'eau est presque immobile. Le grand bassin bleu est éclairé par des projecteurs encastrés dans les parois et des reflets dansent lentement sur les murs et au plafond. Joona Linna enchaîne les longueurs en maintenant une allure régulière et en contrôlant le rythme de sa respiration.

Tandis qu'il nage, plusieurs souvenirs défilent dans sa tête. Celui du visage de Disa quand elle lui disait que ses dents la démangeaient quand elle le voyait.

Joona atteint le bord de la piscine, opère un demi-tour sous l'eau et s'aide de l'impulsion de ses pieds sur la paroi pour repartir. Il ne se rend pas compte qu'il force son allure tandis que ses pensées le mènent peu à peu jusqu'à l'appartement de Carl Palmcrona, sur Grevgatan. Il visualise à nouveau, devant le corps pendu, la flaque d'urine, les mouches voletant autour du visage. Le défunt n'a pas ôté son manteau ni ses chaussures, et pourtant il a pris le temps de mettre de la musique.

La scène avait donné à Joona l'impression paradoxale d'un acte à la fois planifié et impulsif, ce qui est loin d'être exceptionnel dans les affaires de suicide.

Il nage plus vite, tourne, accélère encore en se voyant remonter le couloir de l'appartement de Palmcrona et ouvrir la porte après que le bruit de la sonnette les eut interrompus. Il repense à cette grande femme cachée derrière la porte dans l'obscurité du palier.

A bout de souffle, Joona s'arrête sur le bord de la piscine, prend appui sur les flotteurs en plastique au-dessus du drain de débordement. Sa respiration se calme progressivement, mais l'effet de l'acide lactique dans les muscles de ses épaules perdure. Un groupe de policiers fait irruption dans la salle, ils sont en tenue de sport et ont apporté deux mannequins de secourisme pour s'entraîner, un taille enfant et un autre correspondant à un adulte en surpoids.

Mourir, ce n'est pas un cauchemar, avait dit la grande femme en souriant.

Joona sort de la piscine, il éprouve une étrange sensation de stress. Il ignore pourquoi, mais la mort de Carl Palmcrona le préoccupe. Pour une raison ou une autre, l'idée de cette grande pièce claire ne le quitte plus. Il entend encore la calme mélodie du violon se mêler au bourdonnement paresseux des mouches.

Joona sait qu'il s'agit d'un suicide et tente de se convaincre que l'affaire ne concerne pas la Rikskrim. Pourtant, il serait bien retourné immédiatement dans l'appartement de Palmcrona pour l'examiner à nouveau, faire le tour de toutes les pièces et vérifier si quelque chose lui avait échappé.

Lorsqu'il parlait avec la femme de ménage, Joona s'était dit que le choc provoqué par la mort de Palmcrona l'avait rendue confuse et méfiante, comme si elle se retrouvait prise dans un brouillard épais. C'était sans doute pour cette raison qu'elle avait répondu de façon si peu cohérente à ses questions. En repassant la conversation dans sa tête, Joona tente cette fois une nouvelle approche. Peut-être qu'elle n'était ni confuse, ni en état de choc, mais s'efforçait au contraire de donner des réponses aussi concises que possible. La femme de ménage, Edith Schwartz, avait affirmé qu'on avait aidé Carl Palmcrona pour le nœud, elle avait parlé de mains secourables. Autrement dit, il n'avait peut-être pas orchestré sa mort tout seul.

Quelque chose ne collait pas.

Joona sent qu'il tient quelque chose, mais il n'arrive pas à cerner quoi. Il entre dans le vestiaire des hommes, ouvre son placard, prend son téléphone et appelle le médecin légiste en chef, Nils Åhlén, dit l'Aiguille.

— Je n'ai pas terminé, répond l'Aiguille avant même que Joona ait eu le temps de prononcer un mot.

— C'est à propos de Palmcrona. Quelle est ta première impression, même si tu…

— Je n'ai pas terminé, l'interrompt l'Aiguille.

— Même si tu n'as pas terminé, complète Joona.

— Passe lundi.

— Je passe maintenant.

— A 17 heures, on va choisir un canapé avec ma femme.

— Je suis chez toi dans vingt-cinq minutes, dit Joona qui coupe la communication avant que l'Aiguille n'ait le temps de répéter qu'il n'a pas terminé.

Douché et habillé, il entend l'écho des discussions et des rires des enfants qui vont commencer les cours prodigués par l'école de natation du commissariat.

Il réfléchit à ce qu'implique le fait qu'on ait retrouvé pendu le directeur général de l'Inspection pour les produits stratégiques. Le responsable de la fabrication et des exportations de matériel de guerre suédois est mort.

Et si je me trompais, s'il a bien été assassiné ? s'interroge Joona. Il faut que je parle avec Pollock avant d'aller chez l'Aiguille. Kofoed et lui ont peut-être déjà examiné les prélèvements.

Joona traverse le couloir à grandes enjambées, dévale l'escalier et téléphone à son assistante, Anja Larsson, pour savoir si Pollock est toujours au commissariat.

9

DU COMBAT RAPPROCHÉ

Les épais cheveux de Joona sont encore trempés lorsqu'il ouvre la porte de la salle 11. Nathan Pollock y tient une conférence dans le cadre d'une formation sur les prises d'otages.

Le schéma anatomique d'un corps humain est projeté sur le mur derrière Pollock. Sur une table, sept armes à feu portatives de modèles différents sont alignées, allant d'un petit Sig Sauer argenté P238 à un fusil d'assaut noir mat Heckler & Koch équipé d'un lance-grenade de 40 millimètres.

L'un des agents en formation est debout face à Pollock. Celui-ci tient un couteau dissimulé contre son corps, il se jette sur la jeune recrue, fait mine de pratiquer une entaille sur le cou du policier puis se retourne vers le groupe.

— L'inconvénient d'une blessure de ce genre, c'est que l'ennemi risque de crier, que ses mouvements ne sont pas maîtrisés et que le sang s'écoule lentement car une seule artère a été entaillée, explique Pollock.

Il s'approche à nouveau du jeune homme, place le bras sur son visage de telle sorte que l'intérieur de son coude lui recouvre la bouche.

— Alors que si je procède ainsi, je peux étouffer le cri, guider la tête et ouvrir les deux artères d'une seule entaille, complète-t-il.

Pollock relâche son étreinte et remarque Joona Linna à côté de la porte. Il a dû entrer pendant qu'il faisait sa démonstration. Le policier s'essuie la bouche et regagne sa place. Pollock sourit et fait signe à Joona de venir, mais celui-ci secoue la tête.

— J'ai besoin de te parler, Nathan, dit-il à voix basse.

Quelques policiers se retournent. Pollock le rejoint et ils se serrent la main. L'eau qui goutte encore des cheveux de Joona a assombri la couleur de sa veste.

— Kofoed a relevé des empreintes de chaussures chez Palmcrona, dit Joona. Il faut que je sache s'il a trouvé quelque chose.

— Je ne pensais pas que c'était urgent, répond Nathan à voix basse. On a photographié toutes les empreintes relevées à la cellophane, mais on n'a pas encore eu le temps de les analyser. Pour l'instant, je n'ai pas la moindre vue d'ensemble...

— Mais tu as repéré quelque chose, dit Joona.

— Quand j'ai entré les photos dans l'ordinateur... il pourrait y avoir un motif, mais il est trop tôt pour...

— Dis-moi quand même – il faut que j'y aille.

— Il semble y avoir les empreintes de deux paires de chaussures différentes formant deux cercles autour du corps.

— Viens voir l'Aiguille avec moi.

— Maintenant ?

— Je dois y être dans vingt minutes.

— Merde, je ne peux pas, répond Nathan en désignant les policiers. Mais j'ai mon portable si tu as des questions.

— Merci, dit Joona en se dirigeant vers la porte.

— Eh... pourquoi tu ne dirais pas un petit quelque chose au groupe ? demande Nathan.

Tous se sont déjà retournés et Joona les salue brièvement de la main.

— Voici donc Joona Linna dont je vous ai parlé, dit Nathan Pollock d'une voix forte. J'essaie de le convaincre d'intervenir sur le combat rapproché.

Le silence s'installe, tous les regards sont dirigés vers Joona.

— La plupart d'entre vous en savent sans doute plus que moi sur les sports de combat, dit Joona avec un petit sourire. La seule chose que j'ai apprise, c'est que... dans la vraie vie, ce sont d'autres règles qui priment. On ne parle plus de sport, il ne reste que le combat.

— Ecoutez bien, dit Pollock d'une voix fébrile.

— On ne s'en sort que si l'on a la faculté de s'adapter à chaque situation en utilisant toutes les conditions à notre avantage, poursuit calmement Joona. Il faut apprendre à tirer parti des circonstances... on peut être dans une voiture ou sur un balcon. La pièce peut être remplie de gaz lacrymogène, le sol couvert de débris de verre. Vos adversaires peuvent être armés.

On ignore parfois à quel moment se situe notre intervention dans le cours des événements. Vous devrez peut-être économiser votre énergie pour la suite, avoir le courage de tenir toute une nuit… il ne s'agit donc pas de coups de pied sautés ni de coups de pied circulaires, vous l'avez compris.

Certains rient.

— Lors d'un combat rapproché sans armes, poursuit Joona, il s'agit souvent de savoir encaisser une bonne dose de douleur afin de pouvoir conclure rapidement, mais… je n'y connais pas grand-chose.

Joona quitte finalement la salle. Deux policiers applaudissent. La porte se referme sur une assemblée silencieuse. Nathan Pollock, satisfait, sourit discrètement et retourne à la table.

— J'avais pensé garder ça pour plus tard, dit-il en se penchant sur l'ordinateur. Cet enregistrement est déjà un classique… il s'agit de la prise d'otages qui a eu lieu il y a neuf ans au bureau de la banque Nordea à Hamngatan. Il y a deux voleurs. Joona Linna a déjà évacué les otages et neutralisé l'un des malfaiteurs qui était armé d'un Uzi. L'échange de tirs a été assez violent. L'autre voleur est caché, mais il n'a qu'un couteau en sa possession. Ils ont détruit toutes les caméras de surveillance, mais ils ont manqué celle-ci… Je passe la scène au ralenti, elle n'a pas duré plus de quelques secondes.

Pollock lance la vidéo. Un enregistrement de mauvaise qualité offre une vue plongeante sur un hall de banque. Au bas de l'image, on voit les secondes défiler lentement sur le compteur. Les meubles sont renversés, des dossiers et des formulaires sont éparpillés à terre. Joona se déplace latéralement d'un pas souple, son arme à la main, le bras tendu. Il bouge au ralenti, comme s'il était sous l'eau. Le voleur est dissimulé derrière la porte de la salle des coffres, un couteau à la main. Soudain, il se précipite à grandes enjambées vers Joona. Celui-ci pointe son pistolet sur son agresseur, vise la poitrine et appuie sur la détente.

— Le pistolet s'enraye, dit Pollock. Une balle défectueuse est bloquée dans le canon.

Sur la vidéo, les images tremblent légèrement. Joona recule tandis que l'homme continue sur sa lancée. La scène semble comme suspendue, noyée dans un silence fantomatique. Joona éjecte le chargeur qui tombe à terre. Il veut le remplacer mais n'en a pas le temps. Il saisit alors le pistolet par le canon pour que celui-ci soit placé dans le prolongement de son avant-bras.

— Je ne comprends pas, dit une femme.

— Il se sert du pistolet comme d'un tonfa, explique Pollock.

— Quoi ?

— C'est une sorte de bâton... utilisé par les policiers américains, il prolonge la portée et accentue la force du coup en réduisant la surface de l'impact.

L'homme a maintenant rejoint Joona. Il fait un pas d'un air hésitant. La lame du couteau scintille lors de sa trajectoire circulaire en direction du tronc de Joona. L'autre bras est tendu et accompagne la rotation du corps. Joona ne regarde pas du tout le couteau, mais fait un mouvement vers l'avant, il effectue une grande enjambée et envoie un coup de bas en haut. Avec la bouche du canon, il frappe le voleur au cou, juste en dessous de la pomme d'Adam.

Le couteau pivote lentement dans l'air comme dans un rêve avant de tomber à terre. L'homme s'agenouille, porte les mains à son cou et tombe la tête la première.

10

LA NOYÉE

Joona Linna roule sur Fleminggatan en direction de l'institut Karolinska à Solna. Il repense au corps de Carl Palmcrona, au fil à linge tendu sous le poids du cadavre, à la mallette sur le sol. Il essaie de visualiser les deux séries d'empreintes autour du défunt.

L'affaire est loin d'être résolue.

Joona bifurque sur Klarastrandsleden vers Solna. Il longe le canal, les arbres sont déjà tout en fleurs et leurs branches plongent vers la surface miroitante de l'eau.

Il a un souvenir très précis d'Edith Schwartz, la femme de ménage. Il revoit les veines sur ses mains imposantes tandis qu'elle tenait des cartons remplis de nourriture. Il se remémore également la façon dont elle lui a répondu que les mains secourables ne manquaient pas.

Les bureaux du service médicolégal se trouvent au 5, rue Retzius. Le bâtiment en briques rouges est entouré par plusieurs grands complexes, au milieu des arbres et des pelouses soignées du vaste campus de l'institut Karolinska.

Joona se gare dans le parking vide réservé aux visiteurs. Il constate que le rebord en pierre n'a pas dissuadé le légiste Nils Åhlén, *alias* l'Aiguille, d'aller garer sa Jaguar blanche sur la pelouse près de l'entrée principale du bâtiment.

Joona fait signe à la réceptionniste qui lui répond en levant le pouce. Dans le couloir, il frappe à la porte du bureau de l'Aiguille avant d'entrer. La pièce est, comme toujours, dépourvue de tout objet superflu. Les murs blancs réfléchissent la lumière qui s'infiltre entre les lattes des stores baissés tandis qu'elle semble être absorbée par les plaques d'acier brossé.

L'Aiguille porte des lunettes d'aviateur aux montures blanches et un polo blanc sous sa blouse.

— J'ai collé une amende à une Jaguar mal garée, dit Joona.

— Tu as bien fait, répond l'Aiguille.

Joona s'arrête au centre de la pièce et reprend une expression plus sérieuse ; ses yeux sont d'une couleur gris sombre.

— Il est mort comment en réalité ? demande-t-il.

— Palmcrona ?

— Oui.

Le téléphone sonne. L'Aiguille tend le rapport d'autopsie à Joona.

— Ce n'était pas la peine de venir jusqu'ici pour avoir la réponse, dit-il avant de décrocher.

Joona s'assied sur une chaise en cuir blanc en face de lui. L'autopsie du corps de Carl Palmcrona est terminée, Joona en feuillette le rapport et consulte quelques points au hasard :

74. Les reins pèsent un total de 290 grammes. Leur surface est lisse. Le tissu est rouge-gris. Leur consistance est ferme, élastique. Leurs contours sont distincts.

75. Les voies excrétrices paraissent normales.

76. La vessie est vide. La muqueuse pâle.

77. La taille de la prostate est normale. Le tissu est pâle.

L'Aiguille remonte ses lunettes d'aviateur sur son nez fin et courbé, termine sa conversation et lève les yeux sur Joona.

— Comme tu vois, dit-il dans un bâillement, il n'y a rien de surprenant. Il est écrit ici que la cause de la mort est à classer dans la catégorie asphyxie, ou étouffement… dans le cas d'une mort par pendaison, il s'agit rarement d'un étouffement au premier sens du terme, mais d'une obstruction du flux sanguin dans les artères.

— Le cerveau n'est donc plus alimenté en oxygène.

L'Aiguille hoche la tête :

— Avec la compression des artères carotides, ça va évidemment très vite, on perd connaissance après quelques secondes…

— Mais il était en vie avant la pendaison ?

— Oui.

Son visage fin et soigneusement rasé trahit un léger ennui.

— Est-ce que tu peux estimer la hauteur de la chute ? demande Joona.

— Il n'y a aucune fracture au niveau de la colonne cervicale ou à la base du crâne – je dirais qu'il s'agit de quelques décimètres tout au plus.

— Oui...

Joona pense aux empreintes des chaussures de Palmcrona qui ont été retrouvées sur la mallette. Il parcourt à nouveau le rapport jusqu'à ce qu'il tombe sur les pages consacrées à l'examen externe, plus précisément à l'étude de la peau du cou et les angles dessinés par la corde.

— A quoi tu penses ? demande l'Aiguille.

— A la possibilité qu'il ait été étranglé avec le nœud et seulement ensuite pendu au plafond.

— Non.

— Pourquoi ? rétorque Joona.

— Pourquoi ? Il n'y avait qu'un seul sillon et il était parfait, explique l'Aiguille. Quand une personne est pendue, la corde ou le fil creuse dans la chair et ça...

— Mais le meurtrier peut le savoir, l'interrompt Joona.

— Toujours est-il que c'est quasiment impossible à imiter... tu vois, lors d'une mort par pendaison, le sillon que dessine la corde autour du cou doit avoir la forme de la pointe d'une flèche dirigée vers le haut, juste en dessous du nœud...

— Puisque le poids du corps resserre la boucle.

— Tout à fait... et pour la même raison, la partie la plus profonde du sillon doit se trouver à l'exact opposé de la pointe.

— Donc, il est mort à la suite de la pendaison, constate Joona.

— Aucun doute possible.

Le grand et maigre médecin légiste se mordille la lèvre inférieure.

— Mais on a pu le forcer à se suicider ? demande Joona.

— Pas de manière violente – rien ne l'indique en tout cas.

Joona referme le rapport et tambourine doucement dessus. Cela signifierait donc que les insinuations de la femme de ménage suggérant qu'une autre personne a pu être impliquée dans la mort de Palmcrona ne sont pas dignes d'intérêt. Il demeure pourtant une incohérence : Joona ne peut ignorer le fait que Tommy Kofoed a distingué deux séries d'empreintes différentes.

— Tu es certain de la cause du décès ? demande Joona en regardant l'Aiguille dans les yeux.

— Tu t'attendais à quoi ?

— A ça, répond Joona d'une voix hésitante en posant le doigt sur le rapport d'autopsie. C'est exactement ce à quoi je m'attendais, mais n'empêche, quelque chose me fait douter.

L'Aiguille affiche un sourire en coin :

— Prends le rapport, ça te fera de la lecture pour ce soir.

— Oui.

— Franchement, je crois que tu peux laisser tomber Palmcrona… tu verras que c'est un simple suicide, rien de plus palpitant.

Le sourire de l'Aiguille s'estompe et son regard s'éteint, les yeux vifs de Joona témoignent au contraire de sa concentration.

— Tu as sûrement raison.

— Oui. Et on peut même aller plus loin si tu le souhaites vraiment… Carl Palmcrona était probablement déprimé, ses ongles étaient négligés et sales, il ne s'était pas brossé les dents depuis quelques jours et il était mal rasé…

— Je vois, dit Joona avec un hochement de tête.

— Tu peux l'examiner si tu préfères.

— Non, ce n'est pas la peine, répond Joona en se levant avec lassitude.

L'Aiguille se penche vers lui et déclare d'une voix qui trahit son impatience :

— Ce matin, j'ai reçu quelque chose de beaucoup plus intéressant. Tu as quelques minutes ?

L'Aiguille se lève et lui fait signe de venir. Joona le suit dans le couloir. Un papillon bleu clair qui s'est égaré à l'intérieur volette devant eux.

— Le jeune a arrêté ? demande Joona.

— Lequel ?

— Celui qui était là, avec la queue de cheval et…

— Frippe ? Oh, que non. Je ne le permettrai pas. Il est en congé. Il y avait un concert de Megadeth au Globen hier avec Entombed en première partie.

Ils traversent une salle sombre où l'on distingue une table d'autopsie en inox. Une forte odeur de désinfectant domine les lieux. Ils poursuivent jusqu'à une pièce plus froide, où les cadavres sont conservés dans des compartiments réfrigérés.

L'Aiguille ouvre une porte et allume le plafonnier. Les néons clignotent et éclairent finalement une salle peinte à la chaux qui contient une table d'autopsie munie d'éviers doubles reliée à des tuyaux d'évacuation et recouverte de plastique. Sur la table repose le corps d'une très belle jeune femme. Elle a la peau bronzée et de longues mèches noires serpentent sur son front et sur ses épaules. Une lueur de surprise et de stupéfaction subsiste dans son regard lointain.

Le dessin de ses lèvres lui donne presque un air espiègle. Mais l'éclat de ses grands yeux foncés a disparu, de petites tâches jaunâtres y apparaissent déjà.

Joona observe la femme sur la table. Elle ne doit pas avoir plus de dix-neuf ou vingt ans. Hier encore elle n'était qu'une enfant qui dormait chez ses parents, une lycéenne, aujourd'hui elle est morte.

Sur la peau du sternum, au-dessus de sa poitrine, se dessine une trace courbée d'environ trente centimètres, comme une bouche souriante peinte en gris.

— C'est quoi ce trait ? demande Joona en désignant la trace.

— Aucune idée, peut-être la marque laissée par un collier ou le col d'un pull, je l'examinerai plus tard.

Joona fixe le corps inanimé, inspire profondément et, comme chaque fois qu'il est confronté à l'irréfutable accomplissement de la mort, il sent une grande tristesse l'envahir. La vie est si fragile.

Les ongles de ses doigts et de ses orteils sont vernis d'une couleur rose-beige.

— Alors, qu'est-ce qu'elle a de particulier ? demande-t-il après un moment.

L'Aiguille lui adresse un regard empreint de gravité. Ses lunettes scintillent lorsqu'il se retourne vers le corps.

— La police maritime l'a apportée. On l'a retrouvée assise sur le pieu de la cabine avant d'un yacht qui dérivait dans l'archipel.

— Morte ?

L'Aiguille rencontre à nouveau son regard et sa voix prend une intonation étrange :

— Elle était noyée, Joona.

— Noyée ?

L'Aiguille hoche la tête, un petit sourire aux lèvres.

— Elle s'est noyée à bord d'un bateau.

— Quelqu'un l'a sans doute trouvée dans l'eau et l'a hissée à bord.

— Oui, mais dans ce cas je ne t'aurais pas dérangé.

— Alors de quoi s'agit-il ?

— Je n'ai pas décelé la moindre trace d'eau sur le corps – j'ai envoyé ses vêtements au labo du SKL* mais, à mon avis, ils ne trouveront rien non plus.

L'Aiguille fait mine de consulter les notes relatives à l'examen externe préliminaire tout en gardant l'œil sur son collègue pour voir s'il a réussi à éveiller sa curiosité. Joona est immobile mais son visage s'est métamorphosé. Il observe maintenant le corps avec une attention toute particulière. Subitement, il extirpe une paire de gants en latex d'une boîte en carton et les enfile. Lorsque Joona se penche vers la jeune femme et soulève délicatement ses bras pour les examiner, la satisfaction de l'Aiguille est à son comble.

— Tu ne trouveras pas de traces de violence, dit-il d'une voix faible. C'est incompréhensible.

*Abréviation de Statens Kriminaltekniska Laboratorium, laboratoire gouvernemental de la police technique et scientifique.

11

DANS LA CABINE AVANT

Le yacht blanc étincelant est amarré entre deux bateaux au poste d'amarrage de la police maritime à Dalarö.

Les grandes barrières en acier du port sont ouvertes. Joona avance lentement sur la route caillouteuse, passe devant une fourgonnette violette et une remorque dont le treuil est rouillé, se gare et sort de sa voiture.

Il repasse un à un les événements dans sa tête. Un bateau abandonné a été retrouvé à la dérive dans l'archipel. Une jeune femme noyée est assise sur la couchette avant. Le bateau est à flot, mais les poumons de la jeune femme sont remplis de l'eau saumâtre de la mer.

Il prend un instant pour observer le bateau à distance. L'avant est sérieusement endommagé. La violence de la collision a marqué l'étrave de profondes entailles. Il compose le numéro de Lennart Johansson, de la police maritime.

— Lance, répond une voix vive.

— C'est bien Lennart Johansson à l'appareil ? demande Joona.

— Oui, c'est moi-même.

— Je m'appelle Joona Linna. Rikskrim.

Silence dans le combiné. Joona perçoit ce qui pourrait être le clapotement des vagues.

— Le yacht que vous avez cueilli. Je me demandais s'il avait pris l'eau ?

— Pris l'eau ?

— A l'avant, la coque est abîmée.

Joona fait quelque pas vers le bateau et écoute Lennart Johansson expliquer d'un ton désabusé :

— Mon Dieu, si on me donnait un centime pour chaque beurré qui fracasse un…

— J'ai besoin d'examiner le bateau, l'interrompt Joona.

— Cherchez pas. En gros, ça a dû se dérouler comme ça : quelques jeunes de… je ne sais pas – disons Södertälje. Ils piquent un bateau, ramassent quelques filles au passage, naviguent un peu, écoutent de la musique, font la fête et picolent. Dans le feu de l'action ils heurtent quelque chose, le choc est assez violent et une fille tombe par-dessus bord. Les gars stoppent le bateau, font demi-tour, retrouvent la fille et la remontent sur le pont. Lorsqu'ils s'aperçoivent qu'elle est morte, ils paniquent, et ils flippent tellement qu'ils se sauvent.

Lennart se tait et semble attendre une réponse.

— Pas mal comme théorie, dit Joona lentement.

— Pas vrai ? répond Lennart d'une voix gaie. Faites-moi confiance, ça vous évitera de vous déplacer jusqu'à Dalarö.

— Trop tard, dit Joona qui se dirige vers un des bateaux de la police.

Un bateau d'intervention 90 E est amarré à l'arrière du yacht. Sur le pont, Joona aperçoit un homme qui doit avoir dans les vingt-cinq ans, bronzé, torse nu, un portable vissé à l'oreille :

— A vous de voir. Il suffit de téléphoner pour réserver la visite guidée.

— Je suis là maintenant – et je crois vous voir, si vous êtes à bord d'un des bateaux de la police…

— Est-ce que j'ai l'air d'un surfeur ?

L'homme bronzé lève la tête avec un sourire et se gratte la poitrine.

— Plus ou moins, répond Joona.

Ils raccrochent et se rejoignent. Lennart Johansson enfile une chemise d'uniforme à manches courtes qu'il boutonne en descendant la passerelle.

Joona fait le salut des surfeurs. Lennart sourit, ses dents blanches éclatantes ressortent sur son visage bronzé :

— Je surfe dès qu'il y a la moindre ride – c'est la raison pour laquelle on m'appelle Lance.

— Tout s'explique, répond Joona sèchement.

— N'est-ce pas, dit Lennart en riant.

Ils s'approchent du bateau et s'arrêtent sur le quai près de la passerelle.

— Un Storebro 36, Royal Cruiser, dit Lennart. Bon bateau, mais assez fatigué. Immatriculé au nom de Björn Almskog.

— Vous l'avez contacté ?

— Pas encore eu le temps.

Ils inspectent de plus près les dégâts à l'avant du bateau. Ils semblent récents, il n'y a pas d'algues dans la fibre de verre.

— J'ai fait appel à un technicien – il ne devrait pas tarder, dit Joona.

— Elle a reçu un bon ramponneau, dit Lance.

— Qui est monté à bord depuis qu'on l'a trouvé ?

— Personne, s'empresse-t-il de répondre.

Joona sourit en attendant patiemment une vraie réponse.

— Moi, bien entendu, hésite Lennart. Et Sonny, mon collègue. Et les gars de l'ambulance qui ont récupéré le corps. Notre technicien scientifique, mais il a utilisé des plaques de cheminement et des gants de protection.

— C'est tout ?

— En dehors du vieux qui a trouvé le bateau.

Joona ne prend pas la peine de répondre, il observe l'eau qui scintille devant lui en repensant à la jeune femme étendue sur la table d'autopsie de l'Aiguille.

— Est-ce que vous savez si le technicien a fait des relevés sur toutes les surfaces ?

— Il a fini le sol et filmé les lieux.

— Je monte à bord.

Une passerelle étroite et en mauvais état a été fixée entre le quai et le bateau. Joona embarque et demeure un moment sur le pont arrière. Il laisse son regard balayer lentement les lieux, observe les objets sans se presser. C'est la première et dernière fois qu'il va pouvoir examiner la scène du crime en l'état. Chaque détail qu'il enregistre pourrait s'avérer crucial. Des chaussures, un transat renversé, un drap de bain, un livre de poche jauni par le soleil, un couteau au manche en plastique rouge, un seau attaché à une corde, des canettes de bière, un sac de charbon, une combinaison de plongée dans une bassine, des tubes de crème solaire. A travers la vitre il devine le salon, la timonerie et les meubles en bois vernis. Depuis un certain angle de vue, les empreintes de doigts sur la porte vitrée sont révélées par les rayons du soleil – des mains qui ont poussé la porte, l'ont refermée, se sont appuyées lorsque le bateau tanguait.

Joona entre dans le petit salon. Le soleil de l'après-midi se reflète sur le vernis et les chromes. Un chapeau de cow-boy et des lunettes de soleil sont posés sur les coussins bleu nuit du canapé. A l'extérieur, l'eau clapote contre la coque.

Il examine le parquet usé jusqu'au bas de l'étroit escalier qui mène à l'avant du bateau. Il y fait noir comme dans un puits et Joona ne peut rien distinguer avant d'avoir allumé sa lampe torche. Le faisceau de lumière glaciale éclaire le raide escalier. Le bois rouge luit, son apparence est moite, comme à l'intérieur d'un corps. Les marches grincent sous ses pas, il imagine la jeune femme seule dans le bateau, elle plonge depuis l'avant et se cogne la tête contre un rocher. Ses poumons se remplissent d'eau, pourtant elle parvient à remonter à bord, enlève son bikini mouillé et enfile des vêtements secs. Ensuite, elle s'est peut-être sentie fatiguée et s'est rendue jusqu'à son lit. Elle n'avait pas conscience de la gravité de ses blessures, elle ne réalisait pas qu'une hémorragie entraînait rapidement une augmentation de la pression intracrânienne.

Le cas échéant, l'Aiguille aurait pourtant dû trouver des traces de l'eau qu'elle aurait régurgitée.

Ça ne colle pas.

Après avoir descendu l'escalier, il passe devant la kitchenette et la salle de bains pour rejoindre l'avant. Bien que le corps ait été transporté au service médicolégal de Solna, une odeur de mort persiste dans le bateau. Joona éprouve toujours la même sensation. Muets, comme saturés de cris, de combat et de silence, les objets semblent lui renvoyer son regard. Soudain, le bateau grince étrangement et penche sur le côté. Joona attend un moment, aux aguets, puis continue jusqu'à la cabine avant.

La lumière estivale pénètre par les hublots disposés le long du plafond et se répand sur une couchette double qui épouse la flèche que dessine l'avant du bateau. C'est ici qu'on l'a retrouvée, assise. Un sac de sport bâille sur le sol, à côté d'une chemise de nuit à pois. Un jean et un gilet léger gisent près de la porte. Une sacoche est suspendue à un crochet.

Le bateau tangue à nouveau et une bouteille en verre roule sur le pont au-dessus de sa tête.

Joona photographie le sac sous divers angles avec son portable. Le flash semble rétrécir la pièce, comme si, l'espace d'un instant, les murs, le sol et le plafond se rapprochaient. Il décroche délicatement la sacoche du crochet pour l'apporter en haut. L'escalier grince sous son poids. Un tintement métallique parvient jusqu'à lui depuis l'extérieur. Une fois qu'il a atteint le salon, il est surpris par une ombre passant devant les portes vitrées. Joona recule d'un pas, dans l'obscurité de l'escalier.

12

MORT INHABITUELLE

Seules deux marches séparent Joona Linna du haut de l'escalier. Il demeure immobile. D'où il est, il peut voir la partie inférieure des portes vitrées et une partie du pont arrière. Une ombre passe et une main apparaît soudain derrière la vitre embuée. Quelqu'un se glisse lentement vers l'avant. L'instant d'après, il reconnaît le visage d'Erixon. Des gouttes de sueur perlent à ses tempes tandis qu'il pose la cellophane autour de la porte.

Dans le salon, Joona vide délicatement le contenu de la sacoche sur une petite table en bois précieux. Il ouvre un portefeuille rouge à l'aide de son stylo ; dans la pochette en plastique de celui-ci, il trouve un permis de conduire. A l'intérieur, le visage grave et gracieux d'une jeune femme éclairé par le flash d'un Photomaton. Elle est légèrement penchée en arrière, comme si elle levait les yeux sur l'enquêteur. Elle a des cheveux foncés et bouclés. Il reconnaît le visage de celle qu'il a examinée plus tôt en salle d'autopsie, son nez droit, ses yeux, une jeune femme d'origine sud-américaine.

— Penelope Fernandez, lit-il sur le permis en se disant qu'il a déjà entendu ce nom quelque part.

Ses pensées le ramènent au service médicolégal, au corps nu étendu dans cette pièce peinte à la chaux, à l'odeur du cadavre dont le visage serein trahissait un repos qui n'était plus celui du sommeil.

Sous le soleil, la stature massive d'Erixon se déplace décimètre par décimètre tandis qu'il relève les empreintes le long du bastingage en le recouvrant d'une poudre magnétique.

Il essuie délicatement une surface mouillée, verse goutte à goutte la solution de résonance des plasmons de surface et photographie les empreintes qui apparaissent.

Joona l'entend respirer péniblement, comme s'il venait d'épuiser ses dernières forces et que chaque mouvement était un supplice. Joona plisse les yeux pour regarder vers le pont et aperçoit un seau avec une corde attachée à côté d'une basket. Une odeur douceâtre de pommes de terre remonte de la kitchenette.

Son regard revient sur la photo du permis de conduire. Il observe la bouche de la jeune femme, ses lèvres entrouvertes, et se dit subitement qu'il manque quelque chose.

Il a la sensation d'avoir entrevu une idée, d'avoir été sur le point de la formuler, avant qu'elle ne lui échappe.

Son portable qui vibre dans sa poche le fait sursauter. C'est l'Aiguille, Joona décroche.

— Joona.

— Je suis Nils Åhlén. Je suis médecin légiste en chef du service médicolégal de Stockholm.

Joona sourit, ils se connaissent depuis vingt ans et la voix de l'Aiguille se passe d'introduction.

— Elle s'est cogné la tête ? demande Joona.

— Non, répond l'Aiguille d'une voix surprise.

— Je me disais qu'elle aurait pu heurter une pierre en plongeant.

— Non, rien de la sorte – elle s'est noyée, c'est la cause du décès.

— Tu en es sûr ?

— J'ai constaté la présence de champignon de mousse dans les narines, une déchirure des muqueuses dans la gorge, sans doute due à de violents réflexes vomitifs et il y a des sécrétions bronchiques dans la trachée-artère et dans les bronches. Les poumons ont l'aspect typique d'une mort par noyade, ils contiennent de l'eau, leur poids est augmenté, et… bref.

L'Aiguille reste un moment silencieux puis Joona entend un bruit de raclement à l'autre bout du fil, comme si on déplaçait un meuble en métal sur le sol.

— Il y a une raison particulière à ton appel ? dit Joona.

— Oui. Elle avait un taux élevé de tétrahydrocannabinol dans ses urines.

— Du cannabis ?

— Oui.

— Mais ça ne l'a pas tuée.

— Ça c'est sûr, répond l'Aiguille amusé. Je me disais seulement que tu devais être en train d'essayer de reconstituer le fil des événements… et que c'est une pièce du puzzle dont tu n'avais pas encore connaissance.

— Elle s'appelle Penelope Fernandez.

— Enchanté, marmonne l'Aiguille.

— Autre chose ?

— Non.

Joona entend l'Aiguille respirer dans le combiné :

— Dis-le quand même.

— C'est juste que ce n'est pas une mort ordinaire.

Il se tait.

— Qu'est-ce que tu as vu ?

— Rien, ce n'est qu'une intuition…

— Bravo. On dirait moi.

— Je sais, mais… Evidemment, il peut s'agir de *mors subita naturalis*, une mort subite tout à fait naturelle… Rien ne le contredit, mais si c'est le cas, c'est une mort naturelle assez inhabituelle.

Ils ont mis fin à leur conversation, pourtant les paroles de l'Aiguille résonnent encore dans la tête de Joona, *mors subita naturalis*. La mort de Penelope Fernandez a quelque chose d'étrange. Si son corps avait été retrouvé en mer par quelqu'un qui l'aurait ensuite remonté à bord, on l'aurait sûrement découvert sur le pont. On peut imaginer que celui qui l'a trouvé ait voulu faire preuve d'une certaine compassion à l'égard de la victime mais, dans ce cas, il l'aurait portée jusqu'au salon pour l'allonger sur le canapé.

La dernière possibilité, pense Joona, est qu'une personne qui l'aimait se soit occupée d'elle, ait voulu la coucher, la mettre dans sa propre chambre, dans son propre lit.

Ce n'est pas ça non plus, elle était assise sur le lit.

Peut-être l'Aiguille s'est-il trompé. Peut-être qu'elle était encore en vie lorsqu'on l'a aidée à remonter sur le bateau puis à rejoindre sa chambre. Il est probable que ses poumons aient été gravement endommagés, irrémédiablement. Si elle se sentait mal, elle a peut-être souhaité se coucher et qu'on la laisse tranquille.

Pourquoi alors n'y a-t-il aucune trace d'eau sur ses vêtements, ni sur le reste de son corps ?

Joona se rappelle avoir vu une douche à bord et il se dit qu'il doit examiner le bateau dans son intégralité, soit la cabine arrière, la salle de bains et la kitchenette. Il reste beaucoup d'éléments à assembler avant que le puzzle ne soit complet.

Le bateau tangue à nouveau sous les lourds pas d'Erixon.

Une fois encore, Joona étend son regard au-delà des portes vitrées du salon et, pour la seconde fois, il s'arrête sur le seau et la corde. Un peu plus loin, il voit une bassine en zinc dans laquelle on a roulé une combinaison de plongée. Des skis nautiques gisent près du bastingage. Joona se concentre à nouveau sur le seau et observe la façon dont le nœud est attaché sur la poignée. Le bord rond de la bassine scintille au soleil, telle une demi-lune.

Soudain, il est frappé par une évidence : avec une clarté glaciale, Joona comprend comment les événements ont pu s'enchaîner. Après avoir attendu que les battements de son cœur ralentissent un peu, il laisse à nouveau les images de la scène défiler dans son esprit. Cette fois, il a la certitude d'avoir raison.

La femme identifiée sous le nom de Penelope Fernandez s'est noyée dans la bassine. La trace en arc de cercle qu'il avait remarquée sur la peau de la victime au-dessus du sternum, et qui lui avait évoqué une bouche souriante, vient conforter sa théorie.

Elle a été assassinée puis installée sur le lit de sa cabine. Ses pensées se précipitent, l'adrénaline déferle dans son sang. On l'a noyée dans de l'eau de mer saumâtre pour ensuite venir la placer sur son lit. Nous n'avons pas affaire à un assassin ordinaire.

Il sent une légère inquiétude naître en lui. Une voix se détache, gagne en autorité. Elle répète trois mots, plus vite et plus fort : *Quitte le bateau, quitte le bateau.*

Par la fenêtre, Joona voit Erixon introduire un bustier dans un petit sachet en papier, le sceller avec du scotch et y faire une inscription au stylo-bille.

— Hé, dit Erixon en souriant.

— On descend, répond Joona d'une voix calme.

— Je n'aime pas les bateaux, ils tanguent sans arrêt, mais je viens seulement de commencer à…

— Fais une pause, l'interrompt sèchement Joona.

— Mais qu'est-ce qui t'arrive ?

— Viens, je te dis et ne touche surtout pas ton portable.

Ils quittent le bateau et Joona emmène Erixon plus loin avant de s'arrêter. Ses joues sont en feu mais il retrouve peu à peu son calme. Ses cuisses et ses mollets deviennent lourds.

— Il se peut qu'il y ait une bombe à bord, dit-il à voix basse.

Erixon s'assied sur le bord d'une plinthe en béton. Il est en nage.

— De quoi tu parles ?

— Il ne s'agit pas d'un meurtre ordinaire. Il y a des chances que…

— Meurtre ? Rien n'indique…

— Attends, l'interrompt Joona. Je suis convaincu que Penelope Fernandez a été noyée dans la bassine qui se trouvait sur le pont.

— Noyée ? Putain, qu'est-ce que tu racontes ?

— Elle a été noyée dans de l'eau de mer, dans la bassine, avant d'être placée sur le lit. Et je crois que l'idée initiale était de faire couler le bateau.

— Mais…

— Elle aurait alors été retrouvée dans sa cabine, les poumons remplis d'eau.

— Mais le bateau n'a jamais coulé.

— C'est pour ça que j'ai commencé à me dire qu'il y avait peut-être une bombe à bord, mais pour une raison ou pour une autre la charge n'a pas explosé.

— Elle se trouve sans doute sur le réservoir de carburant ou sur les bouteilles de gaz dans la kitchenette, dit lentement Erixon. Il faut évacuer la zone et appeler une équipe de démineurs.

13

RECONSTITUTION

A 7 heures le soir même, cinq hommes au visage grave sont réunis dans la salle n° 13 du service médicolégal de l'institut Karolinska. L'inspecteur principal, Joona Linna, souhaite mener une enquête préliminaire sur le cas de la jeune femme retrouvée morte dans un yacht à la dérive. Bien que l'on soit samedi, il a fait venir son supérieur immédiat, Petter Näslund, ainsi que le procureur Jens Svanehjälm à une reconstitution afin de les convaincre qu'il s'agit d'un homicide.

Au plafond, un des néons clignote. La lumière froide vacille sur les murs éclatants.

— Il faut que je change l'ampoule, dit l'Aiguille à voix basse.

— Oui, répond Frippe.

Installé près du mur, Petter Näslund marmonne quelque chose d'inaudible. Son visage carré paraît trembler à la lumière du néon. L'air agacé, le procureur Jens Svanehjälm attend à ses côtés. Il semble évaluer les risques que comporterait le fait de poser sa mallette en cuir à terre et de s'adosser au mur dans son élégant costume.

Une forte odeur de désinfectant imprègne la pièce. Des lampes réglables éclairent puissamment une table d'autopsie en inox munie de deux canaux d'évacuation.

Le sol est recouvert d'un linoléum gris clair. Une bassine en zinc semblable à celle présente sur le bateau est déjà à moitié remplie d'eau. Un seau à la main, Joona Linna fait des allers-retours entre celle-ci et un grand évier.

— On ne pense vraiment pas à un crime quand quelqu'un a été retrouvé noyé à bord d'un bateau, s'impatiente Svanehjälm.

— Exactement, répond Petter.

— C'est peut-être une noyade accidentelle qui n'a pas encore été déclarée, poursuit Svanehjälm.

— On a retrouvé de l'eau de mer dans ses poumons, pourtant on n'en a relevé aucune trace sur les vêtements ni sur le corps de la victime, dit Nils Åhlén.

— Etrange, constate Svanehjälm.

— Il y a sûrement une explication rationnelle, dit Petter avec un petit sourire.

Joona verse le contenu d'un dernier seau dans la bassine, le pose à terre puis relève la tête vers les quatre hommes présents pour les remercier d'avoir pris le temps de venir :

— Je sais que c'est le week-end et que tout le monde aimerait bien rentrer chez soi. Mais je crois avoir découvert quelque chose.

— Tu nous dis que c'est important, il est normal qu'on soit là, répond aimablement Svanehjälm qui pose enfin sa mallette entre ses jambes.

— Le meurtrier est monté sur le yacht, commence Joona d'un ton grave. Il a descendu l'escalier menant à la cabine avant et y a vu Penelope Fernandez qui dormait. Il est donc retourné sur le pont arrière, a plongé le seau attaché à une corde dans la mer et a rempli la bassine.

— Avec cinq ou six seaux, dit Petter.

— Une fois la bassine pleine, il est allé réveiller Penelope. Il l'a amenée de force sur le pont, où il l'a noyée dans la bassine.

— Qui ferait une chose pareille ? demande Svanehjälm.

— Je l'ignore pour l'instant, il peut s'agir d'un acte de barbarie, de torture…

— Vengeance ? Jalousie ?

Joona incline la tête sur le côté et précise d'une voix circonspecte :

— On n'a pas affaire à un assassin ordinaire. Peut-être voulait-il lui soutirer des informations, lui faire dire ou avouer quelque chose avant de la maintenir sous l'eau jusqu'à ce qu'elle ne puisse plus s'empêcher d'inspirer.

— Qu'en dit le médecin légiste en chef ? demande Svanehjälm.

L'Aiguille secoue la tête :

— Si on l'a noyée, j'aurais dû retrouver des traces de violence, des hématomes sur le corps et…

— Est-ce qu'on pourrait garder les objections pour plus tard ? l'interrompt Joona. J'aimerais vous montrer comment j'imagine la scène, comment je vois la succession des événements, bref ce qui s'est passé. Et ensuite, lorsque j'aurai terminé, nous irons tous examiner le corps pour voir si ma théorie tient la route.

— Pourquoi tu ne peux jamais rien faire selon la procédure ? demande Petter.

— Je dois bientôt rentrer, avertit le procureur.

Joona le fixe, un éclair d'un gris glacial semble passer dans ses yeux clairs. Un sourire flotte au coin de ses lèvres qui n'ôte rien à la gravité de son regard.

— Penelope Fernandez, commence-t-il, a passé un moment à fumer du cannabis sur le pont. C'était une chaude journée et lorsqu'elle a senti la fatigue la gagner, elle est descendue jusqu'à son lit pour faire une sieste, et elle s'est endormie vêtue de sa veste en jean.

Il fait un geste en direction du jeune assistant de l'Aiguille qui patiente dans l'encadrement de la porte.

— Frippe a promis de m'aider pour la reconstitution.

Frippe fait un pas en avant et affiche un grand sourire. Ses cheveux teints en noir pendouillent le long de son dos, il porte un pantalon en cuir usé et parsemé de clous. Il boutonne méticuleusement une veste en jean sur son T-shirt noir arborant une photo du groupe de hard rock Europe.

— Regarde, dit Joona d'une voix douce en montrant de quelle façon il peut immobiliser Frippe les deux bras sur le dos en saisissant d'une main les manches de sa veste et en empoignant fermement ses cheveux longs de l'autre. Je le maîtrise complètement et il n'y aura pas le moindre bleu sur lui.

Joona soulève les bras du jeune homme derrière son dos. Frippe pousse un gémissement en se penchant en avant.

— On se calme, dit-il en riant.

— Tu es évidemment bien plus grand que la victime, mais je crois quand même pouvoir enfoncer ta tête dans la bassine.

— Fais attention à lui, dit l'Aiguille.

— Je vais juste le décoiffer.

— Laisse tomber, dit Frippe avec un sourire.

Ils assistent à un combat silencieux, à peine perturbé par quelques soupirs. L'Aiguille a l'air inquiet et Svanehjälm semble embarrassé. Petter lâche un juron. Joona plonge sans difficulté la tête de Frippe dans la bassine, le maintient sous l'eau un court moment, puis lâche prise et recule. Frippe se redresse en chancelant et l'Aiguille accourt avec une serviette :

— Il aurait suffi de nous l'expliquer, dit-il, agacé.

Lorsque Frippe s'est essuyé, ils rejoignent en silence la pièce voisine dans laquelle, malgré la fraîcheur, persiste une odeur de décomposition. Dans l'un des murs, trois rangées de cellules réfrigérantes en inox ont été installées. L'Aiguille ouvre la numéro 16 et fait coulisser l'étroite civière sur laquelle est étendue la jeune femme. Nue, elle a un teint blafard et des varices autour du cou. Joona désigne la fine courbe sur sa poitrine.

— Déshabille-toi, dit-il à Frippe.

Frippe déboutonne sa veste et enlève son T-shirt noir. Sur son torse, on distingue une trace rose laissée par le bord de la bassine, une marque courbe qui semble, encore une fois, représenter une bouche souriante.

— Merde alors, s'exclame Petter.

L'Aiguille s'approche de la table pour examiner le crâne de la femme. Il dirige une petite lampe de poche sur la peau pâle du cuir chevelu.

— Pas besoin d'un microscope, elle a été retenue très violemment par les cheveux.

Il éteint sa lampe puis la range dans la poche de sa blouse.

— Autrement dit…

— Autrement dit, tu as raison, dit l'Aiguille qui applaudit.

— Meurtre, soupire Svanehjälm.

— Impressionnant, dit Frippe en essuyant les traces qu'a laissées le maquillage noir autour de ses yeux.

— Merci, répond distraitement Joona.

L'Aiguille le regarde d'un air étonné :

— Qu'est-ce qu'il y a, Joona ? Qu'est-ce que tu as vu ?

— Ce n'est pas elle.

— Quoi ?

Joona échange un regard avec l'Aiguille puis montre le corps :

— Ce n'est pas Penelope Fernandez, c'est quelqu'un d'autre, dit-il en regardant le procureur. La femme morte n'est pas Penelope. J'ai vu la photo sur son permis de conduire et je peux vous assurer que ce n'est pas elle.

— Mais qu'est-ce que…

— Il se peut que Penelope Fernandez soit également morte, mais si c'est le cas, nous ne l'avons pas encore retrouvée.

14

UNE FÊTE NOCTURNE

Le cœur de Penelope bat la chamade, elle essaie de respirer sans faire de bruit, mais elle ne peut contrôler l'irrégularité du souffle dans sa gorge. Elle se laisse glisser en bas d'une pente rocailleuse, arrachant de la mousse humide sur son passage, et parvient finalement à se faufiler sous l'épaisse ramure d'un sapin. Elle tremble de tout son corps. Elle rampe plus près du tronc, où l'obscurité de la nuit se fait plus dense. Elle s'entend gémir lorsqu'elle pense à Viola. Björn lui, est immobile, les bras croisés sur la poitrine. Dans le noir, il marmonne encore et encore la même litanie. Terrorisés, ils ont couru sans se soucier de la direction qu'ils prenaient. Ils ont trébuché, sont tombés, se sont relevés. Ils ont escaladé des arbres déracinés, ils se sont écorché les jambes, les genoux et les mains, mais ne se sont jamais arrêtés.

Penelope ignore à quelle distance se trouve celui qui les poursuit, s'il les a déjà repérés ou s'il a abandonné et décidé d'attendre.

Ils se sont enfuis, mais Penelope ne comprend pas pourquoi l'homme en noir les pourchasse. Peut-être est-ce un malentendu. Un terrible malentendu. Son pouls semble enfin ralentir mais elle se sent si mal que, sur le point de vomir, elle se force à déglutir.

— Oh mon Dieu, oh mon Dieu, répète-t-elle en chuchotant. Ce n'est pas possible, il faut que quelqu'un nous aide, ils vont bientôt retrouver le bateau et donner l'alerte…

— Chuuut ! souffle Björn, le regard terrifié.

Les mains de Penelope tremblent. Des images défilent à toute allure dans sa tête. Elle cligne des yeux pour les occulter et tente de concentrer son attention sur ses baskets blanches, les aiguilles de pin marron au sol, les genoux sales et ensanglantés de Björn, mais la terrible, l'impitoyable vérité s'impose : Viola est morte, assise au bord du lit, les yeux écarquillés, le regard impénétrable. Le visage mouillé, le teint crayeux, les cheveux humides, raides et ternes.

Instantanément, Penelope avait compris que l'homme sur la plage qui hélait Björn était celui qui avait tué sa sœur. Elle en avait eu la terrible intuition. Si son instinct l'avait trompée, ils seraient morts à l'heure qu'il est.

Penelope avait réussi à avertir Björn mais elle avait été trop longue à le rejoindre et ils avaient perdu du temps. Ensuite elle l'avait blessé avec la pointe de la gaffe avant de parvenir à le hisser hors de l'eau.

Le Zodiac avait contourné l'îlot Stora Kastskär et pris de la vitesse au large. Penelope avait dirigé le bateau droit sur un vieux ponton en bois, enclenché la marche arrière et coupé le moteur lorsque l'avant avait heurté un poteau. L'intensité du choc avait violemment fait pencher le bateau. Ils avaient sauté à terre. En voulant fuir le plus vite possible ils n'avaient rien pu emporter, pas même un téléphone. Dans la précipitation, Penelope avait dérapé, avait pu se relever en appuyant sa main au sol mais lorsqu'elle s'était retournée, elle avait vu l'homme en noir amarrer en hâte son bateau près du ponton.

Penelope et Björn s'étaient dirigés vers la forêt. L'un à côté de l'autre, ils ont filé entre les arbres et les pierres, noyés dans l'obscurité. Björn poussait un gémissement de douleur chaque fois que ses pieds nus rencontraient des rameaux tranchants.

Penelope le traînait avec elle, l'homme se rapprochait dangereusement.

Ils ne pensaient à rien, n'avaient aucun plan. Tout ce qui comptait, c'était d'échapper à leur poursuivant. Ils avaient gagné les profondeurs de la forêt à travers les épaisses fougères et les buissons de myrtilles.

Tandis qu'elle courait, Penelope réalisa qu'elle pleurait et gémissait d'une voix qui lui était totalement étrangère. Une grosse branche lui avait cinglé la cuisse et l'avait contrainte à s'arrêter. Son souffle déchirait sa poitrine, en gémissant de douleur elle avait écarté la branche de ses mains tremblantes. Björn la suivait de près, et même si la douleur irradiait dans ses muscles, elle avait repris sa course effrénée et accéléré encore son allure.

Elle entendait la foulée de Björn derrière elle et pénétrait de plus en plus profondément dans la forêt.

Quand on est envahi par la panique, inconstante par nature, l'esprit va et vient entre des moments de pure lucidité et de totale déraison. C'est comme quand surgit le silence après un long vacarme : tout à coup la perspective s'élargit. Et puis la peur revient en force, les idées, de nouveau étriquées, tournent à toute allure, motivées par l'unique pulsion de la course, la volonté de s'éloigner le plus possible du poursuivant.

Penelope se répétait encore et encore qu'il fallait qu'ils atteignent les parties habitées au sud de l'île, il devait y avoir des centaines de personnes ce soir à Ornö. Elle ne pensait qu'à trouver de l'aide, un téléphone, prévenir la police.

Ils s'étaient cachés un moment sous l'abri que leur avait offert le branchage d'un sapin, mais la crainte d'être repérés était devenue insupportable et ils avaient repris la fuite.

Penelope a de nouveau l'impression de sentir la présence de l'homme en noir, elle pense percevoir le bruit de ses longues enjambées en lisière de la forêt. Elle est sûre qu'il n'a pas cessé sa traque. Il ne va pas tarder à les rattraper s'ils ne trouvent pas rapidement de l'aide ou s'ils ne parviennent pas à rejoindre la partie habitée de l'île.

Un escarpement rocheux se dresse devant eux, des cailloux se détachent sous leurs pieds et dégringolent en bas de la pente.

Il faut trouver de l'aide. Les premières maisons ne devraient plus être loin maintenant. L'hystérie s'est emparée de tout son être, elle voudrait s'arrêter et hurler à pleins poumons pour demander de l'aide, pourtant elle continue d'avancer, de grimper. Elle entend Björn tousser dans son dos. Il respire difficilement et tousse de nouveau.

Et si Viola n'était pas morte, si elle avait besoin d'aide ? La peur la fait délirer même si Penelope a conscience qu'elle espère l'impossible car la vérité est insoutenable. Elle sait que Viola est morte, mais cette pensée est simplement inconcevable, irréelle. Elle ne veut pas l'admettre, ne peut pas, ne veut même pas essayer.

Ils escaladent un autre mur rocheux coincé entre de grands pins broussailleux, des pierres et des airelles. En agrippant la paroi de ses mains, elle parvient à se hisser jusqu'au sommet. Björn est juste derrière elle, il tente de lui dire quelque chose mais, à court de souffle, il se contente de l'entraîner sur l'autre versant. Devant eux, la forêt chemine en pente douce vers la plage située à l'est de l'île. Malgré l'obscurité, ils distinguent la surface claire de l'eau entre les arbres. Ils y sont presque. Ils commencent à descendre. Penelope dérape, glisse sans pouvoir retenir sa chute et atterrit violemment la bouche contre les genoux. Elle reprend son souffle en toussant.

Elle tente de se relever tout en se demandant si elle ne s'est rien cassé. Soudain, elle entend de la musique mêlée à des éclats de voix et des rires. Elle prend appui sur la paroi humide pour se relever, s'essuie la bouche et jette un coup d'œil à sa main ensanglantée.

Björn la rejoint et pointe une direction du doigt, il semble y avoir une fête un peu plus loin. Ils se prennent par la main et se remettent à courir. Toujours plongés dans l'obscurité de la forêt, ils aperçoivent des touches de couleur qui percent à travers un espalier, sur une terrasse en bois près de l'eau.

Ils poursuivent leur marche, sur leurs gardes.

Des personnes sont assises autour d'une table devant une belle maison d'été rouge de Falun. Bien que le ciel soit clair, Penelope comprend que c'est le milieu de la nuit. Le repas est terminé depuis longtemps, des verres, des tasses à café, des assiettes sales et des bols de chips vides gisent sur la table.

Certains chantent en chœur, d'autres papotent et remplissent leurs verres de vin rouge à la fontaine. La chaleur qui émane encore du barbecue fait vibrer l'air. Des enfants dorment probablement à l'intérieur de la maison, bien au chaud sous leurs couvertures. Il semble à Björn et Penelope que ces personnes évoluent dans un autre monde que le leur. Leurs visages sont calmes et lumineux.

Une seule personne semble être légèrement hors du cercle. Il se tient un peu sur le côté, le visage tourné vers la forêt, comme s'il attendait quelqu'un. Penelope s'arrête net en retenant Björn par la main. Ils se jettent à terre et rampent sous un pin dont le branchage est assez bas pour les dissimuler. Björn a l'air effrayé et perplexe. Quant à Penelope, elle est certaine de ce qu'elle a vu. Le poursuivant a deviné la direction qu'ils prendraient et a rejoint la maison avant eux. Il savait qu'ils ne pourraient résister à la lumière et au bruit de la fête. Il savait qu'ils y seraient attirés comme des papillons de nuit. Alors il patiente, épie entre les arbres avec la ferme intention de les surprendre avant qu'ils n'atteignent l'orée de la forêt. Il ne craint pas que les convives entendent des cris, il est certain qu'ils n'oseront pas aller dans la forêt avant qu'il ne soit trop tard.

Lorsque Penelope ose relever la tête, il a disparu. L'adrénaline sécrétée dans son sang la fait trembler comme une feuille. En sondant les environs du regard, elle espère de tout son cœur que l'homme en noir se soit trompé, qu'il ait pris une autre direction. A peine s'est-elle dit que leur course folle touchait peut-être à sa fin et qu'ils pourraient rejoindre la fête pour alerter la police, qu'elle l'aperçoit contre un tronc d'arbre. Avec des gestes mesurés, il scrute la forêt au moyen d'une paire de jumelles dont les lentilles renvoient des reflets verts.

Penelope s'accroupit près de Björn en s'efforçant de réprimer cet instinct de survie qui lui dicte de fuir sans réfléchir, de courir ventre à terre. Elle observe l'homme entre les arbres et la façon dont il porte les jumelles à ses yeux. Elles sont certainement équipées d'un système infrarouge ou à vision nocturne.

Penelope prend la main de Björn et l'entraîne avec elle. Tête baissée, jambes fléchies, ils s'éloignent de la maison et de sa musique pour retourner une nouvelle fois vers les profondeurs de la forêt. Après un moment, elle ose se relever. Ils courent maintenant sur une pente qui a été adoucie durant des siècles par le glacier continental qui s'étendait autrefois sur l'Europe du Nord. Ils traversent les fourrés à toute allure, franchissent un grand rocher et un sommet effilé. Björn saisit une large branche et se laisse adroitement glisser vers le bas de la côte. Le cœur de Penelope semble éclater dans sa poitrine, les muscles de ses cuisses sont pris de spasmes, elle s'efforce de respirer silencieusement, mais elle est trop essoufflée pour y parvenir. Elle dérape sur le versant rocailleux tout en arrachant de la mousse humide et des fougères sur son passage. Elle atterrit sous l'épaisse ramure d'un sapin. Björn ne porte qu'un short de bain qui lui arrive aux genoux, son visage est blafard et ses lèvres sont presque blanches.

15

L'IDENTIFICATION

On dirait que quelqu'un fait rebondir un ballon contre le mur de la façade sous la fenêtre du médecin légiste en chef Nils Åhlén. L'inspecteur Joona Linna et lui attendent en silence l'arrivée de Claudia Fernandez. En ce dimanche matin, elle a été priée de se présenter pour identifier le corps de la jeune femme.

Lorsque Joona l'a appelée pour lui annoncer qu'ils craignaient que sa fille Viola ne soit morte, Claudia lui avait répondu d'une voix curieusement calme :

— Non, Viola est dans l'archipel avec sa sœur.

— Sur le bateau de Björn Almskog ?

— Oui, c'est moi qui lui ai suggéré de téléphoner à Penelope pour voir si elle pouvait les accompagner, je pensais qu'elle avait besoin de s'évader.

— Y avait-il d'autres personnes sur le bateau ?

— Björn, évidemment.

Joona avait laissé quelques secondes s'écouler durant lesquelles il tentait de chasser le poids qui opprimait sa poitrine, avant de se racler la gorge et de dire d'une voix douce :

— Claudia, j'aimerais que vous veniez au service médico-légal à Solna.

— Pourquoi ?

Joona est maintenant assis sur une chaise inconfortable dans le bureau du médecin légiste. Dans le cadre posé sur son bureau, qui contient d'ordinaire une photo de son mariage, l'Aiguille a glissé une petite photo de Frippe. Le bruit lointain de l'incessant rebond contre le mur parvient toujours jusqu'à eux, creux et solitaire. Joona pense au moment où il a perçu un changement dans la respiration de Claudia, lorsqu'elle a pris conscience que le corps retrouvé pourrait être celui de sa fille. Avec délicatesse, Joona lui avait énuméré les circonstances dans lesquelles une femme, qu'ils pensaient malheureusement être sa plus jeune fille, avait été retrouvée morte sur un bateau abandonné dans l'archipel de Stockholm.

Un taxi a été envoyé chez Claudia Fernandez, une maison située dans un lotissement à Gustavsberg. Elle ne devrait plus tarder.

Sans grande conviction, l'Aiguille tente d'entamer la conversation, mais abandonne assez rapidement lorsqu'il réalise que Joona ne compte pas répondre. Ils ont hâte d'en finir. Une identification est toujours un moment bouleversant. Le soulagement procuré par le fait qu'on ne doive plus vivre dans l'incertitude se mêle inextricablement à la douleur de voir tout espoir anéanti.

Ils entendent des bruits de pas dans le couloir. Ils se lèvent en même temps de leur chaise. Voir le corps sans vie d'un être cher, c'est confirmer la pire des appréhensions. Mais il s'agit aussi d'un moment important dans le processus de deuil. Joona a lu de nombreux articles décrivant comment l'identification s'accompagne d'un sentiment de soulagement. Les fantasmes les plus absurdes échafaudés pour se convaincre que l'être aimé est toujours en vie sont immédiatement balayés et ne laissent derrière eux que vide et frustration. Pour Joona, ce ne sont que des paroles vides de sens. La mort est épouvantable et ne laisse jamais rien derrière elle.

Claudia Fernandez est à la porte, c'est une femme d'une soixantaine d'années. Elle a l'air d'avoir peur. Des traces de pleurs sillonnent son visage inquiet. Son corps crispé est comme recroquevillé.

Joona l'accueille avec douceur :

— Bonjour, je m'appelle Joona Linna. Je suis l'inspecteur principal, on s'est eu au téléphone.

L'Aiguille se présente d'une voix à peine audible en serrant rapidement la main de la femme et lui tourne le dos presque aussitôt, prétendant consulter quelques classeurs. Il doit certainement lui sembler désagréable et froid, mais Joona sait qu'en réalité il est extrêmement troublé.

— J'ai essayé de les appeler, mais je n'arrive pas à joindre mes filles, chuchote Claudia. Elles auraient dû...

— On y va ? l'interrompt l'Aiguille comme s'il ne l'avait pas entendue.

Ensemble, ils parcourent le couloir en silence. Joona a l'impression qu'à chaque pas l'air devient de plus en plus saturé. Claudia Fernandez ne semble pas pressée de se confronter à l'instant qui approche. Elle avance lentement, plusieurs mètres derrière l'Aiguille dont la haute stature nettement dessinée presse le pas devant eux. Joona Linna se retourne pour adresser un sourire à Claudia. Mais il ne peut soutenir ce qu'il décèle dans son regard, la panique, l'imploration, les supplications, autant de tentatives de négociation avec Dieu.

C'est comme s'ils la traînaient de force vers la chambre froide où sont conservés les corps.

D'un ton irrité, l'Aiguille grogne quelque chose d'incompréhensible. Puis il s'accroupit, ouvre la porte de la cellule réfrigérée en inox et en extrait la civière.

La jeune femme apparaît, son corps recouvert d'un tissu blanc. Ses yeux mi-clos sont éteints, et ses joues sont creusées. Ses cheveux noirs encerclent son beau visage. On distingue une petite main frêle posée près de sa hanche.

La respiration de Claudia Fernandez s'accélère. Elle se penche, touche délicatement la main et pousse un effroyable gémissement. Il semble venir du plus profond de ses entrailles, comme si, à cet instant même, son corps se brisait, comme si son âme se désagrégeait.

Claudia tremble de tout son corps, elle s'écroule sur les genoux en tenant la main inanimée de sa fille contre ses lèvres.

— Non, non, pleure-t-elle. Mon Dieu, pitié, pas Viola. Pas Viola…

Joona se tient en retrait à quelques mètres, il voit le dos de Claudia secoué de hoquets, il entend sa voix et ses pleurs désespérés qui s'intensifient pour finalement se calmer progressivement.

Elle essuie les larmes de son visage, mais lorsqu'elle se relève sa respiration est toujours saccadée.

— Pourriez-vous confirmer qu'il s'agit bien d'elle ? demande l'Aiguille d'un ton bref. Est-ce que c'est bien Viola Fernandez qui…

Sa voix s'enraye et il s'éclaircit violemment la gorge.

Claudia secoue la tête et caresse délicatement la joue de sa fille du bout des doigts.

— Viola, Violita…

Elle retire sa main tremblante et Joona prononce lentement :

— Je suis vraiment, vraiment navré.

Claudia chancelle, mais parvient à prendre appui sur le mur, elle détourne le visage et chuchote pour elle-même :

— Samedi on va aller au cirque, je vais faire la surprise à Viola…

Ils observent la défunte, ses lèvres pâles, les artères dessinées sur son cou blafard.

— J'ai oublié votre nom, dit Claudia d'un air égaré en regardant Joona.

— Joona Linna.

— Joona Linna, répète la femme d'une voix sourde. Je vais vous parler de Viola. C'est ma petite fille, mon petit bébé, ma radieuse petite…

Claudia jette un regard sur le pâle visage de Viola et titube sur le côté. L'Aiguille lui tend une chaise, mais elle secoue simplement la tête d'un mouvement bref.

— Pardon, dit-elle. C'est juste que… ma première fille, Penelope, a vécu beaucoup de choses terribles au Salvador. Quand je pense à ce qu'ils m'ont fait dans cette prison, je me souviens à quel point Penelope était effrayée, elle pleurait et m'appelait… heure après heure, mais je ne pouvais pas lui répondre, je ne pouvais pas la protéger…

Claudia croise le regard de Joona, fait un pas en avant et il pose délicatement son bras autour d'elle. Elle se presse lourdement contre sa poitrine, reprend sa respiration, se retire, s'empêche de regarder sa fille morte, tâtonne pour trouver le dos de la chaise et s'assied enfin.

— Ma fierté… a été que ma petite Viola soit née ici en Suède. Elle avait une belle chambre avec une lampe rose au plafond, des jouets et des poupées, elle allait à l'école, regardait *Fifi Brindacier*… Je ne sais pas si vous pouvez comprendre, mais j'étais fière qu'elle n'ait jamais eu faim ni peur. Pas comme nous… comme Penelope et moi qui nous réveillions la nuit en nous attendant sans cesse à ce que quelqu'un vienne nous faire du mal.

Elle se tait, puis chuchote :

— Viola a simplement été joyeuse et…

Elle se penche légèrement en avant, cache son visage dans ses mains et pleure doucement. Joona pose une main sur son dos avec douceur.

— Je vais y aller maintenant, dit-elle entre deux sanglots.

— On a le temps.

A peine parvient-elle à se calmer que son visage est de nouveau secoué de pleurs.

— Vous avez parlé avec Penelope ?

— On n'a pas réussi à la joindre, répond Joona à voix basse.

— Dites-lui que je veux qu'elle m'appelle pour…

Elle s'interrompt, et pâlit instantanément, puis relève la tête :

— Je me disais seulement qu'elle ne voulait pas répondre à mes appels parce que je… j'étais… j'ai dit quelque chose d'affreux, mais ça ne voulait rien dire, je ne voulais pas…

— On a envoyé des hélicoptères sur les lieux pour retrouver Penelope et Björn Almskog, mais…

— Pitié, dites-moi qu'elle est en vie, chuchote-t-elle à Joona. Dites-le-moi, Joona Linna.

Joona sent ses mâchoires se crisper tandis qu'il effleure le dos de Claudia :

— Je vais faire tout ce que je peux pour…

— Elle est en vie, dites-le, l'interrompt Claudia. Il faut qu'elle soit en vie.

— Je vais la retrouver, dit Joona. Je sais que je vais la retrouver.

— Dites-moi que Penelope est en vie.

Joona hésite puis croise le regard sombre de Claudia. Des pensées défilent dans son esprit à toute vitesse, son cœur semble les lier dans des combinaisons fugaces et soudain il s'entend dire :

— Elle est en vie.

— Oui, chuchote Claudia.

Joona baisse les yeux, désormais incapable de saisir ce qui a effleuré sa conscience quelques secondes plus tôt, la conviction qui l'a poussé à une telle affirmation.

16

L'ERREUR

Joona raccompagne Claudia Fernandez jusqu'à son taxi. Il l'aide à s'installer puis attend que la voiture se soit éloignée pour chercher son téléphone portable dans ses poches. Lorsqu'il constate qu'il l'a oublié, il retourne en hâte vers le bâtiment du service médicolégal, entre avec empressement dans le bureau de l'Aiguille, saisit le combiné du téléphone fixe, s'installe sur la chaise face au bureau et compose le numéro d'Erixon.

— Laisse les gens dormir, répond Erixon. Je te rappelle qu'on est dimanche.

— Avoue que tu es sur le bateau.

— Je suis sur le bateau.

— Il n'y avait donc pas d'explosifs.

— Pas à proprement parler – mais tu avais raison. Il aurait pu sauter à tout moment.

— Comment ça ?

— A un endroit, l'isolation des câbles est gravement abîmée, on dirait que ça a été provoqué par l'exercice d'une pression… les métaux ne sont pas entrés en contact, si c'était le cas les plombs auraient sauté. Mais le câble est dénudé et si l'on avait démarré le moteur, une surcharge électrique se serait produite assez rapidement… en provoquant des arcs électriques.

— Et qu'est-ce qui se serait passé ?

— Ces arcs électriques atteignent des températures de plus de trois mille degrés, ils auraient mis le feu à un vieux coussin de chaise qui a été posé juste à côté. Le feu se serait propagé jusqu'au tuyau de la pompe d'injection et…

— A quelle vitesse ?

— Les arcs électriques peuvent mettre une dizaine de minutes à apparaître, peut-être plus… mais ensuite ça va relativement

vite – quelques flammes, l'embrasement général et l'explosion.
Le bateau aurait pris l'eau presque instantanément et aurait
coulé.

— Donc si le moteur avait été allumé, le feu se serait rapidement déclaré et aurait déclenché une explosion ?

— Oui, mais ce n'était pas forcément prémédité.

— Ce serait donc un hasard que les câbles soient endommagés ? Et pure coïncidence que le coussin de chaise se trouve
à l'intérieur prêt à s'embraser ?

— Parfaitement.

— Mais tu n'y crois pas ?

— Non.

Joona repense au bateau à la dérive dans le pertuis de Jungfrufjärden, il se racle la gorge et dit d'un air pensif :

— Si c'est le meurtrier qui a fait ça…

— Alors ce n'est pas un meurtrier ordinaire, complète Erixon.

Ces mots résonnent dans la tête de Joona. Les meurtriers
classiques agissent généralement de façon passionnelle. Ils
sont en proie à de fortes émotions et le meurtre, dans la plupart des cas, relève d'une phase hystérique. Ce n'est que dans
un second temps qu'ils élaborent un plan ou des stratégies
pour dissimuler les traces de leur crime et échafauder un alibi.
En revanche, dans cette affaire, le meurtrier semble suivre froidement un plan établi en amont.

Et pourtant, quelque chose ne s'est pas déroulé comme prévu.

Joona, absorbé par ses pensées, fixe le vide devant lui avant
d'inscrire le nom de Viola Fernandez sur la première feuille du
calepin de l'Aiguille. Il entoure son nom, puis note ceux de Penelope Fernandez et de Björn Almskog. Les deux jeunes femmes
sont sœurs. Penelope et Björn sont en couple. Björn est le propriétaire du bateau. Viola a voulu les accompagner et les a rejoints
à la dernière minute. Il reste encore du chemin à parcourir avant
de pouvoir établir les motifs du crime. Joona venait d'affirmer
que Penelope Fernandez était en vie. Ce n'était pas seulement
un espoir ni même la tentative d'apporter un certain réconfort
à Claudia. Il s'agissait ni plus ni moins d'un pressentiment. Une
idée avait fusé dans son esprit pour lui échapper aussitôt.

Si l'on se référait à la méthode utilisée par la Riksmordskommissionen, le petit ami de Viola devrait être soupçonné d'office,
peut-être également Penelope et Björn qui se trouvaient sur les
lieux du crime. La présence d'alcool et autres drogues serait

venue compléter les éléments à charge. Une dispute avait peut-être éclaté, une banale histoire de jalousie s'était soldée par un terrible drame. Bientôt, Leif G. W. Persson*, assis dans le canapé d'un plateau de télévision, aurait expliqué face à la caméra que le meurtrier n'était autre qu'un membre de l'entourage de Viola, vraisemblablement un petit ami ou ex-petit ami.

Mais pourquoi vouloir faire exploser le réservoir de carburant? Joona tente de comprendre la logique qui sous-tend le plan de l'assassin. Viola a été noyée dans une bassine en zinc à l'arrière du bateau, le meurtrier l'a ensuite transportée jusqu'à la cabine avant puis l'a installée sur la couchette.

Joona prend rapidement conscience qu'il est assailli de nombreuses questions et qu'il suit trop de pistes de réflexion à la fois. Il doit tenter de calmer ses esprits et de dissocier ce qu'il sait déjà de ce qui doit encore être éclairci. Il entoure à nouveau le nom de Viola et reprend depuis le début.

Il est certain que Viola a été noyée dans une bassine et ensuite installée sur la couchette de la cabine avant. Il sait que Penelope Fernandez et Björn Almskog n'ont pas encore été retrouvés.

Mais ce n'est pas tout, se dit-il en tournant la page.

Des détails.

Il inscrit les mots "calme plat" sur la nouvelle feuille.

La mer était calme et le bateau a été retrouvé à la dérive près de Storskär.

L'avant avait été endommagé à la suite d'une violente collision.

Les techniciens ont probablement déjà fait leurs relevés et procédé à des moulages pour faire des comparaisons.

Joona jette le calepin de l'Aiguille contre le mur puis ferme les yeux.

— *Perkele***, chuchote-t-il.

Une nouvelle fois, il avait la sensation que quelque chose venait de lui glisser entre les mains. Une idée avait germé avant de se dérober aussitôt.

Viola. Tu es morte sur le pont arrière du bateau. Pourquoi a-t-on déplacé ton corps *post mortem*? Et qui l'a fait? Le meurtrier ou quelqu'un d'autre?

---

* Leif Gustav Willy Persson est un criminologue suédois et un auteur de polars célèbre, souvent consulté en tant qu'expert sur les plateaux de télévision.
** "Diable", en finnois.

Si elle a été retrouvée sur le pont, quelqu'un a peut-être tenté de la réanimer ou d'appeler les secours, c'est l'hypothèse la plus probable. Et si cette personne a constaté qu'il n'y avait plus rien à faire, qu'elle ne se réveillerait plus, elle a pu préférer ne pas la laisser ainsi, et la porter à l'intérieur. Un cadavre est lourd et pénible à déplacer, même à deux. Mais il ne serait pas insurmontable de l'amener jusqu'au salon. En passant par les portes vitrées, ce sont cinq mètres à peine à parcourir, et une seule marche à franchir.

C'est possible et on peut aisément l'expliquer. En revanche, on ne traîne pas le corps d'une morte en bas d'un escalier abrupt, le long d'un étroit couloir pour le poser ensuite sur un lit. A moins qu'on n'ait la ferme intention de faire croire à une noyade accidentelle dans la cabine d'un bateau submergé par les flots.

— Exact, marmonne-t-il en se redressant.

Il regarde par la fenêtre, aperçoit un scarabée de couleur bleutée qui avance sur la tôle blanche. Il lève les yeux et voit une femme à vélo disparaître entre les arbres. Soudain, il se souvient de ce qui lui a échappé par deux fois.

Joona retourne s'asseoir et tambourine sur la table.

Ce n'est pas Penelope qui a été retrouvée morte sur le bateau, mais sa sœur Viola. Pourtant Viola n'a pas été retrouvée dans son propre lit mais dans la cabine avant, sur le lit de Penelope. L'assassin a pu faire la même erreur que moi, se dit Joona en sentant un frisson lui parcourir le dos.

Il voulait tuer Penelope Fernandez.

C'est pour cette raison qu'il a déplacé le corps jusqu'à la cabine avant. C'est la seule explication possible et cela implique que Penelope Fernandez et Björn Almskog ne sont pas coupables de la mort de Viola. Eux ne se seraient jamais trompés de lit.

Joona sursaute lorsque la porte du bureau s'ouvre avec fracas. Elle n'était pas bien fermée et l'Aiguille est entré dans la pièce en la poussant du dos. Il a dans les bras un grand carton rectangulaire. De grandes flammes ornent le devant de la boîte sur laquelle on peut lire *Guitar Hero*.

— Avec Frippe on va commencer…

— Chut ! l'interrompt Joona.

— Qu'est-ce qui se passe ?

— Rien, j'ai juste besoin de réfléchir.

Joona se lève et quitte la pièce sans un mot. Il passe devant la réceptionniste sans prêter aucune attention à ce qu'elle lui dit, les yeux pétillants. Il sort dans le soleil matinal et s'arrête sur la pelouse, près du parking.

Une quatrième personne, qui ne semble pas connaître les deux jeunes femmes, a tué Viola, mais en pensant tuer Penelope. Penelope était donc en vie au moment de la mort de sa sœur, sinon l'assassin n'aurait pas commis cette erreur. Peut-être l'est-elle encore ? Il se peut aussi qu'elle soit déjà morte, son corps dissimulé quelque part sur une île de l'archipel ou ballotté dans les profondeurs de la mer. Pourtant, il reste de l'espoir. Si elle est en vie, on la retrouvera bientôt.

Bien qu'il ne sache pas encore où aller, Joona se dirige à grands pas vers sa voiture. Il retrouve son portable sur le toit de l'habitacle. Il a dû l'y poser en refermant la portière. Il saisit le téléphone brûlant et compose le numéro d'Anja Larsson. Aucune réponse. Joona s'installe sur le siège avant, attache sa ceinture, mais ne démarre pas. Il tente de déceler les failles de son propre raisonnement.

L'air est lourd, mais l'odeur riche et puissante qui émane des haies de lilas près du parking chasse enfin celle des cadavres qui semblait s'être imprégnée en lui.

Le téléphone sonne, il jette un coup d'œil à l'écran et répond.

— Je viens de parler avec ton médecin, dit Anja.

— Pourquoi ? demande Joona d'une voix étonnée.

— Janush dit que tu n'as pas pris la peine d'aller le voir, poursuit-elle sur un ton de reproche.

— Il se trouve que je n'ai pas eu le temps.

— Mais tu prends bien ton médicament ?

— Il est dégoûtant, plaisante Joona.

— Non mais sérieusement… il a appelé parce qu'il s'inquiétait pour toi.

— Je vais lui parler.

— Tu veux dire une fois que tu auras résolu cette affaire ?

— Tu as de quoi noter ?

— Ne t'en fais pas pour moi.

— La femme retrouvée sur le bateau ne s'appelle pas Penelope Fernandez.

— Mais Viola, je sais. Petter m'a informée.

— Bien.

— Tu t'es trompé, Joona.

— Oui, je sais…

Anja rit :

— Dis-le.

— J'ai toujours tort, dit-il à voix basse.

Ils restent silencieux un court moment.

— On n'a pas le droit de plaisanter avec ça ? dit-elle d'une voix hésitante.

— Tu as pu trouver quelque chose au sujet du bateau et de Viola Fernandez ?

— Viola et Penelope sont sœurs. Penelope et Björn Almskog ont une liaison ou je ne sais plus comment on appelle ça, depuis quatre ans.

— Oui, c'est à peu près ce que je pensais.

— D'accord. Je continue ou ce n'est pas la peine ?

Joona ne répond pas, il se contente de se laisser aller contre l'appuie-tête tout en constatant que la vitre est recouverte de pollen.

— Il n'était pas prévu que Viola vienne sur le bateau, poursuit Anja. Le matin même, elle s'était disputée avec son petit ami, Sergej Jarushenko, et a appelé sa mère en pleurs. C'est elle qui lui a suggéré de demander à Penelope de pouvoir les accompagner en mer.

— Qu'est-ce que tu sais sur Penelope ?

— J'ai donné priorité à la victime, Viola Fernandez, étant donné…

— Oui, mais le meurtrier pensait tuer Penelope.

— Attends, qu'est-ce que tu racontes, Joona ?

— Il a fait une erreur, il avait prévu de faire passer le meurtre pour une noyade, mais il a déplacé le corps de Viola sur le lit de sa sœur.

— Parce qu'il croyait que Viola était Penelope.

— J'ai besoin de tout savoir sur Penelope Fernandez et sa…

— C'est une de mes plus grandes idoles, l'interrompt Anja. Elle milite pour la paix et habite au 3, Sankt Paulsgatan.

— On a lancé une recherche la concernant ainsi que Björn Almskog. Deux hélicoptères du service de sauvetage en mer inspectent les alentours de Dalarö. Ils devraient bientôt organiser une battue avec la police maritime.

— Je suis sur le coup.

— Il faut qu'on interroge le copain de Viola et Bill Persson, le pêcheur qui a trouvé le bateau. On doit aussi mettre la pression au SKL pour obtenir les résultats des analyses.

— Tu veux que j'appelle Linköping ?

— Je vais parler à Erixon, il les connaît, de toute façon je vais le voir maintenant. On va inspecter l'appartement de Penelope.

— On dirait que tu te charges de l'enquête préliminaire, Joona. Je me trompe ?

17

UN HOMME TRÈS DANGEREUX

Le soleil estival est encore haut dans le ciel mais l'air est de plus en plus lourd, comme si un orage se préparait. Joona Linna et Erixon se garent devant le vieux magasin de pêche *Fiskarnas Redskapshandel*. Les photos de ceux qui ont attrapé les plus gros saumons dans les cours d'eau de Stockholm sont depuis toujours exposées en devanture.

Le téléphone de Joona sonne, c'est Claudia Fernandez. Il s'approche du mur et, plongé dans l'ombre de la façade, il répond.

— Vous avez dit que je pouvais téléphoner, dit-elle d'une voix faible.

— Bien sûr.

— Je comprends que vous disiez ça à tout le monde, mais je me suis dit... ma fille, Penelope. Je veux dire... il faut que je le sache si vous trouvez quelque chose, même si elle...

La voix de Claudia s'éteint.

— Allô ? Claudia ?

— Oui, excusez-moi, chuchote-t-elle.

— Je suis inspecteur... j'essaie de comprendre les événements, de savoir s'il s'agit d'un crime. C'est le service de sauvetage en mer qui est à la recherche de Penelope.

— Quand est-ce qu'ils vont la retrouver ?

— On commence généralement par sonder la zone de la disparition en hélicoptère... on organise simultanément une battue, mais ça prend un peu plus de temps... donc on commence par l'hélicoptère.

Joona entend Claudia s'efforcer de dissimuler ses pleurs.

— Je ne sais pas quoi faire, je... j'ai besoin de savoir si je peux faire quelque chose, si je dois continuer d'interroger ses amis.

— Le mieux, c'est que vous restiez chez vous. Penelope va peut-être essayer de vous joindre et dans ce cas…

— Elle ne m'appellera pas, l'interrompt-elle.

— Je crois que…

— J'ai toujours été trop sévère avec Penny, je me fâche toujours contre elle, je ne sais pas pourquoi, je… je ne veux pas la perdre, je ne peux pas perdre Penelope, je…

Claudia pleure dans le combiné, tente de se contenir, s'excuse rapidement et met fin à la conversation.

En face du magasin de pêche, au 3, Sankt Paulsgatan, habite Penelope Fernandez. Joona rejoint Erixon qui l'attend devant une vitrine recouverte de signes japonais et d'illustrations de mangas. Sur les étagères s'entassent des centaines de Hello Kitty, ces poupées chats aux grands visages innocents. Le contraste entre le magasin aux couleurs criardes et le brun terne de la façade est saisissant.

— Petit corps et grosse tête, dit Erixon en désignant une figurine Hello Kitty lorsque Joona s'arrête à ses côtés.

— Plutôt mignon, marmonne Joona.

— Moi, je me suis mélangé les pinceaux, c'est gros corps et petite tête, plaisante Erixon.

Joona lui adresse un sourire en coin et ouvre la large porte d'entrée. Ils montent les marches en laissant leur regard glisser sur les plaques nominatives, les interrupteurs brillants des plafonniers, les vide-ordures fermés. Il règne dans la cage d'escalier une odeur de soleil, de poussière et de savon noir mêlée. Haletant derrière Joona, Erixon s'accroche si fort à la rampe qu'elle grince sous son poids. Ils atteignent en même temps le troisième étage et se regardent. Le visage d'Erixon tremble encore sous le poids de l'effort. Il hoche la tête, essuie la sueur de son front et chuchote d'une voix désolée :

— Excuse-moi.

— Il fait lourd aujourd'hui.

Près de la sonnette se trouvent quelques autocollants, un symbole antinucléaire, le logo du commerce équitable et un symbole de paix. Joona jette un coup d'œil à Erixon, les pupilles de ses yeux gris se rétrécissent en deux fentes lorsqu'il colle son oreille à la porte.

— Qu'est-ce qu'il y a ? chuchote Erixon.

Toujours dans la même position, Joona appuie sur la sonnette. Il attend un moment puis sort un étui de sa poche intérieure.

— Ce n'est peut-être rien, dit-il en crochetant délicatement la serrure.

Joona pousse la porte puis se ravise et la referme immédiatement. Il ignore pourquoi mais fait signe à Erixon de ne pas bouger. A l'extérieur, on entend la musique du camion du marchand de glaces. Erixon, qui semble inquiet, saisit machinalement son menton entre son index et son pouce. Un frisson parcourt les bras de Joona. Il ouvre pourtant la porte avec son calme habituel et entre. Des journaux, des prospectus et une lettre du Parti de gauche suédois gisent au sol. La pièce sent le renfermé. Une tenture en velours est suspendue devant la penderie. Un chuintement s'échappe des profondeurs des canalisations. On entend un bref cliquetis depuis le mur.

Instinctivement, Joona glisse sa main vers son arme de service. Il l'effleure du bout des doigts, mais la laisse dans sa gaine. Il fixe la tenture cramoisie, puis la porte de la cuisine. Il contrôle sa respiration et tente de voir par la vitre opaque au mur et la porte vitrée menant au salon.

Même s'il aurait préféré quitter l'appartement sur-le-champ, Joona fait un pas en avant. Il a l'intuition qu'il devrait appeler des renforts. La vitre opaque se trouve soudain obscurcie. Les petits tubes en cuivre d'un carillon vacillent sans émettre leur tintement. Joona observe les particules de poussière qui, portées par un nouveau mouvement, changent de direction dans l'air.

Il n'est pas seul dans l'appartement.

Les battements de son cœur s'intensifient. Quelqu'un passe de pièce en pièce, il le sent. Il dirige son regard sur la porte de la cuisine. Puis tout s'enchaîne très vite. Le parquet grince. Joona entend un bruit répétitif, de brefs cliquetis. La porte de la cuisine est entrouverte. Joona aperçoit d'abord un mouvement par l'interstice entre les gonds. Il se plaque ensuite contre le mur. Quelqu'un avance d'un pas ferme dans l'obscurité du long couloir. Un dos, une épaule, un bras. La silhouette s'approche rapidement puis pivote. Joona a juste le temps d'apercevoir la lame d'un couteau qui, telle une langue blanche, semble comme projetée sur lui. La trajectoire, une diagonale de bas en haut, est si imprévisible que Joona ne peut se dégager. La lame transperce ses habits et la pointe vient heurter son arme. Joona tente en vain d'assener un coup à son agresseur. Lorsqu'il entend une nouvelle fois le sifflement du couteau dans l'air, il se jette en arrière. Cette fois-ci la lame arrive par le haut. En évitant l'attaque, Joona s'est cogné la tête contre la porte de la salle de bains. Il voit le couteau faire sauter un long éclat de bois en s'enfonçant dans le chambranle. Joona tombe, mais se retourne en lançant un coup de pied circulaire au ras du sol. Il heurte quelque chose, peut-être la cheville de l'agresseur. En un seul mouvement, il roule sur le côté pour esquiver un coup éventuel, empoigne son pistolet et arme le chien. La porte d'entrée est ouverte. Des pas rapides résonnent dans la cage d'escalier. Joona se relève pour courir à sa poursuite, mais un grondement derrière lui l'oblige à stopper net. Il comprend presque immédiatement ce dont il s'agit et se précipite dans la cuisine. Le four à micro-onde est en marche, il crépite et des étincelles noires fusent derrière la vitre. Les quatre brûleurs de la vieille gazinière sont grands ouverts et le gaz envahit la pièce. Joona a la curieuse sensation que l'atmosphère est devenue étrangement visqueuse mais parvient à se jeter sur le micro-onde. Le minuteur tourne vigoureusement. Le crépitement s'accentue. Une bombe d'insecticide tourne sur le plateau à l'intérieur du four. Joona arrache la prise et le silence retombe enfin. Seul, le chuintement monotone du gaz dans les brûleurs est maintenant perceptible. Joona les éteint. L'odeur chimique de l'insecticide est écœurante. Il ouvre en grand la fenêtre de la cuisine puis observe la bombe à l'intérieur du four. Elle est très gonflée et susceptible d'exploser au moindre contact. Joona quitte la cuisine et inspecte rapidement l'appartement. Les pièces sont vides, inchangées. L'air est toujours saturé de gaz. Devant la porte, Erixon est allongé à terre dans la cage d'escalier, une cigarette au coin de la bouche.

— N'allume pas, crie Joona.

Erixon sourit et fait un geste rassurant d'une main lasse.

— Cigarette en chocolat, murmure-t-il.

Erixon tousse faiblement et Joona remarque une mare de sang sous son corps.

— Tu saignes.

— Ce n'est pas grave, dit-il. Je ne sais pas comment il a fait, mais il m'a coupé le talon d'Achille.

Joona appelle une ambulance et s'installe auprès de lui. Erixon est pâle et ses joues sont moites. Il a l'air mal.

— Il m'a coupé sans s'arrêter, c'était... comme se faire attaquer par une putain d'araignée.

Joona repense à l'extrême rapidité des mouvements derrière la porte, la lame qui s'était propulsée avec une vitesse et une détermination que n'avait jamais connues Joona auparavant.

— Elle est là-dedans ? halète Erixon.

— Non.

Soulagé, Erixon sourit puis redevient sérieux :

— Mais il avait l'intention de faire sauter la baraque ?

— Il voulait probablement effacer des traces ou une connexion quelconque, dit Joona.

Erixon tente d'ôter le papier qui entoure sa cigarette, mais la fait tomber et ferme les yeux un moment. Ses joues sont devenues blêmes.

— Si je comprends bien tu n'as pas vu son visage non plus, dit Joona.

— Non, répond Erixon d'une voix faible.

— On a vu quelque chose. On voit toujours quelque chose...

18

L'INCENDIE

Les ambulanciers assurent une énième fois à Erixon qu'ils ne le feront pas tomber.

— Je peux marcher, dit-il en fermant les yeux.

Son menton tremble à chaque pas.

Joona retourne dans l'appartement de Penelope Fernandez. Il ouvre toutes les fenêtres pour aérer et s'installe confortablement dans un canapé couleur pêche.

Si l'appartement avait explosé, on aurait vraisemblablement cru à un accident. Aucun détail ne s'estompe, Joona le sait. Rien de ce qu'on a vu n'est jamais perdu, il faut simplement laisser les souvenirs remonter à la surface, comme des épaves.

Mais qu'est-ce que j'ai vu ?

Il n'avait rien vu, sinon la vitesse des mouvements de l'homme et une lame blanche.

C'est ça que j'ai vu, se dit-il soudain. Je n'ai rien vu.

Justement, l'absence d'une quelconque observation confirme la sensation qu'il ne s'agit pas d'un meurtrier ordinaire.

C'est un tueur professionnel, un effaceur, un *grob*.

Il en avait eu le pressentiment. Maintenant qu'il l'a rencontré, il en est persuadé.

Il a assassiné Viola. Son intention première était de tuer Penelope et de couler le bateau en simulant un accident. Avant qu'il ne soit interrompu, il poursuivait ici le même dessein. Il voulait demeurer invisible, accomplir ses crimes et les masquer soigneusement pour ne pas éveiller les soupçons de la police.

Joona balaie la pièce du regard et tente d'analyser ce qu'il a pu observer.

On dirait que des enfants font rouler des billes sur le sol de l'appartement situé à l'étage. Si Joona n'avait pas débranché le four à temps, en ce moment même, ils seraient pris au piège d'un terrible incendie. Joona n'a jamais été confronté à une attaque aussi ciblée et dangereuse. Il est convaincu que celui qui se trouvait dans l'appartement de Penelope Fernandez, militante pour la paix aujourd'hui portée disparue, n'était pas un de ces activistes haineux d'extrême droite. Certains groupuscules ont déjà commis des actes de violence prémédités, mais l'homme qui s'était introduit chez Penelope était un tueur et jouait dans une catégorie bien supérieure.

Alors que faisais-tu ici ? se demande Joona. *Qu'est-ce qu'un tueur à gages peut avoir affaire avec Penelope Fernandez. A quoi est-elle mêlée ? Qu'est-ce qui peut se cacher sous la surface ?*

Les mouvements de l'homme étaient imprévisibles, sa façon de manier le couteau déjouerait toute technique classique de défense, jusqu'aux coups et aux blocages des policiers et militaires les plus entraînés.

Il ressent un léger fourmillement dans le ventre lorsqu'il s'imagine comment le premier coup de couteau aurait transpercé son foie s'il n'avait pas porté son pistolet accroché sous son bras droit et comment le deuxième aurait pénétré dans son crâne s'il n'avait pas eu le réflexe de se jeter en arrière.

Joona se lève du canapé et entre dans la chambre à coucher. Il observe le lit bien fait et la croix fixée au mur. Un tueur professionnel a cru avoir assassiné Penelope et a voulu faire passer son crime pour un accident…

Mais le bateau n'a jamais coulé.

Soit le meurtrier a été interrompu, soit il a quitté le bateau en pensant pouvoir y retourner plus tard pour parachever sa mission. Il n'a pas pu vouloir que la police maritime retrouve un bateau à la dérive, une femme noyée à son bord. C'est impensable. Quelque chose ne s'est pas déroulé comme prévu ou les plans ont soudainement changé. Le tueur a peut-être reçu de nouvelles directives. Pourtant, trente-six heures après le meurtre de Viola, il s'introduit dans l'appartement de Penelope.

Tes raisons doivent être bien importantes pour que tu te rendes chez elle. Quel mobile justifie qu'on prenne de tels risques ? Y a-t-il un élément dans l'appartement qui vous relie toi, ou ton employeur à Penelope ?

Tu es venu pour une raison précise, pour essuyer des empreintes, effacer le contenu d'un disque dur ou un message sur le répondeur, récupérer quelque chose.

C'était du moins ton intention, mais tu as peut-être été interrompu par mon arrivée. Peut-être voulais-tu effacer tes traces dans l'incendie ? C'est une possibilité.

Joona apprécierait en ce moment la présence d'Erixon. Il ne peut inspecter les lieux sans un technicien scientifique, il n'a pas l'équipement adéquat, il risquerait de détruire des preuves s'il fouillait seul l'appartement, il pourrait corrompre d'éventuelles traces d'ADN et passer à côté d'indices invisibles.

Joona gagne la fenêtre et observe la terrasse vide d'une sandwicherie en contrebas. S'il veut qu'on lui envoie des renforts ou un nouveau technicien en l'absence d'Erixon, il devra se rendre au commissariat pour demander à être nommé responsable de l'enquête préliminaire. Le téléphone de Joona sonne juste au moment où il décide de suivre les étapes dans l'ordre : d'abord en discuter avec Carlos et Jens Svanehjälm, puis constituer une équipe pour l'enquête.

— Salut, Anja.

— J'aimerais faire un sauna avec toi.

— Faire un sauna avec moi ?

— Oui, on ne pourrait pas aller au sauna ensemble ? Tu pourrais me montrer comment ça se passe dans un vrai sauna finlandais.

— Anja, dit-il d'une voix prudente. J'ai vécu presque toute ma vie ici, à Stockholm.

Joona rejoint le couloir et se dirige vers la porte d'entrée.

— Oui, je sais, tu es finno-suédois, poursuit Anja. C'est d'un ennui ! Pourquoi tu n'es pas originaire du Salvador ? Tu as lu les articles de Penelope Fernandez ? Il faut la voir – l'autre jour elle a allumé tout le secteur d'exportation d'armes suédois en direct à la télé.

Joona quitte l'appartement de Penelope Fernandez le téléphone collé à l'oreille. Il entend la respiration d'Anja dans le combiné. Il enjambe les traces de pas ensanglantées des ambulanciers sur le palier et sent un léger frisson parcourir son crâne lorsqu'il pense à son collègue étendu sur le sol, les jambes écartées, son visage qui pâlissait peu à peu.

Le tueur à gages pensait avoir assassiné Penelope Fernandez. Cette partie de sa mission était accomplie. On ignore encore pourquoi mais la seconde phase du plan consistait à s'introduire dans son appartement. Si Penelope est encore en vie, il est urgent de la retrouver car le tueur réalisera bientôt son erreur et se lancera à sa poursuite.

— Björn et Penelope n'habitent pas ensemble, dit Anja.

— Je l'ai compris.

— On peut s'aimer quand même – tout comme toi et moi.

— Oui.

En sortant, Joona est baigné de la lumière éblouissante du soleil, l'air est lourd et encore plus étouffant qu'avant.

— Tu peux me donner l'adresse de Björn ?

Les doigts d'Anja sur les touches de l'ordinateur émettent un cliquetis saccadé.

— Almskog, 47, Pontonjärgatan, deuxième étage…

— Je vais y aller avant de…

— Attends, l'interrompt Anja. Ce n'est pas possible, c'est… Ecoute ça, j'ai entré l'adresse dans notre système… Il y a eu un incendie dans l'immeuble vendredi.

— Et l'appartement de Björn ?

— Tout l'étage a été ravagé.

19

UN PAYSAGE ONDOYANT DE CENDRE

L'inspecteur Joona Linna monte l'escalier puis s'arrête, interdit, devant une pièce entièrement noire. Le sol, les murs et le plafond sont carbonisés. Une odeur nauséabonde imprègne tout. Il ne reste quasiment rien des murs non porteurs. Des stalactites noires pendent au plafond. Sur ce paysage ondoyant de cendre se détachent des morceaux des verrous qui n'ont pas totalement fondu. A certains endroits, on peut voir l'étage inférieur à travers le contre-plafond. En revanche, il n'est plus possible de distinguer quelle partie de l'étage était occupée par l'appartement de Björn Almskog.

Du plastique gris recouvre les fenêtres béantes qui donnent sur une façade verte chauffée par le soleil estival de l'autre côté de la rue. Personne n'a été blessé lors de l'incendie du 47, Pontonjärgatan car la plupart des occupants de l'immeuble étaient au travail lorsqu'il s'est déclenché.

Le premier appel d'urgence a été passé à 10 h 35. Bien que la caserne de pompiers de Kungsholmen soit très proche de l'immeuble, le départ du feu a été si violent que quatre appartements ont été dévastés.

L'homme qui avait été dépêché sur les lieux, Hassan Sükür, avait assuré à Joona que, selon toute probabilité, les résultats de son enquête indiquaient que le feu s'était déclenché dans l'appartement de la voisine. Lisbet Wirén, âgée de quatre-vingts ans, s'était rendue au tabac du quartier pour échanger un ticket à gratter Trisslott gagnant contre deux autres et ne parvenait pas à se rappeler si elle avait laissé son fer à repasser branché.

Le feu s'était propagé très vite et on avait déterminé son foyer dans le salon près de ce qu'il restait d'un fer et d'une planche à repasser.

Joona laisse errer son regard sur les deux appartements dévastés. Il ne subsiste du mobilier que des morceaux de métal tordus éparpillés ici et là, les restes d'un frigo, la structure d'un lit et une baignoire recouverte de suie.

Joona retourne dans la cage d'escalier dont les murs et le plafond ont été abîmés par l'épaisse fumée. Il s'immobilise à la hauteur des rubans de signalisation de la police, et lance un dernier regard derrière lui. En se baissant pour passer sous les rubans, il s'aperçoit que les policiers ont fait tomber quelques sachets DUO utilisés pour conserver des matières volatiles. Joona repasse par l'entrée de l'immeuble en marbre vert et franchit le seuil de la porte donnant sur la rue. Il se dirige à pied vers le commissariat et appelle Hassan Sükür. Hassan décroche rapidement puis baisse le volume de la radio.

— Vous avez trouvé des traces de liquides combustibles ? Il reste des sachets DUO dans la cage d'escalier et je me suis dit…

— Eh bien, ce qu'il y a, c'est que si quelqu'un verse du liquide allume-feu, c'est évidemment ce qui se consume en premier…

— Je sais, mais ce qui…

— Cela dit… j'en trouve souvent des traces, poursuit-il. En général, il coule entre les lattes des planchers, atterrit dans le contre-plafond, sur la laine de verre ou sous la plaque du contre-plafond lorsqu'elle n'a pas brûlé.

— Et dans notre cas ? demande Joona en descendant la pente de Hantverkargatan.

— Rien, répond Hassan.

— Mais si l'on sait où les traces de l'allume-feu sont susceptibles de s'accumuler, il est possible de l'éviter.

— Evidemment… je n'aurais jamais commis ce genre d'erreur si j'étais pyromane, répond gaiement Hassan.

— Mais dans ce cas précis vous êtes persuadé que c'est le fer à repasser qui a causé l'incendie ?

— Oui, c'était un accident.

— Alors, vous avez classé l'affaire ?

20

LA MAISON

Penelope sent de nouveau la peur l'envahir, comme si celle-ci avait simplement repris son souffle pour pouvoir ensuite mieux hurler en elle. Elle essuie les larmes de ses joues et tente de se relever. Des gouttes de sueur coulent entre ses seins et le long de ses côtes sous ses aisselles. Son corps endolori par tous ces efforts tremble sans cesse. Du sang pénètre la crasse dans la paume de ses mains.

— On ne peut pas rester là, chuchote-t-elle en entraînant Björn avec elle.

Il fait sombre dans la forêt, mais le matin prendra bientôt le dessus sur la nuit. Ensemble, ils se dirigent à nouveau vers la plage, mais beaucoup plus au sud que la maison. Ils doivent s'éloigner le plus possible du poursuivant mais savent qu'il leur faut trouver de l'aide ou un téléphone.

La forêt s'ouvre progressivement vers l'eau et ils reprennent leur course. Entre les arbres, ils aperçoivent une nouvelle maison, elle est à cinq cents mètres, peut-être moins. Les turbines d'un hélicoptère grondent au loin puis le bruit s'éloigne.

Björn semble pris de vertiges et Penelope craint qu'il n'ait plus la force de courir lorsqu'elle le voit s'appuyer à terre ou contre des troncs d'arbres.

Une branche craque derrière eux, comme brisée par le poids d'un être humain.

Penelope accélère et court maintenant aussi vite qu'elle peut à travers la forêt.

Les arbres sont de moins en moins nombreux et elle distingue la maison située à cent mètres à peine. La lumière des fenêtres se reflète dans le vernis rouge d'un Ford garé tout près.

Un lièvre bondit et file à toute allure sur la mousse et les brindilles.

Haletants et effrayés, ils parviennent jusqu'à l'allée de gravier. Ils ressentent des fourmillements dans leurs jambes lorsqu'ils s'arrêtent enfin pour regarder autour d'eux. Ils gravissent les marches du perron, ouvrent la porte d'entrée et entrent.

— Hé ho ? On a besoin d'aide, dit Penelope.

La maison a conservé la chaleur de la journée ensoleillée. Björn boite, ses pieds nus laissent des traces de sang sur le sol de l'entrée.

Penelope inspecte rapidement toutes les pièces, mais la maison est vide. Ses occupants passent sans doute la nuit chez leurs voisins après la fête, se dit-elle en regardant par la fenêtre, cachée derrière les rideaux. Elle attend un moment, mais n'aperçoit aucun mouvement dans la forêt, sur la pelouse ou dans l'allée. L'homme a peut-être enfin perdu leur trace, il attend peut-être encore près de l'autre maison. Elle retourne dans l'entrée et constate que Björn est assis par terre et examine les plaies sur ses pieds.

— Il faut te trouver des chaussures, dit-elle.

Il lui adresse un regard vide, comme s'il ne comprenait pas ce qu'elle disait.

— Ce n'est pas fini. Il faut que tu trouves quelque chose à te mettre aux pieds.

Björn se met alors à fouiller la penderie du vestibule, il jette au sol des chaussures de plage, des bottes en caoutchouc et de vieux sacs.

Penelope évite toutes les fenêtres mais se déplace d'un pas alerte à la recherche d'un téléphone. Elle regarde sur la table de l'entrée, dans la petite mallette posée sur le canapé, dans le bol sur la table du salon et parmi les clefs et les documents de l'Union routière éparpillés sur le plan de travail.

Elle entend soudain un bruit à l'extérieur, s'immobilise et tend l'oreille.

Ce n'était peut-être rien.

Les premiers rayons du soleil matinal pénètrent par les fenêtres.

Baissée, elle se faufile jusqu'à la grande chambre à coucher, ouvre les tiroirs d'une commode et repère une photo de famille dans un cadre parmi les sous-vêtements. Sur celle-ci figurent un homme, une femme et deux adolescentes, certainement leurs filles. La photo a été prise dans un atelier. Les autres tiroirs sont vides. Penelope ouvre une armoire, retire quelques habits de leur cintre, puis s'empare d'un sweat à capuche noir qui semble appartenir à un gamin de quinze ans et d'un pull en laine.

Elle entend un robinet couler et se précipite dans la cuisine. Björn boit penché au-dessus de l'évier. Il a enfilé une vieille paire de baskets trop grandes pour lui.

Il faut trouver quelqu'un pour nous aider, se dit-elle. C'est complètement insensé, il devrait y avoir du monde partout.

Penelope rejoint Björn et lui donne le pull en laine lorsqu'on sonne à la porte. Björn sourit d'un air surpris, enfile le pull et marmonne que la chance leur sourit enfin. Penelope se dirige vers l'entrée en ramenant ses cheveux derrière ses oreilles. Elle a presque atteint la porte lorsqu'elle distingue la silhouette derrière la vitre opaque.

Elle s'arrête net et observe l'ombre dessinée sur la vitre embuée, soudain incapable de tendre la main pour ouvrir. Elle reconnaît sa posture, la forme de sa tête et ses épaules.

Elle en a presque le souffle coupé.

Elle recule lentement vers la cuisine, ses muscles se contractent, elle voudrait courir, son corps lui dicte de fuir. Elle fixe la vitre, le visage flou, le menton fin. Sa tête tourne, elle continue de reculer, butte contre les sacs et les bottes qui sont à terre, tend la main pour prendre appui contre le mur, ses doigts tâtonnent sur le papier peint et font pencher le miroir du vestibule.

Björn s'immobilise à ses côtés. Il tient un couteau de cuisine à large lame. Il a le teint blafard et la bouche entrouverte. Ses yeux fixent la vitre.

Penelope heurte une table, la poignée de la porte s'abaisse lentement. Elle s'empresse de rejoindre la salle de bains, ouvre le robinet et crie d'une voix forte :

— Entrez ! La porte est ouverte !

Björn tressaille, son sang bourdonne dans ses oreilles. Il maintient le couteau devant lui, prêt à se défendre, à attaquer, puis voit la pression exercée sur la poignée se relâcher. La silhouette disparaît et, après quelques secondes, ils entendent un bruit de pas sur le gravier. Björn regarde vers la droite. Penelope sort de la salle de bains. Il désigne la fenêtre du salon, ils s'en écartent. A peine ont-ils pénétré dans la cuisine qu'ils entendent l'homme traverser la terrasse en bois. Le bruit indique qu'il passe devant la fenêtre et avance jusqu'à la porte de la véranda. Penelope tente d'imaginer ce que peut voir le poursuivant, de se figurer si son angle de vue lui permet d'apercevoir les chaussures dans le vestibule et les traces de sang au sol. Les planches de la terrasse grincent de nouveau mais cette fois-ci au niveau de l'escalier qui descend vers l'arrière de la maison. Il la contourne et se dirige vers la fenêtre de la cuisine. Björn et Penelope s'accroupissent, se blottissent contre le mur juste en dessous de la fenêtre. Ils s'efforcent de rester immobiles, de respirer silencieusement. Il s'approche de la fenêtre, ses mains effleurent le rebord en tôle. Ils comprennent qu'il regarde par la fenêtre.

Soudain Penelope s'aperçoit que la fenêtre se reflète sur la vitre du four. Elle peut voir leur poursuivant scruter la pièce. Si, à cet instant, il posait son regard sur la vitre, il croiserait celui de Penelope. Il ne va pas tarder à comprendre qu'ils se terrent ici.

Le visage disparaît, ils entendent ses pas sur la terrasse en bois puis sur le gravier de l'allée jusqu'à l'entrée. Alors que l'homme ouvre la porte d'entrée, Björn se précipite vers celle de la cuisine, pose le couteau sans un bruit, tourne la clef dans la serrure, ouvre la porte et s'enfuit par le jardin.

Penelope le suit dans la fraîcheur du matin. Ils traversent la pelouse en courant, passent devant le tas de compost et pénètrent dans la forêt.

Il fait encore sombre, mais la lumière naissante de l'aube s'infiltre déjà entre les arbres. Penelope est submergée par la peur, qui l'entraîne toujours plus loin. Elle esquive de grosses branches, saute par-dessus de petits buissons ou des pierres. Elle entend la lourde respiration de Björn juste derrière elle. Et plus loin, elle devine cet autre qui les suit comme une ombre. Elle sait qu'une fois qu'il les aura retrouvés, il les tuera. Penelope se souvient d'une histoire qu'elle avait lue un jour. Une femme au Rwanda avait survécu au génocide perpétré par les Hutus contre les Tutsis en se cachant dans un marécage. Puis elle avait couru tous les jours, tous les mois qu'avait duré le génocide. Ses anciens voisins et amis la chassaient désormais à coups de machette. On imitait les antilopes, expliquait la femme dans le livre. Ceux d'entre nous qui ont survécu dans la jungle imitaient la fuite des antilopes devant leurs prédateurs. On courait, on prenait des chemins imprévisibles, on se divisait et on changeait sans cesse de direction afin de désorienter ceux qui nous poursuivaient.

Penelope a conscience que leur fuite est désespérée. Ils courent sans avoir de stratégie, sans réfléchir, ce qui n'est pas à leur avantage, mais à celui de leur poursuivant. Ils courent sans ruse. Ils veulent simplement rentrer, trouver de l'aide, alerter la police. Le poursuivant le sait pertinemment, leur intention première sera de rechercher des personnes susceptibles de les aider, de rejoindre des zones habitées, de regagner le continent pour rentrer chez eux.

Un bout de branche cassée déchire le pantalon de Penelope. Elle titube sur quelques pas mais continue d'avancer. La douleur qui la brûle enserre sa jambe tel un nœud coulant. Ils ne doivent en aucun cas s'arrêter. Elle sent le goût du sang dans sa bouche. Björn trébuche dans un fourré. Ils changent de direction près d'une grande souche déracinée dont la cavité terreuse est remplie d'eau.

Pendant qu'elle court aux côtés de Björn, sa peur fait ressurgir en elle un souvenir inopiné, celui d'un moment où elle avait été aussi terrorisée que maintenant. Des images de l'époque du Darfour refont surface. Dans les yeux des gens, elle pouvait voir la différence entre ceux qui avaient été traumatisés, qui n'en pouvaient plus, et ceux qui luttaient encore et refusaient d'abandonner. Elle n'oubliera jamais les enfants qui étaient venus une nuit à Kubbum avec un revolver chargé.

Elle n'oubliera jamais la peur qu'elle a éprouvée.

21

LA SÄPO

Le troisième étage du grand commissariat de Polhemsgatan abrite le quartier général de la Säpo*. Un coup de sifflet retentit dans la cour de la prison située sur le toit du même immeuble. Le chef du service de la Sûreté se nomme Verner Zandén. C'est un homme de grande taille au nez pointu, aux petits yeux noirs comme du jais et à la voix très grave. Assis sur une chaise derrière son bureau, les jambes écartées, il fait un geste rassurant de la main. Une petite fenêtre qui donne sur la cour intérieure éclaire la pièce d'une lumière blafarde. Il y règne une odeur de poussière mêlée à la chaleur des ampoules. Dans ce bureau au décor austère est également assise une jeune femme, Saga Bauer. Elle est l'inspecteur principal en charge de l'antiterrorisme. Saga Bauer n'a que vingt-cinq ans. Des rubans verts, jaunes et rouges sont entrelacés dans sa longue chevelure blonde. Elle ressemble à une fée des bois. Accrochée à son épaule, une arme de gros calibre rangée dans un holster dépasse de son haut de survêtement. Elle porte un bonnet sur lequel figure le sigle du club de boxe Narva.

— J'ai dirigé toute l'opération pendant plus de six mois, argumente-t-elle. J'ai fait de la surveillance, j'y ai consacré des week-ends et des nuits entières…

— Mais là c'est autre chose, l'interrompt en souriant le chef du service.

— Je vous en prie… Vous ne pouvez pas simplement me court-circuiter encore une fois.

* Abréviation de Säkerhetspolisen, service de la Sûreté.

— Vous court-circuiter ? Un technicien de la Rikskrim a été grièvement blessé, un inspecteur agressé, l'appartement aurait pu exploser et…

— Je sais, je dois m'y rendre immédiatement…

— J'ai déjà envoyé Göran Stone.

— Göran Stone ? Ça fait trois ans que je travaille ici et je n'ai jamais pu mener une affaire jusqu'au bout. C'est mon domaine d'expertise. Göran n'y connaît rien…

— Il s'en est pourtant bien sorti dans les conduits souterrains.

Saga déglutit lentement avant de lui répondre :

— C'était également mon affaire, c'est moi qui ai trouvé le lien entre…

Verner l'interrompt avec gravité :

— C'était devenu trop dangereux et je considère avoir pris la bonne décision.

Ses joues s'empourprent, elle baisse les yeux, puis se ressaisit et s'efforce de répondre avec calme :

— Je peux le faire, je vous rappelle que je suis formée pour…

— Il n'en reste pas moins que j'en ai jugé autrement.

Il se cure le nez, soupire et cale ses pieds sur la corbeille à papier sous son bureau.

— Vous savez parfaitement que ce n'est pas grâce à la discrimination positive que je suis ici, dit Saga. Je ne représente pas le quota féminin du service, j'étais la meilleure de mon groupe sur l'ensemble des tests, j'ai été le meilleur tireur d'élite, j'ai élucidé deux cents…

— J'ai juste peur pour vous, dit-il à voix basse en la regardant droit dans ses yeux bleu clair.

— Mais je ne suis pas une poupée, je ne suis ni une princesse, ni un elfe.

— Mais vous êtes si… si…

Verner rougit vivement puis hausse les épaules d'un air résigné.

— Et puis, merde, très bien… Vous dirigez l'enquête préliminaire, mais Göran Stone est de la partie, et il garde un œil sur vous.

— Merci, répond-elle en souriant.

— Mais ce n'est pas un jeu, ne l'oubliez pas, lança-t-il de sa voix grave. Viola Fernandez est morte, exécutée, sa sœur est portée disparue…

— Et j'ai constaté une activité accrue parmi plusieurs groupes d'extrême gauche. On enquête sur le Revolutionära Fronten* pour voir s'ils sont derrière le vol d'explosifs à Vaxholm.

— Ce qui importe, c'est de voir s'il existe une menace immédiate, explique Verner.

— Ils se sont vraiment radicalisés dernièrement, poursuit-elle avec un peu trop d'enthousiasme. Je viens de parler avec Dante Larsson à MUST**, ils s'attendent à un sabotage dans le courant de l'été.

— Pour le moment, concentrons-nous sur Penelope Fernandez, répond Verner avec un petit sourire.

— Bien sûr, dit Saga avec empressement. Bien sûr.

— Pour l'enquête scientifique on collabore avec la Rikskrim, mais pour le reste, ils ne sont pas concernés.

Saga hoche la tête et attend un instant avant de poser sa question :

— Est-ce que je vais pouvoir mener cette affaire jusqu'au bout ? C'est important pour moi parce que…

— Tant que vous resterez bien en selle, l'interrompt-il. Mais nous n'avons pas la moindre idée d'où nous mènera cette affaire, nous ne savons même pas où elle commence.

* Revolutionära Fronten (Front révolutionnaire), organisme militant et révolutionnaire fondé en 2002 qui œuvre pour le socialisme, l'internationalisme et l'antifascisme.
** Abréviation de Militära underrättelse- och säkerhetstjänsten, service d'intelligence militaire et de sécurité suédois.

22

L'INCONCEVABLE

Non loin de Rekylgatan, à Västerås, trône un grand bâtiment d'un blanc éclatant. Les habitants du quartier bénéficient de la proximité de l'école Lillhag, d'un terrain de football et d'un court de tennis. Un jeune homme tenant un casque de moto à la main passe la porte n° 11 de l'immeuble. Il se nomme Stefan Bergkvist et aura bientôt dix-sept ans, il étudie au lycée technique et mécanique et habite avec sa mère et son concubin.

Il a de longs cheveux blonds et un anneau en argent à la lèvre inférieure. Il porte un T-shirt noir et un large pantalon dont le bas s'est déchiré sous ses baskets.

Sans se presser, il flâne jusqu'au parking, accroche le casque sur le guidon de sa motocross et s'engage lentement sur la voie piétonne qui contourne son immeuble. Il longe les voies ferrées, passe sous le viaduc Norrleden, entre dans la zone industrielle et s'arrête près d'une baraque de chantier recouverte de graffitis bleus et argentés.

Stefan et ses amis ont l'habitude de se retrouver ici pour faire des compétitions de motocross sur la piste qu'ils se sont aménagée le long du remblai. Ils passent sur les différentes voies de garage puis rejoignent la route Terminalvägen pour revenir.

Ils ont commencé à se réunir sur ce terrain il y a quatre ans lorsqu'ils ont trouvé la clef de la baraque suspendue à un clou entre les chardons. Laissée sur place à la fin d'un chantier, elle était abandonnée depuis presque dix ans.

Stefan gare sa moto, ouvre le cadenas sous le capot de protection, baisse la barre en acier et pousse la porte en bois. Il entre et referme derrière lui. En consultant l'heure sur son téléphone portable, il s'aperçoit que sa mère a essayé de le joindre.

Il ignore qu'un homme l'observe. Celui-ci est dissimulé derrière une benne à ordures près d'un bâtiment industriel de l'autre côté de la voie ferrée. Il a une soixantaine d'années et porte une veste grise en daim et un pantalon beige. Stefan saisit un paquet de chips qui se trouvait dans l'évier de la kitchenette, verse les dernières miettes dans sa main et les mange.

La baraque est éclairée par deux fenêtres grillagées aux vitres sales.

Stefan attend ses amis en feuilletant l'un des vieux journaux qui traînent toujours ici et qui sont disposés en pile au-dessus de l'armoire à plans. En une du journal *Lektyr*, une jeune femme aux seins nus, sous le titre : "Imaginez : être payé pour se faire lécher !"

L'homme à la veste en daim sort tranquillement de sa cachette, franchit le treillis dont s'échappent quelques câbles électriques et traverse le remblai des voies ferrées. Il rejoint la moto de Stefan, remonte la béquille et la fait rouler silencieusement jusqu'à la porte de la baraque.

L'homme scrute un moment les environs, puis il couche la moto sur le sol et la pousse fermement de telle façon qu'elle bloque la porte. Il dévisse le bouchon du réservoir et laisse l'essence s'écouler sous la baraque.

Stefan feuillette toujours le vieux journal, il observe des photographies jaunies de femmes dans une prison. L'une d'entre elles, une blonde, est assise dans une cellule et écarte les jambes en exhibant son sexe devant un gardien. Stefan fixe l'image et tressaille lorsqu'il entend une sorte de bruissement à l'extérieur. Il tend l'oreille, croit distinguer des bruits de pas et referme rapidement le journal.

L'homme s'empare du bidon d'essence rouge que les garçons avaient caché dans un taillis puis le vide autour de la baraque. Ce n'est qu'une fois qu'il est arrivé de l'autre côté du petit abri que les premiers cris retentissent. Le garçon cogne sur la porte puis tente de l'ouvrir, ses pas résonnent sur le plancher, puis son visage inquiet apparaît derrière la fenêtre sale.

— Ouvrez la porte, ordonne-t-il d'une voix forte. C'est pas drôle.

L'homme à la veste en daim ne réagit pas et déverse le reste de l'essence puis repose le bidon.

— Qu'est-ce que vous faites ? crie le garçon.

Il se jette contre la porte, tente de l'ouvrir à coups de pied, mais elle ne bouge pas d'un millimètre. Il appelle sa mère, mais tombe directement sur la messagerie. Rythmés par l'angoisse, les battements de son cœur s'intensifient tandis qu'il essaie d'apercevoir quelque chose par les fenêtres bardées de gris en courant de l'une à l'autre.

— Mais vous êtes cinglé !

Lorsque, soudain, il sent les vapeurs d'essence lui piquer le nez, la peur le submerge totalement et lui noue le ventre.

— Eh ! crie-t-il d'une voix terrifiée. Je sais que vous êtes toujours là !

L'homme sort une boîte d'allumettes de sa poche.

— Qu'est-ce que vous voulez ? Pitié, dites-moi au moins ce que vous voulez…

— Ce n'est pas votre faute, mais un cauchemar doit se concrétiser, dit calmement l'homme en frottant une allumette contre le grattoir.

— Laissez-moi sortir ! hurle le garçon.

L'homme jette l'allumette enflammée dans l'herbe humide. On entend un souffle, comme lorsqu'une voile est soudain gonflée par le vent. Les flammes bleuâtres jaillissent du sol avec une telle rapidité que l'homme doit reculer de plusieurs pas. Le garçon crie à l'aide. Le feu envahit désormais tout l'abri. L'homme s'éloigne, il sent la chaleur du feu sur son visage et entend les cris terrorisés.

La baraque est engloutie par les flammes en moins de quelques secondes et la chaleur fait bientôt éclater les vitres derrière les grilles.

Le garçon pousse un atroce hurlement lorsqu'il sent ses cheveux se consumer sous l'effet de la chaleur. L'homme traverse à nouveau les voies ferrées, se poste près des bâtiments industriels et regarde la vieille baraque brûler comme une torche.

Après quelques minutes, l'homme voit approcher un train de marchandises en provenance du nord. Il roule lentement, et en émettant un lancinant grincement sur les rails. Les wagons passent un à un devant les hautes flammes tandis que l'homme à la veste en daim disparaît en haut de Stenbygatan.

23

LES TECHNICIENS DE LA POLICE SCIENTIFIQUE

Bien que ce soit le week-end, le chef de la Rikskrim, Carlos Eliasson, est à son bureau. Sa nature farouche s'est renforcée à
mesure qu'il avançait en âge et il apprécie de moins en moins
les visites impromptues. Sa porte est fermée, une petite lampe
rouge signale qu'il est occupé. Joona frappe et ouvre la porte
dans la foulée :

— Je dois savoir si la police maritime a trouvé quelque chose.

Carlos met son livre de côté et lui répond calmement :

— Erixon et toi, vous avez été attaqués, c'est une expérience
traumatisante et vous devez vous reposer.

— Ne t'inquiète pas.

— Le survol de la zone en hélicoptère est terminé.

Joona se fige :

— Terminé ? Quel secteur ont-ils...

— Je ne sais pas, l'interrompt Carlos.

— Qui dirige les opérations ?

— La Rikskrim n'a rien à voir là-dedans. C'est la police maritime et...

— Mais ça serait peut-être bien de savoir si on enquête sur
un ou trois meurtres, coupe Joona d'une voix tranchante.

— Joona, pour l'instant tu n'enquêtes sur rien du tout. J'ai
laissé Jens Svanehjälm s'en charger. On va constituer une équipe
avec la Säpo. Il y aura Petter Näslund de la Rikskrim, Tommy
Kofoed de la Riksmordskommissionen et...

— Et ma mission ?

— Prendre une semaine de congés.

— Non.

— Alors va donner une conférence à l'Ecole nationale supérieure de police.

— Non.

— Ne fais pas ta tête de mule. Cet entêtement perd de son charme à la longue…

— Je me fous de ce que tu dis. Penelope…

— Tu t'en fous ? l'interrompt Carlos stupéfait. Je te rappelle que je suis le…

— Penelope Fernandez et Björn Almskog sont peut-être encore en vie, poursuit Joona avec gravité. Son appartement est parti en fumée et celui de Penelope le serait également si je n'étais pas arrivé à temps. Je crois que l'assassin veut quelque chose qu'ils ont en leur possession, je crois qu'il a essayé de faire parler Viola avant de la noyer…

— Merci, l'interrompt Carlos en haussant le ton. Merci pour ces précieuses idées, mais nous avons… Non, laisse-moi parler deux secondes. Je sais que tu as du mal à l'accepter, mais il y a d'autres policiers que toi, Joona. Et la plupart d'entre eux sont même très doués, figure-toi.

— Je suis parfaitement d'accord, dit Joona d'une voix légèrement sifflante. Et tu devrais te soucier d'eux, Carlos.

Joona observe les taches brunâtres laissées par le sang d'Erixon sur ses manches.

— Comment ça ?

— J'ai combattu contre notre homme et je crois qu'on peut s'attendre à des pertes humaines pendant cette enquête.

— Vous avez été pris de court, je comprends, ça a dû être affreux…

— D'accord, dit Joona d'un ton dur.

— Tommy Kofoed se charge de l'enquête préliminaire et j'appelle Brittis à l'école de police pour lui dire que tu passes aujourd'hui et que tu y donneras une conférence la semaine prochaine.

*

Lorsqu'il sort du commissariat, la chaleur ambiante s'abat sur Joona comme une chape de plomb. Il ôte sa veste et s'aperçoit au même instant qu'une personne s'approche de lui par-derrière. Elle s'était détachée des ombres du parc et avait traversé la rue entre les voitures garées. Il se retourne et constate qu'il s'agit de la mère de Penelope, Claudia Fernandez.

— Joona Linna, dit-elle d'une voix tendue.

— Claudia, comment allez-vous ? demande-t-il d'une voix grave.

Elle secoue simplement la tête. Ses yeux sont rouges, son visage inquiet.

— Trouvez-la, il faut que vous retrouviez ma fille, supplie-t-elle en lui remettant une épaisse enveloppe.

Joona l'ouvre et découvre qu'elle est pleine de billets. Il tente en vain de la lui rendre :

— Je vous en prie, prenez cet argent. C'est tout ce que j'ai. Mais je peux en trouver plus, je vendrais la maison si seulement vous la retrouviez.

— Claudia, je ne peux pas accepter votre argent.

Son visage tourmenté se décompose davantage :

— Je vous en prie…

— Nous faisons déjà tout notre possible.

Joona remet l'enveloppe à Claudia, elle la saisit distraitement en marmonnant qu'elle va rentrer et attendre près du téléphone. Puis elle s'interrompt et tente à nouveau de lui expliquer :

— Je lui ai dit qu'elle n'était plus la bienvenue… elle n'appellera jamais.

— Vous vous êtes disputées, ce n'est pas la fin du monde, Claudia.

— Mais comment ai-je pu lui dire une chose pareille ? Vous pouvez m'expliquer ? demande-t-elle en cognant le dessus de ses doigts contre son front. Qui peut dire une telle chose à son enfant ?

— On a tellement vite fait de…

Sa voix s'éteint soudain, il sent son dos se tremper de sueur. Il s'efforce de ne pas se laisser submerger par les bribes de souvenirs qui ont commencé à ressurgir dans son esprit.

— Je ne vais pas tenir, dit Claudia d'une voix faible.

Joona prend ses mains entre les siennes pour lui assurer qu'il mettra tout en œuvre :

— Il faut qu'on retrouve votre fille, chuchote-t-il.

Elle hoche la tête et ils se séparent. Joona s'empresse de descendre Bergsgatan pour rejoindre sa voiture en plissant les yeux face à la lumière éblouissante du soleil. Une légère brume flotte dans l'air et l'atmosphère est toujours très lourde. L'été dernier, il tenait la main de sa mère à l'hôpital. Ils parlaient en finnois comme à leur habitude. Il lui proposait de l'emmener à Karelen une fois qu'elle serait rétablie. Elle était née dans cette petite ville, qui à la différence de beaucoup d'autres n'avait pas été incendiée par les Russes pendant la Seconde Guerre mondiale. Sa mère lui avait répondu qu'il ferait mieux d'aller à Karelen avec quelqu'un qui n'attend que cela.

Joona achète une bouteille de San Pellegrino au *Caffè* et la boit entièrement avant de s'installer dans sa voiture surchauffée. Le volant et le siège sont brûlants. Plutôt que de prendre la direction de l'Ecole nationale supérieure de police, il retourne dans l'appartement de Penelope Fernandez, situé au 3, Sankt Paulsgatan. Il repense à l'homme qu'il a surpris. Ses mouvements étaient d'une rapidité et d'une précision étranges, comme si le couteau même les animait.

Des rubans de signalisation blanc et bleu sur lesquels on peut lire "police" et "accès interdit" sont tendus devant la porte.

Joona présente sa carte à l'agent en faction et lui serre la main. Ils se sont croisés mais n'ont jamais travaillé ensemble.

— Il fait chaud aujourd'hui, dit Joona.

— Tu m'en diras tant.

— On a combien de techniciens sur place ? demande Joona en faisant un signe de tête vers la cage d'escalier.

— Un de chez nous et trois de la Säpo, répond gaiement le policier. On voudrait relever les traces d'ADN au plus vite.

— Ils ne trouveront rien, répond Joona en s'engageant dans l'escalier, comme s'il parlait tout seul.

Melker Janos, un agent d'un certain âge, se tient devant la porte de l'appartement. De l'époque où il était encore en formation, Joona se souvient de lui comme d'un supérieur stressé et désagréable. Melker gravissait alors encore les échelons, mais un divorce difficile et un alcoolisme chronique l'avaient peu à peu déclassé jusqu'au rang de simple policier. Lorsque Joona lui fait face, il le salue froidement et lui ouvre la porte en exagérant de façon ironique le caractère obséquieux de son geste.

— Merci, dit Joona sans attendre de réponse.

Derrière la porte, Tommy Kofoed, le coordinateur technique et scientifique de la Riksmordskommissionen, se déplace le dos courbé, la mine morose. Dans cette position, il arrive à peine à la poitrine de Joona. Lorsqu'il s'aperçoit de la présence de ce dernier, sa bouche dessine un sourire joyeux, presque enfantin.

— Joona, c'est chouette de te voir. Je croyais que tu allais à l'école de police.

— Je me suis perdu en chemin.

— Tant mieux.

— Vous avez trouvé quelque chose ?

— Nous avons relevé toutes les empreintes de chaussures dans le vestibule.

— Oui, ça sera sans doute les miennes, répond Joona en lui serrant la main.

— Et celles de l'agresseur, dit Kofoed avec un large sourire. On a relevé plusieurs empreintes. Il se déplaçait d'une drôle de façon, non ?

— Oui, répond brièvement Joona.

Des plaques de cheminement recouvrent une partie du sol pour éviter d'abîmer les preuves avant qu'elles ne soient relevées. Un appareil photo dont l'objectif est braqué sur le sol est posé sur un trépied. Un projecteur avec un abat-jour en aluminium a été installé dans un coin de la pièce, le cordon enroulé autour du pied. Les techniciens ont recherché des empreintes de pas invisibles à l'œil nu grâce à une lumière rasante. Les empreintes ont ensuite été collectées sur un film avec un dépoussiéreur électrostatique. Les techniciens ont ainsi pu mettre en évidence les empreintes de l'agresseur depuis la cuisine jusque dans le couloir.

Pour Joona, une procédure aussi minutieuse est inutile puisque les chaussures, les gants et les habits de l'agresseur ont certainement déjà été détruits.

— Il courait comment, en fait ? demande Kofoed en désignant les traces de pas. Là, là… de travers jusque-là et puis il n'y a plus rien avant là et là.

— Tu as loupé une empreinte, dit Joona avec un petit sourire.

— Merde.

— Là, dit Joona en la montrant du doigt.

— Où ?

— Sur le mur.

— Saloperie.

A environ soixante-dix centimètres du sol on distingue une légère empreinte de chaussure sur le papier peint gris. Tommy Kofoed appelle un technicien pour qu'il la relève.

— On peut marcher maintenant ? demande Joona.

— Tant que tu ne marches pas sur les murs, plaisante Kofoed.

24

L'OBJET

Dans la cuisine, un homme vêtu d'un jean et d'un blazer beige agrémenté de pièces en cuir sur les coudes passe la main sur sa moustache blonde et parle d'une voix forte en désignant le micro-onde. Joona pénètre dans la pièce. Un technicien portant un masque et des gants de protection emballe la bombe insecticide déformée dans un sachet en papier. Il replie deux fois l'ouverture sur elle-même, ferme le sachet avec du scotch et le marque.

— Vous êtes Joona Linna, n'est-ce pas ? dit l'homme à la moustache blonde. Si vous êtes aussi fort que tout le monde le dit, vous devriez venir chez nous.

Ils se serrent la main.

— Göran Stone, Säpo, dit l'homme d'un air satisfait.

— C'est vous qui dirigez l'enquête préliminaire ?

— Oui… enfin, formellement c'est Saga Bauer, statistiques obligent, ricane-t-il.

— Je l'ai déjà rencontrée. Elle semble bien capable de…

— N'est-ce pas ? l'interrompt Göran Stone en riant à gorge déployée avant de se couvrir la bouche d'une main.

Joona regarde par la fenêtre, il essaie de comprendre qui l'assassin avait pour mission de liquider à bord du bateau retrouvé à la dérive. Il sait bien qu'il serait prématuré de tirer une quelconque conclusion à ce stade de l'enquête, mais c'est toujours bien d'établir des hypothèses à partir d'un déroulement probable. Selon toute vraisemblance, Penelope était la seule visée. Et comme il n'avait pas pu prédire qu'elle serait du voyage, la seule qui ne l'intéressait pas était Viola – sa présence était le fruit d'un malheureux hasard, se dit Joona en quittant la cuisine pour rejoindre la chambre à coucher.

Le lit est fait, aucun pli ne vient marquer le dessus-de-lit couleur crème. Saga Bauer de la Säpo se tient devant un ordinateur portable qu'elle a posé dans l'encadrement de la fenêtre. Elle est au téléphone. Joona se souvient de l'avoir vue à un séminaire sur l'antiterrorisme.

Joona s'installe sur le lit et tente à nouveau d'articuler sa pensée. Dans son imagination, il place Viola et Penelope devant lui puis Björn, le petit ami. Ils n'ont pas tous pu se trouver sur le bateau au moment où Viola était assassinée. Si c'était le cas, le meurtrier n'aurait pas commis d'erreur. S'il avait abordé le bateau au large, il les aurait tués tous les trois, les aurait installés sur leurs lits respectifs et aurait fait couler le bateau. Cette erreur sur l'identité de la victime exclut la présence de Penelope sur le bateau. Ils ont donc dû accoster quelque part.

Joona se lève, quitte la chambre et se rend au salon télé. Il laisse son regard glisser sur l'écran suspendu au mur, le canapé et une couverture rouge, la table moderne recouverte de piles de la revue *Ordfront* et du journal *Exit*. Il s'approche de la bibliothèque qui longe l'un des murs, s'arrête en repensant au fait que les câbles dans la salle des machines du bateau avaient été endommagés à la suite d'une forte pression et que cela aurait pu produire un arc électrique en quelques minutes. Il y avait également le rembourrage d'un coussin qui pouvait s'enflammer à tout moment et le bout du tuyau de la pompe à essence qui avait été tiré. Mais le bateau n'avait pas coulé. Le moteur n'avait sans doute pas tourné suffisamment longtemps.

Il n'est plus question de coïncidences.

L'appartement de Björn a brûlé le jour même où Viola a été assassinée et si le bateau n'avait pas été abandonné, le réservoir à essence aurait explosé.

Puis, le meurtrier tente de provoquer une explosion au gaz dans l'appartement de Penelope.

L'appartement de Björn, le bateau, l'appartement de Penelope.

Il cherche quelque chose qu'ils ont en leur possession. Il a commencé par fouiller l'appartement de Björn et comme il n'a pas déniché ce qu'il y cherchait, il l'a incendié et s'est mis en quête du bateau. Une fois le bateau examiné, n'ayant rien trouvé, il a forcé Viola à lui parler et, face à son silence, il s'est rendu à l'appartement de Penelope.

Joona enfile une paire de gants de protection qu'il a extirpée d'une boîte en carton, avance jusqu'à la bibliothèque et observe la fine couche de poussière devant le dos des livres. Il constate qu'il n'y en a plus devant certains d'entre eux, ce qui indique qu'ils ont été manipulés au cours des dernières semaines.

— Je ne veux pas de toi ici, dit Saga Bauer derrière lui. C'est mon enquête.

— Je m'en vais bientôt, il faut juste que je trouve quelque chose, répond Joona à voix basse.

— Cinq minutes.

Il se retourne :

— Est-ce que vous pouvez photographier les livres ?

— C'est déjà fait, répond-elle d'un ton bref.

— En biais, vus d'en haut, de façon à capter la poussière, dit-il d'un air impassible.

Comprenant ce qu'il veut, elle saisit sans broncher l'appareil photo d'un des techniciens et photographie toutes les étagères qu'elle arrive à atteindre puis lui dit qu'il peut désormais examiner les livres sur les cinq étagères du bas.

Joona s'empare du *Capital* de Karl Marx, le feuillette, et constate qu'il est abondamment surligné et annoté. Il inspecte le vide laissé dans la rangée, il n'y a rien de particulier.

Il remet le livre en place. Il parcourt l'étagère des yeux et y aperçoit une monographie sur Ulrike Meinhof, une anthologie fatiguée intitulée *Textes politiques clefs de la cause féminine* ainsi que l'œuvre complète de Bertolt Brecht.

Sur la deuxième étagère, il se rend soudain compte que trois livres ont été déplacés récemment.

Il n'y a pas de poussière devant eux.

La Stratégie des antilopes, témoignage sur le génocide au Rwanda, le recueil de poèmes *Cien sonetos de amor* de Pablo Neruda et *Les Racines de la biologie raciale suédoise dans l'histoire des idées*.

Joona les feuillette un par un et lorsqu'il ouvre *Les Racines de la biologie raciale suédoise dans l'histoire des idées*, une photographie tombe du livre. Il la ramasse. Il s'agit d'une photo en noir et blanc représentant une fille à l'air grave portant des tresses serrées. Il reconnaît immédiatement Claudia Fernandez. Elle ne doit pas avoir plus de quinze ans et la ressemblance avec ses filles est frappante.

Qui glisserait une photo de sa mère dans un livre sur la biologie raciale ? se demande-t-il en retournant la photo. Au dos de celle-ci, quelqu'un a écrit au crayon : *No estés lejos de mí un solo día.*

Ce doit être un vers tiré d'un poème : *Ne sois pas un seul jour loin de moi.*

Joona saisit à nouveau le recueil de Neruda, tourne les pages une à une et retrouve rapidement la strophe correspondante : *No estés lejos de mí un solo día, porque cómo, porque, no sé decirlo, es largo el día, y te estaré esperando como en las estaciones cuando en alguna parte se durmieron los trenes.*

Cette photo aurait dû se trouver ici, dans le livre de Neruda. C'est sa place.

Si le meurtrier avait cherché quelque chose dans les livres, la photo aurait dû tomber.

Il se tient là, pense Joona, il inspecte la poussière sur les étagères, comme je viens de le faire, il feuillette rapidement les livres qui ont été manipulés ces dernières semaines. Puis, le meurtrier découvre qu'une photo s'est échappée d'un livre et gît à terre, il veut la remettre en place mais se trompe de livre.

Joona ferme les yeux.

C'est ce qui a dû se passer.

Le tueur à gages a fouillé dans les livres.

S'il sait ce qu'il cherche, cela signifie que l'objet en question est assez fin pour être dissimulé entre les pages d'un livre.

Qu'est-ce que cela pourrait être ?

Une lettre ou un testament, une photo, un aveu.

Peut-être un CD ou un DVD, une carte mémoire ou une carte SIM.

25

L'ENFANT DANS L'ESCALIER

Joona quitte le salon et jette un œil dans la salle de bains que les techniciens photographient sous tous les angles. Il avance jusqu'au vestibule, passe la porte d'entrée menant à l'escalier et s'arrête devant le grillage de la cage d'ascenseur.

Sur la porte près de celle-ci est inscrit le nom de Nilsson. Il frappe à la porte et patiente. Après un moment, il entend des bruits de pas à l'intérieur.

Une femme ronde d'une soixantaine d'années entrouvre la porte et regarde sur le palier.

— Oui ?

— Bonjour, je m'appelle Joona Linna, je suis inspecteur principal et...

— Mais je vous ai déjà dit que je n'ai pas vu son visage, l'interrompt-elle.

— La police est déjà passée ? Je ne le savais pas.

Elle ouvre la porte et les deux chats qui étaient étendus sur une table près du téléphone sautent à terre et disparaissent dans l'appartement.

— Il portait un masque de Dracula, s'impatiente la femme, comme si elle l'avait déjà expliqué à maintes reprises.

— Qui ?

— Qui, marmonne-t-elle en pénétrant dans l'appartement.

Après quelques secondes, elle revient avec une coupure de journal jaunie entre les mains.

Joona parcourt l'article datant d'il y a plus de vingt ans. Il y est fait mention d'un exhibitionniste déguisé en Dracula qui avait importuné des femmes à Södermalm.

— Il était nu comme un ver en bas...

— Mais je suis venu pour...

— Non pas que j'aie regardé, poursuit-elle. Mais je vous ai déjà expliqué tout ça.

Joona la regarde avec un sourire.

— Il se trouve que je suis venu pour vous parler d'une tout autre chose.

La femme écarquille les yeux :

— Pourquoi vous ne l'avez pas dit plus tôt ?

— Je voulais vous demander si vous connaissiez Penelope Fernandez, votre voisine qui…

— Elle est comme une petite fille pour moi, l'interrompt la femme. Si merveilleuse, adorable, mignonne et…

Elle s'arrête net, puis demande à voix basse :

— Elle est morte ?

— Qu'est-ce qui vous fait dire ça ?

— La police sonne à ma porte et pose des questions désagréables.

— Est-ce que vous avez vu si elle a reçu d'étranges visites ces derniers jours ?

— Ce n'est pas parce que je suis vieille que je passe mon temps à fouiner et à tenir des carnets de bord.

— Non, mais je me disais que vous aviez peut-être remarqué quelque chose.

— Ce n'est pas le cas.

— S'est-il passé autre chose qui sortirait de l'ordinaire ?

— Absolument pas. C'est une brave fille.

Joona la remercie pour le temps qu'elle lui a consacré, l'informe qu'il reviendra peut-être pour lui poser d'autres questions puis se décale pour lui permettre de refermer la porte.

Il n'y a pas d'autres appartements au troisième étage. Il monte l'escalier. A mi-chemin entre les deux étages, une enfant est assise sur une des marches, une petite fille aux cheveux courts qui doit avoir dans les huit ans. L'enfant est vêtue d'un jean et d'un pull Helly Hansen élimé. Sur ses genoux se trouve un sac plastique contenant une bouteille d'eau minérale Ramlösa dont l'étiquette est presque effacée et une demi-tranche de pain grillé.

Joona s'arrête devant l'enfant qui lève sur lui un regard apeuré.

— Salut, dit-il. Comment tu t'appelles ?

— Mia.

— Je m'appelle Joona.

Il constate que la fille a des traces de crasse sur son petit cou, sous le menton.

— Vous avez un pistolet ? demande-t-elle.

— Pourquoi tu demandes ça ?

— Vous avez dit à Ella que vous étiez policier.

— C'est exact – je suis inspecteur.

— Vous avez un pistolet ?

— Oui, tout à fait, répond Joona d'une voix neutre. Tu veux essayer de tirer ?

L'enfant le regarde d'un air stupéfait :

— Vous plaisantez ?

— Oui, sourit Joona.

L'enfant laisse échapper un rire.

— Pourquoi es-tu assise dans l'escalier ?

— J'aime bien, on entend des choses.

Joona s'installe à côté de la petite fille.

— Qu'est-ce que tu as entendu ? demande-t-il d'une voix calme.

— A l'instant, j'ai entendu que vous étiez policier et qu'Ella vous a menti.

— Sur quoi est-ce qu'elle a menti ?

— Sur le fait qu'elle aime bien Penelope.

— Ce n'est pas vrai ?

— Elle met des crottes de chat dans sa boîte aux lettres.

— Pourquoi elle fait ça ?

L'enfant hausse les épaules et tripote son sachet.

— Je sais pas.

— Tu penses quoi de Penelope ?

— Elle me dit bonjour.

— Mais tu ne la connais pas ?

— Non.

Joona regarde autour de lui.

— Tu habites dans l'escalier ?

La fille retient un petit sourire :

— Non, j'habite au premier étage avec ma mère.

— Mais tu passes ton temps dans la cage d'escalier.

Mia hausse les épaules.

— La plupart du temps.

— Tu dors ici ?

La fille gratte l'étiquette de la bouteille et dit sèchement :

— Quelquefois.

— Vendredi, dit lentement Joona, Penelope est partie de chez elle tôt le matin. Elle a pris un taxi.

— Pas de bol, répond aussitôt l'enfant. Elle a raté Björn, il est arrivé quelques secondes après. Je lui ai dit qu'elle était partie.

— Et qu'est-ce qu'il a répondu ?

— Que ça faisait rien, qu'il devait juste récupérer un truc.

— Récupérer un truc ?

Mia hoche la tête.

— D'habitude il me donne son portable pour jouer à des jeux, mais là il était trop pressé, il est juste rentré dans l'appartement et il est ressorti tout de suite, il a fermé la porte à clef et couru en bas de l'escalier.

— Tu as vu ce qu'il a récupéré ?

— Non.

— Qu'est-ce qui s'est passé ensuite ?

— Rien, je suis allée à l'école à 8 h 45.

— Et après l'école, le soir ? Il s'est passé quelque chose ?

Mia hausse les épaules :

— Maman n'était pas là, donc j'étais à la maison, j'ai mangé des macaronis et j'ai regardé la télé.

— Hier ?

— Elle était pas là non plus, donc j'étais à la maison.

— Du coup, tu n'as pas vu qui passait.

— Non.

Joona sort une carte de visite et y note un numéro de téléphone.

— Tiens, Mia, regarde. Voici deux numéros de téléphone très utiles. Celui-là, c'est le mien.

Il désigne le numéro imprimé sur la carte portant le symbole de la police.

— Appelle-moi si tu as besoin d'aide, si quelqu'un t'embête. Et l'autre numéro, que j'ai noté ici, 0200 230 230, c'est le numéro de Barnens hjälptelefon*. Tu peux appeler quand tu veux et parler de tout ce que tu veux.

— D'accord, chuchote Mia en prenant la carte de visite.

— Ne jette pas la carte dès que je serai parti, dit Joona. Parce que même si tu n'as pas envie de téléphoner maintenant, tu auras peut-être envie une autre fois.

---

* Service d'écoute pour les enfants en difficulté.

— Björn tenait sa main comme ça quand il est parti, dit Mia en posant une main sur son ventre.

— Comme s'il avait mal ?

— Oui.

26

LA PAUME D'UNE MAIN

En interrogeant les autres voisins, Joona a tout juste appris que Penelope était une voisine discrète, presque sauvage, qui se contentait de participer aux jours de ménage annuels et d'assister aux assemblées générales. Une fois le tour de l'immeuble terminé, il redescend lentement jusqu'au troisième étage.

La porte de l'appartement de Penelope est ouverte. Un technicien de la Säpo vient d'en démonter la serrure et a glissé la gâche dans un sachet en papier.

Joona se place en retrait dans la pièce pour suivre le déroulement des recherches scientifiques. Il a toujours aimé assister au travail des techniciens et observer le détail de leurs procédures. A chaque étape, ils respectent un protocole rigoureux. L'état d'une scène de crime, peu à peu altérée par les divers intervenants, se détériore au fur et à mesure que l'enquête progresse. Il est donc impératif de l'analyser en suivant un ordre précis afin qu'aucune preuve ou élément clef pour la reconstitution ne se perde.

Une nouvelle fois, Joona balaie du regard l'appartement soigné de Penelope Fernandez. Que faisait Björn Almskog ici ? Il est arrivé quelques secondes seulement après que Penelope fut partie comme s'il s'était caché près de l'entrée de l'immeuble en attendant qu'elle sorte.

Il s'agit peut-être d'une coïncidence, mais il se peut également qu'il ait voulu l'éviter.

Björn est arrivé devant sa porte en toute hâte et avait rencontré l'enfant dans l'escalier. Comme il était pressé, il avait lancé à la petite fille qu'il devait seulement récupérer quelque chose. Il était resté à peine quelques minutes dans l'appartement.

Il a probablement fait ce qu'il a dit à la fille. Peut-être avait-il oublié la clef du bateau ou quelque chose qu'il aurait pu facilement fourrer dans sa poche.

Peut-être a-t-il déposé un objet dans l'appartement. Peut-être avait-il simplement besoin de consulter un document, vérifier une information, ou trouver un numéro de téléphone.

Joona parcourt toute la pièce du regard en pénétrant dans la cuisine.

— Est-ce que vous avez vérifié dans le frigo ?

Un jeune homme portant un bouc lui fait face :

— Vous avez faim ? demande-t-il dans un dialecte de la province de Dalécarlie.

— C'est une bonne cachette, répond sèchement Joona.

— On n'y est pas encore.

Joona retourne au salon et constate que Saga parle dans un dictaphone au coin de la pièce.

Tommy Kofoed colle un ruban adhésif avec lequel il a prélevé des fibres sur un transparent pour rétroprojecteur puis relève la tête.

— Vous avez trouvé quelque chose de particulier ? demande Joona.

— Particulier ? Oui, une trace de chaussure sur le mur…

— Et à part ça ?

— Les éléments importants se relèvent généralement dans le labo de Linköping.

— On aura un rapport dans une semaine ?

— Si on leur met vraiment la pression, répond-il en haussant les épaules. Je m'apprêtais à attaquer l'encadrement de la porte où le couteau a pénétré pour faire un moulage de la lame.

— Laisse tomber, marmonne Joona.

Kofoed, qui croit à une plaisanterie, pousse un petit rire, avant de retrouver son sérieux :

— Tu as eu le temps de voir le couteau – c'était de l'acier ?

— Non, la lame était plus claire, peut-être du carbure de tungstène fritté, certains le préfèrent. Mais ça ne nous mènera nulle part.

— Quoi ?

— Nos recherches sur la scène de crime. On ne trouvera ni ADN ni empreintes nous menant au meurtrier.

— Alors qu'est-ce qu'on fait ?

— Je pense que notre homme s'est introduit ici pour rechercher quelque chose et qu'il a été interrompu avant de l'avoir trouvé.

— Tu veux dire que ce qu'il cherchait est encore là ?

— C'est fort possible.

— Mais tu n'as aucune idée de ce que ça pourrait être ?

— C'est assez fin pour être glissé entre les pages d'un livre.

Joona pose un instant son regard de granit sur Kofoed tandis que, de la salle de bains, Göran Stone de la Säpo photographie les deux côtés de la porte, le chambranle et les gonds. Il s'allonge ensuite pour photographier les plafonds blancs. Joona est sur le point d'ouvrir la porte du séjour pour lui demander de prendre quelques photos des revues posées sur la table basse lorsqu'un flash se déclenche. La lumière le surprend. Ebloui, Joona doit s'arrêter. Quatre points blancs se dessinent dans son champ de vision, puis une brillante paume de main bleu clair. Joona regarde partout autour de lui et n'a pas la moindre idée d'où provient cette main.

— Göran, crie Joona d'une voix forte à travers la porte vitrée qui donne sur le couloir. Prenez une autre photo !

Chacun se fige dans l'appartement. Le jeune qui s'était exprimé en dialecte de Dalécarlie passe la tête par la porte de la cuisine. L'agent posté près de l'entrée observe Joona avec attention. Tommy Kofoed ôte son masque et se gratte le cou. Göran Stone reste au sol, l'air interrogatif.

— Juste comme vous venez de le faire, montre Joona. Photographiez encore une fois le plafond de la salle de bains.

Göran Stone hausse les épaules, lève son appareil et prend une autre photo du plafond. Sous l'effet du flash Joona sent ses pupilles se rétracter et des larmes monter dans ses yeux. Il les ferme et devine à nouveau un carré noir. Il comprend soudain qu'il s'agit de la vitre de la porte. Sous l'effet de l'éblouissement, elle s'est transformée en négatif. Au centre du carré, il distingue quatre taches blanches. Une main bleu clair apparaît sur le côté.

Il savait qu'il n'avait pas rêvé.

Joona cligne des yeux pour retrouver la vue et s'approche aussitôt de la porte vitrée. Les quatre bouts de scotch forment un rectangle et juste à côté il distingue une empreinte sur la vitre.

Tommy Kofoed le rejoint près de la porte.

— Une empreinte de main, dit-il.

— Tu peux la relever ? demande Joona.

— Göran, crie Kofoed. On a besoin d'une photo ici.

Göran Stone se lève en fredonnant et approche, son appareil photo en main. Il observe l'empreinte.

— Oui, quelqu'un a bien laissé traîner ses pattes, dit-il d'un air satisfait.

Il prend quatre autres photos puis s'écarte pour que Tommy Kofoed puisse traiter l'empreinte à la cyanoacrylate avant d'appliquer le Basic Yellow 40*.

Après quelques secondes, Göran prend deux nouvelles photos.

— On te tient, chuchote Kofoed en soulevant délicatement l'empreinte avec un transfert.

— Tu pourrais l'analyser maintenant ? demande Joona.

Tommy Kofoed emporte l'indice dans la cuisine pendant que Joona observe les quatre bouts de scotch sur la vitre. Sous l'un d'eux, il y a un morceau de papier. La personne qui a laissé son empreinte sur la vitre n'a pas eu le temps de décoller le scotch avec précaution. Elle s'est contentée d'arracher la feuille en laissant l'un des coins.

Joona l'observe attentivement. Ce n'est pas du papier ordinaire mais un papier photo couleur.

Une photographie était accrochée sur cette vitre. Une personne a voulu la retirer mais, dans l'urgence, elle n'a pas pu le faire délicatement. Au contraire, il semble que cette personne se soit précipitée sur la porte, se soit appuyée sur la vitre et ait arraché la photo d'un seul coup.

— Björn, dit Joona à voix basse.

Ce doit être cette photographie que Björn est venu récupérer. Il ne se tenait pas le ventre parce qu'il avait mal mais parce qu'il dissimulait la photo sous sa veste.

Joona incline la tête de façon à pouvoir deviner l'empreinte et distinguer les minuscules plis dc la paume dans le reflet de la lumière. Les plis papillaires d'un être humain ne changent jamais. A la différence de l'ADN, ils ne vieillissent pas. Chaque empreinte est unique, même chez les jumeaux monozygotes.

---

* Solution de couleur souvent utilisée afin de mieux faire ressortir une empreinte après l'application de cyanoacrylate. Une fluorescence est obtenue sous une lumière bleue.

Joona entend derrière lui des pas rapides s'approcher et se retourne.

— Maintenant, ça suffit, bordel, crie Saga Bauer. C'est mon enquête. Tu n'as même pas le droit d'être là, merde !

— Je veux juste…

— Ferme-la, l'interrompt-elle. Je viens de parler à Petter Näslund. Tu n'as rien à faire ici, tu n'y es pas autorisé.

— Je sais, je m'en vais bientôt, dit-il en se penchant à nouveau vers la vitre.

— Putain de Joona Linna, dit-elle à voix basse. Tu ne peux pas débarquer ici et tripoter des bouts de scotch…

— Il y avait une photo accrochée sur la vitre, répond-il calmement. Quelqu'un l'a arrachée, il s'est penché par-dessus la chaise, s'est appuyé d'une main sur la vitre et a retiré la photo de l'autre.

Peu enthousiaste, elle l'observe pour suivre son raisonnement et Joona constate qu'une cicatrice blanche traverse son sourcil gauche.

— Je suis tout à fait capable de mener ces investigations, dit-elle résolument.

— L'empreinte appartient sans doute à Björn Almskog, dit Joona en se dirigeant vers la cuisine.

— La sortie n'est pas par là, Joona.

Il fait mine de ne pas l'avoir entendue et entre dans la cuisine.

— C'est mon enquête, crie-t-elle.

Les techniciens ont aménagé un bureau au milieu de la pièce. Deux chaises sont approchées de la table sur laquelle ils ont installé un ordinateur, un scanner et une imprimante. Tommy Kofoed se tient derrière Göran Stone qui a relié son appareil photo à l'ordinateur. Ils ont entré le relevé dans leur logiciel et procèdent à une première comparaison d'empreintes digitales.

Saga suit Joona jusqu'à la cuisine.

— Alors ? demande Joona sans se préoccuper d'elle.

— Ne lui dites rien, s'empresse de répondre Saga.

Tommy Kofoed relève la tête.

— Ne sois pas ridicule, Saga, dit-il avant de se tourner vers Joona. La chance n'est pas avec nous cette fois, l'empreinte est celle de Björn Almskog, le mec de Penelope.

— Il est fiché, dit Göran Stone.

— Pour quel motif ? demande Joona.

— Il est soupçonné d'avoir participé à une violente émeute, et pour agression d'un agent des forces de l'ordre.

— La pire espèce, plaisante Kofoed. Il a sûrement dû participer à une manifestation.

— Très drôle, dit Göran Stone d'un air renfrogné. Mais au sein de la police on n'est pas tous fans des émeutes et des sabotages des gauchistes et…

— Parle pour toi, l'interrompt Kofoed.

— Le déploiement des forces de police parle de lui-même, répond Göran en ricanant.

— Comment ça ? demande Joona. De quoi parlez-vous ? Il y a eu une mobilisation – qu'est-ce qui s'est passé ?

27

LES EXTRÉMISTES

Carlos Eliasson, le chef de la Rikskrim, sursaute et laisse tomber une poignée de nourriture pour poissons dans l'aquarium lorsque Joona Linna entre en trombe dans son bureau.

— Pourquoi n'y aurait-il pas de battue ? demande-t-il d'une voix sévère. Deux vies humaines sont en jeu et on n'est pas capables de faire sortir quelques bateaux ?

— Tu sais bien que la police maritime fait ses propres évaluations. Ils ont survolé toute la zone en hélicoptère et ont conclu que Penelope Fernandez et Björn Almskog étaient morts, ou qu'ils ne voulaient pas être retrouvés... Et dans un cas comme dans l'autre, une battue ne semble pas être une priorité.

— Ils ont quelque chose que le meurtrier veut récupérer et je pense que...

— Inutile de spéculer... On ne sait pas ce qui s'est passé, Joona. La Säpo semble penser que ces jeunes se sont terrés quelque part. A l'heure qu'il est, ils pourraient tout aussi bien être dans un train pour Amsterdam...

— Arrête un peu, l'interrompt Joona d'une voix forte. Tu ne peux pas écouter la Säpo lorsqu'il s'agit de...

— C'est leur affaire.

— Pourquoi ? Pourquoi est-ce leur affaire ? Björn Almskog a été soupçonné d'avoir participé à une émeute. Ça ne signifie rien, absolument rien.

— J'ai discuté avec Verner Zandén qui m'a informé très tôt que Penelope Fernandez entretient des liens avec des groupes d'extrême gauche.

— Peut-être, mais je suis persuadé que ce meurtre n'a rien à voir avec ça, s'obstine Joona.

— Evidemment ! Evidemment que tu en es persuadé, crie Carlos.

— J'ignore pourquoi, mais l'individu qui s'est introduit dans l'appartement de Penelope est un tueur à gages et pas quelqu'un qui…

— D'après la Säpo, Penelope et Björn planifiaient peut-être un attentat.

— Penelope Fernandez serait une terroriste ? demande Joona, incrédule. Est-ce que tu as lu ses articles ? Elle est pacifiste et condamne…

— Hier, l'interrompt Carlos, une personne de la Brigaden a été interpellée par la Säpo, au moment où elle s'apprêtait à entrer par effraction dans l'appartement de Penelope.

— Je ne sais même pas ce que c'est, la Brigaden.

— Un mouvement militant de gauche… Ils sont plus ou moins liés avec l'Anti-Fascist Action et le Revolutionära Fronten, mais ils sont indépendants… Idéologiquement, ils sont proches de la Fraction Armée rouge et leur but est d'être aussi opérationnels que le Mossad.

— Mais ça ne colle pas, dit Joona.

— Tu ne veux pas que ça colle, mais ça c'est une autre histoire. Il y aura une battue en temps voulu, on dressera aussi la carte des courants marins pour définir d'où a dérivé le bateau, commencer à draguer et peut-être envoyer des plongeurs.

— Bien, chuchote Joona.

— Ce qui reste à faire, c'est comprendre pourquoi ils ont été tués… ou pourquoi et où ils se cachent.

Joona ouvre la porte du bureau, mais se retourne avant d'avoir franchi le seuil :

— Que s'est-il passé avec le gars de la Brigaden ?

— Il a été relâché.

— Ils ont su ce qu'il faisait là ?

— Il passait dire bonjour.

— Il passait dire bonjour, soupire Joona. C'est tout ce que la Säpo a pu obtenir ?

— Tu n'es pas autorisé à enquêter sur la Brigaden, dit soudain Carlos d'une voix inquiète. J'espère que c'est clair ?

Joona sort du bureau. Une fois dans le couloir, il prend son portable. Il entend Carlos crier qu'il s'agit d'un ordre, qu'il n'est pas autorisé à empiéter sur le territoire de la Säpo. Joona s'éloigne en composant le numéro de Nathan Pollock.

— Pollock, répond Nathan.

— Que sais-tu à propos de la Brigaden ? demande Joona au moment où s'ouvrent devant lui les portes de l'ascenseur.

— Depuis des années, la Säpo tente d'infiltrer et de recenser les groupes militants d'extrême gauche à Stockholm, Göteborg et Malmö. Je ne sais pas si la Brigaden est considérée comme très dangereuse, mais la Säpo semble penser qu'ils sont en possession d'armes et d'explosifs. En tout cas, plusieurs de ses membres sont passés par des établissements d'éducation spécialisée ou ont été condamnés à des peines de prison pour crimes violents.

L'ascenseur descend.

— Si je comprends bien, la Säpo a arrêté un individu qui a des connexions directes avec la Brigaden juste avant qu'il ne pénètre dans l'appartement de Penelope Fernandez.

— Il s'appelle Daniel Marklund et c'est un des membres clefs.

— Qu'est-ce que tu sais sur lui ?

— Pas grand-chose. Il a été sous le coup d'une condamnation conditionnelle pour vandalisme et piratage informatique.

— Que faisait-il chez Penelope ?

L'ascenseur s'arrête et les portes s'ouvrent.

— Il n'était pas armé. Il a exigé la présence d'un avocat lors de l'interrogatoire préliminaire, n'a pas répondu à la moindre question et a été relâché le jour même.

— Donc, on ne sait rien ?

— Non.

— Où est-ce que je peux le trouver ?

— Il n'a pas d'adresse privée. Selon la Säpo, il habite près de Zinkensdamm, dans les locaux de la Brigaden, avec les autres membres du premier cercle.

28

LA BRIGADEN

Tandis qu'il se dirige à grands pas vers le parking situé sous le parc Rådhus, Joona Linna pense à Disa. Soudain, elle lui manque terriblement. Il voudrait toucher ses bras sveltes, sentir l'odeur de ses doux cheveux. L'écouter parler de ses trouvailles archéologiques, d'ossements qui ne sont pas reliés à des crimes, de restes d'êtres humains ayant vécu il y a très longtemps le remplit toujours d'un calme inexplicable.

Il se dit qu'il doit parler à Disa, cela fait maintenant trop longtemps qu'il est accaparé par le travail. Il descend dans le parking et se fraie un chemin entre les voitures garées lorsqu'il devine un mouvement derrière l'un des piliers en béton. Quelqu'un attend près de sa Volvo. Il aperçoit une silhouette presque entièrement cachée par une fourgonnette. Seul le grondement de l'aération vient rompre le silence.

— Ça a été rapide, crie Joona.

— Téléportation, répond Pollock.

Joona s'immobilise, ferme les yeux et appuie un doigt contre sa tempe.

— Mal de crâne ? demande Pollock.

— Je ne dors pas beaucoup ces temps-ci.

Ils s'installent dans la voiture et referment les portières. Joona met le contact. Les enceintes diffusent un tango d'Astor Piazzolla.

Pollock augmente légèrement le son : on dirait deux violons qui se tournent autour.

— Evidemment tu ne tiens pas cette information de moi, dit Nathan.

— Evidemment.

— Je viens d'apprendre que la Säpo prend prétexte de l'effraction de Daniel Marklund pour faire une descente dans leurs locaux.

— Je dois lui parler avant.

— Alors, il faut faire vite.

Joona enclenche la marche arrière, tourne et remonte l'allée du parking.

— On a combien de temps ? demande Joona en s'engageant sur Kungsholmsgatan.

— Je pense qu'ils sont déjà en route.

— Montre-moi l'entrée de la Brigaden, ensuite tu pourras retourner au commissariat et faire comme si de rien n'était.

— C'est quoi ton plan ?

— Plan ? demande Joona en souriant.

Nathan lâche un petit rire.

— Le plan, c'est simplement de découvrir ce que Daniel Marklund faisait dans l'appartement de Penelope. Il sait peut-être ce qui se passe.

— Mais…

— Ce n'est pas un hasard si la Brigaden a tenté de s'introduire dans son appartement, je ne crois pas à la coïncidence. La Säpo semble convaincue que l'extrême gauche prépare un attentat, mais…

— Ils le pensent toujours, c'est leur boulot, dit Pollock en souriant.

— Quoi qu'il en soit, je compte avoir une petite discussion avec Daniel Marklund avant de laisser tomber.

— Même si tu arrives avant les gars de la Säpo, rien ne dit que les membres de la Brigaden voudront te parler.

29

L'INSATSSTYRKAN*

Saga Bauer met treize balles dans un chargeur avant de l'introduire dans son Glock 21 de calibre 45. La Säpo s'apprête à faire une descente dans les locaux de la Brigaden à Södermalm. Avec trois de ses collègues, Saga a pris place dans un van garé sur Hornsgatan, devant l'opéra. Ils sont tous en civil et ont rendez-vous dans quinze minutes au *Nagham Fast Food* avec des membres de l'Insatsstyrkan.

Ces derniers mois, la Säpo a constaté une recrudescence d'activité parmi les groupes extrémistes de gauche à Stockholm. Il pourrait s'agir d'une coïncidence, mais les meilleurs experts de la Säpo redoutent que plusieurs groupes militants ne se soient rapprochés en vue de préparer un attentat de grande ampleur. L'alerte terroriste a même été décrétée à la suite d'un vol d'explosifs dans une réserve militaire à Vaxholm.

Ces mêmes experts ont également fait le lien entre la menace d'attentat, le meurtre de Viola Fernandez et l'explosion manquée chez Penelope Fernandez.

La Brigaden est considérée comme le groupe d'extrême gauche le plus dangereux et le plus radical. Daniel Marklund compte parmi les membres du premier cercle. Il a été interpellé alors qu'il s'introduisait chez Penelope Fernandez et, d'après les experts, il pourrait aussi être l'agresseur de l'inspecteur Joona Linna et de son technicien.

Göran Stone sourit lorsqu'il enfile son lourd gilet pare-balles :

— On va les cueillir, ces pauvres lâches.

---

* Abréviation de Nationella Insatsstyrkan, unité d'élite au sein de la police suédoise, l'équivalent du GIGN en France.

Anders Westlund part d'un rire nerveux :

— Pourvu qu'ils montrent un peu de résistance, que je puisse castrer un communiste une bonne fois pour toutes, putain.

Saga Bauer repense à l'arrestation de Daniel Marklund devant l'appartement de Penelope Fernandez. Son patron, Verner Zandén, a décidé que l'interrogatoire serait dirigé par Göran Stone. Dans le but de provoquer une réaction, il s'était montré d'emblée très agressif, mais cela n'avait servi qu'à murer Marklund dans le silence après qu'il eut exigé la présence d'un avocat.

La portière s'ouvre et Roland Eriksson, un sachet de bonbons banane et une canette de Coca à la main, s'installe dans le van.

— Putain, je vais tirer si je vois une arme, dit Roland d'une voix stressée. Ça va tellement vite, il nous reste plus qu'à appuyer sur la détente…

— On fait comme on a dit, dit Göran Stone. Mais s'il y a échange de coups de feu, il n'est pas obligatoire de viser les jambes…

— Prends ça dans ta gueule, s'emporte Roland.

— Du calme, dit Göran.

— Le visage de mon frangin est…

— On sait, Roland, merde, quoi, l'interrompt Anders d'un air stressé.

— Une putain de bombe incendiaire en plein visage, poursuit Roland. Au bout de onze opérations, il arrive à…

— Tu te sens capable de gérer ce qu'on s'apprête à faire ? l'interrompt Göran d'une voix tranchante.

— Oui, putain.

— Vraiment ?

— A l'aise.

Roland regarde par la fenêtre en grattant frénétiquement le couvercle de son tabac à chiquer avec l'ongle du pouce.

Saga Bauer ouvre la portière pour aérer l'intérieur du van. Elle sait que c'est le bon moment pour lancer l'opération. Cela ne servirait à rien d'attendre davantage. Pourtant, elle aurait voulu établir au préalable un lien entre Penelope Fernandez et les extrémistes de gauche. Elle n'a aucune idée du rôle qu'elle a pu jouer ni de la raison pour laquelle sa sœur a été assassinée. Il y a trop de zones d'ombre. Elle aurait voulu interroger Daniel Marklund avant l'opération, le regarder dans les yeux et lui poser franchement ses questions. Elle a essayé de l'expliquer à son supérieur et de lui faire comprendre qu'il n'y aurait peut-être plus personne à interroger après la descente, mais cela n'a rien donné.

C'est toujours mon enquête, se dit-elle en sortant dans la chaleur étouffante de la rue.

— L'Insatsstyrkan va entrer là, là et là, répète Göran Stone qui montre du doigt un plan de l'immeuble. Nous, on est là et on sera peut-être obligés d'entrer par le théâtre…

— Mais merde, où est passée Saga Bauer ? demande Roland.

— Elle a dû se dégonfler, dit Anders en ricanant. C'est sûrement ses règles.

30

LA DOULEUR

Joona Linna et Nathan Pollock se garent sur Hornsgatan et jettent un coup d'œil à une photo de très mauvaise qualité de Daniel Marklund. Après avoir quitté la voiture, ils traversent la rue au milieu de la circulation et entrent par la porte d'un petit théâtre. Teater Tribunalen est une compagnie de théâtre indépendante qui définit le prix des billets en fonction des revenus de chaque spectateur. Le théâtre a monté des pièces allant de *L'Orestie* au *Manifeste du parti communiste*.

Joona et Nathan descendent d'un pas rapide le large escalier qui mène jusqu'au guichet faisant également office de bar. Une femme aux cheveux raides et noirs qui porte un anneau en argent dans le nez les accueille avec un sourire. Ils lui répondent tous deux par un hochement de tête amical, en poursuivant leur chemin sans un mot.

— Vous cherchez quelqu'un ? crie-t-elle lorsqu'ils commencent à monter l'escalier en métal.

— Oui, répond Pollock à voix basse.

Ils entrent dans un bureau désordonné meublé d'une photocopieuse, d'un bureau et d'un tableau d'affichage. Devant un ordinateur est assis un homme maigre aux cheveux hirsutes, une cigarette éteinte au coin de la bouche.

— Salut Richard, dit Pollock.

— Vous êtes qui ? demande l'homme distraitement en reportant aussitôt son attention sur l'écran.

Ils poursuivent jusqu'aux loges des comédiens. Ils passent devant des costumes soigneusement pendus, une table de maquillage et une salle de bains. Un vase contenant un bouquet de roses orne l'une des tables.

Pollock regarde autour de lui puis désigne la direction à suivre, une porte en acier sur laquelle est inscrit "Central électrique".

— C'est censé être ici, dit Pollock.

— Dans le local électrique d'un théâtre ?

Pollock ne prend pas la peine de répondre et se contente de crocheter rapidement la serrure. Ils regardent à l'intérieur de la petite pièce envahie par des compteurs électriques, des petits placards contenant des fusibles et un tas de gros cartons. La lampe du plafond ne fonctionne pas, mais Joona grimpe par-dessus les cartons, piétine de vieux costumes et trouve une porte dissimulée derrières des rallonges électriques accrochées au mur. Celle-ci mène à un couloir aux murs en béton. Nathan le suit. L'air vicié semble pauvre en oxygène. Il règne une forte odeur de déchets mêlée à celle de la terre humide. Une musique lointaine leur parvient mais ils ne peuvent pas encore en distinguer le rythme. Un tract représentant le leader de la guérilla marxiste Che Guevara avec une mèche allumée qui sort de sa tête gît à terre.

— La Brigaden se cache ici depuis quelques années, dit Pollock à voix basse.

— J'aurais dû apporter des petits gâteaux.

— Promets-moi de faire attention.

— Je crains seulement que Daniel Marklund ne soit pas là.

— Il l'est, il semble qu'il y soit presque toujours.

— Merci de ton aide, Nathan.

— Il vaut peut-être mieux que je t'accompagne à l'intérieur, non ? Tu n'as que quelques minutes, lorsque la Säpo débarquera ça risque d'être dangereux.

Les yeux gris de Joona semblent s'étrécir et il dit d'une voix douce :

— Je passe juste dire un petit bonjour.

Nathan retourne vers le théâtre en toussant et referme les portes derrière lui. Seul dans le couloir désert, Joona reste immobile un moment. Il prend son arme, vérifie que le chargeur est plein et la remet dans la gaine. Il avance jusqu'à la porte en acier située au bout du couloir. Elle est fermée et il perd quelques précieuses secondes à crocheter la serrure. Quelqu'un a gravé "Brigaden" en toutes petites lettres sur la porte bleue. L'inscription ne fait pas plus de deux centimètres.

Joona appuie sur la poignée et ouvre délicatement la porte. Il est accueilli par une musique forte et stridente.

On dirait une version remixée de *Machine Gun* de Jimi Hendrix. La musique couvre tous les autres bruits, les notes lancinantes de la guitare suivent un rythme onirique, ondulant. Joona referme la porte derrière lui et avance à petites foulées jusqu'à un local où sont entassés pêle-mêle jusqu'au plafond des livres et de vieux journaux.

L'obscurité est quasiment complète, mais Joona comprend que les piles forment dans la pièce une sorte de labyrinthe conduisant à de nouvelles portes.

Il traverse le passage d'un pas rapide, est soudain éclairé par une pâle lueur et continue d'avancer jusqu'à ce que le couloir se divise en deux. Il prend à droite, puis se retourne subitement.

Il pense avoir vu quelque chose, senti un mouvement furtif dans son dos. Peut-être juste une ombre qui a disparu à l'extrémité de son champ de vision. Il n'en est pas certain.

Joona rebrousse chemin jusqu'à l'intersection des deux couloirs et tente de distinguer quelque chose dans l'obscurité. Un cordon retenant une ampoule vacille au plafond. Mêlé à la musique, Joona perçoit soudain un hurlement, le cri assourdi d'un être humain lui parvient malgré l'épaisseur des murs. Il s'arrête, recule de quelques pas et observe l'étroit passage où une pile de magazines s'est renversée.

Joona a mal à la tête, il se dit qu'il devrait manger, qu'il aurait dû apporter quelque chose. Un ou deux carrés de chocolat noir auraient fait l'affaire.

Il marche sur les magazines éparpillés au sol et parvient à un escalier en colimaçon menant à l'étage inférieur. Une odeur de fumée douceâtre languit dans l'air. Il se tient fermement à la rampe et tente d'arriver en bas aussi vite que possible. Malgré ses efforts, l'escalier en métal grince sous son poids. Il s'arrête sur la dernière marche devant un rideau en velours et pose alors la main sur son pistolet.

Ici la musique est plus faible.

Dans l'entrebâillement du rideau, il distingue une lumière rouge. L'air est saturé de cannabis et de transpiration. Joona tente d'apercevoir quelque chose mais son champ de vision est très restreint. Dans un coin est posé un clown en plastique, une ampoule rouge en guise de nez. Joona hésite quelques secondes puis s'introduit dans la pièce. Son pouls s'accélère et son mal de tête s'intensifie lorsqu'il balaie la pièce du regard. Un fusil de chasse double canon est posé sur le sol en béton poli, il y a aussi un carton ouvert rempli de cartouches de balles Slug – de lourdes balles en plomb qui provoquent de grandes déchirures dans la chair. Un homme nu est assis sur une chaise de bureau. Il fume les yeux fermés. Ce n'est pas Daniel Marklund. Une femme blonde aux seins nus est accroupie sur un matelas le dos au mur, une couverture militaire autour des hanches. Elle croise le regard de Joona, lui envoie un baiser et boit tranquillement une gorgée de bière dans une canette.

Un nouveau cri résonne depuis la seule issue de la pièce. Joona ne les lâche pas du regard lorsqu'il ramasse le fusil, dirige la bouche du canon vers le sol et appuie dessus avec son pied de façon à plier l'arme.

La femme pose sa canette de bière et se gratte distraitement l'aisselle.

Joona repose le fusil avec précaution puis continue à avancer dans la pièce, passe devant la femme sur le matelas et pénètre dans un couloir dont le plafond bas est constitué d'un treillis posé sur de la laine de verre jaune. Une lourde odeur de cigare se répand dans l'air. Le faisceau d'une lumière très puissante est orienté droit sur lui et il tente de le masquer de sa main. De larges bandes de plastique industriel pendent au bout du couloir. Joona est ébloui et ne réussit pas à voir ce vers quoi il s'avance. Il devine seulement des mouvements et entend une voix qui résonne, chargée d'angoisse et de peur. Soudain, tout près de lui, quelqu'un pousse un cri terrifiant.

Il semble venir du plus profond de la gorge, et est suivi par une respiration soutenue et haletante. Joona avance rapidement à pas feutrés, sort du faisceau lumineux et distingue soudain l'intérieur de la pièce derrière le plastique épais.

Des voiles de fumée flottent dans l'air immobile.

Une petite femme musclée qui porte une cagoule, un jean noir et un T-shirt marron se tient devant un homme en caleçon et chaussettes. Il a le crâne rasé et les mots "Suprématisme blanc" tatoués sur le front. Il s'est mordu la langue et le sang coule sur son menton et son cou jusqu'à son gros ventre.

— Pitié, chuchote-t-il en secouant la tête.

La femme tient un cigare allumé dans sa main. Soudain, elle s'approche de l'homme et appuie la braise contre le tatouage sur son front. L'homme hurle, faisant trembler le gras de son ventre et ses seins flasques. Une tache sombre se répand sur son caleçon bleu et l'urine coule le long de ses jambes nues.

Joona a dégainé son pistolet, il s'approche d'un entrebâillement entre deux bandes de plastique et tente de repérer s'il y a d'autres personnes dans la pièce. Il ne parvient pas à distinguer s'ils sont seuls mais se prépare et ouvre la bouche pour crier. Soudain, il voit son pistolet tomber au sol.

L'arme émet un cliquetis en rencontrant le béton et atterrit près du rideau en plastique. Il regarde sa main, perplexe. Elle tremble. En un instant, il est assailli par une douleur insoutenable. Sa vision se trouble. Il ne peut réprimer un gémissement et doit prendre appui contre le mur. Il sent qu'il est sur le point de perdre connaissance, mais il entend encore les voix résonner derrière le plastique.

— Crache le morceau, crie la femme au cigare. Qu'est-ce que tu lui as fait, bordel de merde ?

— Je ne me souviens pas, gémit le néonazi.

— Qu'est-ce que tu as fait ?

— J'ai été vache avec un type.

— Les détails !

— Je lui ai cramé l'œil.

— Avec une cigarette. Un petit de dix ans…

— Oui, mais je…

— Quoi ? Qu'est-ce qu'il avait fait ?

— On l'a suivi de la synagogue jusqu'au…

Joona ne se rend pas compte qu'il arrache un extincteur du mur. Il perd toute notion du temps. Le monde disparaît autour de lui. Il n'existe plus que la douleur dans sa tête et un sifflement aigu dans ses oreilles.

31

LE MESSAGE

Joona s'adosse au mur et cligne des yeux pour retrouver la vue. Il perçoit une présence à ses côtés, quelqu'un qui l'a suivi depuis la pièce où se trouvaient les deux jeunes nus. Il sent une main sur son dos et distingue les traits d'un visage à travers le voile noir de la douleur.

— Qu'est-ce qu'il s'est passé ? demande Saga Bauer à voix basse. Tu es blessé ?

Il tente de secouer la tête, mais la douleur l'empêche de parler. Il a l'impression qu'un crochet lui transperce la peau, le crâne et le cortex cérébral jusqu'au liquide céphalorachidien.

Joona s'agenouille.

— Il faut te sortir de là, dit-elle.

Il ne peut presque rien voir mais sent Saga prendre son visage dans ses mains. Tout son corps est recouvert de gouttes de sueur qui s'écoulent de ses aisselles, de sa nuque et sur son dos. De la transpiration s'est formée sur son visage, dans son cuir chevelu et sur son front.

Saga suppose qu'il s'agit peut-être d'une crise d'épilepsie, elle fouille dans les poches et le portefeuille de Joona à la recherche d'un médicament ou de la carte que portent en général les épileptiques.

Après un moment, la douleur finit par lâcher prise. Joona passe lentement sa langue sur ses lèvres et relève la tête. Ses mâchoires sont crispées et tout son corps est endolori après la crise de migraine.

— Vous ne pouvez pas encore donner l'assaut, chuchote-t-il. Je dois...

— Qu'est-ce qui s'est passé, merde ?

— Rien, répond Joona en ramassant son pistolet.

Il se lève et passe de l'autre côté du rideau en plastique aussi vite qu'il le peut. La pièce est vide. Sur le mur, un panneau indiquant une sortie de secours est allumé. Saga le rejoint et l'interroge du regard. Joona se dirige vers la sortie et découvre un petit escalier abrupt menant à une porte en acier qui donne sur la rue.

— *Perkele*, marmonne-t-il.

— Parle-moi, dit Saga d'une voix autoritaire.

Joona a pris l'habitude d'occulter la cause directe du mal dont il souffre. Il refuse de penser à ce qui s'est passé tant d'années auparavant, à ce souvenir qui déclenche parfois une douleur capable de l'assommer pendant environ une minute. Selon son médecin, il s'agit d'une forme extrême de migraine d'origine physique.

Le seul médicament qui se soit montré efficace est l'Epito-max®, un traitement préventif contre l'épilepsie. Joona est censé le prendre quotidiennement, mais lorsqu'il travaille et qu'il a besoin d'avoir les idées claires, il ne prend pas ses comprimés. Ce traitement le fatigue. Il a l'impression qu'il émousse l'absolue netteté de ses pensées. Joona sait qu'il joue un jeu dangereux. La plupart du temps, le fait de ne pas suivre son traitement, même pendant des semaines, n'a aucune conséquence. Mais parfois, comme aujourd'hui, il peut être victime d'une crise fulgurante après quelques jours d'arrêt seulement.

— Ils ont torturé un gars, un néonazi, je crois, mais…

— Torturé ?

— Oui, avec un cigare, répond-il en empruntant le couloir par lequel il est arrivé.

— Qu'est-ce qui s'est passé ?

— Je ne pouvais pas…

— Ecoute, l'interrompt-elle d'une voix douce. Tu ne devrais peut-être pas, je veux dire… travailler sur le terrain, si tu es malade.

Elle se passe la main sur le visage.

— Quel merdier, chuchote-t-elle.

Joona se rend dans la pièce à la lampe clown. Saga marche derrière lui.

— Qu'est-ce que tu fous là, d'abord ? lui demande-t-elle. Les unités d'élite de la Säpo vont forcer les locaux d'un instant à l'autre. S'ils voient que tu es armé, ils vont tirer, tu le sais, il va faire sombre, il y aura du gaz lacrymogène et…

— Je dois parler avec Daniel Marklund, l'interrompt Joona.

— Tu ne devrais même pas savoir qui c'est, dit-elle en le suivant en haut de l'escalier en colimaçon. Qui t'en a parlé ?

Joona se dirige vers l'un des couloirs, mais fait volte-face lorsqu'il sent que Saga lui indique un autre chemin. Il la suit alors qu'elle se met à courir. Il dégaine son arme, tourne à l'angle du couloir et l'entend crier quelque chose.

Saga s'est arrêtée à l'entrée d'une pièce où sont installés cinq ordinateurs. Un homme barbu aux cheveux sales se tient dans un coin. C'est Daniel Marklund. Ses lèvres sont humides et il semble nerveux. Dans sa main, il tient un couteau baïonnette russe.

— Nous sommes de la police et nous vous prions de poser ce couteau, dit-elle d'une voix calme en montrant sa carte de police.

Le jeune homme secoue la tête et agite son couteau devant lui, les menaçant tour à tour.

— On veut juste vous parler, dit Joona en remettant son pistolet dans la gaine.

— Alors allez-y, parlez, dit Daniel d'une voix tendue.

Joona se dirige vers lui et croise son regard inquiet. Il semble n'accorder aucune attention au couteau tendu vers lui, à la lame qui fend l'air.

— Daniel, vous n'êtes pas très doué pour ça, dit Joona avec un sourire.

Il sent l'odeur de la graisse qui recouvre la lame luisante. Le couteau baïonnette est agité de mouvements de plus en plus brusques et Daniel Marklund fixe Joona avec détermination lorsqu'il lui lance :

— Il n'y a pas que les Finlandais qui sont forts au…

Joona procède alors à une rapide prise de combat, il saisit le poignet du jeune homme et tord le couteau délicatement avec son autre main pour venir le plaquer sur le bureau.

Le silence retombe. Ils s'observent un moment, puis Daniel Marklund hausse les épaules :

— Je suis surtout dans l'informatique, dit-il comme pour s'excuser.

— Nous allons bientôt être interrompus. Racontez-nous seulement ce que vous faisiez chez Penelope Fernandez.

— Je passais dire bonjour.

— Daniel, dit Joona d'une voix grave. Cette petite histoire de couteau vous vaudra certainement une peine de prison, mais j'ai des choses plus importantes à faire et je vous offre la possibilité de me faire gagner un peu de temps.

— Est-ce que Penelope fait partie de la Brigaden ? demande Saga.

— Penelope Fernandez ? répond Daniel Marklund en souriant. C'est une farouche opposante.

— Alors qu'est-ce que vous avez à voir avec elle ? demande Joona.

— Qu'est-ce que vous voulez dire par opposante ? demande Saga. Est-ce que c'est une lutte pour le pouvoir entre…

— Vous ne savez donc rien à la Säpo ? demande Daniel avec un sourire las. Penelope Fernandez est pacifiste, c'est une démocrate convertie. Elle n'apprécie pas nos méthodes… mais nous on l'apprécie.

Il s'installe sur une chaise devant deux ordinateurs.

— Vous l'appréciez ?

— On la respecte.

— Pourquoi ? demande Saga, étonnée. Pourquoi est-ce que…

— Vous ne saisissez pas à quel point elle est détestée… je veux dire, commencez par chercher son nom sur Internet, vous verrez qu'elle suscite des commentaires assez violents… et maintenant quelqu'un a franchi les limites.

— Comment ça – franchi les limites ?

Daniel les scrute du regard.

— Vous savez qu'elle a disparu, non ?

— Oui, répond Saga.

— Bien. C'est bien, mais je doute que la police mette tout en œuvre pour la retrouver. C'est pour ça que je suis passé chez elle. Je voulais vérifier son ordinateur pour voir qui se cache derrière sa disparition. Je veux dire, il n'y a pas longtemps le Svenska motståndsrörelsen* a effectué un mailing à l'intention de ses membres… qui les exhorte à mots à peine couverts à kidnapper cette pute communiste de Penelope Fernandez et

---

* Le Svenska motståndsrörelsen ou SMR (Mouvement de résistance suédois) est un organisme militant et révolutionnaire néonazi fondé en 1997.

à en faire une esclave sexuelle pour le mouvement. Mais regardez plutôt ça…

Daniel Marklund pianote sur le clavier d'un des ordinateurs et fait pivoter l'écran vers Joona.

— Voilà, on est connectés à Ariska brödraskapet*.

Joona parcourt l'écran du regard. Ils sont sur un chat dont les commentaires, d'une vulgarité grotesque, parlent de bites aryennes et de la façon dont on doit abattre Penelope.

— Mais ces groupes n'ont rien à voir avec la disparition de Penelope, dit Joona.

— Ah bon, vraiment ? Qui c'est alors ? Nordiska förbundet**? demande Daniel d'une voix enthousiaste. Allez ! Il n'est pas encore trop tard.

— Qu'est-ce que vous voulez dire par "il n'est pas trop tard" ? demande Joona.

— Généralement, il est trop tard lorsqu'on décide de réagir… et puis, j'ai intercepté un message sur le répondeur de sa mère. Je veux dire, ça a l'air d'être une sacrée urgence, mais il n'est pas trop tard cette fois, j'ai été obligé de vérifier son ordinateur et…

— Intercepté ? l'interrompt Joona.

— Elle a essayé d'appeler sa mère hier matin, répond le jeune homme en se grattant le cuir chevelu d'un mouvement stressé.

— Penelope ?

— Oui.

— Qu'est-ce qu'elle a dit ? demande Saga avec empressement.

— Il n'y a pas que la Säpo qui sait mettre des téléphones sur écoute, dit-il avec un sourire en coin.

— Que disait Penelope ? répète Joona d'une voix forte.

— Qu'elle est poursuivie, répond Daniel Marklund entre ses dents.

— Que disait-elle exactement ? insiste Joona.

* Ariska brödraskapet (Fraternité aryenne) est un organisme néonazi carcéral suédois fondé en 1996. Il s'inspire du groupe Aryan Brotherhood aux Etats-Unis.
** Nordiska förbundet est un organisme néonazi fondé en 2004 qui œuvre pour un nouvel Etat-nation libéré de la démocratie et du multiculturalisme suédois.

Daniel jette un coup d'œil à Saga Bauer puis demande :

— Nous avons combien de temps avant que vous ne lanciez votre assaut ?

Saga consulte sa montre :

— Entre trois et quatre minutes.

— Alors vous avez le temps d'écouter ça, dit Marklund en pianotant rapidement sur un autre clavier pour lancer un enregistrement sonore.

Les enceintes sifflent, puis ils entendent l'annonce du répondeur de Claudia Fernandez. Il y a ensuite trois bips, suivis d'un fort grésillement indiquant une très mauvaise réception. Malgré les interférences, ils distinguent une faible voix, comme venue de très loin. C'est une femme qui parle, mais les mots sont incompréhensibles. Après quelques secondes, ils entendent un homme dire "Trouvez un travail", un petit clic et le silence.

— Pardon, marmonne Daniel. Il faut que j'installe quelques filtres.

— Le temps presse, marmotte Saga.

Il pianote à nouveau sur le clavier, modifie un réglage, examine les courbes de son dessinées sur son écran, change quelques chiffres et lance de nouveau l'enregistrement :

"Vous êtes bien chez Claudia – je ne peux pas vous répondre pour le moment, mais laissez-moi un message et je vous rappellerai dès que possible."

Les trois bips sonnent différemment et le grésillement est désormais réduit à un faible tintement métallique.

Soudain, ils entendent la voix de Penelope Fernandez :

— Maman, j'ai besoin d'aide, je suis poursuivie par...

— Trouvez un travail, coupe la voix d'un homme.

Puis de nouveau le silence.

32

UN HONNÊTE TRAVAIL DE POLICIER

Saga Bauer consulte rapidement sa montre, ils doivent partir. Daniel Marklund plaisante sur le fait qu'il doit rester pour monter la garde mais ses yeux trahissent son angoisse.

— On va frapper très fort. Range ton couteau, n'oppose aucune résistance, pas de gestes brusques, l'avertit Saga avant de quitter le petit bureau avec Joona.

Daniel Marklund, assis sur sa chaise de bureau, les suit du regard, puis balance son couteau baïonnette dans la corbeille à papier.

Joona et Saga quittent les locaux labyrinthiques de la Brigaden et se retrouvent à l'air libre sur Hornsgatan. Saga rejoint le groupe en civil de Göran Stone, ils sont installés au *Nagham Fast Food* et mangent des frites en silence. Les yeux brillants, le regard vide, ils attendent que le commandant donne l'ordre d'assaut.

Deux minutes plus tard, quinze policiers des services de la Sûreté tous équipés d'armes lourdes sortent en trombe de quatre fourgonnettes noires. L'Insatsstyrkan force toutes les entrées du théâtre et du gaz lacrymogène se répand peu à peu dans toutes les pièces. Cinq jeunes, parmi lesquels Daniel Marklund, sont retrouvés assis par terre, les mains sur la tête. Ils sont conduits dehors, les mains attachées dans le dos avec des entraves en plastique.

La Sûreté comprend, au vu des armes saisies, que la Brigaden est loin de posséder un arsenal de grande envergure : un vieux pistolet militaire de la marque Colt, une carabine de salon, un fusil de chasse courbé, une boîte de cartouches à balles Slug, quatre couteaux et deux étoiles ninja.

Dans sa voiture roulant sur Söder Mälarstrand, Joona compose le numéro du chef de la Rikskrim sur son portable. Après deux sonneries, Carlos répond en appuyant sur le bouton du haut-parleur avec un stylo :

— Comment ça se passe à l'Ecole nationale supérieure de police, Joona ?

— Je n'y suis pas.

— Je le sais, puisque…

— Penelope Fernandez est en vie, l'interrompt Joona. Elle est poursuivie, c'est une course contre la mort, Carlos.

— Selon qui ?

— Elle a laissé un message sur le répondeur de sa mère.

Carlos reste silencieux quelques secondes avant d'inspirer profondément.

— D'accord, elle est en vie, bien… Que sait-on de plus ? Elle est en vie, mais…

— On sait qu'elle était en vie il y a trente heures environ, au moment du coup de fil. On sait aussi que quelqu'un l'a prise en chasse.

— Qui ?

— Elle n'a pas eu le temps de le dire, mais… si c'est l'homme que j'ai combattu, il y a vraiment urgence.

— Tu crois qu'il s'agit d'un tueur à gages ?

— Je suis persuadé que la personne qui nous a attaqués, Erixon et moi, est un tueur professionnel, un *grob*.

— Un *grob* ?

— Le mot serbe pour "tombe". C'est comme ça qu'on appelle les tueurs. Ils sont chers, ils travaillent en principe seuls, mais ils vont toujours au bout.

— Ça me paraît complètement invraisemblable.

— J'ai raison, répond Joona d'une voix assurée.

— C'est ce que tu dis toujours, mais s'il s'agit vraiment d'un tueur à gages, Penelope n'aurait pas pu tenir aussi longtemps… ça fait presque quarante-huit heures.

— Si elle est encore en vie, c'est que le tueur a d'autres priorités.

— Tu penses qu'il cherche encore ce qu'il voulait trouver chez elle ?

— Oui.

— Quoi ?

— Je n'en suis pas certain, mais c'est peut-être une photographie…

— Qu'est-ce qui te fait penser ça ?

— Pour l'instant, c'est l'hypothèse la plus plausible que j'aie…

Joona résume rapidement à Carlos le déroulement de ses recherches : comment il a pu voir quels livres avaient été manipulés, la photo et son inscription tirée d'un poème, la visite furtive de Björn, sa main contre son ventre, l'empreinte sur la porte vitrée, les bouts de scotch et le coin de la photo arrachée.

— Tu penses que le meurtrier cherchait la photo que Björn avait déjà récupérée ?

— Je suppose qu'il a commencé par fouiller chez Björn. Comme il n'a pas pu mettre la main sur ce qu'il voulait, il a aspergé l'appartement d'essence et a réglé le fer à repasser de la voisine à la puissance maximale. L'alerte a été donnée aux pompiers à 11 h 05 et avant qu'ils aient pu maîtriser l'incendie, l'étage entier avait brûlé.

— Le soir même, il tue Viola.

— Il présumait sans doute que Björn avait apporté la photo sur le bateau. Il les a donc suivis et est monté à bord. Il a noyé Viola, fouillé le bateau. Il avait prévu de le faire couler mais quelque chose a dû le faire changer d'idée, quitter l'archipel pour retourner à Stockholm et fouiller cette fois l'appartement de Penelope…

— Mais tu ne crois pas qu'il a trouvé la photo ?

— Soit Björn l'avait sur lui, soit il l'a cachée chez un ami, à la consigne, ou n'importe où.

Un silence s'installe de nouveau. Joona entend la lourde respiration de Carlos dans le combiné.

— Mais si l'on trouve la photographie en premier, dit Carlos d'une voix pensive. Tout ceci touchera sans doute à sa fin.

— Oui.

— Je veux dire… si on voit la photo, si la police la voit, ce ne serait plus un secret, ni quelque chose pour quoi on serait prêt à tuer.

— J'espère que c'est aussi simple que ça.

— Joona, je… je ne peux pas retirer l'enquête préliminaire à Petter, mais en ce qui me concerne…

— Je donne un cycle de conférences à l'Ecole nationale supérieure de police, l'interrompt Joona.

— C'est tout ce que j'ai besoin de savoir, répond Carlos en riant.

En retournant à Kungsholmen, Joona écoute sa messagerie et découvre qu'Erixon a laissé plusieurs messages. Il explique d'abord calmement qu'il peut très bien travailler depuis l'hôpital. Treize minutes plus tard, il exige de reprendre le travail et vingt-sept minutes plus tard il crie dans le combiné qu'il est en train de perdre les pédales à force de ne rien faire. Joona l'appelle. Après deux sonneries, Erixon marmonne d'une voix fatiguée :

— Couac...

— C'est trop tard ? Tu as déjà perdu les pédales ?

Erixon se contente de hoqueter.

— Je ne sais pas ce que tu es en mesure de comprendre, mais il faut absolument qu'on avance. Hier matin, Penelope Fernandez a laissé un message sur le répondeur de sa mère.

— Hier ? répète Erixon d'une voix alerte.

— Elle disait qu'elle était poursuivie.

— Tu es en route ?

Joona perçoit le sifflement de la respiration d'Erixon tandis qu'il lui explique que Penelope et Björn n'ont pas passé la nuit de jeudi à vendredi ensemble. Elle est montée à 6 h 40 dans un taxi qui l'a amenée aux studios télé où elle devait assister à un débat. A peine une ou deux minutes après que le taxi eut quitté Sankt Paulsgatan, Björn est entré dans l'appartement. Joona raconte à Erixon comment ils ont retrouvé l'empreinte de sa main sur la porte vitrée, les bouts de scotch et le coin déchiré d'une photo. Il est persuadé que Björn a attendu que Penelope quitte l'appartement afin de pouvoir récupérer la photo au plus vite et sans qu'elle le sache.

— Et je crois que la personne qui nous a attaqués est un tueur à gages qui cherchait la photo lorsqu'on l'a surpris, poursuit Joona.

— Peut-être bien, chuchote Erixon.

— Il voulait seulement quitter l'appartement, sa priorité n'était pas de nous tuer.

— Sinon nous serions déjà morts.

Joona entend un chuintement dans le téléphone et Erixon demande à quelqu'un de le laisser tranquille, une femme semble répéter que c'est l'heure de la physiothérapie et Erixon lui répond d'une voix glaciale qu'il a une conversation d'ordre privé.

— Nous pouvons donc conclure que le tueur n'a pas trouvé la photo, poursuit Joona. Car s'il l'avait découverte sur le bateau, il ne serait pas venu fouiller chez Penelope.

— Et chez elle, il n'y avait rien puisque Björn l'avait déjà récupérée.

— Je crois que sa tentative pour faire exploser l'appartement démontre que le tueur ne tient pas forcément à récupérer la photo, il veut la détruire.

— Si elle est si importante, pourquoi diable était-elle accrochée sur la porte du salon de Penelope Fernandez ?

— J'ai ma petite idée là-dessus. Le plus vraisemblable est que Björn et Penelope ont un jour pris une photo qui doit prouver quelque chose dont ils ne soupçonnent pas la gravité.

— Mais oui, mais oui, dit Erixon avec enthousiasme.

— Pour eux, la photo n'a aucunement besoin d'être cachée, ils ignorent qu'elle leur fait courir un danger de mort.

— Et puis tout à coup Björn y prête attention.

— Il a peut-être découvert quelque chose qui lui a fait comprendre que la garder pouvait être dangereux. Il y a encore beaucoup de choses qu'on ignore, et je pense que la seule manière d'obtenir des réponses est de fournir un honnête travail de policier.

— Exactement !

Erixon a quasiment crié sa réponse.

— Est-ce que tu pourrais récupérer la liste des appels téléphoniques de cette semaine, les SMS, les relevés de compte, etc. ? Les reçus, tickets de bus, rendez-vous, activités, heures de travail…

— Oh que oui.

— Non, laisse tomber, oublie.

— Oublie ? Comment ça, oublie ?

— La physiothérapie, dit Joona en souriant. C'est l'heure de ta physiothérapie.

— Tu plaisantes ? demande Erixon en masquant son indignation. Des physiothérapeutes ? C'est quoi ces conneries ? Les chiffres noirs du chômage ?

— Mais tu as besoin de te reposer, le taquine Joona. Il y a un autre technicien qui…

— Je pète les plombs à rester ici sans rien faire.

— Ça fait six heures que tu es en arrêt maladie.

— Et je grimpe déjà aux murs, se lamente Erixon.

33

BATTUE

Joona se dirige vers Gustavsberg. Un chien blanc est assis sur le bord de la route et regarde passer la voiture d'un air absent. Joona se dit qu'il doit appeler Disa mais compose le numéro d'Anja.

— J'ai besoin de l'adresse de Claudia Fernandez.

— 5, Mariagatan, dit-elle aussitôt. Près de l'ancienne usine de porcelaine.

— Merci.

Anja est toujours en ligne.

— J'attends, dit-elle d'un ton rêveur.

— Tu attends quoi ? demande-t-il doucement.

— Que tu me dises qu'on va prendre le ferry *Silja Galaxy* pour Åbo, louer une petite maison au bord de l'eau avec un sauna en bois.

— C'est tentant, dit lentement Joona.

Le ciel d'été est teinté de gris, et il fait toujours très lourd et brumeux lorsqu'il se gare devant la maison de Claudia Fernandez. En quittant sa voiture, Joona est soudain enveloppé par l'odeur âpre du buis et des groseilliers. Il demeure un instant immobile, comme retenu par un souvenir. Le visage qui lui est apparu se dissipe peu à peu lorsqu'il sonne à la porte où le nom *Fernandez* a été gravé en lettres enfantines sur un petit cadre en bois.

Une sonnerie mélodieuse résonne à l'intérieur de la maison. Il patiente puis entend des pas lents s'approcher de l'entrée.

Claudia laisse entrevoir son visage inquiet dans l'entrebâillement de sa porte. Lorsqu'elle se rend compte que Joona se tient sur le seuil, elle fait plusieurs pas en arrière. Un manteau se décroche d'un cintre et tombe à terre.

— Non, chuchote-t-elle, pas Penny…

— Claudia, il n'y a pas de raison de s'alarmer, la rassure-t-il.

Elle n'a pas la force de rester debout et s'effondre par terre entre les chaussures, sous les manteaux. Elle respire comme un animal apeuré.

Sa voix est désespérée :

— Qu'est-ce qui s'est passé ?

— On ne sait pas grand-chose, mais, hier matin, Penelope a essayé de vous appeler.

— Elle est en vie.

— Oui, elle est en vie.

— Dieu merci, chuchote-t-elle. Dieu merci…

— On a intercepté un message sur votre répondeur.

— Sur mon… Non, dit-elle en se redressant.

— Il y a tellement d'interférences qu'on doit utiliser un équipement spécial pour entendre sa voix, explique Joona.

— Le seul… un homme m'a dit de trouver un travail.

— Oui, c'est celui-là. Penelope parle quelques secondes avant, mais on ne l'entend pas…

— Qu'est-ce qu'elle dit ?

— Qu'elle a besoin d'aide. La police maritime organise une battue.

— Mais tracez l'appel, il doit bien y avoir moyen de…

— Claudia, dit Joona d'une voix calme. J'ai besoin de vous poser quelques questions.

— Quel genre de questions ?

— Et si on allait s'asseoir ?

Ils traversent le vestibule et entrent dans la cuisine.

— Joona Linna, est-ce que je peux vous demander quelque chose ?

— Allez-y, mais je ne sais pas si je pourrai vous répondre.

Claudia Fernandez sort deux tasses de café. Sa main tremble légèrement. Elle s'assied face à lui et le regarde longuement.

— Vous avez une famille, n'est-ce pas ?

Un silence s'installe dans la cuisine jaune clair.

— Vous souvenez-vous de votre dernière visite chez Penelope ? demande finalement Joona.

— C'était la semaine dernière, le mardi. Elle m'a aidée à raccourcir un pantalon pour Viola.

Joona hoche la tête. La bouche de Claudia tremble sous la tension des larmes retenues.

— Réfléchissez bien, Claudia, dit-il en se penchant vers elle. Est-ce qu'il y avait une photo sur la porte vitrée à ce moment-là ?

— Oui.

Joona s'efforce de garder une voix calme :

— Qu'est-ce qu'elle représentait ?

— Je ne sais pas, je n'ai pas regardé.

— Mais vous vous souvenez qu'il y avait une photo, vous en êtes sûre ?

Claudia hoche la tête :

— Oui.

— Est-ce qu'il y avait des personnes sur la photo ?

— Je ne sais pas, j'ai sans doute pensé que ça avait un rapport avec son travail.

— La photo avait été prise à l'intérieur ou à l'extérieur ?

— Aucune idée.

— Essayez de vous la représenter.

Claudia ferme les yeux, puis secoue la tête :

— Je n'y arrive pas.

— Essayez, c'est important.

Elle baisse les yeux, réfléchit et secoue de nouveau la tête.

— Je me rappelle juste que je trouvais étrange qu'elle ait accroché une photo sur la porte, ce n'est pas très esthétique.

— Qu'est-ce qui vous a fait penser que la photo était liée à son travail ?

— Je ne sais pas, chuchote Claudia.

Il s'excuse lorsque son téléphone sonne dans sa poche. C'est Carlos, Joona décroche :

— Oui.

— Je viens d'avoir Lance de la police maritime de Dalarö. Ils vont organiser une battue demain. Trois cents personnes et presque cinquante bateaux sont mobilisés.

— Bien, dit Joona qui voit Claudia quitter la pièce.

— Et puis j'ai téléphoné à Erixon pour savoir comment il allait, poursuit Carlos.

— Il semble se remettre, fait Joona d'une voix neutre.

— Joona, je ne veux pas savoir ce qui se trame… mais Erixon a dit que je serai obligé d'admettre que tu avais raison.

En raccrochant, Joona rejoint Claudia dans l'entrée. Elle a enfilé une veste et une paire de bottes.

— J'ai entendu ce qu'il a dit. Et je veux participer aux recherches, je chercherai toute la nuit s'il le faut…

Elle ouvre la porte.

— Claudia, il faut que vous laissiez la police faire son tra-vail.

— Ma fille m'a appelée et elle a besoin d'aide.

— Je sais que ça doit être épouvantable d'attendre…

— Je vous en prie. Laissez-moi vous accompagner. Je ne vous dérangerai pas, je peux faire à manger et répondre au téléphone, ça vous fera ça en moins.

— Personne ne pourrait rester avec vous, un ami ou de la famille ou… ?

— Je ne veux personne ici, tout ce que je veux, c'est Penny, l'interrompt-elle.

34

DREAMBOW

Sur les genoux d'Erixon sont posés un dossier et une grande enveloppe qui lui ont été apportés dans sa chambre par un coursier. Il tient un petit ventilateur devant son visage tandis que Joona pousse son fauteuil roulant dans les couloirs de l'hôpital.

On a recousu son tendon d'Achille mais, au lieu d'être immobilisé dans un plâtre, son pied a été fixé dans une sorte de botte qui maintient ses orteils pointés vers le bas. Il avait grommelé au médecin qu'il lui fallait des pointes pour l'autre pied aussi s'ils voulaient voir *Le Lac des cygnes*.

Joona fait un signe de tête à deux vieilles dames qui se tiennent par la main, assises dans un canapé. Elles gloussent, chuchotent entre elles et lui adressent ensuite un signe de la main comme deux jeunes écolières.

— Le matin de leur promenade en bateau, explique Erixon, Björn a acheté une enveloppe et deux timbres à Centralen*. J'ai trouvé le reçu du kiosque à journaux dans son portefeuille qui était sur le bateau et j'ai forcé l'agence de sécurité à nous faire parvenir la vidéo de surveillance. C'est sûr que c'est une photographie, comme tu le dis depuis le début.

— Alors tu penses qu'il a envoyé la photo à quelqu'un ?

— Il est impossible de voir ce qu'il y a écrit sur l'enveloppe.

— Peut-être qu'il se l'est envoyée à lui-même.

— Mais son appartement a brûlé, il n'y a même plus de porte.

— Vérifie avec la poste.

---

* La plus grande station de métro de Stockholm.

A peine sont-ils entrés dans l'ascenseur qu'Erixon effectue d'étranges mouvements de brasse avec ses bras. Joona l'observe calmement sans poser de questions.

— Jasmin dit que ça me fait du bien, explique Erixon.

— Jasmin ?

— Ma physiothérapeute… elle ressemble à une miette de tarte, mais elle est merveilleusement stricte : *Silence, redressez-vous, arrêtez de vous plaindre !* Elle m'a même traité de pata-pouf, dit Erixon en souriant timidement. Est-ce que tu sais combien d'années d'études ils font ?

Ils sortent de l'ascenseur et pénètrent dans la chapelle de l'hôpital. Une croix plate en bois repose sur un support d'environ un mètre devant un autel d'une grande simplicité. Accrochée au mur, une tapisserie constituée d'un certain nombre de triangles de couleurs claires représente le Christ.

Après être ressorti dans le couloir, Joona ouvre la porte d'une réserve et y récupère un imposant chevalet pourvu d'un grand bloc de feuilles et de feutres. Une fois dans la chapelle, il voit Erixon décrocher sans scrupule la tapisserie pour recouvrir la croix qu'il a posée dans un coin.

— Ce qu'on sait, c'est qu'il y a quelqu'un pour qui la photo vaut largement la peine de sacrifier quelques vies humaines, dit Joona.

— Oui, mais pourquoi ?

A l'aide de punaises, Erixon accroche au mur les relevés de compte de Björn Almskog, les listes de tous les appels téléphoniques, des photocopies de tickets de bus, des reçus retrouvés dans son portefeuille et des retranscriptions des messages laissés sur son répondeur.

— La photo doit montrer quelque chose qu'un individu souhaite cacher à tout prix, elle doit révéler des informations capitales, peut-être des secrets industriels, ou des documents confidentiels, dit Joona.

— Oui.

— On doit retrouver cette photo et mettre un terme à cette histoire.

Il prend un feutre et écrit sur le grand bloc :

6 h 40 Un taxi vient récupérer Penelope à son appartement
6 h 45 Björn arrive à l'appartement de Penelope
6 h 48 Björn quitte l'appartement avec la photo

7 h 07 Björn poste la photo depuis le kiosque à journaux de Centralen.

Erixon approche son fauteuil roulant du chevalet et observe les différentes étapes inscrites sur le bloc pendant qu'il défait l'emballage en aluminium d'une barre de chocolat :

— Penelope Fernandez quitte le studio et téléphone à Björn cinq minutes plus tard. Son ticket de métro est composté à 10 h 30. Sa petite sœur Viola l'a appelée à 10 h 45. A ce moment-là, Penelope a sans doute déjà rejoint Björn au port de plaisance de Långholmen.

— Mais que fait Björn ?

— C'est ce qu'on va voir, dit Erixon d'un air satisfait en s'essuyant les doigts avec un mouchoir blanc.

Il longe le mur et désigne l'un des tickets :

— Björn quitte l'appartement de Penelope avec la photo. Il prend aussitôt le métro et après quelques minutes seulement, à 7 h 07, il achète une enveloppe et deux timbres à Centralen.

— Et poste la lettre.

Erixon s'éclaircit la voix et poursuit :

— Notre prochain indice est une transaction sur son compte. Il a payé vingt couronnes avec sa carte Visa au cybercafé *Dreambow* sur Vattugatan à 7 h 35.

— 7 h 35, répète Joona en notant cette étape dans la chronologie.

— Où diable se trouve Vattugatan ?

— C'est une rue assez petite, répond Joona, dans les vieux quartiers Klara.

Erixon hoche la tête et continue :

— Je parie que Björn Almskog a continué jusqu'à Fridhemsplan avec le même billet car on a un appel émis depuis la ligne fixe de son appartement au 47, Pontonjärgatan. L'appel n'a pas abouti, il voulait joindre son père, Greger Almskog.

— Il faudra en parler avec lui.

— Prochaine étape, un nouvel horaire tamponné sur son ticket, 9 heures. Il a probablement pris le bus n° 4 depuis Fridhemsplan jusqu'à Högalidsgatan à Södermalm et continué à pied jusqu'au bateau sur Långholmen.

Joona complète les derniers horaires sur la feuille et s'éloigne de quelques pas pour observer le déroulement de la matinée.

— Björn est pressé de récupérer la photo, résume Erixon. Mais il ne veut pas croiser Penelope, alors il attend qu'elle ait pris son taxi, file dans l'appartement, récupère la photo sur la porte vitrée, puis va à un kiosque à journaux de Centralen.

— Je veux voir l'enregistrement de la vidéosurveillance.

— Après le kiosque à journaux, Björn se rend dans un cybercafé du coin, poursuit Erixon. Il y reste environ une demi-heure puis s'en va…

— Voilà ce qui ne colle pas, l'interrompt Joona en se dirigeant vers la porte.

— Quoi ?

— Björn et Penelope ont accès à Internet depuis chez eux.

— Alors pourquoi un cybercafé ?

— Je vais aller voir, répond Joona en quittant la chapelle.

35

DONNÉES MANQUANTES

L'inspecteur Joona Linna s'engage sur Vattugatan, derrière le théâtre municipal Stadsteatern, sur la place Brunkebergstorg. Après avoir garé sa voiture, il franchit en toute hâte une porte en métal puis parcourt à grandes enjambées un long couloir pentu en béton. L'ambiance du café *Dreambow* est très calme. Le sol a été fraîchement lavé, une odeur de citron et de plastique règne dans la pièce. Des chaises en plexiglas brillant sont alignées devant de petites tables d'ordinateur. Les seuls mouvements perceptibles sont ceux de la lente danse des économiseurs d'écran.

Un homme assez grassouillet, la barbe noire taillée en pointe, s'appuie sur un haut comptoir. Il sirote un café dans une grande tasse sur laquelle est inscrit "Lennart signifie lion". Il porte un jean large et ses lacets pendent mollement sur une de ses Reebok.

— J'ai besoin d'un ordinateur, dit Joona avant même d'arriver au comptoir.

— Rejoignez la file d'attente, plaisante l'homme en désignant la pièce.

— Un ordinateur en particulier, poursuit Joona les yeux scintillants. Un ami à moi était là vendredi et je voudrais l'ordinateur qu'il a utilisé.

— Je ne sais pas si je peux donner ce genre de…

Il se tait lorsque Joona s'agenouille pour refaire les lacets de sa Reebok.

— C'est important.

— Je vais vérifier les registres de vendredi, dit l'homme tandis que de petites taches rouges apparaissent sur ses joues. Comment s'appelle-t-il ?

— Björn Almskog, répond Joona en se relevant.

— C'était le numéro 5, dans le coin. J'ai besoin de votre pièce d'identité.

Joona lui tend sa carte de police. Confus, l'homme note le nom et le numéro de Sécurité sociale dans son registre.

— Vous pouvez y aller.

— Merci, dit Joona qui rejoint l'ordinateur.

Il appelle Johan Jönson, un jeune homme qui travaille dans le département de la Rikskrim consacré à la criminalité informatique.

— Attends un peu, dit une voix rauque et étouffée. Je viens d'avaler un bout de papier, un mouchoir déchiré, je me suis mouché et j'ai inspiré en même temps pour éternuer... laisse tomber, pas le courage d'expliquer. Au fait, qui est à l'appareil ?

— Joona Linna, inspecteur de la Rikskrim.

— Oh merde, salut Joona, ça fait plaisir !

— Ça va déjà mieux, on dirait.

— Oui, ça y est, il est descendu.

— J'ai besoin de voir ce qu'un mec a fait sur un ordinateur vendredi.

— *Say no more !*

— Il y a urgence, je suis dans un cybercafé.

— Et tu as accès à l'ordinateur ?

— Il est devant moi.

— Ça simplifie la tâche. Essaie de consulter l'historique, il a sûrement été effacé, d'habitude les ordinateurs se réinitialisent à chaque nouvel utilisateur. En revanche, tout reste sur le disque dur, il suffit de... ou attends, le mieux serait évidemment de récupérer l'ordi et de scanner le disque dur avec un programme que j'ai conçu pour...

— Retrouve-moi dans la chapelle de l'hôpital Sankt Göran dans un quart d'heure, dit Joona qui déconnecte l'ordinateur, le prend sous le bras et se dirige vers la sortie.

L'homme devant sa tasse de café le regarde d'un air abasourdi puis tente de lui barrer la route.

— L'ordinateur ne doit pas quitter...

— Il est en état d'arrestation, dit Joona d'une voix aimable.

— Oui, mais il est soupçonné de quoi ?

L'homme reste planté devant la porte et l'observe, le visage blême.

Joona lui fait un signe de main et sort dans la lumière du soleil.

36

LE LIEN

Il fait encore très lourd sur le parking de l'hôpital Sankt Göran.

Dans la chapelle, Erixon manœuvre son fauteuil roulant. Il y a aménagé une sorte de centre d'appel et trois téléphones sonnent continuellement.

Joona, qui est entré dans la pièce avec l'ordinateur dans les bras, le pose sur une chaise. Johan Jönson, un jeune homme de vingt-cinq ans, l'attend déjà, installé dans un petit canapé. Il porte un survêtement noir mal seyant, son crâne est rasé et ses épais sourcils se rejoignent à la base du nez. Il se lève pour aller à la rencontre de Joona. Il lui serre timidement la main et ôte son sac à dos rouge qui contient son ordinateur portable.

— *Ei saa peittää**, dit-il en l'extirpant du sac.

Erixon saisit un thermos de Fanta et remplit de petits gobelets en carton recyclé.

— J'ai l'habitude de mettre le disque dur quelques heures au congélateur s'il commence à osciller. Et simplement brancher une prise ATA/SATA**. On travaille tous différemment, je veux dire, j'ai un pote chez Ibas qui s'occupe de RDR***, et il voit jamais les clients, il passe tout sur une ligne téléphonique cryptée. On récupère l'essentiel comme ça. Mais je ne me contente pas de l'essentiel, je veux tout, c'est mon truc, chaque

---

* "Ne pas couvrir" : phrase connue de tous car figurant autrefois sur les radiateurs dans les toilettes, à la fois en finlandais, en norvégien et en suédois.
** La norme Serial ATA, ou S-ATA, ou SATA (Serial Advanced Technology Attachment), permet de connecter une mémoire de masse à une carte mère. Elle spécifie notamment un format de transfert de données et un format de câble.
*** Remote Data Recovery, récupération de données à distance.

miette. Et pour ça, on a besoin d'un logiciel qui s'appelle Hangar 18…

Il rejette sa tête en arrière et imite le rire d'un scientifique fou :

— Mouahahahah… Je l'ai créé moi-même, poursuit-il. Ça fonctionne comme un aspirateur numérique. Il récupère vraiment tout et structure les données chronologiquement, à la microseconde près.

Il s'installe sur la balustrade devant l'autel et connecte les deux machines. Son ordinateur émet un petit bruit. Il pianote ensuite sur son clavier une série de commandes, jette un œil à l'écran, fait défiler les données, s'arrête sur un passage et tape de nouvelles commandes.

— C'est long ? demande Joona après un moment.

— Je ne sais pas, marmonne Johan Jönson. Pas plus d'un mois.

Il peste pour lui-même, entre une nouvelle commande et observe les chiffres défiler.

— Je plaisante, dit-il ensuite.

— J'ai compris, répond patiemment Joona.

— D'ici un quart d'heure, on saura quel pourcentage il sera possible de récupérer, dit Jönson en regardant le morceau de papier sur lequel Joona a noté la date et l'heure de la visite de Björn Almskog au cybercafé.

Jönson poursuit son explication :

— L'historique semble avoir été supprimé étape par étape, la récupération est donc un peu fastidieuse…

La lumière du jour se reflète sur l'écran sur lequel ils voient défiler des fragments de graphiques. Johan Jönson fourre distraitement un peu de tabac à chiquer sous sa lèvre. Il essuie ensuite sa main sur son pantalon et patiente, observant l'ordinateur du coin de l'œil.

— On a bien fait le ménage par ici, dit-il d'une voix traînante. Mais il est impossible d'effacer totalement les données, il n'y a pas de secret… car Hangar 18 trouve des chambres qui n'existent même pas.

Son ordinateur émet soudain une série de bips répétés, il retourne alors à son clavier, fait la lecture d'un long tableau de chiffres. Il pianote une nouvelle commande et le signal sonore s'arrête aussitôt.

— Qu'est-ce qui se passe ? demande Joona.

— Pas grand-chose. C'est juste un peu long avec tous ces pare-feux, ces *sandboxes* et ces prétendus antivirus… C'est un miracle que l'ordinateur fonctionne encore avec tous ces systèmes préventifs.

Il secoue la tête et lèche un peu de tabac à chiquer qui était resté collé sur sa lèvre.

— Je n'ai jamais utilisé le moindre antivirus et… Mais tais-toi un peu, s'interrompt-il subitement.

Joona s'approche pour regarder par-dessus son épaule.

— Voyons, voyons, chuchote Jönson. Qu'avons-nous là ?

Il se penche en arrière et se frotte la nuque. Il pianote ensuite quelques lettres d'une main, puis appuie sur la touche *Entrée* en souriant d'un air satisfait :

— Le voilà.

Joona et Erixon ont les yeux rivés sur l'écran.

— Accordez-moi encore quelques secondes… Ce n'est pas évident, ça ne s'affiche que par petits fragments…

Avec sa main, il protège l'écran des rayons du soleil. Peu à peu, des lettres et des bribes de graphique apparaissent.

— Regardez, c'est comme une porte qui s'ouvre progressivement… on va voir ce que Björn Almskog trafiquait sur cet ordinateur.

Erixon a bloqué son fauteuil et tend le cou pour arriver à apercevoir l'écran.

— Ce ne sont que des traits, bordel, dit-il.

— Regarde là.

Tout en bas dans le coin droit de l'écran, on distingue un petit drapeau coloré.

— Il a utilisé Windows, dit Erixon. Super original…

— Hotmail, dit Joona.

— La session s'ouvre, répond Johan Jönson.

— Ça commence à devenir intéressant, dit Erixon.

— Tu peux voir le nom ? demande Joona.

— Ça ne marche pas comme ça… répond Johan Jönson en faisant défiler la page.

— C'est quoi ça ?

Joona désigne une icône du doigt.

— On est dans le dossier des courriers envoyés.

— Il a envoyé quelque chose ? demande Joona d'une voix qui trahit son impatience.

Plusieurs morceaux de fenêtres publicitaires sur des voyages proposés aux meilleurs prix pour Milan, New York, Londres et Paris parsèment l'écran. En bas figurent de petits chiffres gris clair : 07 : 44 : 42 PM.

— Voilà quelque chose, dit Johan Jönson.

Sur son écran sont apparues les lettres suivantes :

amai   contacté

— Une petite annonce, ricane Erixon. Ça ne marche jamais, j'en ai fait la…

Il s'arrête net. Johan Jönson fait doucement défiler des morceaux de graphique incompréhensibles, puis se fige. Il s'éloigne de l'ordinateur avec un large sourire.

Joona prend sa place, plisse les yeux à cause du soleil et lit ce qu'il y a écrit au centre de l'écran :

Carl Palmcr
yé ph graphi . aites   mm i je   ous   amai contacté

Joona sent un frisson parcourir sa nuque puis s'étendre le long de ses bras et dans son dos. Palmcrona, répète-t-il encore et encore alors qu'il note les éléments qui sont apparus sur l'écran. Il passe la main dans ses cheveux puis rejoint la fenêtre. Il voudrait s'éclaircir les idées et tente de calmer sa respiration. Il ressent soudain un début de migraine qui disparaît aussitôt. Erixon fixe toujours l'écran et pousse des jurons à répétition.

— Tu es certain que c'est bien Björn Almskog qui a écrit ça ? demande Joona.

— Sans l'ombre d'un doute, répond Johan Jönson.

— A cent pour cent ?

— Si c'était bien lui qui était assis devant cet ordinateur à l'heure indiquée, c'est son e-mail.

— Oui, c'est le sien, confirme Joona qui a déjà les idées ailleurs.

— Saloperie, chuchote Erixon.

Johan Jönson observe la partie de l'adresse électronique du destinataire qui a pu être sauvée "CRONA@ISP.SE". Il boit directement au thermos tandis qu'Erixon se laisse aller contre le dossier de son fauteuil et ferme un moment les yeux.

— Palmcrona, dit Joona d'une voix faible et concentrée.

— C'est du grand n'importe quoi, dit Erixon. Qu'est-ce que Carl Palmcrona vient foutre dans cette histoire ?

Plongé dans ses pensées, Joona n'adresse pas un mot à ses deux collègues en sortant de la chapelle. Il descend un escalier menant à l'extérieur et il quitte le bâtiment. Dans la forte lumière qui baigne le parking de l'hôpital, il se dirige d'un pas rapide vers sa voiture noire.

37

LA COLLABORATION DES UNITÉS

Joona Linna traverse rapidement le couloir qui mène au bureau du chef de la Rikskrim pour l'informer de l'e-mail que Björn Almskog a envoyé à Carl Palmcrona. Il constate avec étonnement que la porte est déjà grande ouverte. Carlos Eliasson, qui regardait par la fenêtre, vient s'installer derrière son bureau.

— Elle est toujours là, dit-il.

— Qui ?

— La mère des filles.

— Claudia ? demande Joona en s'approchant de la fenêtre.

— Ça fait une heure qu'elle est là.

Joona voit seulement un homme vêtu d'un costume bleu marine qui se promène, une couronne de roi sur la tête, avec une petite fille en robe de princesse rose.

Puis, presque en face du grand portail de la direction centrale de la Rikskrim, il aperçoit une femme affaissée près d'un pick-up Mazda. Elle est immobile, le regard tourné vers l'entrée du commissariat.

— Je suis sorti pour lui demander si elle attendait quelqu'un en particulier, je me suis dit que tu avais peut-être oublié que vous aviez rendez-vous…

— Non, dit Joona à voix basse.

— Elle m'a répondu qu'elle attendait sa fille, Penelope.

— Carlos, il faut qu'on parle…

Avant que Joona n'ait le temps de terminer sa phrase, on frappe doucement à la porte. Verner Zandén, chef du service de la Sûreté de la Säpo, entre dans le bureau.

— Bonjour, dit-il en serrant la main de Carlos.

— Bienvenue.

Verner salue également Joona puis jette un coup d'œil autour de lui.

— Elle est passée où, Saga, bon Dieu ? demande-t-il de sa voix de baryton.

Elle passe lentement la porte. Son apparence frêle et diaphane semble comme refléter la lueur argentée de l'aquarium.

— Je n'ai pas remarqué que vous étiez à la traîne, sourit-il.

L'air perdu, Carlos se tourne vers Saga mais semble se demander s'il convient ou non de serrer la main d'un elfe. Il finit par reculer d'un pas en écartant les bras en signe de bienvenue.

— Entrez donc dans mon humble demeure, dit-il d'une voix étonnamment stridente.

— Merci, répond-elle.

— Vous avez déjà rencontré Joona Linna.

Saga ne daigne pas bouger. Ses cheveux brillants lui arrivent à la taille. Les mâchoires serrées, elle jette un regard froid à Joona. La cicatrice blanche qui parcourt son sourcil luit sur son visage.

— Faites comme chez vous, lance Carlos qui réussit presque à paraître jovial.

D'un mouvement rigide, Saga s'installe sur une chaise à côté de Joona. Carlos dépose sur le bureau un dossier ayant pour titre "Stratégies pour la collaboration des unités". Imitant un jeune écolier qui veut prendre la parole, Verner lève le bras en l'air avant de laisser sa voix grave résonner dans la pièce :

— En théorie, c'est la Säpo qui devrait gérer toute l'affaire mais je dois avouer que, sans la Rikskrim et Joona Linna, cette enquête n'aurait pas connu la moindre avancée significative.

Verner désigne le dossier et le visage de Saga Bauer vire à l'écarlate.

— On ne peut peut-être pas parler d'une véritable avancée, marmonne-t-elle.

— Quoi ? demande Verner d'une voix forte.

— Joona a juste trouvé une empreinte de main et les restes d'une photographie.

— Et vous avez... avec lui vous avez obtenu la preuve que Penelope est encore en vie et est poursuivie. Je ne dis pas que c'était uniquement grâce à lui, mais...

— C'est quand même dingue, ça ! crie Saga en envoyant balader d'un revers de main tous les documents à sa portée.

Comment pouvez-vous rester là à faire son éloge, merde ? Il n'avait pourtant rien à foutre là, il ne devait même pas savoir que Daniel Marklund était…

— Toujours est-il qu'il le savait, l'interrompt Verner.

— Ce sont pourtant des informations classées secret-défense !

— Saga, dit Verner d'un ton strict. Vous n'étiez pas non plus censée être là !

— Non, mais sinon, tout aurait…

Elle s'arrête net.

— Est-ce que nous pouvons poursuivre notre conversation maintenant ? demande Verner.

Elle regarde son chef un moment avant de s'adresser à Carlos :

— Désolée, je suis navrée de m'être emportée.

Sous le coup de la colère, de petites taches rouges sont apparues sur son front. Bien que Carlos lui demande de les y laisser, elle se penche pour ramasser les papiers éparpillés sur le sol puis les range correctement sur la table.

— Je suis vraiment navrée, répète-t-elle.

Carlos s'éclaircit la voix puis lui dit d'un ton aimable :

— Nous espérons malgré tout que la contribution de Joona Linna va vous amener à l'inclure dans cette enquête.

— Non mais franchement, dit Saga à l'intention de son chef. Je ne veux pas être négative, mais je ne comprends pas pourquoi il faudrait inclure Joona, nous n'avons pas besoin de lui. Vous parlez d'avancée, mais je ne trouve pas…

— Je partage l'avis de Saga, dit lentement Joona. Je suis certain que vous auriez trouvé l'empreinte et le coin déchiré de la photo sans mon aide.

— Peut-être bien, dit Verner.

— Bon, je peux y aller maintenant ? lui demande Saga d'une voix contenue en se levant.

— Mais ce que vous ignorez, poursuit Joona d'un ton ferme, c'est que, dans le plus grand secret, Björn Almskog a contacté Carl Palmcrona le jour même où Viola a été assassinée.

Un silence s'installe un moment dans la pièce. Saga se rassied doucement sur sa chaise. Verner recoupe les informations dans sa tête puis finit par demander de sa voix grave :

— Y aurait-il un lien entre la mort de Carl Palmcrona et celle de Viola Fernandez ?

— Joona ? dit Carlos pour obtenir une réponse.

— Oui, les deux morts sont liées, confirme-t-il.

Verner chuchote presque :

— C'est plus gros que ce que nous avions cru. C'est énorme...

— Bon boulot, dit Carlos avec un sourire enthousiaste.

Saga Bauer, les bras croisés, fixe le sol. Les petites taches rouges commencent à réapparaître sur son front.

— Joona, dit Carlos. Je ne peux pas passer par-dessus Petter, c'est toujours lui qui dirige notre enquête préliminaire, mais je veux bien te prêter à la Säpo.

— Qu'est-ce que tu en dis, Saga ? demande Joona.

— Ce sera parfait, s'empresse de répondre Verner.

— C'est moi qui dirige l'enquête préliminaire, dit Saga en quittant la pièce.

Verner s'excuse puis la suit dans le couloir.

Les yeux gris de Joona semblent scintiller d'une lueur glaciale. Carlos, toujours assis à son bureau, se racle doucement la gorge puis lui dit :

— Elle est jeune. Il faut essayer de... je veux dire, sois un peu sympa, prends soin d'elle.

— Je crois qu'elle n'a besoin de personne pour prendre soin d'elle, répond sèchement Joona.

38

SAGA BAUER

Saga Bauer pense à Carl Palmcrona. Elle a juste le temps de détourner le visage avant de recevoir un coup. C'est un crochet latéral du gauche qui passe par-dessus son épaule et percute son oreille et sa joue. Elle vacille. Son protège-tête s'est décalé, elle ne voit quasiment rien mais elle sait qu'un autre coup va suivre. Elle rentre le menton et protège son visage de ses deux mains. On lui assène un nouveau coup violent, immédiatement suivi d'un autre dans les côtes. Elle trébuche en arrière et se trouve projetée contre la corde. L'arbitre se précipite vers les combattantes, mais Saga a déjà pu se dégager. Elle se déplace latéralement pour se rapprocher du centre du ring. Elle profite de cet instant de répit pour évaluer la force de son adversaire : âgée d'environ quarante ans, Svetlana Krantz, de Falköpning, est une femme à la stature imposante, elle a des épaules tombantes, dont l'une porte un tatouage des Guns N' Roses. Svetlana s'approche de Saga d'un pas lourd, la bouche ouverte. Elle pense pouvoir gagner le match sur un K.-O. Saga recule – elle tourbillonne comme une feuille d'automne dans le vent. Boxer est un jeu d'enfant et elle sent une vague de bonheur l'envahir. Soudain, Saga Bauer s'immobilise, elle sourit tellement qu'elle manque d'en perdre son protège-dents. Elle sait qu'elle est meilleure et elle avait prévu de gagner aux points. Elle n'avait pas l'intention de mettre K.-O. son adversaire, mais lorsqu'elle a entendu le mec de Svetlana crier qu'il fallait lui éclater sa gueule de blondasse, elle a changé d'avis.

Svetlana se déplace trop vite, sa main droite est agitée de mouvements saccadés, un peu trop fougueux. Elle est si impatiente de battre Saga qu'elle n'est plus concentrée sur l'évolution du match. Elle a déjà décidé de l'achever avec un ou plusieurs directs du droit et pense que Saga est suffisamment assommée pour qu'elle puisse aisément enchaîner les coups à travers sa garde. Elle ignore que, loin d'être affaiblie, Saga Bauer est au contraire très concentrée. Elle sautille un peu sur place, attend que son adversaire se précipite sur elle et maintient ses gants devant son visage comme si elle ne cherchait qu'à se défendre. Le moment venu, elle esquive un coup en faisant un pas vers l'avant et en repoussant son épaule en arrière pour se dégager de la ligne d'attaque. Elle accompagne son mouvement d'un puissant coup dans le plexus solaire de son adversaire. Le corps de Svetlana se courbe de douleur et Saga sent même le bord de son protège-seins à travers son gant. Le coup suivant est un peu moins bon et n'atteint que le haut de sa tête. En revanche, le troisième est d'une rare pureté – un puissant uppercut qui s'abat droit sur sa bouche.

La tête de Svetlana est projetée en arrière sous une giclée de sang et de morve. Son protège-dents bleu foncé est éjecté de sa bouche. Ses genoux s'affaissent et elle tombe la tête la première. Une fois au sol, son corps s'enroule sur lui-même et reste immobile un long moment.

Après le match, une fois rentrée au vestiaire, Saga Bauer sent son corps se détendre peu à peu. Elle a dû ôter le bout de scotch qui entourait les lacets de ses gants avec les dents et un goût particulier, mélange de sang et de colle, persiste dans sa bouche. La porte du casier où sont rangés ses vêtements est ouverte, elle a posé le cadenas sur le banc derrière elle. Elle se regarde un instant dans un petit miroir et essuie rapidement quelques larmes. Les violents coups que son adversaire a réussi à lui porter au nez la font encore souffrir. Au début du match, elle avait l'esprit ailleurs et ne pouvait cesser de penser à la conversation qu'elle avait eue avec son supérieur et le chef de la Rikskrim qui lui imposaient de collaborer avec Joona.

Saga retire d'une main tremblante son short, ses bandages de protection, sa culotte, son maillot noir et le soutien-gorge qui maintenait son protège-seins en place. Elle se dirige vers les douches en grelottant, se glisse dans une des cabines et laisse l'eau s'écouler sur sa nuque et le long de son dos. Elle tente de chasser Joona de ses pensées et crache quelques filets de salive et de sang mêlés.

Quand elle sort de la douche, une vingtaine de femmes se changent dans les vestiaires après leur séance de body combat.

Saga ne se rend pas compte qu'elle est l'objet de tous les regards lorsqu'elle traverse la salle pour rejoindre son casier. La beauté de Saga Bauer semble attendrir tous ceux qui l'observent. Peut-être est-ce son lien de parenté avec le célèbre illustrateur de contes, John Bauer, qui fait qu'on la compare souvent à un elfe ou à une fée. Elle ne porte pas de maquillage et ses grands yeux bleus comme un ciel d'été illuminent son visage gracieux. Saga Bauer mesure un mètre soixante-dix et reste fine, malgré ses muscles bombés et les hématomes qui parsèment son corps. On la croirait plus volontiers danseuse de ballet que boxeuse de haut niveau et inspectrice à la Säpo.

Le célèbre illustrateur et artiste John Bauer avait deux frères, Hjalmar et Ernst. C'est Ernst, son frère cadet, qui était l'arrière-grand-père de Saga. Elle se souvient encore des histoires de son grand-père, de l'immense tristesse qu'ils avaient éprouvée lorsque John, sa femme Esther et son petit garçon s'étaient noyés une nuit de novembre dans le lac Vättern, à seulement quelques centaines de mètres du port de Hästholmen.

Trois générations plus tard, les illustrations de John Bauer semblent avoir trouvé un écho dans la réalité. Saga évoque à ceux qui la connaissent la princesse scintillante Tuvstarr se tenant devant les trolls géants sans manifester la moindre peur.

Bien qu'elle n'ait jamais pu mener une enquête à terme par ses propres moyens, Saga ne doute pas de ses qualités d'inspectrice. Pourtant, elle a été dessaisie d'enquêtes parfois après des semaines de travail. Souvent surprotégée contre sa volonté, elle a même déjà été exclue d'interventions sur le terrain.

Si elle a fini par s'habituer à ce traitement, elle est loin de l'approuver. Saga Bauer a d'abord étudié à l'Ecole nationale supérieure de police et comme elle y a obtenu de très bons résultats, elle a pu intégrer une formation spécialisée dans l'antiterrorisme à la Säpo. Promue inspectrice, elle peut participer à des enquêtes ou à des interventions de terrain. Depuis le début de son parcours, elle a veillé à se requalifier et à s'imposer un entraînement physique soutenu. Elle court tous les jours et, au moins deux fois par semaine, elle fait office de sparring-partner ou participe à des combats. Elle s'entraîne également toutes les semaines au maniement de son Glock 21 et de son fusil de précision 90.

Saga vit avec le pianiste du groupe de jazz Red Bop Label, Stefan Johansson. Ils ont sept albums à leur actif chez ACT Music.

Le groupe a même reçu un Grammy pour son disque d'improvisation mélancolique, *A Year Without Asbjörn*. En général, lorsque Saga rentre du travail ou de l'entraînement, elle s'avachit dans son canapé, mange des bonbons et regarde un film en coupant le son tandis que Stefan joue du piano pendant des heures.

En quittant la salle de sport, Saga s'aperçoit que Svetlana patiente près d'une plinthe en béton.

— Je voulais juste te remercier et te féliciter pour le match, dit-elle.

Saga s'arrête.

— Merci à toi.

Svetlana rougit légèrement :

— Tu es forte, vraiment.

— Toi aussi.

Svetlana baisse les yeux et sourit. Devant l'entrée, les buissons qui délimitent le parking sont jonchés d'ordures.

— Tu prends le train ? demande Saga.

— Oui, d'ailleurs je devrais y aller.

Svetlana saisit son sac mais ne part pas. Elle voudrait dire quelque chose mais semble hésiter.

— Saga… Je m'excuse pour mon mec, dit-elle enfin. Je ne sais pas si tu as entendu ce qu'il criait. En tout cas, c'est la dernière fois qu'il vient.

Svetlana se racle doucement la gorge et commence à marcher.

— Attends, dit Saga. Je peux t'amener à la gare si tu veux.

39

PLUS LOIN

Penelope atteint le haut de la pente en courant lorsqu'elle dérape sur les cailloux. Elle se rattrape en s'appuyant au sol mais ressent un violent contrecoup au niveau de l'épaule et du dos. Elle halète, son avant-bras est écorché et la douleur irradie dans tout son membre. A bout de souffle, elle tousse et jette un œil vers les arbres derrière elle, craignant plus que tout de voir ressurgir leur poursuivant dans l'obscurité entre les troncs.

Björn arrive à sa hauteur, des gouttes de sueur dégoulinent le long de ses tempes. Ses yeux rougis trahissent son angoisse. Il marmonne quelque chose d'inaudible et l'aide à se relever.

— On ne peut pas rester là, chuchote-t-il.

Ils ignorent si le tueur est sur le point de les rattraper ou s'il a perdu leur trace. A peine quelques heures plus tôt, ils s'étaient tapis sur le carrelage d'une cuisine tandis qu'il scrutait la pièce par la fenêtre. Ils remontent maintenant la pente aussi vite que possible en se frayant un passage dans les broussailles. Ils respirent l'odeur prononcée des pins et continuent leur ascension, main dans la main.

Björn gémit de terreur en entendant un bruissement dans les fourrés, il fait un pas de côté et une branche lui cingle le visage.

— Je ne sais pas combien de temps je vais tenir, halète-t-il.

— Ne pense pas à ça.

Pendant un moment, ils freinent leur allure et marchent dans les épais taillis sous le feuillage frémissant des arbres. Malgré la douleur qui s'intensifie dans leurs pieds et leurs genoux, ils ne s'arrêtent pas. Ils rejoignent une route gravillonnée en franchissant un fossé recouvert de mauvaises herbes. Björn scrute les alentours, lui souffle de venir et se dirige au sud vers Skinnardal où il pense trouver une zone habitée. Ils ne doivent plus être très loin maintenant. Penelope, qui boite derrière lui, parvient à le rattraper. Quelques touffes d'herbe sortent ici et là des ornières qui sillonnent le gravier. La route contourne un bosquet de bouleaux. En arrivant à hauteur des troncs blancs dans le virage, ils aperçoivent deux personnes. Il s'agit d'une femme d'une vingtaine d'années vêtue d'une petite robe de tennis blanche et d'un homme sur une moto rouge. Penelope remonte la fermeture Eclair de son sweat-shirt et s'efforce de reprendre son souffle.

— Salut, dit-elle.

Elle devine une certaine appréhension dans leur regard. Björn et elle sont couverts de sang et de crasse.

— On a eu un accident, s'empresse-t-elle de leur dire entre deux souffles. On aurait besoin d'un téléphone.

Des vanesses volettent au-dessus des chénopodes blancs et des prêles du fossé.

— D'accord, dit le jeune homme qui cherche son portable puis le tend à Penelope.

— Merci, dit Björn, en surveillant la route du regard.

— Que s'est-il passé ? demande le jeune homme.

Incapable de leur répondre, Penelope déglutit avec peine et des larmes roulent le long de ses joues sales.

— Un accident, répond Björn.

— Je la reconnais, dit la fille à son petit ami. J'hallucine, c'est la nana qu'on a vue à la télé.

— Qui ?

— Celle qui débinait l'export suédois.

Penelope parvient à lui adresser un vague sourire en composant le numéro de sa mère. Ses mains tremblent tellement qu'elle se trompe de touche et doit recommencer. La jeune femme chuchote à l'oreille du jeune homme.

Ils entendent un craquement dans la forêt et Penelope pense apercevoir quelqu'un entre les arbres. Même s'il s'avère que ce n'était rien, elle est frappée par l'intime conviction que le poursuivant suivra leur trace depuis la maison et finira par les retrouver. Elle porte le téléphone à son oreille, mais sa main tremble tellement qu'elle a peur de ne pas être capable de le tenir.

— On peut savoir une chose, dit la femme à Penelope d'une voix tendue. Vous pensez vraiment que ceux qui travaillent dur, peut-être soixante heures par semaine, doivent payer pour ceux qui ne veulent rien faire et restent plantés devant la télé toute la journée ?

Penelope n'a aucune idée de ce que la jeune femme veut dire ni de la raison pour laquelle elle est si énervée. Il lui est impossible de se concentrer sur la question qu'elle a posée. Elle ne parvient pas à rassembler ses esprits et continue à fixer la forêt en attendant que sa mère décroche.

— Ça ne sert donc à rien de travailler ? demande la femme d'une voix agacée.

Penelope jette un coup d'œil à Björn dans l'espoir qu'il lui vienne en aide ou dise quelque chose pour calmer la jeune femme, puis elle pousse un soupir en entendant la voix de sa mère sur le répondeur :

"Vous êtes bien chez Claudia – je ne peux pas vous répondre pour le moment, mais laissez-moi un message et je vous rappellerai dès que possible."

Elle ne peut retenir ses larmes. Ses genoux sont sur le point de lâcher et elle est exténuée. Penelope fait un signe à la jeune femme pour lui faire comprendre qu'elle ne peut pas lui répondre immédiatement.

— On a acheté ce téléphone avec de l'argent qu'on a gagné, dit la jeune femme. Vous n'avez qu'à travailler pour pouvoir en acheter un…

Il y a un grésillement dans le combiné et Penelope se décale pour avoir une meilleure réception mais obtient l'effet inverse. Soudain elle n'entend plus rien. Ignorant si elle a été coupée, elle commence à parler :

— Maman, j'ai besoin d'aide, je suis poursuivie par…

Soudain, la fille jure et lui arrache le téléphone des mains pour le rendre au jeune homme.

— Trouvez un travail, dit-il.

Penelope vacille et regarde le jeune couple d'un air incrédule. La femme s'installe sur la moto derrière le jeune homme et noue ses mains autour de sa taille.

— Je vous en prie, implore Penelope. Il faut absolument qu'on…

Sa voix est couverte par le vrombissement de la moto qui démarre, la roue arrière patine en projetant du gravier. Björn leur crie d'attendre. Ils se mettent à courir derrière le couple, mais la moto disparaît en direction de Skinnardal.

— Björn, dit Penelope en s'arrêtant.

— Cours, crie-t-il.

A bout de souffle, Penelope jette un œil à la route derrière eux en pensant qu'ils commettent une erreur. Il s'arrête enfin, haletant, et la regarde en prenant appui sur ses cuisses un instant avant de se remettre à marcher.

— Attends, il comprend notre façon de penser, dit-elle d'une voix grave. Il faut agir différemment.

Björn ralentit son allure et la regarde en marchant à reculons :

— Il faut qu'on trouve de l'aide.

— Pas maintenant.

Il la prend par les épaules :

— Penny, il doit y avoir dix minutes à peine jusqu'à la maison la plus proche, tu vas y arriver, je vais t'aider...

— Il faut retourner dans la forêt, l'interrompt-elle. Je sais que j'ai raison.

Elle retire un ruban de ses cheveux et le jette sur la route, puis se dirige vers les arbres.

Björn jette un dernier coup d'œil à la route avant d'emprunter le même chemin que Penelope. Il saute par-dessus le fossé et pénètre dans la forêt. Elle entend ses pas derrière elle. Il la rattrape et lui prend la main.

Ils courent côte à côte à petites foulées. Chaque minute qui passe les éloigne davantage de la route, des habitants et d'une aide éventuelle.

Devant eux s'étend une langue d'eau d'une largeur d'environ quarante mètres. Haletants, de l'eau jusqu'aux cuisses, ils franchissent à gué.

Une fois de l'autre côté, ils reprennent leur course à travers la forêt avec des chaussures trempées. Après dix minutes, Penelope ralentit puis s'arrête pour reprendre son souffle, lève la tête et scrute les alentours. C'est la première fois depuis des heures qu'elle ne ressent pas la présence glaciale de leur poursuivant. Björn passe la main sur sa bouche et la rejoint.

— Lorsqu'on était dans la maison, dit-il. Pourquoi tu lui as crié d'entrer ?

— C'était la seule chose à laquelle il ne s'attendait pas – sinon, il aurait certainement ouvert la porte.

— Mais...

— Il a toujours eu un temps d'avance sur nous. On a peur et il anticipe le comportement de personnes effrayées.

— Elles ne lui crient pas d'entrer, dit Björn avec un sourire fatigué.

— C'est pour ça qu'on ne pouvait pas continuer vers Skinnardal. Il faut qu'on change sans cesse de direction, qu'on s'enfonce dans la forêt.

— Oui.

Elle observe son visage exténué, ses lèvres blanches et sèches.

— Je crois qu'il faut continuer comme ça si on veut s'en sortir. Penser différemment. Je crois qu'on… au lieu de chercher à quitter cette île et rejoindre le continent, on devrait essayer d'aller plus loin dans l'archipel.

— Personne ne ferait ça.

— Tu as le courage de continuer un peu ? demande-t-elle à voix basse.

Il hoche la tête et ils replongent dans les profondeurs de la forêt, s'éloignant peu à peu des routes, des maisons et de leurs habitants.

40

LE SUCCESSEUR

Axel Riessen retire lentement ses boutons de manchette et les dépose dans un bol en bronze sur la commode. Ils appartenaient à son grand-père qui était amiral mais le motif, deux palmes disposées en croix, n'est pas militaire.

Axel Riessen se regarde dans un miroir posé près de la porte du dressing. Il ôte sa cravate, puis traverse la pièce et s'assied au bord du lit. Les radiateurs émettent une sorte de chuintement mais il distingue quelques notes de musique de l'autre côté du mur.

Elles proviennent de l'appartement de son petit frère. Il reconnaît un solo pour violon et se remémore aussitôt la mélodie. Dans son esprit résonne alors la première sonate pour violon en *sol* mineur de Bach, le mouvement du prélude, un adagio, bien plus lent que les interprétations habituelles. Axel n'accorde pas seulement son attention aux notes, mais prend plaisir à écouter chaque sifflement des harmoniques et chaque coup involontaire de l'archet contre le bois du violon.

Ses doigts frémissent lorsqu'il entend changer le tempo de la musique, ses mains semblent se languir de l'instrument. Cela fait longtemps qu'il n'a pas laissé ses doigts courir sur les cordes, remonter la touche.

La sonnerie du téléphone interrompt sa rêverie et il se lève en se frottant les yeux. Il est exténué car il n'a quasiment pas dormi de la semaine. Le numéro sur l'écran indique que l'appel provient du Regeringskansliet, le siège du gouvernement. Axel s'éclaircit la voix avant de répondre d'une voix posée :

— Axel Riessen.

— Mon nom est Jörgen Grünlicht, comme vous le savez peut-être, je suis président de la commission d'enquête des Affaires étrangères au sein du gouvernement.

— Bonsoir.

— Je suis désolé de vous appeler à une heure si tardive.

— J'étais réveillé.

— On m'a dit que vous le seriez, lui répond-il avant de poursuivre d'une voix hésitante. Je sors d'une réunion de direction, nous avons pris la décision de vous proposer le poste de directeur général de l'ISP.

— Je vois.

Un silence s'installe, auquel Grünlicht s'empresse de mettre un terme :

— Je présume que vous savez ce qui est arrivé à Carl Palmcrona.

— Seulement ce que j'ai pu lire dans les journaux.

Grünlicht se racle légèrement la gorge et dit quelque chose qu'Axel n'arrive pas à comprendre avant d'élever la voix.

— Vous connaissez le travail et pourriez en théorie – si vous acceptiez notre proposition – être opérationnel d'ici peu.

— Je dois terminer ma mission pour l'ONU.

— Cela vous pose-t-il un problème ? demande Grünlicht d'une voix inquiète.

— Non.

— Vous allez évidemment prendre connaissance des termes du contrat, mais… tout est négociable. Comme vous l'avez compris, nous aimerions beaucoup pouvoir vous compter parmi nous, inutile de vous le cacher.

— Laissez-moi y réfléchir.

— Auriez-vous un moment à nous consacrer demain matin ?

— Il y a urgence ?

— Nous prenons toujours le temps nécessaire. Mais il est évident qu'au vu de ce qui s'est passé… Nous avons été relancés par le ministre du Commerce au sujet d'une affaire qui traîne depuis quelque temps déjà.

— De quoi s'agit-il ?

— Rien d'exceptionnel… il s'agit d'une autorisation d'exportation. L'accord de principe était positif, le groupe parlementaire en charge de contrôler l'export, l'Exportkontrollrådet, a déjà donné son feu vert. L'affaire est traitée, mais Palmcrona n'a pas eu le temps de signer.

— Et il faut sa signature ?

— Il n'y a que le directeur général qui puisse valider l'exportation des biens ou des matériels de défense à double usage.

— Mais le gouvernement entérine certaines affaires, non ?

— Uniquement si le directeur général de l'ISP a décidé de les confier au gouvernement.

— Je vois.

Axel Riessen a travaillé pendant onze ans en tant qu'inspecteur en charge du matériel de guerre dans l'ancien système, pour le ministère des Affaires étrangères, avant d'être embauché par un organe subsidiaire de l'ONU, l'UNODA, le Bureau des affaires de désarmement. Il est désormais conseiller principal au sein de la division d'analyse et d'évaluation. Riessen est seulement âgé de cinquante et un ans et ses cheveux poivre et sel sont encore fournis. Ses traits sont fins et réguliers. Il a conservé le bronzage de ses vacances en Afrique du Sud, où il avait loué un voilier pour longer en solitaire les vertigineuses côtes escarpées du Cap.

Une fois dans sa bibliothèque, Axel s'installe dans un large fauteuil et ferme ses paupières lourdes de fatigue. Il songe à la mort de Carl Palmcrona. Il avait lu un entrefilet à ce sujet dans le *Dagens Nyheter*. Il était difficile de comprendre ce qui s'était réellement passé, mais le texte indiquait que rien ne laissait présager sa mort. En tout cas, visiblement il n'était pas malade. Ces dernières années, ils s'étaient rencontrés en de nombreuses occasions. Ils étaient tous deux experts lors de la préparation de la proposition qui a conduit à la décision parlementaire de fusionner la Krigsmaterielinspektionen* et le Conseil du contrôle stratégique de l'exportation du Regeringskansliet en une seule instance, l'Inspection pour les produits stratégiques.

Et maintenant, Palmcrona était mort. Axel se remémore parfaitement ce grand homme pâle avec sa coupe militaire et son air solitaire. Une vague d'inquiétude l'envahit soudain. La maison est trop calme. Axel se lève et fixe la porte en tendant l'oreille.

— Beverly ? appelle-t-il doucement. Beverly ?

Pas de réponse. Son inquiétude se mue en une angoisse diffuse. Il traverse les pièces d'un pas rapide et se dirige vers le vestibule pour prendre sa veste et sortir la chercher lorsqu'il l'entend fredonner. Sortant pieds nus de la cuisine, elle lui

* Inspection du matériel de guerre.

adresse un regard interrogateur lorsqu'elle aperçoit son visage préoccupé.

— Axel, dit-elle de sa voix claire. Qu'est-ce qu'il y a ?

— J'avais peur que tu ne sois sortie, marmonne-t-il.

— Dans ce monde plein de dangers, sourit-elle.

— Je dis simplement que tout le monde n'est pas digne de confiance.

— Je n'accorde pas ma confiance, je regarde les personnes. J'observe leur rayonnement. S'ils sont entourés d'un halo de lumière, je sais qu'ils sont gentils.

Ne sachant quoi lui répondre, Axel se contente de lui dire qu'il lui a acheté des chips et une bouteille de Fanta.

Elle semble ne pas l'entendre. Il cherche à lire sa disposition d'esprit sur son visage, se demandant si elle est sur le point de devenir agitée, déprimée ou renfermée.

— Tu penses toujours qu'on devrait se marier ? demande-t-elle.

— Oui, ment-il.

— C'est juste que, les fleurs, ça me fait penser à l'enterrement de maman et au visage de papa lorsque…

— On n'a pas besoin d'avoir des fleurs.

— Mais j'aime bien le muguet.

— Moi aussi, répond-il d'une voix faible.

Ses joues rougissent de satisfaction et il l'entend faire semblant de bâiller pour lui faire plaisir.

— J'ai tellement sommeil, dit-elle en quittant la pièce. Tu veux dormir ?

— Non, répond Axel comme pour lui-même.

Pourtant il se lève et la suit. Il traverse l'appartement avec la forte sensation que certaines parties de son corps tentent en vain d'arrêter sa progression. Il se sent gauche et curieusement lent en la suivant dans le couloir en marbre puis en montant l'escalier qui mène aux deux salons qu'ils doivent traverser pour atteindre la suite où il se retire le soir.

La jeune femme est menue, elle ne lui arrive même pas à la poitrine. Ses cheveux ont commencé à repousser depuis qu'elle s'est rasée la tête la semaine dernière. Elle lui donne un baiser furtif. Il sent l'odeur de caramel qui émane de sa bouche.

41

SANS DORMIR

Cela fait maintenant dix mois qu'Axel Riessen a fait la connaissance de Beverly Andersson. Tout avait débuté à cause de ses insomnies. Depuis un événement qui remonte à plus de trente ans, il s'endort très difficilement. Tant qu'il prenait des somnifères, il parvenait à conserver un rythme de vie à peu près normal. Ils le plongeaient dans un sommeil chimique, sans rêves, peut-être même sans véritable repos.

Mais au moins il dormait.

Il avait dû augmenter continuellement les doses afin de garantir l'efficacité du médicament. Ces comprimés créaient comme un bruissement soporifique qui couvrait le tumulte de ses pensées. Il adorait ses somnifères et les prenait avec un whisky onéreux. Mais après plus de vingt ans d'une consommation ininterrompue, son frère l'a un jour retrouvé étendu dans le vestibule, du sang s'écoulant de ses deux narines.

A l'hôpital Karolinska, on lui a diagnostiqué une grave cirrhose. Les cellules de son foie étaient si endommagées que, une fois passé le délai de contrôle obligatoire, on l'a immédiatement inscrit sur la liste d'attente pour une transplantation du foie. Mais comme il appartenait au groupe sanguin O et que son tissu cellulaire était très particulier, le nombre de donneurs compatibles s'était vu considérablement réduit.

Son frère cadet était l'un d'entre eux et aurait pu lui donner une partie de son foie s'il n'avait pas eu un problème de rythme cardiaque qui ne permettait pas d'assurer son réveil après une telle opération. L'espoir de trouver un donneur était donc quasi nul mais, en se privant totalement d'alcool et de somnifères, Axel avait une chance de s'en sortir. Avec des doses régulières de Konakion®, de propanolol et de spironolactone, son foie assurerait ses fonctions principales et il pourrait vivre presque normalement.

Sans les somnifères, il ne trouvait plus le sommeil et ne dormait souvent qu'une heure par nuit. Il fut alors admis dans une clinique du sommeil à Göteborg où, en effectuant une polysomnographie, on avait pu diagnostiquer son insomnie chronique. Comme toute forme de médication était exclue, on lui a seulement conseillé différentes techniques d'endormissement telles que la méditation, l'hypnose et l'autosuggestion sans qu'aucune ne fasse preuve d'une quelconque efficacité.

Huit mois après son premier séjour à l'hôpital, il n'a pu fermer l'œil pendant neuf jours consécutifs, ce qui a eu pour effet de le plonger dans un état psychotique.

Il a été admis de son propre gré à la clinique psychiatrique Sankta Maria Hjärta. Il y a rencontré Beverly. A l'époque, elle avait à peine quatorze ans.

Axel était allongé dans sa chambre et, comme d'habitude, il ne parvenait pas à s'endormir. Il était peut-être 3 heures du matin et la pièce était plongée dans l'obscurité lorsqu'elle a ouvert la porte. Elle errait comme une âme en peine dans les couloirs de la clinique. Peut-être cherchait-elle simplement de la compagnie. Il était allongé, éveillé et désespéré lorsqu'elle est entrée. Elle se tenait immobile devant lui. Sa longue chemise de nuit traînait par terre.

— J'ai vu la lumière qui venait d'ici, chuchota-t-elle. Une lueur émane de toi.

Ensuite, elle l'a rejoint dans son lit. Le manque de sommeil lui avait ôté tout esprit critique et il ne savait pas ce qu'il faisait. Il l'a prise dans ses bras, beaucoup trop fort, et l'a serrée contre lui.

Elle ne disait rien. Elle restait simplement allongée auprès de lui.

Il s'accrochait à son corps frêle, blottissait son visage dans son cou et, soudain, il s'est endormi.

Elle lui avait permis de plonger dans l'eau douce du sommeil et des rêves. La première fois, cela n'avait duré que quelques minutes, mais après cette nuit elle revenait toujours à lui.

Il s'agrippait à elle, la serrait contre lui et s'endormait trempé de sueur.

Son instabilité psychique avait disparu comme par magie et Beverly avait cessé d'errer dans les couloirs.

Axel Riessen et Beverly Andersson avaient choisi d'un commun accord de quitter Sankta Maria Hjärta. Ce qui s'était passé ensuite avait été la conséquence d'un accord tacite conclu entre deux êtres désespérés.

Ils savaient que la véritable nature de leur entente devait rester secrète et, pour sauver les apparences, Beverly avait obtenu l'autorisation de son père d'être logée dans une partie indépendante de l'appartement d'Axel Riessen en attendant de trouver son propre appartement de jeune étudiante.

Beverly Andersson est désormais âgée de quinze ans et un trouble de la personnalité dit *borderline* lui a été depuis diagnostiqué. Son rapport à autrui est très excessif et la faculté à imposer des limites lui fait défaut. Elle n'a pas un instinct de conservation normal.

Autrefois, les jeunes filles comme Beverly étaient enfermées dans des asiles d'aliénés et stérilisées ou lobotomisées de crainte qu'elles ne se livrent à une sexualité débridée et à la débauche.

Parfois elles accordaient une confiance aveugle à des personnes malintentionnées et les suivaient chez elles.

Mais Beverly a eu de la chance de tomber sur Axel Riessen. Il se le répète sans cesse, il n'est pas un pédophile et ne cherche pas à lui faire du mal ou à l'exploiter dans un but lucratif. Il a seulement besoin d'elle pour s'endormir, pour ne pas s'effondrer.

Elle dit souvent qu'ils se marieront lorsqu'elle sera suffisamment âgée.

Axel Riessen la laisse caresser l'idée d'un mariage futur, car cela la rend heureuse et calme. Il se persuade ainsi qu'il la protège du reste du monde tout en étant parfaitement conscient de profiter d'elle. Il en a honte mais ne parvient pas à trouver d'issue à leur situation. La crainte de se perdre à nouveau dans le néant de l'insomnie demeure plus forte que tout.

Beverly sort de la salle de bains avec sa brosse à dents dans la bouche. Elle hoche la tête en direction des trois violons accrochés au mur :

— Pourquoi tu n'en joues pas ?

— Je ne peux pas, dit-il avec un sourire.

— Ils vont rester comme ça, sur le mur ? Donne-les plutôt à quelqu'un qui en joue.

— J'aime bien ces violons, c'est Robert qui me les a donnés.

— Tu ne parles presque jamais de ton frère.

— C'est compliqué…

— Il fabrique des violons dans son atelier.

— Oui, Robert fabrique ses violons… et joue dans un orchestre de chambre.

— Tu crois qu'il pourrait jouer à notre mariage ? demande-t-elle en essuyant du dentifrice resté au coin de sa bouche.

Axel la regarde et espère qu'elle ne s'aperçoit pas de l'expression figée que prend son visage lorsqu'il lui répond :

— C'est une merveilleuse idée.

Il sent la fatigue l'envahir, déferler dans son corps et dans son cœur. Il passe devant elle, entre dans la chambre à coucher et s'affaisse sur le bord du lit.

— J'ai sommeil, je…

— Pauvre Axel, dit-elle d'un ton grave.

Il secoue la tête :

— J'ai juste besoin de dormir.

D'un coup, il se sent au bord des larmes. Il se lève et attrape une chemise de nuit en coton rose.

— S'il te plaît, Beverly, enfile ça.

— Si tu veux.

Elle s'immobilise devant la grande peinture à l'huile d'Ernst Billgren qui représente un renard habillé assis dans un fauteuil dans une maison bourgeoise.

— Horrible, ce tableau, dit-elle.

— Tu trouves ?

Elle hoche la tête et commence à se déshabiller.

— Tu ne peux pas te changer dans la salle de bains ?

Elle hausse les épaules et il détourne le regard lorsqu'elle retire son bustier rose. Il s'approche du tableau, l'observe un instant, puis le décroche et le pose à terre, face au mur.

*

Axel dort d'un sommeil lourd, le visage chiffonné et les mâchoires crispées. Il serre Beverly contre lui. Soudain, il se réveille, relâche son étreinte et cherche à reprendre son souffle comme s'il était sur le point de se noyer. Il est trempé de sueur et son cœur bat la chamade. Il allume la lampe de chevet. Beverly dort paisiblement, comme un petit enfant, la bouche ouverte et le front humide.

Axel repense à Carl Palmcrona. Leur dernière rencontre remonte à l'assemblée générale de la noblesse à Riddarhuset. Palmcrona était éméché et avait eu un comportement légèrement agressif. Il rabâchait toujours les mêmes phrases à propos des différents embargos sur les armes de l'ONU en terminant par ces mots stupéfiants : *Si tout foire, il ne nous reste plus qu'à faire notre Algernon pour éviter d'affronter notre cauchemar.*

Axel éteint la lumière mais les mots de Palmcrona résonnent toujours dans sa tête. Que signifiait "faire notre Algernon" ? De quel cauchemar parlait-il ? Avait-il réellement dit ça ?

Eviter d'affronter son cauchemar.

La mort de Carl-Fredrik Algernon en Suède n'a jamais été élucidée. Algernon était l'inspecteur en charge du matériel de guerre au sein du ministère des Affaires étrangères. Un jour de janvier, il avait eu un entretien avec le patron du groupe Nobel Industries, Anders Carlberg, lors duquel celui-ci lui avait révélé qu'après enquête on avait découvert que l'une des sociétés du groupe exportait clandestinement des armes à des pays voisins du golfe Persique. Plus tard le même jour, Carl-Fredrik Algernon était tombé devant une rame de métro à la Centralen de Stockholm.

De moins en moins claires, les pensées d'Axel errent entre les accusations de trafic d'armes et de pots-de-vin qui avaient été dirigées contre la société anonyme Bofors. L'image d'un homme en trench-coat qui tombe en arrière devant une rame de métro lancée à pleine vitesse prend forme dans son imagination. Lentement, l'homme chute, son manteau flotte autour de lui.

Axel est bercé par la douce respiration de Beverly qui semble l'absorber peu à peu. Il se tourne vers elle et pose son bras autour de son corps frêle.

Elle pousse un léger soupir lorsqu'il se blottit contre elle.

Axel la serre dans ses bras, les brumes du sommeil se massent dans son esprit, ses pensés s'évaporent.

Il passe le reste de la nuit à dormir d'un sommeil léger avant d'être réveillé vers 5 heures par l'étreinte convulsive qu'il exerce sur les bras frêles de la jeune fille. Il sent ses cheveux coupés ras lui chatouiller les lèvres et regrette ardemment de ne pas pouvoir prendre ses cachets.

42

L'INSPECTION POUR LES PRODUITS STRATÉGIQUES

Il est 7 heures du matin lorsque Axel sort sur la terrasse qu'il partage avec son frère. Il a rendez-vous dans une heure avec Jörgen Grünlicht dans le bureau de Carl Palmcrona, à l'ISP.

L'air est déjà chaud, mais pas encore lourd. Son petit frère Robert a ouvert les portes vitrées de son appartement et s'est installé dans un transat. Ses bras pendent mollement et il fixe la rosée du matin qui s'est déposée sur le feuillage du châtaignier. Il ne s'est pas encore rasé et porte toujours sa vieille robe de chambre en soie. Leur père la portait tous les samedis matin.

— Bonjour, dit Robert.

Axel hoche la tête sans jeter un œil vers son frère.

— J'ai réparé un Fiorini pour Charles Greendirk, raconte Robert pour tenter d'engager la conversation.

— Il sera sûrement ravi, répond Axel à voix basse.

Robert lève son visage vers lui.

— Tu es stressé ?

— Légèrement, à vrai dire. Il semblerait que je vais changer de travail.

— Eh bien, pourquoi pas ? répond distraitement Robert.

Axel observe le doux visage de son frère, ses rides profondes et sa légère calvitie. Les choses auraient pu être différentes entre eux.

— Comment va ton cœur ? Il bat encore ?

Robert tâte sa poitrine avant de répondre :

— Tant bien que mal…

— Bien.

— Et ton pauvre foie ?

Axel hausse les épaules et se dirige vers son appartement.

— On joue Schubert ce soir, dit Robert.

— Super.

— Je pensais que tu pourrais peut-être…

Robert s'interrompt, regarde son frère puis change de sujet :

— La fille qui a la chambre là-haut…

— Oui… Beverly.

— Elle va habiter ici combien de temps ? demande Robert en plissant les yeux.

— Je ne sais pas. Je lui ai promis qu'elle pourrait y habiter jusqu'à ce qu'elle trouve une chambre d'étudiante.

— Oui, c'est vrai, tu as toujours recueilli les petits oiseaux blessés qui…

— C'est un être humain, l'interrompt Axel.

Il ouvre la grande porte de la terrasse et voit son reflet glisser sur la vitre lorsqu'il retourne à l'intérieur. Dissimulé derrière le rideau, il observe son frère Robert se lever du transat, se gratter le ventre et descendre l'escalier de la terrasse qui mène jusqu'au jardin et à l'atelier. A peine Robert a-t-il disparu qu'Axel retourne dans sa chambre et réveille délicatement Beverly, qui dort la bouche ouverte.

*

L'Inspection pour les produits stratégiques est un organisme étatique créé en 1996 chargé de toutes les affaires concernant l'exportation d'armement et les biens à double usage.

Les bureaux de l'ISP sont situés au cinquième étage d'un immeuble couleur saumon au 90, viaduc de Klaraberg.

Une fois sorti de l'ascenseur, Axel aperçoit Jörgen Grünlicht du ministère des Affaires étrangères qui l'attend devant de grandes portes vitrées. Bien qu'il ne soit que 7 h 58, il hoche la tête impatiemment. Après avoir introduit sa carte dans le lecteur, il pianote un code d'accès et laisse entrer Axel. Grünlicht est un homme grand dont le visage présente une pigmentation irrégulière. De nombreuses taches blanches sont disséminées sur sa peau rougeâtre.

Ils se rendent dans l'ancien bureau de Carl Palmcrona, une suite d'angles dans laquelle deux immenses baies vitrées offrent une vue imprenable sur le réseau routier qui s'étend vers le sud depuis la Centralstationen, sur le canal Klara et les contours obscurs de l'hôtel de ville.

En dépit de leur prestigieuse adresse, les locaux de l'ISP ont quelque chose d'austère. Le sol en linoléum, les meubles simples et neutres en pin ou de couleur blanche semblent vouloir rappeler que toute exportation d'armement relève d'une morale douteuse. Axel frissonne, il trouve macabre d'être dans le bureau de Palmcrona si peu de temps après sa mort.

Les néons au plafond émettent un bruit étrange qui rappelle les harmoniques discordants d'un piano. Soudain, Axel se souvient d'avoir déjà entendu le même son lors de l'enregistrement de la première sonate de John Cage.

Grünlicht referme la porte derrière eux et, lorsqu'il invite Axel Riessen à s'asseoir, il semble tendu malgré son sourire aimable.

— C'est formidable que vous ayez pu venir aussi rapidement, dit-il en lui tendant une pochette contenant le contrat.

— C'est normal, répond Axel en souriant.

— Installez-vous pour le lire, dit Grünlicht en désignant le bureau.

Axel s'assied sur une chaise rigide, pose la pochette sur le bureau et relève la tête.

— Je vais étudier le contrat et je vous recontacterai la semaine prochaine.

— C'est un accord très avantageux, mais l'offre ne sera pas valable éternellement.

— Vous êtes pressé, je sais.

— La direction tient réellement à ce vous acceptiez notre proposition. Avec votre carrière, votre réputation, il n'y a pas de meilleur candidat. Seulement, nous ne pouvons pas nous permettre de laisser nos activités en stand-by.

Axel ouvre la pochette et tente d'apaiser le sentiment de malaise qui monte en lui. Il a la sensation qu'on l'entraîne dans un piège. L'attitude de Grünlicht semble forcée, il a un air mystérieux et insistant.

S'il signe le contrat, il deviendra le nouveau directeur général de l'ISP. Il sera l'unique décisionnaire en ce qui concerne l'exportation d'armes. Au sein de l'ONU, Axel a œuvré pour le désarmement, la limitation des flux d'armes conventionnelles, et il voudrait considérer ses nouvelles responsabilités dans la continuité de sa mission.

Il lit méticuleusement le contrat. Il est très avantageux, presque trop parfait. Il rougit à plusieurs reprises en le parcourant.

— Bienvenue à bord, dit Grünlicht avec un sourire en lui tendant son stylo.

Axel le remercie, signe le contrat et se lève. Il tourne le dos à Grünlicht et par la fenêtre observe les trois couronnes de l'hôtel de ville, presque effacées dans les brumes de chaleur.

— La vue n'est pas mal d'ici, marmonne Grünlicht. Plus impressionnante que depuis mon bureau au ministère.

Axel se retourne vers lui.

— Trois dossiers sont désormais entre vos mains, le plus urgent est le Kenya. Il s'agit d'une affaire de la plus haute importance. Je vous conseille d'en prendre connaissance au plus vite, maintenant même. Carl a déjà fourni tout le travail en amont, donc…

Il se tait, pousse les documents vers Axel, puis l'observe avec une curieuse lueur dans le regard. Axel a l'impression que Grünlicht aurait voulu lui coller un stylo dans la main et le passer lui-même sur le papier.

— Je suis convaincu que vous serez un très bon successeur.

Sans attendre de réponse, il lui tape amicalement sur le bras et s'éloigne d'un pas rapide. Il se retourne sur le seuil de la porte et dit d'un ton bref :

— Réunion avec le panel d'experts aujourd'hui à 15 heures.

Axel se retrouve seul dans la pièce. Un silence sourd l'envahit peu à peu. Il s'installe derrière le bureau et feuillette les documents que Carl Palmcrona n'a pas signés. Le dossier, très détaillé, a été préparé avec soin. Il concerne l'exportation de 1,25 million d'unités de munitions calibre 5,56 x 4,45 mm pour le Kenya. L'Exportkontrollrådet a déjà donné sa recommandation, l'accord de principe de Palmcrona était positif et Silencia Defence AB est une entreprise sérieuse.

Ce n'est qu'une fois que le directeur général de l'ISP donne son accord final en apposant sa signature sur le dossier, que l'exportation peut avoir lieu.

Axel s'adosse à son fauteuil et repense à la phrase énigmatique de Palmcrona : faire son Algernon pour ne pas devoir affronter son cauchemar.

43

CLONER UN DISQUE DUR

Göran Stone adresse un sourire à Joona Linna avant d'ouvrir une enveloppe et de faire glisser dans sa main la clef qu'elle contenait. Saga Bauer se tient tête baissée près de l'ascenseur. Tous trois viennent d'arriver devant la porte d'entrée de l'appartement de Carl Palmcrona, au 2, Grevgatan.

— Nos techniciens arrivent demain, dit Göran.

— Tu sais à quelle heure ? demande Joona.

— A quelle heure, Saga ? demande Göran.

— Je pense qu'on…

— Tu penses ? l'interrompt-il. Tu es censée connaître l'heure exacte.

— 10 heures, répond-elle à voix basse.

— Et tu leur as bien dit que je demande personnellement qu'ils commencent par l'informatique et la téléphonie ?

— Oui, j'ai dit que…

Lorsqu'il entend la sonnerie de son téléphone, Göran fait un geste de la main pour la faire taire. Il décroche et descend l'escalier de quelques marches puis s'arrête au niveau du renfoncement de la fenêtre aux vitres roussâtres pour parler.

Joona se retourne et s'adresse à Saga en baissant la voix :

— C'est toi qui diriges l'enquête préliminaire, non ?

Saga secoue la tête.

— Que s'est-il passé ?

— Je ne sais pas, dit-elle d'une voix lasse. C'est toujours pareil, ça ne relève même pas du domaine d'expertise de Göran, il n'a jamais travaillé sur l'antiterrorisme.

— Tu comptes faire quoi ?

— Il n'y a rien à…

Elle se tait lorsque Göran Stone termine sa conversation et les rejoint.

— La clef, dit-elle d'une voix déterminée en tendant la main.

— Quoi ?

— C'est moi qui suis chargée de l'enquête préliminaire.

— Tu entends ça ? dit Göran à Joona en riant.

— Je n'ai rien contre toi, Göran, dit Joona. Mais je sors d'une réunion avec nos supérieurs respectifs au cours de laquelle j'ai accepté de travailler avec Saga Bauer…

— Elle peut venir, s'empresse-t-il de répondre.

— En tant que responsable de l'enquête préliminaire, dit Saga.

— Vous voulez vous débarrasser de moi ? C'est quoi cette histoire, merde ! dit Göran Stone avec un sourire à la fois étonné et indigné.

— Tu peux venir si tu veux, répond calmement Joona.

Saga prend la clef de la main de Göran.

— J'appelle Verner sur-le-champ.

Göran descend l'escalier en parlant avec son chef d'une voix de plus en plus forte jusqu'à ce qu'il crie "bande de pouffiasses". Ses mots résonnent dans la cage d'escalier.

Saga réprime un sourire, se ressaisit et ouvre la lourde porte de l'appartement. La police avait écarté tout soupçon de meurtre et le périmètre de sécurité a été levé. L'enquête préliminaire a été classée aussitôt que le rapport d'autopsie de Nils Åhlén a démontré point par point que les suppositions de Joona Linna étaient fondées. Carl Palmcrona avait mis fin à ses jours en se pendant avec un fil à linge dont le nœud coulant était fixé à un crochet au plafond. Les recherches scientifiques sur la scène du crime ont été interrompues et les prélèvements qui avaient été envoyés au Laboratoire gouvernemental de la police technique et scientifique de Linköping n'ont jamais été analysés.

Mais un élément est venu changer la donne. Björn Almskog a envoyé un e-mail à Palmcrona la veille de sa mort. Et dans la soirée, Viola Fernandez a été assassinée sur un bateau appartenant à Björn Almskog.

Il constitue un lien entre les deux décès. Si le bateau avait coulé, ils auraient été respectivement classés suicide et accident sans qu'aucun lien entre ces deux morts ne soit jamais révélé. Saga et Joona entrent dans le vestibule et constatent qu'il n'y a pas eu de courrier. Une odeur de savon noir flotte dans l'air. Ils traversent une à une les pièces spacieuses. La lumière du soleil pénètre dans l'appartement par de grandes fenêtres. Le toit en tôle rouge de l'immeuble situé de l'autre côté de Grevgatan scintille. Depuis l'oriel on peut contempler l'eau étincelante du Nybroviken.

Les plaques de cheminement des techniciens ont disparu et le sol sous le crochet du lustre a été nettoyé. Le parquet grince sous leurs pas lents. Etrangement, il est impossible de soupçonner qu'un cadavre a été retrouvé à peine quelques jours auparavant dans cette même pièce. L'endroit ne paraît pas inhabité. Joona et Saga ont la même sensation. Les grandes pièces quasi vides sont baignées d'un silence paisible.

— Elle y vient toujours, dit soudain Saga.

— Exactement, enchaîne Joona en lui adressant un sourire. La femme de ménage est venue ranger, aérer, prendre le courrier, faire les lits, *et cætera*.

Ce comportement n'a rien d'inhabituel. Une personne confrontée à une mort subite refuse parfois d'admettre que sa vie a changé et conserve les mêmes habitudes.

La sonnette retentit. Avec une vague inquiétude, Saga suit Joona jusqu'au vestibule.

La porte d'entrée s'ouvre sur un homme à la tête rasée vêtu d'un survêtement noir trop grand pour lui.

— Joona m'a dit de balancer mon hamburger et de me ramener illico, dit Johan.

— Voici Johan Jönson de l'informatique, explique Joona.

— Jonna était au voalaaang, dit Johan avec un accent finlandais exagéré. Le route a tourné, mais pa' Jonna.

— Saga Bauer est inspectrice à la Säpo, dit Joona.

— On va papoter ou posser, dis ? poursuit Johan Jönson en continuant d'imiter l'accent finlandais.

— Arrêtez avec ça, dit Saga.

— On doit fouiller dans l'ordinateur de Palmcrona, dit Joona. Ça va prendre combien de temps ?

Ils se dirigent vers le bureau.

— Il sera utilisé en tant que pièce à conviction ? demande Johan Jönson.

— Oui.

— Donc vous voulez que je clone le disque dur ?

— Ça va prendre combien de temps ? répète Joona.

— Tu auras le temps de raconter quelques blagues à la Säpo, répond-il sans bouger.

— C'est quoi votre problème ? dit Saga agacée.

— Puis-je vous demander si vous avez un petit ami ? avance Jönson avec un sourire gêné.

Elle le fixe dans les yeux et hoche la tête d'un air sérieux. Il détourne le regard, bredouille quelques mots et disparaît dans le bureau de Palmcrona.

Joona emprunte une paire de gants à Saga pour examiner les différentes lettres dans le bac destiné au courrier mais aucune n'attire particulièrement son attention. Ce sont quelques lettres de la banque et de son expert-comptable, des informations envoyées par le Regeringskansliet, des résultats d'analyses d'un rhumatologue spécialiste du dos et un procès-verbal rendant compte des votes du printemps du syndic de l'immeuble.

Ils retournent dans la pièce d'où provenait de la musique lorsque le corps de Palmcrona a été retrouvé. Joona s'installe dans un des canapés Carl Malmsten et passe délicatement sa main devant la chaîne stéréo. Les enceintes diffusent aussitôt la musique d'un violon. C'est en véritable virtuose que le musicien joue une mélodie légère sur un registre très aigu.

Joona consulte sa montre, laisse Saga près de la chaîne stéréo et se dirige vers le bureau de Palmcrona. Johan Jönson n'y est pas, il est installé à la table de la cuisine devant son ordinateur portable.

— Ça s'est bien passé ? demande Joona.

— Quoi ?

— Tu as réussi à cloner le disque dur de Palmcrona ?

— Bien sûr – un clonage parfait.

Joona contourne la table et regarde sur l'écran.

— Tu peux accéder à sa boîte mail ?

Johan Jönson ouvre l'application :

— Ta da !

— Regarde la correspondance de cette dernière semaine.

— On commence dans la boîte de réception ?

— Oui, c'est ça, c'est ça.

— Tu crois que Saga m'aime bien ? demande soudain Johan Jönson.

— Non.

— Qui aime bien châtie bien.

— Tu n'as qu'à essayer de lui tirer les cheveux, répond Joona en désignant l'écran.

Johan Jönson, le sourire aux lèvres, ouvre la boîte de réception.

— Jackpot !

Joona repère trois courriers de MOUFFETTE@HOTMAIL.COM.

— Ouvre-les, chuchote Joona.

Johan Jönson sélectionne le premier et le courrier de Björn Almskog s'affiche aussitôt à l'écran.

— Jésus-Christ Superstar, chuchote Johan en s'écartant de son ordinateur.

44

LES COURRIERS ÉLECTRONIQUES

Joona lit le premier e-mail. Pensif, il demeure un moment immobile avant d'ouvrir les deux suivants. Après les avoir relus deux fois, il rejoint Saga.

— Vous avez trouvé quelque chose ? demande-t-elle.

— Oui... le 2 juin, Björn Almskog a envoyé un e-mail à Carl Palmcrona *via* une adresse anonyme pour le faire chanter.

— Alors, tout ça pour une histoire de chantage, soupire-t-elle.

— Je n'en suis pas convaincu.

Joona décrit à Saga les derniers jours de Carl Palmcrona. Gerald James, du conseil technique et scientifique de l'ISP, l'a accompagné lors de la visite d'une usine à Trollhättan où sont produites les armes de Silencia Defence. Selon toute vraisemblance, il n'avait pas lu l'e-mail de Björn Almskog avant de rentrer chez lui en fin d'après-midi. Il ne lui a répondu qu'à 18 h 25. Palmcrona met en garde son maître chanteur en lui signifiant clairement que sa démarche l'expose à de graves conséquences. Le lendemain, Palmcrona lui envoie un second courrier électronique qui, cette fois, déclare qu'ils vont mourir. A la suite de cela, on suppose qu'il a pendu un fil à linge au crochet du plafond avant de prier sa femme de ménage de quitter l'appartement. Une fois seul, il a mis de la musique, est entré dans le petit salon, a posé sa mallette sur le chant pour y monter et passer le nœud autour de son cou puis il l'a renversée. Juste après sa mort, Björn Almskog lui a envoyé un deuxième courrier, puis, le lendemain, un troisième.

Sur la table, Joona dispose les impressions des cinq courriers électroniques par ordre chronologique pour que Saga puisse lire la correspondance des deux hommes.

Le premier e-mail de Björn Almskog est daté du mercredi 2 juin à 11 h 37 :

Cher Carl Palmcrona,

Je vous écris pour vous dire que je suis en possession de l'original d'une photographie gênante. On vous y voit dans une loge privée buvant du champagne en compagnie de Raphael Guidi. Comme je suppose que vous ne souhaitez pas que cette photographie soit diffusée, je suis prêt à vous la vendre contre la somme de un million de couronnes. Dès que vous aurez effectué le virement sur le compte de transit n° 837-9 222701730, la photo vous sera envoyée et l'historique de cette correspondance effacé.

Cordialement,
Une mouffette

La réponse de Carl Palmcrona est datée du même jour à 18 h 25 :

J'ignore qui vous êtes, en revanche je sais que vous n'avez pas la moindre idée de ce dans quoi vous vous êtes embarqué.

Alors laissez-moi vous avertir de la gravité de vos actes, je vous adjure de me remettre la photo avant qu'il ne soit trop tard.

Le second e-mail de Carl Palmcrona, envoyé le jeudi 3 juin à 14 h 02 :

Désormais il est trop tard, nous allons tous les deux mourir.

La réponse de Björn Almskog, datée du jeudi 3 juin à 16 h 02 :

J'abandonne, je vais faire ce que vous dites.

Le troisième courrier de Björn Almskog a été envoyé le vendredi 4 juin à 7 h 45 :

Cher Carl Palmcrona
J'ai envoyé la photographie. Faites comme si je ne vous avais jamais contacté.

Cordialement,
Une mouffette

Après avoir lu les e-mails deux fois, Saga décoche un regard qui en dit long à Joona. Selon elle, leur correspondance révèle le nœud de la tragédie :

— Björn Almskog fait chanter Palmcrona à propos d'une photographie compromettante. Il est évident que Palmcrona ne doute pas de l'authenticité de la photo et sait qu'elle est beaucoup plus importante que ce qu'imaginait Björn. Palmcrona lui lance un avertissement, il ne pense pas un seul instant lui donner l'argent qu'il réclame. Pourtant, il semble penser que l'existence même de la photo les met tous deux en danger.

— Qu'est-ce qui s'est passé selon toi ?

— Palmcrona attend une réponse, soit par e-mail, soit par courrier. Comme elle n'arrive pas, il envoie un second e-mail à Björn pour lui dire qu'ils vont mourir tous les deux.

— Et ensuite il se pend, dit Joona.

— Dans le cybercafé, Björn lit l'e-mail et prend peur. Alors il lui répond qu'il laisse tomber.

— Sans savoir que Palmcrona est déjà mort.

— Exactement. Il est déjà trop tard et tout ce qu'il fait ensuite ne sert plus à rien.

— Björn semble pris de panique après avoir reçu le second e-mail de Palmcrona, dit Joona. Il met fin à son projet de chantage. Il ne souhaite plus que s'en sortir vivant.

— Mais la photo se trouve encore sur une porte vitrée chez Penelope.

— C'est seulement lorsqu'elle part pour le studio de télévision que l'opportunité de récupérer la photo se présente. Il se cache en bas de son immeuble et attend de voir Penelope disparaître dans un taxi pour foncer à l'intérieur. Il croise la petite fille dans l'escalier, entre rapidement dans l'appartement et arrache la photo. Il prend ensuite le métro, envoie la photo à Palmcrona, puis un e-mail, retourne dans son appartement au 47, Pontonjärgatan, récupère ses bagages, prend le bus jusqu'à Södermalm et rejoint en hâte son bateau amarré à Långholmen.

— Alors, qu'est-ce qui te fait croire qu'il ne s'agit pas uniquement de chantage ?

— On a incendié l'appartement de Björn à peine trois heures après qu'il l'a quitté. Les techniciens sont persuadés que c'est un fer à repasser oublié dans l'appartement voisin qui a provoqué le départ de feu, mais…

— J'ai cessé de croire aux coïncidences dans cette affaire.

— Moi aussi, dit Joona avec un sourire.

Ils parcourent à nouveau les documents posés devant eux et Joona désigne les deux e-mails de Palmcrona :

— Palmcrona a dû entrer en contact avec quelqu'un d'autre entre les deux envois.

— Le premier est une mise en garde, dit Saga. Dans l'autre, il écrit qu'il est trop tard et qu'ils vont tous les deux mourir.

— Je pense que, après avoir reçu l'e-mail de chantage de Björn, Palmcrona a appelé une tierce personne. Il est terrifié, mais espère obtenir de l'aide. Ce n'est que lorsqu'il comprend qu'il n'y a plus rien à faire qu'il écrit à Björn qu'ils vont mourir.

— On doit passer au crible la liste de ses communications téléphoniques.

— Erixon est sur le coup.

— Quoi d'autre ?

— Il faut qu'on sache qui est la personne mentionnée dans le premier e-mail de Björn.

— Raphael Guidi ?

— Tu le connais ?

— Tout le monde le surnomme l'Archange, dit Saga. C'est un homme d'affaires italien qui orchestre des ventes d'armes au Moyen-Orient et en Afrique.

— Du trafic ?

— Raphael est dans le circuit depuis trente ans et a bâti un véritable empire, mais je ne crois pas qu'il soit mêlé à tout ça. Interpol n'a jamais rien trouvé sur lui, ils ont bien eu des soupçons, mais jamais de preuves tangibles.

— Est-ce anormal que Carl Palmcrona rencontre Raphael ?

— Au contraire. Ça fait partie de son travail, même si l'on peut trouver déplacé qu'ils sabrent le champagne ensemble.

— Mais il n'y a pas de quoi se suicider, ni de quoi commettre un meurtre.

— Non, dit-elle avec un léger sourire.

— Dans ce cas, il doit y avoir autre chose sur la photographie, quelque chose de grave.

— Si Björn a bien envoyé la photo à Palmcrona, on devrait la trouver dans l'appartement.

— J'ai regardé le courrier et…

Il s'arrête net et Saga lui adresse un regard perplexe :

— Qu'est-ce qu'il y a ? A quoi tu penses ?

— Il n'y avait que des lettres personnelles dans le bac à courrier, pas de publicités ni de factures. Il a déjà été trié avant d'atterrir ici.

45

APRÈS L'AUTOROUTE

Edith Schwartz, la femme de ménage de Palmcrona, n'a pas le téléphone. Elle habite environ soixante-dix kilomètres au nord de Stockholm, vers Knivsta. Dans la voiture, Joona est silencieux. Saga remonte Sveavägen puis ils quittent le centre-ville par Norrtull et rejoignent l'autoroute en prenant la sortie de l'hôpital Karolinska.

— La Säpo a terminé ses recherches dans l'appartement de Penelope, dit-elle. J'ai parcouru tout le rapport et, visiblement, elle n'a aucun lien avec des groupuscules d'extrême gauche. Au contraire, elle s'en désolidarise complètement, c'est une pacifiste affirmée et elle s'oppose publiquement à leurs méthodes. J'ai aussi consulté le peu d'éléments réunis sur Björn Almskog. Il travaille pour la boîte de nuit *Debaser* à Medborgarplatsen, il n'est pas politiquement actif, mais a été appréhendé par la police à l'occasion d'une fête de rue organisée par Reclaim the City.

Les grilles noires du cimetière Norra et la végétation du parc Haga défilent à toute allure de chaque côté de la voiture.

— J'ai vérifié nos archives, dit lentement Saga. Tout ce qu'on possède sur les extrémistes de gauche et de droite à Stockholm… ça m'a quasiment pris toute la nuit. Ces documents sont évidemment classés confidentiels, mais il faut que tu saches que la Säpo a commis une erreur : Penelope et Björn ne sont aucunement impliqués dans la préparation d'un attentat ou d'un quelconque acte terroriste.

— Alors tu as abandonné cette piste ?

— Tout comme toi, je suis persuadée qu'il s'agit d'une affaire qui se joue à un tout autre niveau, bien au-delà des extrémistes de gauche ou de droite… un niveau qui dépasse sans doute largement les domaines de compétence de la Säpo et de la Rikskrim. Je veux dire, la mort de Palmcrona, l'incendie dans l'appartement de Björn, la mort de Viola… là on a vraiment affaire à autre chose.

Un silence s'installe pendant lequel Joona se remémore la conversation qu'il avait eue avec la femme de ménage lorsqu'elle lui avait demandé s'ils avaient descendu Palmcrona.

— Qu'est-ce que vous voulez dire par descendre ?

— Je vous demande pardon, je ne suis qu'une simple femme de ménage, je pensais…

Il lui avait ensuite demandé si elle avait vu quelque chose de particulier.

— Un nœud coulant dans le crochet au plafond du petit salon.

— Vous aviez vu le nœud ?

— Evidemment.

Evidemment, répète intérieurement Joona en fixant l'autoroute. Un mur antibruit rouge s'étend devant les zones résidentielles et les terrains de football sur le côté droit de la chaussée. Le ton sec employé par la femme de ménage lorsqu'elle avait prononcé le mot "évidemment" résonne dans la tête de Joona. Il se le répète encore et encore et revoit l'expression sur son visage lorsqu'il lui avait expliqué qu'elle serait convoquée au commissariat. Elle n'avait montré aucune espèce d'inquiétude et s'était contentée de hocher la tête.

Ils dépassent la ville de Rotebro. C'est là qu'ils avaient exhumé la dépouille de Johan Samuelsson, enterrée depuis dix ans dans le jardin de Lydia Evers. Ils l'avaient trouvée en cherchant Benjamin, le fils d'Erik Maria Bark. C'était l'hiver à l'époque, désormais la végétation a envahi les anciennes voies ferrées, et s'est développée autour des parkings, des lotissements et de villas. Joona appelle Nathan Pollock à la Rikskrim, qui décroche après seulement deux sonneries.

— Nathan, répond-il d'une voix légèrement nasillarde.

— Avec Tommy Kofoed, vous aviez examiné les traces de pas qui formaient des cercles sous le corps de Palmcrona.

— L'enquête préliminaire a été classée, répond Pollock qui pianote sur un ordinateur.

— Oui, mais maintenant…

— Je sais, l'interrompt-il. J'ai discuté avec Carlos, il m'a informé de l'évolution des événements.

— Tu pourrais y jeter un œil à nouveau ?

— Je suis précisément en train de le faire.

— Parfait. Tu auras terminé quand, tu crois ?

— Maintenant. Les empreintes de pas sont celles de Palmcrona et de son employée de maison, Edith Schwartz.

— Personne d'autre ?

— Non.

Saga maintient la vitesse de la voiture à cent quarante kilomètres à l'heure, et roule toujours en direction du nord sur la route européenne 4.

Joona et Saga se sont rendus ensemble au commissariat afin d'écouter l'enregistrement de l'interrogatoire d'Edith Schwartz. Ils y ont également consulté les commentaires écrits par John Bengtsson lors de l'entretien.

Après les formalités habituelles, John Bengtsson lui explique que les enquêteurs ne soupçonnent pas un crime, mais qu'il espère qu'elle pourra l'éclairer sur les raisons pour lesquelles Carl Palmcrona a décidé de mettre fin à ses jours. Il y a un moment de silence, seulement interrompu par le faible bruissement des ventilateurs, les grincements d'une chaise, le bruit d'un stylo sur une feuille. Dans son compte rendu, John Bengtsson a écrit que, en raison de l'indifférence manifeste d'Edith Schwartz, il choisit d'attendre qu'elle prenne la parole.

Un peu plus de deux minutes s'écoulent avant qu'elle ne dise quoi que ce soit. Et deux minutes, assis face à un policier et à une bande qui tourne dans le vide, c'est long.

— Monsieur le directeur avait-il enlevé son manteau ? lance-t-elle soudain.

— Pourquoi demandez-vous ça ? répond aimablement John Bengtsson.

Elle se tait de nouveau. Après un silence d'environ trente secondes, John prend la parole :

— Avait-il son manteau lorsque vous l'avez vu pour la dernière fois ?

— Oui.

— Vous avez dit à l'inspecteur Linna avoir vu un nœud fixé au plafond.

— Oui.

— Quel usage pensiez-vous qu'il en serait fait ?

Elle ne répond pas.

— Depuis quand était-il accroché là ?

— Depuis mercredi, répond-elle calmement.

— Vous avez donc constaté qu'il y avait un nœud au plafond le 2 juin au soir. Vous êtes rentrée chez vous. Le lendemain matin, le 3 juin, le nœud était toujours là, vous avez vu Palmcrona, vous avez quitté l'appartement et vous êtes revenue à 14 h 30 le 5 juin… et c'est là que vous avez rencontré l'inspecteur Linna.

John Bengtsson indique dans son compte rendu que, en guise de réponse, Edith a haussé les épaules.

— Pourriez-vous nous décrire ces quelques jours ? demande Bengtsson.

— Je suis entrée dans l'appartement du directeur Palmcrona le mercredi à 6 heures du matin. Je n'ai le droit d'utiliser ma clef que le matin car M. Palmcrona dort jusqu'à 6 h 30. Il est très à cheval sur les horaires, et ne fait pas de grasses matinées, même le dimanche. J'ai moulu du café dans le moulin manuel, j'ai coupé deux tranches de pain, puis je les ai recouvertes avec du Bregott* salé, deux tranches de pâté aux truffes, des concombres marinés et une tranche de cheddar sur le côté. J'ai mis la table en utilisant du linge de maison amidonné et la porcelaine d'été. Les journaux ne doivent comporter aucune publicité ou page sportive, je les ai donc retirées et j'ai posé les journaux pliés en deux à droite sur la table.

Avec une incroyable précision, elle décrit de quelle façon elle a cuisiné les steaks de veau à la crème fraîche du mercredi ainsi que les préparatifs du déjeuner de jeudi.

Elle achève son récit par le moment où, samedi, elle sonne à la porte avec les provisions pour le week-end, puis se tait.

— Je comprends que ça soit difficile pour vous, dit John Bengtsson après un moment. Mais je vous écoute depuis tout à l'heure et vous avez passé en revue les journées du mercredi et du jeudi dans leurs moindres détails mais, pas une seule fois, vous n'avez fait allusion à quoi que ce soit ayant un lien avec le décès de Carl Palmcrona.

Une fois encore, elle conserve le silence.

— Je vous demande de fouiller dans vos souvenirs, poursuit patiemment Bengtsson. Saviez-vous que Carl Palmcrona était mort lorsque vous avez sonné à la porte ?

* Mélange gras qui contient de la crème fraîche, de l'huile de colza, du sel, de l'acide lactique fermenté, de la vitamine A et de la vitamine D.

— Non.

— N'avez-vous pas demandé à l'inspecteur Linna si nous avions descendu son corps ? demande John avec une certaine impatience.

— Si.

— Vous l'aviez déjà vu mort ?

— Non.

— Mais merde, dit John d'un ton agacé. Vous ne pouvez pas simplement raconter ce que vous savez ? Qu'est-ce qui vous a fait demander si on l'avait descendu ? Vous l'avez bien posée cette question ! Pourquoi l'avez-vous fait si vous ignoriez qu'il était mort ?

Dans son rapport, John Bengtsson avait noté qu'il avait fait l'erreur de s'emporter à la suite de ses réponses évasives. Après qu'il avait haussé le ton, elle s'était refermée comme une huître.

— Est-ce que je suis accusée de quelque chose ? demande-t-elle froidement.

— Non.

— Alors, nous en avons terminé.

— Cela nous aiderait beaucoup si…

— Je ne me rappelle rien d'autre, l'interrompt-elle en se levant de sa chaise.

Joona jette un œil à Saga dont le regard est fixé sur le poids lourd qui avance à vive allure devant eux.

— Je réfléchis à l'interrogatoire de la femme de ménage, dit Joona.

— Moi aussi.

— John s'est énervé contre elle, il pensait qu'elle se contredisait. Il affirmait qu'elle savait que Palmcrona était mort lorsqu'elle a sonné à la porte.

— Oui, répond Saga sans le regarder.

— Elle a dit la vérité, elle ignorait s'il était mort même si elle y a pensé. C'est pour cela qu'elle a répondu par la négative à sa question.

— Edith Schwartz semble être une femme assez particulière.

— Je crois qu'elle essaie de nous cacher quelque chose sans avoir à nous mentir.

46

LA PHOTOGRAPHIE

Joona et Saga doutent de pouvoir obtenir des informations décisives de la part d'Edith Schwartz. En revanche, il se peut qu'elle sache où se trouve la photographie.

Saga quitte l'autoroute et ralentit. Elle bifurque sur la route 77, passe sous le viaduc de l'autoroute en direction de Knivsta, puis rejoint une petite route gravillonnée qui longe l'autoroute.

Une petite forêt de sapins borde quelques parcelles de terre en jachère. Le mur d'un abri à fumier s'est affaissé et le toit de tôle est désormais de travers.

— On est censés être arrivés, dit Saga en consultant le GPS.

Ils poursuivent à faible allure jusqu'à une barrière rouillée et s'arrêtent. En quittant la voiture, Joona constate que l'on entend toujours le grondement ondoyant de la circulation sur l'autoroute.

A vingt mètres, ils aperçoivent une petite maison en briques jaunâtres dont les volets et la toiture en Eternit sont recouverts de mousse.

En s'approchant de la maison, ils entendent un étrange cliquetis. Saga lance un regard en direction de Joona. Soudain alertés, ils se dirigent lentement vers la porte d'entrée. Ils entendent un bruissement derrière la maison, puis de nouveau le cliquetis métallique. Cette fois, le bruit s'intensifie et, tout à coup, un grand chien se jette sur eux. Dressé sur deux pattes, la gueule ouverte, il est retenu à un mètre seulement de Saga. Puis, il est tiré en arrière et repose automatiquement ses pattes antérieures sur le sol avant de se mettre à aboyer. C'est un grand berger allemand au pelage sale. L'animal semble très agressif, il aboie encore et encore en secouant parfois sa tête et en courant sur le côté. C'est seulement maintenant qu'ils voient que le chien est attaché à un long trolley coulissant. Lorsqu'il court, la laisse glisse sur le câble tendu en provoquant un cliquetis.

Le chien se retourne et fonce sur Joona, le câble l'arrête et il est tiré en arrière. Il aboie frénétiquement mais s'arrête net lorsqu'une voix retentit à l'intérieur de la maison :

— Nils ! crie une femme.

Le chien gémit puis tourne en rond, la queue entre les pattes. Ils entendent le plancher grincer et après quelques secondes la porte s'ouvre. Le chien se précipite derrière la maison, suivi par le chuintement du câble. Edith apparaît sur le perron vêtue d'une vieille robe de chambre mauve. Elle les regarde.

— Nous avons besoin de vous parler, dit Joona.

— J'ai déjà dit tout ce que je savais.

— Pouvons-nous entrer ?

— Non.

Joona jette un coup d'œil à l'intérieur de la maison. Dans l'obscurité, il distingue des casseroles et des assiettes, un tuyau d'aspirateur gris, des vêtements, des chaussures et des cages à appât pour écrevisses entassés dans l'entrée.

— On peut aussi bien rester ici, dit Saga d'un ton aimable.

Joona consulte un instant son calepin et commence par vérifier si Edith Schwartz se souvient des détails qu'elle a livrés pendant l'interrogatoire. C'est une méthode de routine pour révéler des mensonges ou d'éventuels arrangements avec la vérité car il est souvent difficile de se rappeler de détails inventés au cours de l'interrogatoire.

— Qu'est-ce que Palmcrona a mangé mercredi ?

— Des steaks hachés de veau avec une sauce à la crème fraîche.

— Avec du riz ?

— Pommes de terre. Toujours des pommes de terre à l'eau.

— A quelle heure êtes-vous arrivée à l'appartement de Palmcrona jeudi ?

— A 6 heures.

— Etiez-vous allée faire des courses lorsque vous avez quitté l'appartement de Palmcrona jeudi ?

— Il m'a libérée.

Joona la regarde dans les yeux puis se dit qu'il doit en venir au fait.

— Est-ce que Palmcrona avait déjà accroché le nœud au plafond mercredi ?

— Non.

— Pourtant, c'est ce que vous avez déclaré à notre collègue John Bengtsson, dit Saga.

— Non.

— Nous avons l'enregistrement de l'interrogatoire, poursuit Saga en réprimant son irritation, puis elle choisit de ne pas insister.

— Est-ce que vous avez parlé du nœud avec Palmcrona ? demande Joona.

— Nous ne parlions jamais de choses d'ordre privé.

— Mais vous ne trouvez pas étrange de laisser un homme seul avec un nœud coulant accroché au plafond ? demande Saga.

— Je n'allais pas rester à regarder, répond Edith avec un petit sourire.

— Non, dit calmement Saga.

Pour la première fois, Edith semble vraiment regarder Saga. Sans gêne, elle laisse son regard parcourir ses cheveux ornés de rubans de couleur, son visage sans maquillage, son jean délavé et ses baskets.

— Seulement, je n'arrive toujours pas à comprendre, dit Saga d'une voix lasse. Vous avez dit à notre collègue avoir vu le nœud mercredi, mais à l'instant, lorsque je vous ai reposé la question, vous avez répondu le contraire.

Joona consulte ce qu'il a écrit il y a quelques minutes lorsque Saga a demandé si Palmcrona avait déjà accroché le nœud mercredi.

— Edith, dit-il. Je crois comprendre ce que vous voulez dire.

— Bien, dit-elle à voix basse.

— Lorsqu'on vous a demandé si Palmcrona avait déjà accroché le nœud mercredi, vous avez répondu non car ce n'est pas lui qui a accroché le nœud.

La vieille dame lève sur lui un regard dur et dit ensuite d'un ton maussade :

— Il a essayé, mais il n'y arrivait pas. Il avait le dos bien trop engourdi depuis son opération cet hiver... Alors il m'a demandé de le faire.

Le silence tombe à nouveau. Les arbres sont immobiles sous le soleil de plomb.

— C'est donc vous qui avez accroché le fil à linge pourvu d'un nœud coulant au crochet du plafond ? demande Joona.

— Il a fait le nœud et tenu l'escabeau pendant que je grimpais.

— Ensuite vous avez rangé l'escabeau, vous êtes retournée vaquer à vos occupations puis vous êtes rentrée chez vous le mercredi soir après avoir fait la vaisselle du dîner, dit Joona.

— Oui.

— Vous êtes revenue le lendemain matin, poursuit-il. Et comme d'habitude vous avez préparé son petit-déjeuner.

— Saviez-vous alors qu'il n'était pas pendu au plafond ? demande Saga.

— J'ai vérifié dans le petit salon.

L'espace d'une seconde, un sourire narquois semble traverser son visage figé.

— Vous avez déjà raconté que Palmcrona avait pris son petit-déjeuner exactement comme d'habitude, mais ce matin-là, il ne s'est pas rendu à son travail.

— Il est resté dans le salon au moins une heure.

— En écoutant de la musique ?

— Oui.

— Juste avant le déjeuner, il a passé un coup de fil, dit Saga.

— Je ne sais pas, il était dans son bureau, la porte fermée, mais avant de se mettre à table pour manger le saumon mariné, il m'a demandé de commander un taxi pour deux heures.

— Il allait à l'aéroport d'Arlanda, dit Joona.

— Oui.

— Et à 13 h 50 il a reçu un appel ?

— Oui, il avait déjà enfilé son manteau et a répondu dans l'entrée.

— Vous avez entendu ce qu'il disait ? demande Saga.

Edith gratte son pansement puis pose sa main sur la poignée de la porte.

— Mourir, ce n'est pas un cauchemar, dit-elle à voix basse.

— Je vous ai demandé si vous aviez entendu ce qu'il disait, répète Saga.

— Maintenant, veuillez m'excuser, dit sèchement Edith en refermant la porte.

— Attendez, dit Joona.

Elle interrompt son mouvement mais sans rouvrir davantage, elle dévisage Joona dans l'entrebâillement de la porte.

— Vous avez eu le temps de trier le courrier de Palmcrona pour aujourd'hui ? demande Joona.

— Evidemment.

— Cherchez tout ce qui n'est pas de la publicité.

Elle hoche la tête, entre, referme derrière elle et revient quelques secondes plus tard avec un bac en plastique bleu rempli de courrier.

— Merci, dit Joona en récupérant le bac.

A peine Edith Schwartz a-t-elle verrouillé derrière elle que le cliquetis du chariot coulissant reprend. Ils retournent à la voiture. Derrière eux, le chien aboie de plus belle.

Saga démarre et fait demi-tour. Joona enfile des gants en latex, fouille dans le bac et saisit une enveloppe blanche dont l'adresse est manuscrite. Il l'ouvre et en sort délicatement la photo pour laquelle au moins deux personnes sont mortes.

LA QUATRIÈME PERSONNE

Saga Bauer se rabat sur l'accotement et arrête le véhicule. Les hautes herbes du fossé balaient la vitre. Immobile, Joona Linna fixe la photo.

En dehors d'une ombre qui masque le bord supérieur, l'image est extrêmement nette. L'appareil était sans doute caché et la photo a dû être prise à la dérobée.

La photo représente trois hommes et une femme dans une vaste loge de salle de concert. On distingue nettement les visages bien que l'un d'entre eux soit de profil.

Ils sont assis à une table dressée sur laquelle est posé un seau à glace contenant une bouteille de champagne. Vraisemblablement, ils mangent et discutent tout en écoutant de la musique.

Joona reconnaît immédiatement Carl Palmcrona, qui tient une flûte de champagne à la main. Saga identifie deux autres personnes.

— Lui, c'est Raphael Guidi, le marchand d'armes que Björn a mentionné dans son premier e-mail, dit-elle en désignant un homme aux cheveux clairsemés. Celui qui est de profil, c'est Pontus Salman, le patron de Silencia Defence.

— Des armes, dit Joona à voix basse.

— Silencia Defence est une entreprise sérieuse.

A l'arrière-plan, sur la scène, éclairés par des projecteurs, les musiciens d'un quatuor à cordes sont assis en demi-cercle. Le calme qui se lit sur leur visage semble exprimer leur dévotion à la musique. Il est impossible de déterminer si leurs regards sont posés sur les partitions ou s'ils ferment les yeux pour mieux apprécier les différentes modulations de la mélodie.

— Qui est la quatrième personne, la femme ? demande Joona.

— J'ai son nom sur le bout de la langue, répond Saga d'un air songeur. Je la reconnais, mais… Merde, alors…

Saga se concentre en silence sur le visage de la femme.

— Il faut trouver de qui il s'agit, dit Joona.

— Oui.

Saga démarre la voiture et, à l'instant même où elle quitte l'accotement, le nom lui revient en mémoire :

— Agathe al-Haji, dit-elle avec enthousiasme. C'est la conseillère militaire du président Omar el-Béchir.

— Soudan.

— Oui.

— Elle travaille avec lui depuis longtemps ?

— Quinze ans, peut-être plus, je ne m'en souviens pas.

— Alors, que signifie cette photo ?

— Je ne sais pas, peut-être rien de particulier, je veux dire… il n'y a rien d'étrange à ce que ces personnes se rencontrent pour faire des affaires ensemble. Au contraire. Ce genre de réunion fait partie intégrante du processus. C'est peut-être une première étape. Ils se rencontrent, parlent de leurs projets et demandent à Carl Palmcrona un accord de principe.

— Et un accord de principe signifie que l'ISP est susceptible de leur donner une autorisation définitive d'exportation.

— Exactement, c'est une indication.

— Est-ce que la Suède exporte du matériel de guerre au Soudan ?

— Non, je ne crois pas. Il faudra qu'on en parle avec quelqu'un qui s'y connaît vraiment mais il me semble que la Chine et la Russie sont les premiers exportateurs vers ce pays. Ce n'est peut-être plus le cas, un accord de paix a été signé au Soudan en 2005 et j'imagine que le marché a dû s'ouvrir.

— Mais alors cette photo ? Pourquoi a-t-elle poussé Carl Palmcrona à se suicider ? La seule chose qu'elle prouve, c'est qu'il a rencontré trois personnes dans une loge.

Ils roulent en silence sur l'autoroute poussiéreuse en direction du sud pendant que Joona observe la photo, la retourne, et examine le coin déchiré.

— La photo en elle-même ne représente donc pas une menace ? demande-t-il.

— Non, pas à mes yeux.

— Palmcrona s'est-il suicidé parce qu'il a réalisé que celui qui a pris la photo allait dévoiler un secret ? Elle représente peut-être seulement un avertissement. Penelope et Björn sont peut-être plus importants que la photo ?

— On ne sait rien, que dalle.

— Mais si. Le problème, c'est qu'on n'arrive pas à établir de lien entre les différentes pièces du puzzle. Pour l'instant, on ne peut que supposer ce en quoi consistait la mission du tueur à gages. Il semble qu'il cherchait cette photo dans le but de la détruire et qu'il a tué Viola Fernandez en pensant qu'elle était Penelope.

— Il se peut que Penelope soit la photographe. C'est sans doute le cas, mais il ne s'est pas contenté de la tuer.

— Tout à fait, c'est exactement ce que j'étais en train de me demander. On ne sait pas ce qui vient en premier… Est-ce la photo qui mène au photographe qui est, lui, considéré comme la véritable menace ? Ou est-ce l'inverse ?

— La première cible du tueur était l'appartement de Björn.

Ils conservent le silence pendant une demi-heure et ont presque rejoint le commissariat de Kungsholmen lorsque Joona observe à nouveau la photo. Les quatre personnes dans la loge, la nourriture, les quatre musiciens sur scène derrière eux, les instruments, le lourd rideau, la bouteille de champagne, les flûtes.

— Quand je regarde cette photo, dit Joona, je vois quatre visages… et je ne peux m'empêcher de penser que l'un d'eux est responsable de l'assassinat de Viola Fernandez.

— Palmcrona est mort, donc il y a peu de chances pour que ce soit lui. Il n'en reste plus que trois… et deux d'entre eux seront impossibles à interroger, ils sont complètement hors de notre portée.

— Il faut faire parler Pontus Salman, répond sèchement Joona.

— On le cueille pour un interrogatoire ?

LA COURONNE DE MARIÉE

Joindre quelqu'un de chez Silencia Defence AB s'avère d'une difficulté déroutante. Tous les numéros disponibles sont autant d'accès au même labyrinthe de serveurs vocaux et d'informations préenregistrées. Après de nombreuses tentatives infructueuses, Saga entrevoit enfin la possibilité de parler à quelqu'un en pressant la touche 9 suivie de la touche étoile pour entrer en contact avec les vendeurs de l'entreprise. Elle est mise en relation avec la secrétaire du vendeur, ignore ses questions et lui fait part de la raison de son appel. La secrétaire reste d'abord muette, puis elle explique à Saga qu'elle a choisi le mauvais numéro et que le standard est sur le point de fermer.

— Je vais devoir vous demander de rappeler demain entre 9 heures et 11 heures et…

— Veillez simplement à prévenir Pontus Salman qu'il recevra la visite de la Sûreté aujourd'hui à 14 heures, l'interrompt Saga en haussant le ton.

Elle pianote sur un ordinateur.

— Je suis navrée, dit la secrétaire après un moment. Il est en réunion toute la journée.

— Pas à 14 heures, dit Saga.

— Si, il y a marqué qu'il…

— Qu'il sera en entretien avec moi.

— Je vais faire passer votre demande.

— Merci beaucoup, termine Saga en croisant le regard de Joona qui se tient devant elle.

— A 14 heures ? demande-t-il.

— Oui.

— Tommy Kofoed veut voir la photo. On se retrouve dans son bureau après le déjeuner avant d'y aller.

Tandis que Joona déjeune avec Disa, les techniciens de la Rikskrim travaillent sur la photo. Le visage de l'une des quatre personnes est effacé au point de le rendre méconnaissable.

*

Disa retire le récipient de la rizeuse en souriant. Elle le tend à Joona et le regarde mouiller ses mains. Il vérifie si le riz a suffisamment refroidi pour qu'il puisse former de petites boules.

— Est-ce que tu savais que Södermalm avait son propre calvaire ? demande-t-elle.

— Calvaire ? Ce n'est pas un…

— Mont Golgotha, dit Disa en hochant la tête. Elle ouvre un placard dans la cuisine de Joona, saisit deux verres et verse du vin blanc dans l'un et de l'eau dans l'autre.

Le visage de Disa semble détendu. Ses taches de rousseur ont bruni et ses cheveux ébouriffés sont négligemment réunis en une tresse sur sa nuque.

Joona se rince les mains et sort un torchon propre. Disa se poste devant lui et pose ses bras autour de son cou. Joona répond à son geste en appuyant son visage contre sa tête, il respire son odeur et sent ses mains chaudes lui caresser le dos et la nuque.

— On ne peut pas essayer ? chuchote-t-elle. Juste essayer ?

— Si, répond-il à voix basse.

Elle le prend dans ses bras, très fort, puis desserre son étreinte.

— Tu m'énerves tellement parfois, marmonne-t-elle en lui tournant le dos.

— Disa, je suis comme je suis, mais je…

— Heureusement qu'on ne vit pas ensemble, l'interrompt-elle avant de quitter la cuisine.

Il l'entend s'enfermer dans la salle de bains et se demande s'il devrait la suivre, frapper à la porte. Mais il sait au fond de lui qu'elle a besoin d'un moment de solitude et décide de continuer à préparer le repas. Il prend un bout de poisson, le pose délicatement dans la paume de sa main et le recouvre d'une fine couche de wasabi.

Après quelques minutes, Disa revient dans la cuisine et, depuis le seuil de la porte, le regarde former les sushis.

— Tu te souviens, dit Disa d'une voix rieuse, ta mère enlevait toujours le saumon du sushi et le faisait cuire à la poêle avant de le remettre sur le riz ?

— Oui.

— Je mets la table ?

— Si tu veux.

Disa apporte les assiettes et les baguettes dans la grande pièce et s'arrête un instant près de la fenêtre pour regarder la rue en contrebas. Le feuillage d'un bosquet d'arbres brille d'une couleur vert clair estivale. Son regard erre sur le sympathique quartier situé près de la place Norra Nantorget où Joona habite depuis un an.

Elle met le couvert sur la grande table blanche recouverte de poussière, retourne dans la cuisine et boit une gorgée de vin. Il a perdu cette vivacité que lui donne souvent sa fraîcheur. Elle réprime l'envie de s'installer à même le sol et de demander s'ils ne peuvent pas manger par terre, avec les mains, cachés sous la table, comme le feraient des enfants.

— On m'a invitée à sortir, dit-elle.

— A sortir ?

Elle hoche la tête. Elle ressent un besoin furtif d'être un peu méchante sans vraiment le vouloir.

— Raconte, dit calmement Joona qui porte le plateau de sushis à table.

Disa reprend son verre et dit d'un ton léger :

— C'est juste quelqu'un au musée qui me demande depuis six mois si je voudrais dîner avec lui un soir.

— On fait encore ça de nos jours ? Inviter des femmes à dîner ?

Disa affiche un sourire en coin :

— Tu es jaloux ?

— Je ne sais pas, un peu, répond Joona en s'approchant d'elle. C'est sympa d'être invitée à dîner.

— Oui.

Disa passe ses doigts dans ses cheveux épais.

— Il est beau ?

— Il se trouve que oui.

— Tant mieux.

— Mais je n'ai pas envie de sortir avec lui, dit-elle en souriant.

Joona ne répond pas, il se tient immobile, le visage légèrement tourné.

— Tu sais ce que je veux, dit Disa d'une voix douce.

Son visage devient soudain étrangement pâle, des gouttes de sueur se sont formées sur son front. Lentement, il se tourne vers elle, ses yeux sont noirs et son regard dur, insondable.

— Joona ? Laisse tomber, s'empresse-t-elle. Excuse-moi…

Joona ouvre la bouche comme pour dire quelque chose. Il fait un pas vers elle lorsque soudain il s'effondre.

— Joona, crie Disa en renversant son verre.

Elle s'élance vers lui, le prend dans ses bras et lui chuchote que ça va bientôt passer.

Après un moment, le visage de Joona semble se détendre. L'expression de douleur s'atténue progressivement.

Disa ramasse les éclats de verre, puis ils s'installent à table en silence.

— Tu ne prends pas tes médicaments.

— Ils me fatiguent. Il faut que j'aie les idées claires, c'est très important en ce moment.

— Tu m'avais promis de les prendre.

— Je vais le faire.

— C'est dangereux, tu le sais, chuchote-t-elle.

— Je recommencerai dès que j'aurais résolu cette affaire.

— Et si tu ne la résous pas ?

*

De loin, le Musée nordique ressemble à un bibelot sculpté dans l'ivoire. Il a été en fait construit avec du grès et de la pierre à chaux. Un bâtiment gracieux, inspiré par l'architecture de la Renaissance danoise, avec de nombreuses tours et tourelles. Le musée était destiné à rendre hommage à la souveraineté des peuples nordiques, mais lorsqu'il fut inauguré, un jour pluvieux de l'été 1907, l'union avec la Norvège était dissoute et le roi mourant.

Joona traverse l'immense hall d'un pas rapide et ne s'arrête qu'une fois arrivé en haut de l'escalier. Il rassemble ses esprits et regarde le sol un long moment avant de passer lentement devant les vitrines éclairées. Rien ne semble attirer son attention. Joona est plongé dans ses souvenirs, dans ses regrets.

Le gardien a déjà approché une chaise pour lui près de la vitrine.

Joona Linna s'installe et observe attentivement les huit pointes de la couronne de mariée samie, telles deux mains qui s'unissent. Elle brille d'une lueur douce derrière la vitre. Une voix résonne dans sa tête, un visage lui sourit. Il est assis au volant de sa voiture, ce jour-là il avait plu et le soleil se reflétait dans les flaques d'eau sur la route, comme si elles étaient éclairées par un feu souterrain.

Il se retourne vers le siège arrière pour vérifier que Lumi est bien attachée.

La couronne de mariée semble être faite de branches claires, de cuir ou de cheveux tressés. Il observe sa promesse d'amour et de bonheur, se remémore l'expression sérieuse de sa femme, ses cheveux couleur sable qui tombaient délicatement sur son visage.

— Comment allez-vous ?

Joona regarde le gardien d'un air surpris. Il travaille ici depuis de nombreuses années. C'est un homme barbu entre deux âges, les yeux marqués de celui qui les a trop souvent frottés.

— A vrai dire, je ne sais pas, marmonne-t-il en se levant.

Tandis qu'il quitte le musée, le souvenir de la petite main de Lumi persiste en lui comme un regret. Il s'était retourné pour vérifier qu'elle était bien attachée et avait soudain senti sa main toucher ses doigts.

49

LE VISAGE FLOU

Joona Linna et Saga Bauer s'apprêtent à rencontrer Pontus Salman au siège de Silencia Defence. Ils ont apporté avec eux la photo sur laquelle les techniciens de la Riskrim ont travaillé.

Ils n'échangent pas un mot pendant le trajet qui les conduit à Nynäshamn.

Deux heures auparavant, Joona avait examiné la photo et s'était attardé sur le visage calme de Raphael, ses cheveux clairsemés ; le discret sourire de Palmcrona, ses lunettes aux montures métalliques ; Pontus Salman et son air de garçon bien élevé ; les joues ridées d'Agathe al-Haji et son regard intelligent.

— J'ai une idée, avait lentement articulé Joona en croisant le regard de Saga. Si on détériorait un peu la photo, si on la travaillait de façon à ce qu'il ne soit plus possible d'identifier Pontus Salman…

Il s'était interrompu et avait poursuivi un instant son raisonnement pour lui-même.

— A quoi ça servirait ? avait demandé Saga.

— Il ne sait pas que nous possédons un original de bonne qualité – n'est-ce pas ?

— Il ne peut pas le savoir, il va sûrement supposer qu'on a tout fait pour améliorer la netteté de la photo et non le contraire.

— Exactement, on a voulu savoir qui sont les personnes qui y figurent, mais on n'est parvenu à en identifier que trois, parce que la quatrième est légèrement de profil et que son visage est bien trop flou.

— Tu veux dire qu'on peut lui donner la possibilité de mentir et dire qu'il n'y était pas, qu'il n'a pas rencontré Palmcrona, Agathe al-Haji et Raphael.

— Parce que s'il nie sa présence, ça veut dire que c'est la réunion en elle-même qui est sensible.

— Et s'il commence à mentir, il se retrouvera pris au piège.

Une fois passé le quartier Handen, ils bifurquent sur Jordbrolänken et entrent dans une zone industrielle entourée d'une paisible forêt.

Le siège de Silencia Defence est un immeuble en béton gris. Sa façade impersonnelle lui confère une apparence aseptisée, austère.

Depuis la voiture, Joona observe l'immeuble imposant et balaie lentement du regard les fenêtres aux vitres teintées. Il repense à la photo qui a déclenché un déchaînement de violence tel qu'une jeune femme a été assassinée et qu'une mère se retrouve accablée par le chagrin. Penelope Fernandez et Björn Almskog en sont peut-être également morts. Joona sort de la voiture et sent ses mâchoires se serrer tandis qu'il imagine Pontus Salman, l'un des mystérieux personnages de la photo, à l'intérieur de l'immeuble.

La photo a été dupliquée et l'original envoyé au Laboratoire gouvernemental de la police technique et scientifique de Linköping. Tommy Kofoed est parvenu à faire en sorte que la copie paraisse vieille et usée. Comme sur l'original, un coin est déchiré et des restes de scotch ont été collés sur les trois autres angles. En revanche, Kofoed a flouté le visage ainsi qu'une des mains de Pontus Salman, exactement comme s'il avait bougé au moment où la photo a été prise.

Salman pensera que lui – lui seul – a eu la chance de ne pas être identifiable sur le cliché, que rien ne peut le relier à cette réunion avec Raphael Guidi, Carl Palmcrona et Agathe al-Haji. Il n'aura qu'à nier être sur la photo pour ne pas y être associé. Ne pas se reconnaître sur une photo floue ou n'avoir aucun souvenir d'une réunion ne constitue pas un délit.

Joona se dirige vers l'entrée.

Mais s'il nie, on saura qu'il veut nous cacher quelque chose.

L'air est d'une chaleur étouffante.

Saga adresse un hochement de tête à Joona puis ils franchissent les lourdes portes de l'immeuble.

Et si Salman commence à nous cacher la vérité, pense Joona, on veillera à ce qu'il s'enfonce de plus en plus dans son mensonge jusqu'à ce qu'il se retrouve coincé.

Ils pénètrent dans un grand hall frais.

Lorsque Pontus Salman regardera la photo et niera être en mesure d'identifier la personne floue, on lui dira que c'est bien dommage et, avant de franchir le seuil, on s'arrêtera pour lui demander d'examiner une dernière fois le cliché avec une loupe. Les techniciens ont laissé une chevalière visible sur sa main. On lui demandera alors s'il reconnaît les habits, les chaussures ou la bague sur le petit doigt de cette personne. Il sera obligé de continuer de nier, et ses mensonges flagrants constitueront alors une charge suffisante pour l'embarquer au commissariat et l'interroger.

Un emblème rouge à l'enseigne de l'entreprise et une frise ornée de nombreuses runes brillent derrière la réception.

— *Il s'est battu tant qu'il avait des armes*, dit Joona.

— Tu connais l'alphabet runique ? demande Saga d'un air sceptique.

Joona désigne le panneau sur lequel figure la traduction puis se tourne vers la réception. Derrière le comptoir, un homme pâle aux lèvres minces et sèches les regarde.

— Pontus Salman, dit Joona sèchement.

— Vous avez rendez-vous ?

— A 14 heures, dit Saga.

Le réceptionniste feuillette ses documents.

— Oui, tout à fait, dit-il à voix basse. Pontus Salman a annulé le rendez-vous.

— On ne nous a pas prévenus, dit Saga. Nous avons besoin de son aide pour…

— Je suis vraiment navré.

— Appelez-le pour lui expliquer le malentendu, dit Saga.

— Je cherche dans quel bureau il pourrait être, mais je ne crois pas… il est en réunion.

— Au quatrième étage, ajoute Joona.

— Cinquième, répond automatiquement le réceptionniste.

Saga s'installe dans un des fauteuils. Le soleil pénètre dans le hall par la baie vitrée et se répand comme du feu dans ses cheveux. Joona se tient toujours face au réceptionniste qui cale le combiné du téléphone contre son oreille et tape un numéro sur le clavier de l'ordinateur. Après un long moment, le réceptionniste secoue la tête.

— Raccrochez. Nous allons plutôt lui faire la surprise, dit Joona avec un sourire.

— Lui faire la surprise ? répète le réceptionniste avec perplexité.

Joona rejoint d'un pas déterminé la porte vitrée menant au couloir.

— Ce n'est pas la peine de lui annoncer notre arrivée, dit-il en souriant.

Deux taches rouges apparaissent sur les joues du réceptionniste. Saga se lève et emboîte le pas à Joona.

— Attendez, tente l'homme. Je vais essayer de...

Ils traversent le couloir, entrent dans l'ascenseur et appuient sur le chiffre 5. Les portes se referment et ils montent en silence.

Pontus Salman les attend devant l'ascenseur. C'est un homme d'une quarantaine d'années dont le visage et la gestuelle ont quelque chose de suranné.

— Bienvenue, dit-il à voix basse.

— Merci, répond Joona.

Pontus Salman pose un instant son regard sur eux.

— Un inspecteur et une princesse de conte de fées, constate-t-il.

Tandis qu'ils le suivent dans le couloir, Joona se remémore une dernière fois les différentes étapes du piège.

Un frisson parcourt son dos – comme si, à cet instant précis, dans la cellule frigorifique du service d'anatomopathologie, Viola Fernandez avait rouvert les yeux et l'observait, pleine d'espoir.

Dans le couloir, les vitres teintées créent un sentiment de suspension du temps. Ils pénètrent dans une pièce spacieuse dont le mobilier est composé d'un bureau en orme, d'un canapé et de fauteuils gris clair disposés autour d'une table basse en verre noir. Ils s'installent. Pontus Salman sourit machinalement et joint les mains.

— De quoi s'agit-il ?

— Etcs-vous au courant de la mort de Carl Palmcrona, de l'ISP ? demande Saga.

Salman hoche la tête :

— Suicide, d'après ce qu'on m'a dit.

— L'enquête n'est pas encore terminée, dit aimablement Saga. Nous examinons actuellement une photo que nous avons trouvée. Nous cherchons à identifier les personnes qui y figurent, aux côtés de Palmcrona.

— L'une d'entre elles est floue, dit Joona.

— Nous aimerions que vous fassiez passer la photo à votre personnel, quelqu'un pourrait la reconnaître. L'une de ses mains est nette.

— Je vois, dit Salman en plissant la bouche.

— Peut-être quelqu'un saura-t-il de qui il s'agit, poursuit Saga. Quoi qu'il en soit, ça vaut la peine d'essayer.

— Nous sommes allés chez Patria et Saab Bofors Dynamics, dit Joona. Mais personne n'a pu reconnaître l'individu en question.

Le visage fatigué de Pontus Salman n'exprime pas la moindre émotion. Joona se demande s'il prend des comprimés pour être si calme et serein. Il y a quelque chose d'étrangement inerte dans son regard, un aspect fuyant qui donne l'impression d'une distanciation complète.

— Vous devez estimer que c'est très important, dit Salman en croisant les jambes.

— Oui, répond Saga.

— Voudriez-vous me montrer cette curieuse photo ? demande Salman de son ton détaché.

— En dehors de Palmcrona, nous avons identifié le marchand d'armes Raphael Guidi, explique Joona. Et Agathe al-Haji, la conseillère militaire du président El-Béchir... mais personne n'a reconnu la quatrième personne.

Joona sort son dossier et lui tend la pochette plastique qui contient la photo. Saga désigne l'individu flou et Joona note dans son regard toute la concentration dont elle fait preuve pour déceler le moindre spasme nerveux, le moindre tremblement chez Salman trahissant son mensonge.

Salman s'humecte la bouche, pâlit, puis sourit et tape sur la photo en disant :

— Mais c'est moi !

— Vous ?

— Oui, dit-il dans un rire qui dévoile ses incisives.

— Mais...

— On s'est rencontrés à Francfort, poursuit-il avec un sourire satisfait. On écoutait un merveilleux... Je ne me rappelle plus ce qu'ils jouaient, Beethoven, je crois...

Joona tente de comprendre le pourquoi de cet aveu abrupt et se racle doucement la gorge :

— Vous en êtes sûr ?

— Oui.

— Voilà l'énigme résolue, dit Saga avec un ton enthousiaste qui ne laisse transparaître en rien leur déception.

— Je devrais peut-être postuler à la Säpo, plaisante Salman.

— Si je puis me permettre, pourquoi étiez-vous ensemble ? demande Joona.

— Mais je vous en prie, dit Salman en souriant. Cette photo a été prise au printemps 2008, on discutait d'un envoi de munitions au Soudan. Agathe al-Haji négociait pour leur gouvernement. La région devait être stabilisée après l'accord de paix de 2005. Les négociations étaient à un stade assez avancé, mais tout notre travail est parti en fumée avec ce qui s'est passé au printemps 2009. Nous avons été secoués, comme vous pouvez l'imaginer… Et depuis, nous n'avons plus eu de contact avec le Soudan.

Joona jette un regard furtif à Saga car il n'a pas la moindre idée de ce qui s'est passé au printemps 2009. Il décide de ne pas poser la question.

— Combien de fois vous êtes-vous rencontrés ? demande Joona.

— Ce fut la seule, répond-il. Alors on peut se dire qu'il est un peu curieux que le directeur de l'ISP ait accepté un verre de champagne.

— Vous trouvez ? demande Saga.

— Il n'y avait rien à célébrer… Mais il avait peut-être soif, dit Salman en souriant.

50

LA CACHETTE

Penelope et Björn ignorent combien de temps ils sont restés cachés sans faire un bruit dans le creux du rocher. La première nuit, ils s'étaient tapis dans l'ombre, sous le tronc d'un pin renversé.

Ils n'avaient plus la force de fuir. Exténués, ils s'étaient relayés pour dormir et monter la garde.

Jusqu'alors le tueur avait anticipé leurs moindres réactions, mais depuis un moment déjà, ils ne ressentaient plus sa présence. Il semblait étrangement absent et l'effrayante sensation d'une ombre glaciale dans leur dos avait disparu lorsqu'ils avaient quitté la route menant aux premières maisons. Contre toute attente, ils avaient décidé de pénétrer dans la forêt pour s'éloigner des habitations.

Penelope n'est pas sûre d'avoir réussi à laisser un message à sa mère.

Mais elle espère que bientôt on retrouvera leur bateau et que la police entamera des recherches.

L'unique possibilité qui s'offre à eux est de se cacher pour que le tueur ne les repère pas. Le rocher est recouvert de mousse, mais, dans la petite cavité, la pierre est nue et ils ont lapé l'eau claire qui s'écoulait entre les interstices avant de retourner dans l'ombre.

Haletants et accablés de chaleur, ils sont restés cachés toute la journée. Ce n'est que le soir venu, une fois la température retombée, qu'ils ont pu enfin trouver un peu de repos.

Des bribes de rêves et quelques souvenirs flous se bousculent dans la tête de Penelope tandis qu'elle dort d'un sommeil agité. Elle entend Viola jouer *Ah ! vous dirai-je, maman* sur son minuscule violon sur lequel de petits autocollants indiquent la position des doigts, puis elle la voit devant un miroir, appliquant du fard à paupières rose sur ses yeux en creusant ses joues.

Penelope se réveille en cherchant son souffle. Björn, qui tremblote à côté d'elle, est assis, les bras enserrant ses genoux.

La troisième nuit touche à sa fin et ils sont si affamés et à bout de forces qu'ils décident de quitter leur cachette. Le jour se lève lorsque Björn et Penelope parviennent au bord de l'eau. Les longues jonques de nuages sont déjà teintées de rouge par le soleil émergeant.

L'eau est calme et scintille dans la lumière matinale. Deux cygnes tuberculés s'éloignent lentement du bord.

Björn tend la main pour conduire Penelope jusqu'au rivage mais, soudain, ses genoux lâchent, il vacille, glisse mais parvient à se rattraper en prenant appui sur un caillou.

Penelope regarde fixement dans le vide tandis qu'elle enlève ses chaussures. Elle les attache par les lacets et les suspend autour de son cou.

— Viens, chuchote Björn. Ne réfléchis pas, nage.

Penelope veut lui demander d'attendre, elle n'est pas sûre de pouvoir y arriver, mais il est déjà dans l'eau. Elle frissonne et observe l'île située encore plus loin dans l'archipel de Stockholm.

Elle le suit, sent la morsure de l'eau froide autour de ses mollets et de ses cuisses. Le fond est cailouteux et glissant mais gagne vite en profondeur. Elle n'a pas le temps d'hésiter et pénètre dans l'eau à la suite de Björn.

Les bras engourdis, elle commence à nager vers l'autre rive malgré le poids de ses vêtements. Björn est déjà loin devant elle. Chaque brasse représente un effort insupportable. Ses muscles semblent hurler dans son corps.

L'île Kymmendö s'étale au loin tel un banc de sable. Elle bat l'eau de ses jambes fatiguées, lutte pour avancer et se maintenir à flot. Soudain, elle est aveuglée par les premiers rayons de soleil qui passent au-dessus des arbres. Eblouie, elle arrête de nager. Même si elle n'a pas encore de crampe, ses bras ne la portent plus. Elle s'immobilise pendant quelques secondes à peine, mais cela suffit pour que ses lourds vêtements l'entraînent sous la surface avant que ses bras ne lui obéissent de nouveau. Lorsqu'elle sort la tête de l'eau, elle est terrifiée. L'adrénaline a envahi son corps, elle respire rapidement et a perdu tout sens de l'orientation. Elle ne voit que la mer qui la cerne de toutes parts. Elle bat désespérément des pieds, tourne sur elle-même, réprime son envie de hurler puis aperçoit enfin la tête de Björn qui ballotte juste au-dessus de la surface, à cinquante mètres environ. Penelope nage dans sa direction en ignorant si elle trouvera la force nécessaire pour atteindre l'autre île.

Les chaussures attachées autour de son cou gênent ses mouvements. Elle tente de s'en défaire, mais elles se prennent dans sa croix. Puis la fine chaîne se brise et la croix de Penelope sombre dans les profondeurs avec ses chaussures.

Elle reprend sa nage et sent les battements lourds de son cœur qui cognent dans sa poitrine. Au loin elle aperçoit Björn qui rampe hors de l'eau. Il devrait se cacher au plus vite mais il se retourne pour la repérer. Le tueur pourrait se trouver sur une plage au nord d'Ornö et scruter les alentours avec ses jumelles.

Peu à peu, les mouvements de Penelope ralentissent. Elle s'affaiblit considérablement et sent ses jambes s'engourdir. L'acide lactique se diffuse dans les muscles de ses cuisses. Elle n'arrive plus à nager, les derniers mètres lui paraissent insurmontables. Le regard de Björn trahit son inquiétude, il entre dans l'eau pour aller à sa rencontre. Elle est de nouveau sur le point de laisser tomber mais trouve l'énergie de faire encore quelques brasses. Enfin, elle se rend compte qu'elle a pied. Björn l'attire contre lui et la hisse sur la plage de cailloux.

— Il faut qu'on se cache, dit-elle, haletante.

Il l'aide à atteindre les premiers sapins. Elle ne sent plus ses jambes ni ses pieds et tremble de froid. Ils pénètrent de plus en plus profondément dans la forêt et ne s'arrêtent que lorsque la mer n'est plus en vue.

A bout de forces, ils s'affaissent sur la mousse au milieu des buissons de myrtilles et s'enlacent en attendant que leur respiration se calme.

— Ce n'est plus possible, gémit-elle.

Penelope claque les dents contre la poitrine gelée de Björn :

— J'ai froid, dit-elle, il faut qu'on trouve des vêtements secs.

Ils se relèvent lentement et il s'efforce de la soutenir lorsqu'ils commencent à marcher. Björn patauge à chaque pas dans ses baskets trempées. Sur le sol, les pieds nus de Penelope apparaissent d'une extrême blancheur. Son jogging gorgé d'une eau glacée pèse sur ses hanches. En silence, ils se dirigent vers l'est et s'éloignent d'Ornö. Après vingt minutes, ils atteignent l'autre plage. Le soleil est désormais haut dans le ciel et ses reflets illuminent la mer étale. L'air commence à se réchauffer. Penelope s'arrête devant une balle de tennis qui gît dans les herbes hautes du pré. D'un jaune verdâtre, l'objet lui paraît curieusement étranger. Ce n'est qu'en relevant la tête qu'elle aperçoit la maison, presque entièrement dissimulée derrière une épaisse haie de lilas, une petite maison rouge avec une belle terrasse qui donne sur la mer. Tous les rideaux sont tirés. Sous une tonnelle, elle aperçoit une balancelle sans coussins. La pelouse n'est pas entretenue et une branche semble être tombée d'un vieux pommier en travers de l'allée de pavés gris clair.

— Il n'y a personne, chuchote Penelope.

Ils redoutent encore que leur venue ne provoque des aboiements ou des cris de surprise et s'approchent avec prudence. Ils scrutent l'intérieur par l'interstice des rideaux, contournent la maison et tentent d'ouvrir doucement la porte d'entrée. Elle est fermée à clef. Penelope balaie la façade du regard.

— Il faut qu'on entre, on a besoin de se reposer, dit Björn. On va devoir casser une vitre.

Un pot en terre glaise est appuyé contre le mur, il contient une petite plante aux fines feuilles vert pâle. Penelope reconnaît l'odeur de la lavande lorsqu'elle se penche pour ramasser l'une des pierres dans la terre du pot. La pierre est en plastique et munie d'un petit couvercle sur le dessous. Elle l'ouvre, en sort une clef et remet la fausse pierre dans le pot.

Ils ouvrent la porte et pénètrent dans une petite entrée. Le sol y est recouvert de parquet en pin. Penelope sent ses jambes trembler. Elle semble sur le point de s'écrouler. Elle tâtonne autour d'elle pour trouver quelque chose sur quoi prendre appui. Les murs sont tapissés d'un papier peint à médaillons pelucheux. Penelope est si fatiguée et affamée que la maison lui paraît irréelle, comme une maison en pain d'épice. Des photos encadrées et dédicacées sont accrochées au mur. Il y a aussi des signatures ou de petits textes écrits à l'encre dorée ou au feutre noir. Ils reconnaissent les visages de divers présentateurs d'émissions de télévision suédoises : Siewert Öholm, Bengt Bedrup, Kjell Lönnå, Arne Hegerfors, Magnus Härenstam, Malena Ivarsson, Jacob Dahlin.

Ils traversent le salon, pénètrent dans la cuisine et scrutent la pièce d'un regard nerveux.

— On ne peut pas rester là, chuchote Penelope.

Björn ouvre la porte du frigo. Il est rempli de produits frais. Contrairement à ce qu'ils avaient cru, la maison n'est pas inoccupée. Björn jette quelques coups d'œil autour de lui puis s'empare d'un fromage, d'un demi-salami et d'une brique de lait. Penelope trouve une baguette et une boîte de cornflakes dans le garde-manger. Ils s'empressent d'arracher de gros morceaux de pain qu'ils avalent avec du fromage. Björn boit le lait directement à la brique. Le liquide coule sur son menton et le long de son cou. Penelope mange du salami au poivre et des céréales. Après avoir pris la brique de lait, elle boit, avale de travers, tousse et boit de nouveau. Ils se sourient nerveusement, s'éloignent de la fenêtre et mangent encore avant de se calmer.

— Il faut qu'on trouve des habits avant de continuer, dit Penelope.

Tandis qu'ils fouillent la maison, ils ressentent peu à peu une sensation de chaleur envahir leur corps. Ils ont repris des forces, ils ont le ventre lourd, leur cœur bat plus vite et ils sentent le flux du sang dans leurs tempes.

Dans la plus grande chambre à coucher, une porte-fenêtre donne sur la tonnelle recouverte de lilas. Une immense penderie s'étend sur toute la longueur de l'un des murs. Penelope s'y précipite et ouvre l'une des portes coulissantes recouvertes de miroirs.

— C'est quoi tout ça ?

Des vêtements complètement insolites s'étalent sous leurs yeux parmi lesquels des costumes dorés, des ceintures à paillettes noires, un smoking jaune et une petite veste en fourrure légère. Etonnée, Penelope fouille dans un tas de strings, de slips tanga transparents, à motifs tigrés, camouflage ou encore tricotés.

Elle ouvre une autre porte et tombe sur des pulls, des vestes et des pantalons beaucoup plus classiques que les précédents. Elle fouille rapidement dans la penderie et en extirpe quelques vêtements. Elle baisse alors son jogging et son bas de bikini trempé, ôte son sweat à capuche et son haut de bikini crasseux.

Soudain, elle aperçoit son reflet dans le miroir. De nombreux hématomes parsèment tout son corps et des mèches noires pendouillent le long de son visage plein d'égratignures. Elle a des éraflures et des bleus sur le tibia, du sang coule toujours d'une plaie sur sa cuisse et sur sa hanche elle voit la longue écorchure qu'a provoquée sa chute.

Elle enfile un pantalon de costume froissé, un T-shirt affichant la phrase "Mange plus de porridge" et un pull en tricot qui lui arrive jusqu'aux genoux. Elle se réchauffe et son corps se languit d'un peu de repos. Soudain, elle fond en larmes, parvient à se calmer rapidement, et va chercher des chaussures dans l'entrée. Elle trouve une paire de bottes bleu marine et retourne dans la chambre. Björn est encore mouillé et couvert de boue. Il se contente d'enfiler un pantalon en velours violet par-dessus sa crasse. Ses pieds pleins de terre et recouverts de plaies laissent des traces de sang sur le sol. Il enfile un T-shirt bleu et une veste en cuir bleu clair cintrée à larges revers.

Penelope est à bout de forces. Elle ne parvient pas à retenir ses larmes. Son corps est parcouru de convulsions. Elle est secouée par des vagues de pleurs qui semblent contenir toute la terrifiante absurdité de leur fuite.

— Qu'est-ce qui se passe ? gémit-elle.

— Je ne sais pas, chuchote Björn.

— On n'a pas vu son visage. Qu'est-ce qu'il veut ? Mais qu'est-ce qu'il veut, bordel ? Je n'y comprends rien. Pourquoi est-ce qu'il est après nous ? Pourquoi est-ce qu'il veut nous faire du mal ?

Elle essuie ses larmes avec la manche de son pull.

— Je me dis, poursuit-elle, je veux dire… imagine que Viola ait fait quelque chose de stupide. Parce que, tu vois, son petit copain, Sergej, avec qui elle a rompu, c'est peut-être un criminel, je sais qu'il a travaillé comme videur.

— Penny…

— Je veux dire, Viola, elle est tellement… elle a peut-être fait quelque chose qu'elle n'aurait pas dû.

— Non, chuchote Björn.

— Comment ça, non ? On n'en sait rien, tu n'as pas besoin de me réconforter.

— Il faut que je…

— Lui… l'homme qui nous suit… il veut peut-être simplement nous parler. Je sais que ce n'est pas le cas, c'est juste que… je ne sais plus ce que je dis.

— Penny, dit Björn d'un ton grave. Tout ce qui est arrivé est ma faute.

Il la regarde. Ses yeux sont injectés de sang, ses joues d'un rouge intense sur son visage blafard.

— De quoi tu parles ? De quoi tu me parles ? demande-t-elle d'une voix basse.

Il déglutit lentement, puis explique :

— J'ai fait quelque chose de vraiment stupide, Penny.

— Qu'est-ce que tu as fait ?

— C'est à cause de la photo.

— Quelle photo ? Celle de Palmcrona et Raphael Guidi ?

— Oui, j'ai contacté Palmcrona. Je lui ai parlé de la photo et lui ai dit que je voulais de l'argent, mais…

— Non, chuchote-t-elle.

Penelope le fixe, incrédule. Elle s'éloigne de lui à reculons et renverse la table de chevet sur laquelle étaient posés un verre d'eau et un radio-réveil.

— Penny…

— Non, tais-toi, l'interrompt-elle d'une voix ferme. Je n'arrive pas à le croire. Qu'est-ce que tu es en train de me dire ? Tu ne peux pas… tu ne peux pas. Tu es malade, tu as fait chanter Palmcrona ? Tu as profité de…

— Mais écoute-moi ! Je l'ai regretté aussitôt, j'ai eu tort, je le sais, il a eu la photo, je lui ai envoyé la photo.

Silence. Penelope s'efforce de comprendre ce qu'il vient de dire. Les pensés se bousculent dans sa tête.

— C'est ma photo, dit-elle lentement en tentant de rassembler ses esprits. Il se peut qu'elle soit importante. C'est peut-être une photo importante. La personne qui me l'a envoyée m'a fait confiance, il peut y avoir quelqu'un qui sait quelque chose qui…

— Je voulais juste éviter de devoir vendre le bateau, chuchote-t-il au bord des larmes.

— Je n'arrive pas à comprendre… Tu as envoyé la photo à Palmcrona ?

— J'y étais obligé, Penny. J'ai compris que j'avais mal agi… j'étais obligé de lui donner la photo.

— Mais… il me la faut. Tu ne le comprends pas ? Imagine que la personne qui me l'a envoyée veuille la récupérer ? Il s'agit de quelque chose d'extrêmement important, de l'export d'armes suédois. Il ne s'agit pas de ton argent, ça n'a rien à voir avec nous, ce n'est pas un jeu, Björn.

Penelope le regarde d'un air désespéré, elle hausse le ton et dit d'une voix stridente :

— Il s'agit d'êtres humains, de leurs vies. Tu me déçois, tu peux pas savoir, dit-elle d'un ton las. Je suis tellement en colère contre toi que je pourrais te frapper. Je n'en peux plus.

— Mais Penny, je ne savais pas. Comment est-ce que j'aurais pu savoir ? Tu ne m'as rien dit, tu as dit que la photo était gênante pour Palmcrona, tu n'as pas dit que…

— Quelle importance, l'interrompt-elle.

— Je pensais juste que…

— Tais-toi ! crie-t-elle. Je ne veux pas écouter tes excuses bidon, tu n'es qu'un pauvre maître chanteur, je ne te connais pas et tu ne me connais pas non plus.

Elle se tait et ils se tiennent un moment face à face sans dire un mot.

Une mouette pousse un cri qui est bientôt suivi par d'autres, comme autant d'échos plaintifs.

— Il faut qu'on continue, dit Björn faiblement.

Penelope hoche la tête et, soudain, ils entendent la porte d'entrée s'ouvrir. Sans échanger un regard, ils reculent en même temps et rejoignent la chambre à coucher. Björn tente d'ouvrir la porte de la terrasse, mais elle est fermée à clef. Les mains tremblantes, Penelope détache les crochets des fenêtres, mais il est trop tard pour fuir.

51

CELUI QUI GAGNE

Penelope tente de reprendre son souffle. Un homme se tient sur seuil de la chambre à coucher. Björn cherche quelque chose pour se défendre, tout ce qui pourrait faire office d'arme.

— Mais qu'est-ce que vous fabriquez ici, nom d'un chien ? demande l'homme d'une voix rauque.

Penelope comprend qu'il ne s'agit pas du tueur, mais sans doute du propriétaire de la maison. C'est un homme corpulent de petite taille. Son visage lui paraît familier, comme si elle l'avait rencontré de nombreuses années auparavant.

— Des drogués ? demande-t-il avec intérêt.

Soudain, elle comprend qui il est. Ils se sont introduits chez Ossian Wallenberg. C'était un animateur télé très populaire, il y a une dizaine d'années. Il présentait les divertissements du vendredi. Ossian Wallenberg recevait des invités et animait des jeux où il fallait choisir des prix cachés derrière des volets clinquants. Chaque *Vendredi doré* se terminait de la même façon – Ossian devait soulever son invité. Penelope se souvient de l'avoir vu, petite, soulever Mère Teresa. La vieille dame fragile semblait complètement terrifiée. Ossian Wallenberg était connu pour ses cheveux dorés, ses tenues extravagantes, mais aussi pour sa sournoiserie.

— Nous avons eu un accident, dit Björn. Nous devons appeler la police.

— Ah, dit Ossian d'un air indifférent. Je n'ai malheureusement qu'un portable.

— Nous devons l'emprunter, c'est urgent.

Ossian prend son téléphone, le regarde, puis l'éteint.

— Qu'est-ce que vous faites ? demande Penelope.

— Je fais ce que je veux, voilà ce que je fais, répond-il.

— Mais nous avons vraiment besoin d'emprunter votre téléphone.

— Alors vous aurez besoin de mon code PIN, dit Ossian en souriant.

— Qu'est-ce que vous fabriquez ?

Il s'appuie contre le montant de la porte et les observe un moment.

— Dire que des petits drogués se sont frayé un chemin jusqu'à moi.

— Nous ne sommes pas...

— Qu'importe, le coupe Ossian.

— Laisse tomber, on se casse, dit Penelope à Björn.

Elle voudrait partir, mais Björn a l'air exténué, ses joues et ses lèvres sont livides. Il s'appuie d'une main contre le mur.

— Nous sommes désolés d'avoir pénétré ainsi chez vous, dit Björn. Et nous allons vous rembourser ce que nous vous avons pris, mais là nous devons emprunter votre téléphone, il s'agit d'une urgence et...

— Et comment vous appelez-vous ? l'interrompt Ossian avec un sourire.

— Björn.

— La veste vous va à merveille, Björn, mais vous n'avez pas vu la cravate ? Il y a une cravate qui va avec.

Dans la penderie, Ossian saisit une cravate en cuir bleu de la même couleur que la veste et la lui noue lentement autour du cou.

— Appelez la police vous-même, dites-leur que vous avez surpris des cambrioleurs, dit Penelope.

— Pas amusant, répond Ossian d'un air boudeur.

— Mais qu'est-ce que vous voulez, à la fin ? demande-t-elle, les dents serrées.

Il fait quelques pas en arrière et étudie les intrus.

Ossian s'adresse à Björn :

— Je ne l'aime pas, elle. Vous, vous êtes chic et ma veste vous va bien. Elle peut garder ce pull immonde. Pas vrai ? Comme Helge, le hibou. Elle n'a pas l'air suédoise, elle ressemble à...

— Ça suffit, coupe Björn.

Ossian s'approche avec une mine fâchée et lance son poing en l'air devant le visage de Björn.

— Je sais qui vous êtes, dit Penelope.

— Bien, dit Ossian avec un petit sourire.

Björn leur jette un regard interrogateur.

Penelope se sent mal. Elle s'assoit sur le lit et tente de calmer sa respiration.

— Attendez, dit Ossian. Vous aussi… je vous ai vue à la télé, je vous reconnais.

— J'ai participé à quelques débats télévisés…

— Et maintenant, vous êtes morte, dit-il en souriant.

A ces mots, tout son corps se fige. Elle tente de comprendre ce qu'il veut dire en balayant la pièce du regard pour trouver une issue. Björn est adossé contre le mur et glisse lentement au sol. Son visage est extrêmement pâle et il ne parvient pas à articuler un mot.

— Si vous ne voulez pas nous aider, dit Penelope, nous allons demander à quelqu'un d'autre de…

— Mais je veux, évidemment que je veux vous aider, l'interrompt-il.

Ossian quitte la pièce puis revient avec un sac en plastique. Il en sort une cartouche de cigarettes et un journal. Il lance le journal sur le lit et se rend dans la cuisine avec le sac et les cigarettes. Sur la une du journal, il y a une photo d'elle ainsi qu'une photo de Björn portant la mention "Disparus" et, au-dessus d'une photo de Viola légèrement plus grande que les deux autres, on peut lire "Morte".

"Une sortie en bateau vire au drame – on redoute trois morts", titre l'article.

Penelope pense à sa mère, l'imagine complètement terrifiée, anéantie, les bras autour du corps, comme autrefois dans la prison.

Le parquet grince et Ossian Wallenberg revient dans la chambre.

— On fait un concours, dit-il avec enthousiasme.

— Qu'est-ce que vous voulez dire…

— Mon Dieu, qu'est-ce que j'ai envie de faire une compétition !

— Compétition ? demande Björn avec un sourire hésitant.

— Vous ne savez pas ce qu'est une compétition ?

— Si, mais…

Penelope observe Ossian et réalise à quel point ils sont vulnérables tant que personne ne sait qu'ils sont en vie. Il pourrait les tuer puisque tout le monde les croit déjà morts.

— Il veut tester son emprise sur nous, dit Penelope.

— Vous nous donnez le téléphone et le code PIN si on joue le jeu ? demande Björn.

— Si vous gagnez, répond Ossian en les regardant avec des yeux brillants.

— Et si on perd ? demande Penelope.

52

LE COURSIER

Axel Riessen traverse la salle à manger et s'approche de la fenêtre. Il laisse son regard errer sur les rosiers, la clôture en fer,
le long de la rue et en haut de l'escalier de l'église Engelbrekt.

Une fois le contrat signé, il a hérité de l'ensemble des responsabilités et des engagements de Carl Palmcrona.

Il sourit en pensant à la tournure qu'a prise sa vie, lorsqu'il
se rend compte qu'il a oublié Beverly. Il sent aussitôt son estomac se nouer. Une fois, elle lui a dit aller dans un magasin,
mais après quatre heures d'absence, il est sorti pour la chercher.
Deux heures plus tard, il l'a retrouvée dans une petite remise
devant le musée de l'Observatoire. Elle était très confuse, sentait l'alcool et n'avait pas de culotte. Du chewing-gum était
emmêlé dans ses cheveux.

Elle disait qu'elle avait rencontré des garçons dans le parc :

— Ils jetaient des cailloux sur un pigeon blessé, alors je me
suis dit qu'ils arrêteraient si je leur donnais mon argent. Mais
je n'avais que douze couronnes. Ce n'était pas suffisant. Ils voulaient que je fasse quelque chose à la place. Ils disaient qu'ils
allaient piétiner le pigeon si je ne le faisais pas.

Elle s'était tue. Ses yeux étaient mouillés de larmes.

— Je ne voulais pas, chuchota-t-elle. Mais ce pauvre pigeon…

Il prend son téléphone et compose son numéro.

En écoutant l'émission du signal d'appel, il scrute la rue, derrière l'immeuble autrefois occupé par l'ambassade de Chine
et l'obscur bâtiment où se trouve le siège général suédois du
réseau catholique de l'Opus Dei.

Les frères Axel et Robert Riessen partagent l'une des grandes
maisons qui donnent sur la rue Bragevägen. L'immeuble se
situe au cœur de Lärkstaden, un quartier chic entre Östermalm

et Vasastan où les maisons se ressemblent toutes, comme les enfants d'une même famille.

La résidence de la famille Riessen est constituée de deux grands appartements de trois étages.

Le père des deux frères, Erloff Riessen, mort depuis vingt ans, avait été ambassadeur à Paris puis à Londres. Leur oncle, Torleif Riessen, était un talentueux pianiste qui avait joué au Symphony Hall de Boston et au Grosser Musikvereinssaal de Vienne. La noble famille Riessen était pour la majeure partie composée de diplomates et de musiciens appartenant à des orchestres philharmoniques. Ce sont des métiers qui se ressemblent beaucoup – les deux exigent une profonde sensibilité et un grand dévouement.

Les époux Alice et Erloff Riessen avaient passé un accord étrange mais logique. Ils ont rapidement décidé que leur fils aîné, Axel, devrait se consacrer à la musique et que le plus jeune, Robert, devrait suivre la voie tracée par son père et devenir diplomate. Cet arrangement s'est subitement inversé lorsque Axel a commis une erreur fatale. Il avait dix-sept ans lorsqu'il a été contraint de renoncer à la musique. Il a été envoyé à l'école militaire et Robert a dû se destiner à une carrière musicale. Axel a accepté sa punition, qu'il trouvait juste, et n'a pas touché un violon depuis.

En ce jour funeste, trente-quatre ans plus tôt, sa mère a rompu tout contact avec lui. Même sur son lit de mort, elle n'a pas voulu lui adresser la parole.

Après quatre sonneries, Beverly répond enfin en toussant :

— Allô ?

— Tu es où ?

— Je suis…

Elle semble détourner la tête du combiné et il ne parvient pas à entendre la suite.

— Je n'entends pas, dit-il alors que le stress durcit sa voix.

— Pourquoi tu es fâché ?

— Dis-moi où tu es, implore-t-il.

— Mais qu'est-ce qu'il y a ? dit-elle en riant. Je suis là, dans mon appartement. C'est bien, non ?

— J'étais juste inquiet.

— Ne sois pas bête, je vais regarder l'émission sur Victoria.

Elle raccroche. Axel n'est toujours pas rassuré, Beverly a paru évasive.

Il regarde le téléphone et se demande s'il devrait la rappeler, quand le téléphone se met à sonner. Il répond :

— Riessen.

— Ici Jörgen Grünlicht.

— Bonjour, dit Axel avec un ton légèrement interrogateur.

— Comment s'est passée la réunion avec le panel d'experts ?

— Intéressant.

— Vous avez donné la priorité au Kenya, j'espère.

— Et à la déclaration d'utilisation finale des Pays-Bas. C'est une affaire compliquée et j'attends de me familiariser avec le dossier avant de prendre position…

— Mais le Kenya, l'interrompt-il. Vous n'avez pas encore signé l'autorisation d'exportation ? Pontus Salman est sur mon dos et demande pourquoi on fait traîner cette fichue affaire. C'est une transaction très importante qui a déjà pris du retard. Comme l'ISP leur avait donné des signaux plus que positifs, ils ont lancé toute la production. La fabrication est finie, le lot part de Trollhättan pour rejoindre le port de Göteborg, l'armateur arrive demain du Panamá, ils n'ont qu'à décharger leur cargaison dans la journée et ils pourront embarquer les munitions dès le lendemain.

— Jörgen, j'ai bien compris, j'ai consulté les documents et… je vais signer, mais je viens d'entrer en fonction et il est important pour moi d'être méticuleux.

— Mais j'ai moi-même vérifié l'affaire, dit Jörgen d'un ton sec. Et je n'ai pas constaté le moindre élément qui pourrait poser problème.

— Non, mais…

— Où êtes-vous ?

— Je suis à la maison, dit Axel, perplexe.

— Je vous fais envoyer les documents par coursier. Il attendra que vous signiez afin que nous ne perdions plus de temps.

— Non, je vais les regarder demain.

Vingt minutes plus tard, Axel rejoint le vestibule pour ouvrir au coursier envoyé par Jörgen Grünlicht. Son acharnement le trouble, mais il ne voit aucune raison de laisser traîner davantage l'affaire.

53

LA SIGNATURE

Axel ouvre la porte d'entrée et salue le coursier. L'air doux du soir pénètre à l'intérieur, accompagné du grondement de la musique provenant de la fête de fin d'année de l'école d'architecture.

Il ouvre l'enveloppe. Pour une raison inexplicable, il se sent gêné à l'idée de signer le contrat devant le coursier, comme s'il suffisait de le mettre un peu sous pression pour lui faire faire n'importe quoi.

— Accordez-moi une minute, dit Axel en laissant le coursier seul dans le vestibule. Il traverse le couloir, passe devant la bibliothèque et rejoint la cuisine. Il contourne le plan de travail en pierre foncée et, à côté des placards d'un noir brillant, il ouvre le frigidaire et saisit une petite bouteille d'eau minérale. Il la boit d'un trait, desserre sa cravate, s'installe au comptoir et ouvre le dossier.

Tout semble en ordre, aucune pièce ne manque. Il consulte le rapport d'Exportkontrollrådet, les copies pour la commission d'enquête du ministère des Affaires étrangères et la lettre de notification de la conclusion du marché.

Il trouve les documents qui concernent l'autorisation d'exportation et les feuillette jusqu'à la page sur laquelle le directeur général de l'ISP doit apposer sa signature.

Un léger frisson parcourt son corps. C'est une affaire d'une grande importance pour la balance commerciale du pays, une affaire retardée par le suicide de Carl Palmcrona. Pontus Salman est dans une situation délicate : son entreprise risquerait de perdre le marché si les choses continuaient à traîner.

En même temps, il prend conscience du fait qu'on est en train de le pousser à valider une exportation de munitions pour le

Kenya sans qu'il puisse garantir personnellement la validité du contrat.

Sa décision est prise, et Axel se sent immédiatement plus serein. Il compte consacrer ces prochains jours à cette affaire et signera l'autorisation d'exportation en connaissance de cause. Il le fera, mais pas maintenant. Peu importe qu'ils s'énervent, qu'ils s'indignent. Il s'agit tout de même de sa décision, c'est lui le directeur général de l'ISP.

Sur la ligne destinée à recevoir sa signature, il dessine un bonhomme qui sourit avec une bulle sortant de sa bouche.

La mine sévère, Axel retourne dans le vestibule et rend le dossier au coursier. Il monte ensuite l'escalier menant au salon.

Il se demande si Beverly est chez elle ou si elle n'a pas osé lui dire qu'elle était sortie.

Qu'adviendrait-il si elle se sauvait et disparaissait ?

Axel prend la télécommande de la chaîne hi-fi et met une compilation des premiers titres de David Bowie.

La chaîne ressemble à un lingot en verre qui miroite légèrement. Il s'agit d'un système sans fil, les enceintes sont encastrées dans le mur, complètement invisibles.

Il avance jusqu'à la vitrine et observe les bouteilles scintillantes qui y sont rangées.

Il hésite un instant avant de saisir une bouteille de whisky Hazelburn numérotée de la Springbank Distillery. C'est une distillerie située dans la région de Campbeltown en Ecosse. Axel l'a visitée et se souvient de la cuve vieille de plus de cent ans encore utilisée. Elle était usée, peinte en rouge clair et n'avait pas de couvercle.

Axel Riessen ouvre la bouteille et respire l'odeur du whisky : il est profondément tourbé et lui évoque l'obscurité d'un ciel d'orage. Après l'avoir refermée, il repose lentement la bouteille sur l'étagère et constate que les enceintes diffusent une chanson de l'album *Hunky Dory*.

But her friend is nowhere to be seen. Now she walks through her sunken dream, to the seat with the clearest view, and she's hooked to the silver screen, chante David Bowie.

Tandis qu'Axel observe le jardin par les immenses baies vitrées, il entend la porte de l'appartement de son frère claquer. Il se demande si Robert va passer et, au même instant, on frappe à la porte.

— Entrez, dit-il à son frère.

Robert ouvre la porte et entre dans le salon l'air troublé.

— Je vois bien que tu écoutes de la merde pour m'embêter, mais…

Axel sourit et chante sur la mélodie :

Take a look at the lawman, beating up the wrong guy. Oh man ! Wonder if he'll ever know : he's in the best selling show…

Robert mime quelques pas de danse et s'approche de la vitrine pour regarder les bouteilles.

— Je t'en prie, dit Axel d'un ton sec.

— Tu veux jeter un œil à mon Strosser ? Je peux arrêter un moment ?

Axel hausse les épaules et Robert presse le bouton pause. Le son baisse doucement avant de disparaître complètement.

— Tu l'as déjà fini ?

— J'ai travaillé dessus toute la nuit, répond Robert avec un large sourire. Je l'ai monté ce matin.

Un silence s'installe. Il y a de nombreuses années, leur mère était persuadée qu'Axel deviendrait un célèbre violoniste. Alice Riessen avait été musicienne professionnelle, elle avait été second violon dans l'Orchestre royal de l'Opéra de Stockholm pendant dix ans et favorisait ouvertement son fils aîné.

Tout s'était effondré lorsque Axel étudiait encore à l'Ecole nationale supérieure de musique. Il était l'un des trois finalistes du concours Johan Fredrik Berwald qui, pour les jeunes solistes, était considéré comme la première étape pour entrer dans l'élite mondiale de la musique.

Après le concours, Axel arrêta la musique et intégra l'école militaire de Karlsborg. Robert se consacra alors à la musique. Comme la plupart des étudiants de l'Ecole nationale supérieure de musique, il n'est jamais devenu un violoniste d'exception. En revanche, il joue dans un orchestre de chambre et c'est un luthier de renom qui reçoit des commandes du monde entier.

— Montre-moi le violon, dit Axel après un moment.

Robert hoche la tête et va chercher l'instrument. Le violon verni, taillé dans un bois d'érable tigré, est d'un rouge flamboyant. Robert commence alors à jouer un morceau tiré d'une œuvre de Béla Bartók inspirée par son voyage dans la campagne hongroise. Axel l'a toujours adoré. Bartók était un fervent opposant au régime nazi et a été obligé de quitter son pays. Sa musique est une exploration songeuse, où passent parfois de brefs instants de bonheur. Une musique mélancolique nourrie de folklore, une fleur éclose au milieu des ruines, se dit Axel tandis que Robert termine le morceau.

— Ça sonne assez bien, dit Axel. Mais il faut que tu avances la barre d'harmonie, il y a une sorte de son sourd qui…

Le visage de Robert se referme aussitôt :

— Daniel Strosser a dit que… il veut obtenir ce timbre, explique-t-il sèchement. Il veut que le violon sonne comme la voix de Birgit Nilsson.

— Raison de plus pour avancer la barre d'harmonie, répond Axel en souriant.

— Tu n'y connais rien, je voulais juste…

— A part ça, c'est absolument merveilleux, s'empresse de préciser Axel.

— Tu entends bien le timbre – sec et net et…

— Je ne critique pas, poursuit froidement Axel, seulement, il y a quelque chose d'un peu éteint dans le son et qui…

— Eteint ? L'instrument est destiné à un connaisseur de Bartók. On parle de Bartók, là – ce n'est pas la même chose que Bowie.

— J'ai peut-être mal entendu, dit Axel à voix basse.

Robert ouvre la bouche pour répondre, mais s'arrête lorsqu'on frappe à la porte.

Sa femme Anette franchit le seuil et sourit en le voyant assis avec le violon.

— Tu as essayé ton Strosser ? demande-t-elle, impatiente.

— Oui, dit Robert, d'un air bourru. Mais Axel ne l'aime pas.

— Ce n'est pas vrai, dit Axel. Je suis persuadé que le client sera plus que satisfait. Ce que je voulais dire, c'est que dans ma tête…

— Ne l'écoute pas, il n'y connaît rien, l'interrompt Anette d'un ton agacé.

Robert veut éviter une scène et quitter la pièce avec sa femme mais elle avance jusqu'à Axel.

— Avoue que tu n'as fait qu'inventer ce défaut dont tu parles, dit-elle d'une voix stridente.

— Il n'y a pas de défaut, c'est juste la barre d'harmonie qui…

— Et quand as-tu joué pour la dernière fois ? Il y a trente, quarante ans ? Tu n'étais qu'un enfant. Tu devrais t'excuser.

— Laisse tomber, dit Robert.

— Excuse-toi, dit-elle d'un ton insistant.

— D'accord, excusez-moi, dit Axel en sentant qu'il rougit.

— D'avoir menti, poursuit-elle. D'avoir menti parce que tu ne pouvais pas lui accorder le compliment qu'il mérite pour son nouveau violon.

— Je m'excuse.

Axel remet sa musique. On entend le son plaintif de deux guitares désaccordées et du chanteur qui semble chercher ses paroles d'une voix faible : *Goodbye love, goodbye love…*

Anette marmonne quelque chose à propos du manque de talent d'Axel tandis que Robert tente de la calmer et l'entraîne avec lui vers la porte. Axel monte encore le son, la batterie et la basse électrique retentissent dans toute la pièce :

Didn't know what time it was, the lights were low oh oh.
I leaned back on my radio oh oh.

Axel ferme les yeux et les sent brûler. Il est déjà très fatigué. Il dort souvent une demi-heure, parfois il ne dort pas du tout, même lorsque Beverly est à ses côtés. Il s'enveloppe alors dans une couverture et s'installe sur la véranda pour admirer la vue magnifique sur les arbres du jardin dans la lueur humide de l'aube. Axel Riessen sait évidemment quelle est la cause de ses soucis. Il se remémore alors les jours qui ont changé sa vie.

54

LA COMPÉTITION

Penelope et Björn échangent un regard à la fois fatigué et inquiet. A travers la porte fermée, ils entendent Ossian Wallenberg chanter *Si vous voulez voir une star* comme Zarah Leander. On dirait qu'il déplace les meubles.

— On peut le maîtriser, chuchote Penelope.

— Peut-être.

— On doit essayer.

— Et ensuite, qu'est-ce qu'on fera ensuite ? On va le torturer pour obtenir son code PIN ?

— Je crois qu'il nous le donnera une fois que le rapport de force sera inversé.

— Et si ce n'est pas le cas ?

Elle s'approche de la fenêtre en titubant et saisit les poignées. Ses doigts sont faibles et endoloris. Elle s'arrête un instant pour observer ses mains à la lumière du jour, de la crasse sous ses ongles cassés, ses doigts gris de terre séchée, parsemés de sang coagulé provenant de multiples plaies.

— On n'obtiendra pas d'aide ici, il faut continuer, dit-elle. Si l'on essaie de remonter le long de la plage…

Elle se tait et regarde Björn, affaissé au pied du lit dans sa veste en cuir bleue.

— Bien, dit-il faiblement. Fais-le.

— Je ne te laisserai pas ici.

— Mais je ne peux pas, Penny, dit-il sans la regarder. Regarde mes pieds, je ne vais pas pouvoir courir, je pourrais peut-être marcher une demi-heure, mais les blessures saignent encore.

— Je t'aiderai.

— Il n'y a peut-être pas d'autres téléphones sur l'île, on n'en a pas la moindre idée.

— Je ne compte pas participer à son ignoble…

— Penny, on… on doit appeler la police, il faut qu'on emprunte son téléphone.

Ossian ouvre la porte en affichant un large sourire. Il est vêtu d'une veste et d'un pagne aux motifs léopard. Avec des gestes gracieux, il les guide jusqu'au canapé. Les rideaux sont tirés et il a placé tous les autres meubles contre les murs de façon à pouvoir circuler librement dans la pièce. Ossian est éclairé par la lumière de deux lampadaires, il pivote face à eux.

— Chers amoureux du vendredi, le temps passe vite lorsqu'on s'amuse, dit-il en faisant un clin d'œil. Nous en sommes déjà rendus à la "Compétition" et nous souhaitons la bienvenue aux célébrités de ce soir. Une sale communiste et le petit jeune qui lui sert d'amant. Un couple drôlement mal assorti si vous voulez mon avis. Une mégère et un jeune homme au torse bien fait.

Ossian s'esclaffe et montre ses muscles à la caméra imaginaire.

— Allez ! crie Ossian en courant sur place. Lâchez-vous ! Tout le monde est prêt avec son bouton ? Je vous donne… "Action ou vérité" ! Ossian Wallenberg défie – la Mégère et le Beau Gosse.

Ossian fait pivoter une bouteille de vin vide au sol. Elle fait quelques tours avant que le goulot ne désigne Björn.

— Beau Gosse ! crie Ossian avec un sourire. Le Beau Gosse est le premier à passer sous les projecteurs ! Voici la question. Vous êtes prêt à dire la vérité et rien que la vérité ?

— Absolument, soupire Björn.

Une goutte de sueur s'écoule du bout du nez d'Ossian lorsqu'il ouvre une enveloppe et lit à haute voix :

— A qui pensez-vous lorsque vous faites l'amour à la Mégère ?

— Très drôle, marmonne Penelope.

— J'aurai le téléphone si je réponds ? demande Björn d'une voix calme.

Ossian plisse les lèvres en une moue enfantine et secoue la tête.

— Non, mais si le public trouve votre réponse crédible, vous aurez le premier chiffre du code PIN.

— Et si je choisis action ?

— Alors vous rivaliserez avec moi et le public choisira. Mais le temps presse, tic-tac, tic-tac. Cinq, quatre, trois, deux…

La forte lumière des lampadaires éclaire le visage sale de Björn, sa barbe naissante et ses cheveux raides et ternes. Ses narines sont pleines de sang coagulé et ses yeux fatigués sont injectés de sang.

— Je pense à Penelope quand on couche ensemble, répond Björn à voix basse.

Ossian pousse des huées et affiche une mine écœurée en entrant dans le faisceau lumineux.

— Il fallait dire la vérité, crie-t-il. Là, on en est loin. Personne dans le public ne croit que vous pensez à la Mégère lorsque vous faites l'amour. Ce sera trois points en moins pour le Beau Gosse.

Il fait de nouveau tourner la bouteille, et le goulot s'arrête presque immédiatement face à Penelope.

— Aïe, aïe, aïe, crie Ossian. Une spéciale ! Et qu'est-ce que cela signifie ? Exactement ! Action directe ! Allez directement à la ligne de départ ! J'ouvre le volet et écoute ce que l'hippopotame me souffle à l'oreille.

Ossian saisit un petit hippopotame en bois foncé et le colle à son oreille. Il fait mine d'écouter et hoche la tête.

— Tu veux dire la Mégère ? demande-t-il en écoutant de nouveau. Je vois, monsieur l'hippopotame. Oui. Je vous remercie.

Ossian repose délicatement l'hippopotame sur la table et se tourne vers Penelope avec un sourire.

— La Mégère défie Ossian. Ce sera le striptease ! Si vous arrivez à allumer le public mieux qu'Ossian, vous obtiendrez tous les chiffres du code PIN – autrement, le Beau Gosse devra vous mettre un pied au cul de toutes ses forces.

Ossian saute à pieds joints jusqu'à la chaîne stéréo, appuie sur un bouton et les enceintes diffusent *Teach Me Tiger.*

— J'ai perdu cette compétition contre Loa Falkman une fois, chuchote Ossian d'un air dramatique alors qu'il ondule des hanches au rythme de la musique.

Penelope se lève du canapé, avance d'un pas et lui fait face, vêtue de ses bottes bleues, de son pantalon de costume à rayures et de son large pull en tricot.

— Vous voulez que je me déshabille ? C'est de ça dont il s'agit ? Me voir nue ?

Ossian arrête de chanter, se fige et une expression de déception passe sur son visage. Il la regarde froidement avant de répondre :

— Si ça m'intéressait de voir la chatte d'une petite pute réfugiée, je l'aurais fait sur Internet.

— Alors qu'est-ce que vous voulez, merde ?

Ossian lui assène une violente claque. Elle vacille puis retrouve l'équilibre.

— Vous allez rester polie avec moi, dit-il d'un ton grave.

— D'accord, marmonne-t-elle.

Sa bouche s'étire en un petit sourire avant qu'il n'explique :

— Je défie les célébrités de la télévision… et vous, je vous ai vue avant d'avoir eu le temps de changer de chaîne.

Elle observe l'expression excitée que prend son visage cramoisi :

— Vous n'allez pas nous donner le téléphone – pas vrai ?

— Je vous le promets, les règles sont les règles, tant que j'obtiens ce que je veux, s'empresse-t-il de répondre.

— Vous savez que nous sommes désemparés et vous en profitez pour…

— Oui, c'est ça ! crie-t-il.

— OK, pourquoi pas, c'est d'accord, un peu de striptease contre le téléphone.

Elle tourne le dos à Ossian, ôte son pull et son T-shirt. La lumière artificielle éclaire les bleus, la crasse et le sang séché sur ses omoplates et sa hanche. Elle se retourne et cache ses seins de ses deux mains.

Björn applaudit et siffle d'un air morne. Ossian transpire, il regarde Penelope puis avance jusqu'au faisceau devant Björn. Il ondule des hanches, retire soudain son pagne, le fait tourner dans l'air puis le passe entre ses jambes avant de le lancer sur Björn.

Ossian lui envoie un baiser et lui montre qu'ils resteront en contact en mimant un téléphone contre son oreille.

Björn applaudit de nouveau, siffle plus fort, et aperçoit Penelope s'emparer du tisonnier près de la cheminée. La pelle à cendre tinte légèrement contre la pince sur le support.

Ossian danse et sautille dans son slip à paillettes doré.

Penelope tient le tisonnier des deux mains et s'approche d'Ossian par-derrière. Il ondule toujours des hanches devant Björn :

— A genoux, chuchote-t-il à Björn. Baissez-vous, baissez-vous Beau Gosse !

Penelope frappe Ossian à la cuisse de toutes ses forces. Ils entendent un claquement sec et Ossian s'effondre. Il se tient la cuisse, se tord de douleur au sol et hurle comme un fou.

Penelope avance jusqu'à la chaîne stéréo et la démolit de quatre coups violents jusqu'à ce que le silence s'installe enfin.

Ossian est désormais immobile, sa respiration est saccadée et il gémit sur le sol. Penelope s'approche et il lève des yeux terrifiés sur elle. Elle reste immobile un moment. Le tisonnier vacille lentement dans sa main droite.

— Monsieur l'hippopotame m'a soufflé à l'oreille que vous alliez me donner le téléphone et le code PIN, dit-elle calmement.

55

LA POLICE

La chaleur est suffocante dans le salon d'Ossian Wallenberg. Björn fait des allers-retours entre sa chaise et la fenêtre. Il fixe l'eau et le ponton. Penelope est assise dans le canapé. Téléphone en main, elle attend que la police rappelle. Ils lui ont promis de la recontacter à ce numéro lorsque le bateau de la police maritime s'approchera de la maison. Ossian les observe depuis un fauteuil, un grand verre de whisky est posé devant lui. Il a avalé des antidouleurs et répète à voix basse qu'il va s'en sortir.

Penelope constate que la réception est moins bonne qu'il y a quelques minutes, mais toujours suffisante pour recevoir un appel. Elle s'enfonce dans le canapé. Il fait terriblement lourd. Son T-shirt est trempé de sueur. Elle ferme les yeux et se souvient de la chaleur qui régnait dans le bus lorsqu'elle se rendait à Kubbum pour rejoindre Jane Oduya et Action contre la Faim au Darfour.

Elle se dirigeait vers les baraques qui constituaient l'administration de l'organisation, lorsqu'elle s'arrêta près de quelques enfants qui jouaient à un jeu étrange. Il lui semblait qu'ils plaçaient des figurines en terre sur la route en espérant qu'elles soient écrasées par les voitures. Elle s'approcha lentement pour comprendre ce qu'ils faisaient. Ils riaient dès que l'une de leurs figurines était détruite :

— J'en ai tué un autre ! C'était un vieux !

— J'ai tué un Four !

L'un des enfants s'était de nouveau précipité sur la route pour y déposer deux autres figurines. Une grande et une petite. Lorsqu'une charrette roula sur la petite, les enfants exultèrent :

— Le gamin est mort ! Le fils de pute est mort !

Penelope s'approcha des enfants pour leur demander quel était ce jeu. Ils n'avaient pas répondu et s'étaient sauvés en courant. Penelope fixa les restes de figurines qui gisaient sur la route rouge flamboyante.

Les Fours sont le peuple à qui la région du Darfour doit son nom. Cette ancienne tribu africaine a presque été décimée à la suite des massacres commis par les janjawids.

Les peuples africains sont traditionnellement agriculteurs, et une certaine rivalité a toujours existé entre ces derniers et la partie nomade de la population. Pourtant, c'est le pétrole qui constitue la motivation réelle du génocide. On a trouvé des gisements sur les terres habitées par les vieilles tribus africaines et on a voulu les déloger.

La guerre civile est officiellement terminée, mais les janjawids poursuivent leurs raids systématiques. Ils violent les femmes, tuent les hommes et les garçons, et brûlent ensuite leurs habitations.

Elle vit les enfants arabes prendre la fuite et allait ramasser les figurines encore intactes sur la route lorsque quelqu'un cria :

— Penny ! Penny !

Elle frissonna de peur et se retourna. Jane Oduya lui faisait des signes de la main. Jane était une femme de petite taille et assez corpulente, elle portait un jean délavé et une veste jaune. Penelope faillit ne pas la reconnaître. Ces quelques années passées au Darfour avaient profondément marqué son visage.

— Jane !

Elles s'embrassèrent.

— Il ne faut pas parler avec ces enfants, marmonna Jane. Ils sont comme les autres, ils nous détestent parce qu'on est noirs, je n'arrive pas à comprendre.

Jane et Penelope avaient marché en direction du camp de réfugiés. Ici et là, des personnes s'étaient rassemblées pour boire et manger. L'odeur de lait brûlé s'était mêlée à la puanteur des latrines. Les bâches en plastique de l'ONU servaient de rideaux, de paravents, de draps et les centaines de tentes blanches de la Croix-Rouge étaient tiraillées par le vent qui soufflait sur les plaines.

Penelope accompagna Jane dans la grande tente qui faisait office d'hôpital. La lumière du soleil devint grise à travers le tissu blanc. Jane regarda à l'intérieur du service chirurgical par une vitre en plastique.

— Mes infirmières sont devenues de bons chirurgiens, dit-elle tout bas. Elles effectuent des amputations et parfois même de petites interventions.

Deux maigres garçons, âgés de treize ans tout au plus, posèrent délicatement au sol un grand carton contenant des pansements. Ils rejoignirent Jane qui les remercia et leur dit d'aller aider les femmes qui venaient d'arriver et qui avaient besoin d'eau pour nettoyer leurs blessures.

Les garçons réapparurent rapidement avec de grosses bouteilles remplies d'eau à la main.

— Ils faisaient partie de la milice arabe, expliqua Jane en les désignant d'un signe de tête. Mais tout est bloqué maintenant. Avec le manque de munitions et d'armes, une sorte d'équilibre s'est installé, les gens ne savent plus quoi faire et beaucoup d'entre eux ont commencé à nous aider ici. Nous avons même une école de garçons qui compte plusieurs jeunes hommes de la milice.

Jane entendit une jeune femme gémir et se précipita vers elle pour lui caresser le front et les joues. Elle n'avait pas quinze ans mais était enceinte jusqu'aux yeux et avait une jambe amputée.

Toute la journée, Penelope travailla aux côtés de Jane et exécuta tous ses ordres en ne posant aucune question. Elle ne parlait pas et faisait seulement de son mieux pour que le savoir médical de Jane soit exploité au maximum et que le plus grand nombre puisse en profiter.

Un Africain d'une trentaine d'années avec un beau visage et des épaules musclées se précipita sur Jane avec une petite boîte blanche à la main.

— Trente nouvelles doses d'antibiotique, dit-il avec joie.

— C'est vrai ?

Il hocha la tête en souriant.

— Bon boulot.

— Je vais aller remettre un peu la pression à Ross, il avait parlé de nous donner une caisse de tensiomètres cette semaine.

— Voici Grey, dit Jane. En réalité, il est professeur, mais je ne m'en sortirais pas sans lui.

Penelope lui tendit la main et croisa son regard espiègle.

— Penelope Fernandez.

— Tarzan, dit-il en lui donnant une poignée de main détendue.

— En arrivant ici, il voulait qu'on l'appelle Tarzan, expliqua Jane en riant.

— Tarzan et Jane, dit-il avec un sourire. Je suis son Tarzan.

— J'ai fini par accepter qu'il s'attribue le surnom de Greystoke. Mais tout le monde trouve que c'est trop dur à prononcer, alors il doit se contenter de Grey.

Des coups de klaxon retentirent soudain devant la tente et ils se précipitèrent tous les trois à l'extérieur. De la poussière rouge tourbillonnait autour du camion. Sur la plate-forme arrière se trouvaient sept hommes blessés par balle. Ils venaient de l'est, d'une ville où un échange de tirs s'était déclenché à cause d'un puits.

Le reste de la journée fut consacrée aux opérations d'urgence et l'un des hommes mourut. Grey tendit une bouteille d'eau à Penelope. Stressée, elle se contenta de secouer la tête. Mais il lui sourit calmement et dit :

— Tu as le temps de boire.

Elle le remercia, but l'eau et l'aida ensuite à soulever l'un des blessés.

Le soir venu, exténuées, Penelope et Jane mangèrent un repas léger dans la véranda de l'une des baraques. Elles discutèrent en observant les rues entre les tentes et les maisons. Quelques personnes exécutaient les dernières tâches de la soirée avant que le soleil ne disparaisse.

A mesure que la nuit tombait, un silence inquiétant se répandait peu à peu. Penelope entendait encore les froufroutements dans les latrines et quelques personnes qui se faufilaient dans l'obscurité mais, rapidement, un silence durable s'installa, même les plus petits ne pleuraient pas.

— Ils redoutent encore que les janjawids ne passent par là, dit Jane en saisissant les assiettes.

Elles entrèrent dans la baraque en verrouillant la porte derrière elles. Après avoir fait la vaisselle, Penelope rejoignit sa chambre au bout du couloir.

Deux heures plus tard, elle se réveilla en sueur dans son lit, elle s'était endormie tout habillée. Désormais, elle prêtait attention aux moindres bruits dans la nuit. Elle ignorait ce qui l'avait réveillée et était sur le point de se calmer lorsque, soudain, elle entendit un cri à l'extérieur. Penelope se leva et s'approcha de la petite fenêtre à barreaux pour regarder au-dehors. Le clair de lune illuminait la rue. Elle entendit les bribes d'une conversation agitée. Trois adolescents marchaient au milieu de la rue. Ils appartenaient à la milice janjawid, cela ne faisait aucun doute. L'un d'entre eux tenait un revolver. Penelope les entendit crier quelque chose au sujet d'esclaves à tuer. Un vieil homme, qui avait l'habitude de faire griller des patates douces sur la braise pour les vendre à deux piastres l'une, était assis sur sa couverture devant l'une des réserves de l'ONU. Les garçons s'en approchèrent et lui crachèrent dessus. Celui qui était armé leva son revolver et lui tira dessus en plein milieu du front. La détonation résonna entre les maisons. Les garçons crièrent encore, ramassèrent quelques patates douces, en mangèrent quelques bouchées, puis lancèrent les restes sur la route poussiéreuse près du mort.

Ils jetaient des coups d'œil autour d'eux et désignèrent la baraque où logeaient Penelope et Jane. Penelope se souvient d'avoir retenu son souffle alors qu'elle entendait leurs pas lourds sur la véranda. Ils cognèrent sur la porte en échangeant des paroles excitées.

Penelope inspire soudain profondément et rouvre les yeux. Elle a dû s'endormir dans le canapé d'Ossian Wallenberg.

Le grondement du tonnerre s'estompe dans un crépitement sourd. Le ciel s'est assombri.

Björn est à la fenêtre et Ossian sirote son whisky.

Penelope regarde le téléphone – personne n'a appelé.

La police maritime ne devrait plus tarder.

L'orage semble s'approcher rapidement. La lumière s'éteint et le ventilateur de la cuisine s'arrête, il y a une panne de courant. Ils entendent un petit clapotis sur le toit et soudain il se met à pleuvoir à verse.

Il n'y a plus de réseau téléphonique.

Un éclair immédiatement suivi d'un violent coup de tonnerre illumine la pièce.

Penelope écoute la pluie et sent l'air frais passer sous la vitre. Elle s'assoupit de nouveau, mais est bientôt réveillée par Björn.

— Quoi ? demande-t-elle.

— Un bateau, répète-t-il. Un bateau de police.

Elle se lève d'un bond et regarde au-dehors. L'eau semble bouillir sous l'effet de la pluie torrentielle. Le grand bateau s'approche du ponton. Penelope regarde l'écran du téléphone. Toujours pas de réception.

— Dépêche-toi, dit Björn.

Il tente d'introduire la clef dans la serrure de la porte de la terrasse. Ses mains tremblent. Le bateau de police glisse vers le ponton et donne un coup de sirène.

— Elle ne correspond pas, dit Björn d'une voix forte. Ce n'est pas la bonne clef.

— Aïe, aïe, aïe, sourit Ossian en saisissant son trousseau. Alors, ça doit être celle-là.

Björn récupère la clef, l'introduit dans la serrure et entend le tintement métallique.

Il est difficile de voir le bateau de police à travers la pluie, il a déjà commencé à s'éloigner du ponton lorsque Björn parvient à ouvrir la porte.

— Björn ! crie Penelope.

Le moteur gronde en laissant un bouillonnement d'écume derrière lui. Björn fait un signe de la main et court à toute vitesse sur l'allée de gravier qui conduit en bas de la côte.

— Là-haut, crie-t-il. On est là !

Il est complètement trempé lorsqu'il atteint le ponton. Le moteur ralentit en provoquant un grondement sous l'eau. Un sac contenant du matériel de premiers secours gît sur le pont arrière. Il devine un policier à travers la vitre. Un nouvel éclair illumine le ciel. Le tonnerre est assourdissant. L'agent semble parler dans une radio. La pluie rebondit sur le toit du bateau. De grosses vagues déferlent sur la plage. Björn crie et tend son bras le plus possible pour lui faire signe. Le bateau rebrousse alors chemin et le côté gauche vient heurter le ponton.

Björn s'agrippe à la balustrade humide et monte à bord. Il traverse un petit couloir qui mène à une porte en métal. Le bateau tangue. Björn vacille mais parvient à ouvrir la lourde porte.

Une odeur sucrée et métallique emplit la timonerie, comme un mélange de pétrole et de transpiration.

La première chose qu'aperçoit Björn est un policier bronzé qui gît au sol, une contusion au front. Ses yeux sont grands ouverts et une mare de sang presque noir se répand sous lui. La respiration de Björn s'accélère. Il jette des regards furtifs sur le matériel de la police, sur des imperméables et des magazines de surf. Une voix lui parvient malgré le grondement du moteur. C'est Ossian Wallenberg qui crie depuis l'allée. Il s'approche du ponton en clopinant, un parapluie jaune au-dessus de la tête. Björn sent son pouls marteler ses tempes et comprend son erreur. Il est tombé dans un piège. Il aperçoit des taches de sang sur la vitre et tâtonne pour trouver la poignée de la porte. L'escalier de la cabine grince, le tueur monte. Il est vêtu d'un uniforme de police et son visage semble attentif, presque curieux. Björn comprend qu'il est trop tard pour fuir. Il saisit un tournevis sur l'étagère au-dessus du tableau de bord. Le tueur, qui se tient à la rampe, pénètre dans la timonerie, cligne des yeux pour s'habituer à la forte lumière et regarde un instant la plage par le pare-brise. La pluie frappe contre la vitre. Björn s'élance et vise le cœur du tueur avec son tournevis sans réellement comprendre ce qui se passe. Son épaule tressaille. Il reçoit un coup au côté et soudain ne sent plus son bras. Le tournevis tombe à terre et disparaît derrière une boîte à outils en aluminium. Le tueur maintient son emprise sur le bras inerte, le tire vers l'avant, fait plier le buste de Björn et balaie ses jambes d'un coup de pied. Il accentue la brutalité de la chute de Björn de façon à ce que son visage plonge droit sur le repose-pied près du gouvernail. Sa nuque se brise dans un craquement sourd. Il ne sent plus rien mais aperçoit quelques étincelles étranges qui sautillent de plus en plus lentement dans le noir. Le visage de Björn frémit légèrement et, en quelques secondes, il est mort.

56

L'HÉLICOPTÈRE

Penelope scrute le bateau par la fenêtre. Un éclair illumine le ciel et le tonnerre gronde au-dessus de la mer. Il pleut toujours des trombes d'eau. Björn est monté à bord et a disparu dans la timonerie. L'eau semble mousser sous la pluie torrentielle. Elle aperçoit Ossian qui titube en direction de l'eau, un parapluie jaune au-dessus de la tête. La porte métallique de la timonerie s'ouvre et un policier en uniforme saute sur le ponton depuis le pont avant et amarre le bateau. Ce n'est qu'au moment où le policier commence à remonter l'allée que Penelope voit de qui il s'agit.

Le tueur ne prend pas la peine de répondre à la salutation d'Ossian, il saisit fermement son menton de la main gauche. Penelope ne se rend pas compte qu'elle a lâché le téléphone. Avec une froide brutalité, l'homme en uniforme décale le visage d'Ossian sur le côté. Le parapluie jaune tombe à terre et glisse le long de la pente. En un instant, il saisit un petit poignard de sa main libre. Après avoir fait pivoter davantage la tête d'Ossian, il lui enfonce le poignard dans la nuque, au-dessus de l'atlas, droit dans le tronc cérébral. C'est aussi rapide que la morsure d'un serpent. Ossian est mort avant de toucher le sol.

Le tueur se dirige alors vers la maison à grandes enjambées. La lumière pâle d'un éclair illumine soudain son visage et Penelope croise son regard à travers la pluie. Avant que l'obscurité ne retombe, elle aperçoit les traits inquiets de son visage dans le reflet de la fenêtre. Ses yeux sont tristes et fatigués, sa bouche entaillée d'une profonde cicatrice. Le tonnerre gronde. L'homme se rapproche dangereusement, mais Penelope ne parvient pas à se sauver. Sa respiration s'accélère mais ses jambes sont comme paralysées.

La pluie clapote contre le rebord de la fenêtre et sur la vitre. Le monde extérieur lui paraît étrangement lointain. Soudain, une lumière jaune éblouissante illumine le ponton, l'eau et le ciel derrière l'homme. Une flamme s'élève du bateau, comme un énorme chêne en feu. Des morceaux de métal sont projetés en l'air. Le nuage de flammes grandit et se pare de nuances orange. La chaleur de l'explosion embrase les roseaux et le ponton tandis que l'onde de choc atteint la maison.

Penelope ne réagit pas avant que la vitre devant elle ne se fende de part en part. La pluie se mêle à la fumée noire d'où jaillissent des débris. Le tueur continue son ascension vers la maison d'un pas rapide. Penelope pivote, traverse la maison en trombe, grimpe par-dessus un fauteuil qui lui barre la route et rejoint le vestibule. Elle ouvre la porte d'entrée et court sur la pelouse humide. Elle glisse et, sous la pluie, s'éloigne de la maison par un chemin de terre. Elle contourne un bosquet de bouleaux et arrive dans un pré. Une famille revient de la pêche, ils sont vêtus de gilets de sauvetage orange et de cirés. Elle passe à côté du petit groupe et descend vers une plage de sable. Elle est à bout de souffle, halète de façon incontrôlée et a l'impression d'être sur le point de s'évanouir. Elle s'arrête et se cache derrière un petit réduit, vomit dans les orties et chuchote un Notre Père. Un coup de tonnerre résonne au loin. Malgré ses tremblements, elle se relève et essuie ses yeux avec la manche de son pull. Elle se penche doucement pour observer le pré depuis le coin du réduit. Le tueur, qui a contourné le bosquet de bouleaux, s'arrête près de la famille qui lui désigne immédiatement sa direction. Elle recule alors à quatre pattes, se laisse glisser en bas d'une pente rocheuse et longe le bord de l'eau jusqu'à une plage de sable. Ses pas brillent derrière elle dans le sable mouillé. Elle continue sur un très long ponton et s'éloigne de plus en plus du rivage. Soudain, elle entend le grondement des hélices d'un hélicoptère. Penelope accélère encore son allure et voit le tueur courir entre les arbres qui descendent vers la plage. Un homme vêtu en orange a été descendu de l'hélicoptère de sauvetage. Il atterrit à l'extrémité du ponton et l'eau dessine des cercles concentriques autour de lui. Penelope le rejoint en courant. Il lui crie des instructions sur la position à adopter, puis attache la ceinture de sauvetage et fait signe au pilote. Ensemble, ils s'éloignent du ponton et flottent un moment au-dessus de la surface puis l'hélicoptère prend de l'altitude. Penelope voit le tueur sur la plage. Il a posé un genou à terre et son sac à dos noir gît devant lui. Il monte une arme à feu avec des mouvements assurés. Puis, il est masqué par la forêt de sapins et les arbres verts et denses. La surface de la mer défile sous ses yeux. Soudain, elle entend une brève détonation suivie d'un crissement au-dessus d'elle. Le câble tressaille violemment et son sang se glace dans ses veines. L'homme auquel elle est harnachée crie quelque chose au pilote. Le câble est tiré brusquement de l'autre côté, l'hélicoptère fait une embardée et Penelope comprend ce qui s'est passé. Le tueur a tiré sur le pilote depuis la plage. Sans hésiter une seule seconde, Penelope détache le cran de sécurité de la ceinture, ouvre la boucle, défait les sangles. Elle chute tandis que l'hélicoptère commence déjà à perdre de l'altitude, puis bascule sur le côté. Le câble qui maintient encore le sauveteur s'empêtre dans le rotor et Penelope entend un crépitement assourdissant suivi d'un sifflement en deux temps lorsque les hélices s'arrachent de leur axe. Penelope fait une chute d'une vingtaine de mètres avant d'atteindre la surface. Elle atterrit violemment dans l'eau glacée et continue de descendre pendant quelques secondes. Le bourdonnement dans ses oreilles ne cesse de croître. Enfin elle arrive à battre des pieds, remonte à la surface et inspire profondément. Elle regarde autour d'elle et se met à nager vers le large.

57

ORAGE

Joona Linna et Saga Bauer quittent le siège de Silencia Defence après un bref entretien avec son directeur, Pontus Salman.

Ils lui avaient tendu un piège. Mais Pontus Salman les avait surpris en affirmant être la personne floue sur la photo et en indiquant que celle-ci avait été prise au printemps 2008 dans une salle de concert à Francfort.

Les quatre personnes présentes sur la photo discutaient d'une livraison de munitions au Soudan. L'affaire était en bonne voie lorsqu'un événement survenu au printemps 2009 a rendu toute négociation impossible. Salman semblait présumer que Joona et Saga savaient à quoi il faisait allusion. Ce fut apparemment l'unique réunion avec un représentant du Soudan.

— Sais-tu de quoi parlait Salman ? demande Joona. Qu'est-ce qui s'est passé au printemps 2009 ?

Avant même de s'engager sur Nynäsvägen, Saga Bauer appelle Simon Lawrence à la Säpo.

— Je suppose que tu ne m'appelles pas pour un rancard, dit Simon d'un ton flegmatique.

— L'Afrique du Nord est ta spécialité et tu sais sans doute ce qui s'est passé au Soudan au printemps 2009.

— Tu peux être plus précise ?

— Pour une raison qui m'échappe, la Suède ne peut plus exporter d'armes au Soudan depuis cette date.

— Tu ne lis pas les journaux ? En mars 2009, la CPI, la Cour pénale internationale de La Haye, a émis un mandat d'arrêt international contre le président du Soudan Omar el-Béchir.

— Contre le président ?

— Oui. Il est accusé d'être responsable de pillages, de viols, de déportations, d'actes de torture, de meurtres et de l'extermination de trois groupes ethniques au Darfour.

— Je vois, dit Saga.

Avant de conclure leur conversation, Simon Lawrence lui fait un petit résumé de la situation actuelle au Soudan.

— Alors ? demande Joona.

— La Cour pénale internationale de La Haye a émis un mandat d'arrêt contre le président El-Béchir.

— Je l'ignorais, dit Joona.

— En 2004, l'ONU a instauré un embargo sur les armes pour les janjawids et les autres milices au Darfour.

Ils se dirigent vers le nord sur Nynäsvägen. Le ciel estival s'assombrit peu à peu.

— Continue, dit Joona.

— Le président El-Béchir a toujours nié tout lien avec les milices. Et après l'embargo de l'ONU, seules les exportations destinées directement au gouvernement du Soudan furent autorisées.

— Justement parce qu'il n'avait aucun lien avec les milices du Darfour.

— Exactement. Et en 2005, un accord de paix a été conclu, l'accord de Naivasha. Il a mis fin à la guerre civile la plus longue sur le continent africain. Il n'y avait donc plus rien pour empêcher l'exportation d'armes destinées à l'armée soudanaise. Le rôle de Carl Palmcrona était donc de déterminer si cela était pertinent ou non du point de vue de la Sécurité.

— Mais la Cour pénale internationale semble avoir eu une autre opinion, dit sèchement Joona.

— Oui, complètement… ils ont établi un lien direct entre le président et les milices armées et ont exigé son arrestation pour viols, torture et extermination.

— Que s'est-il passé depuis ?

— Eh bien, le président El-Béchir est toujours en poste. Le Soudan ne compte évidemment pas se plier au mandat d'arrêt, mais il va de soi qu'il est complètement exclu d'y exporter des armes et de négocier avec Omar el-Béchir ou Agathe al-Haji.

— Exactement comme le disait Pontus Salman.

— C'est la raison pour laquelle ils ont mis un terme à leur arrangement.

— Il faut qu'on retrouve Penelope Fernandez, dit Joona au moment où les premières gouttes de pluie tombent sur le pare-brise de la voiture.

Soudain, un violent orage s'abat sur eux et ils n'ont quasiment plus aucune visibilité. La pluie clapote frénétiquement contre le toit de la voiture et ils roulent à cinquante kilomètres à l'heure alors qu'ils sont sur l'autoroute. Il fait très sombre même si, par moments, des éclairs lointains viennent éclairer le ciel. Les essuie-glaces fonctionnent à toute vitesse.

Soudain, le téléphone de Joona sonne. Petter Näslund, son supérieur, lui explique d'une voix stressée que Penelope Fernandez a contacté les secours il y a vingt minutes.

— Pourquoi ne m'a-t-on pas prévenu ?

— Ma priorité était d'y envoyer la police maritime, ils sont déjà en route. J'ai également dépêché un hélicoptère de sauvetage en mer sur les lieux pour les ramener rapidement.

— Bien, dit Joona en voyant Saga lui adresser un regard interrogateur.

— Je sais que tu tiens à interroger Penelope Fernandez et Björn Almskog au plus vite.

— Oui.

— Je t'appelle quand je sais dans quel état ils sont.

— Merci.

— La police maritime devrait atteindre Kymmendö dans seulement… Attends, il s'est passé quelque chose, tu peux patienter une seconde ?

Petter pose le combiné et Joona l'entend parler avec quelqu'un. Il s'emporte de plus en plus et finit par crier "Mais essayez encore", avant de reprendre son téléphone.

— Je dois te laisser, dit fermement Petter.

— Qu'est-ce qui se passe ?

Un coup de tonnerre gronde dans le ciel puis s'estompe dans un crépitement.

— On n'arrive pas à entrer en contact avec le bateau, ils ne répondent pas.

— Petter, dit Joona d'une voix forte et pleine de gravité. Ecoute-moi, il faut que tu agisses rapidement. Je crois que le bateau a été détourné et que…

— Mais arrête un peu…

— Ferme-la et écoute-moi, l'interrompt Joona. Nos collègues de la police maritime sont sans doute déjà morts. Tu ne disposes que de quelques minutes pour réunir des hommes et prendre la tête de l'opération. Appelle la RKC* sur une ligne et Bengt Olofsson sur l'autre, essaie d'obtenir deux patrouilles de NI** et demande les renforts d'un HKP14*** à la base la plus proche.

---

* Abréviation de Rikskommunikationscentralen, centrale d'information de la Rikskrim.
** Abréviation de Nationella Insatsstyrkan.
*** HKP14, appellation suédoise des hélicoptères NH90 regroupés au sein du comité de programme NSHP (Nordic Standard Helicopter Project), un projet de collaboration internationale entre les hélicoptères de la Suède, la Finlande et la Norvège.

58

LE BÉNÉFICIAIRE

Un orage passe sur Stockholm, le tonnerre gronde et les éclairs illuminent le ciel. Il pleut des cordes. Les gouttes clapotent contre les fenêtres du grand appartement de Carl Palmcrona. Tommy Kofoed et Nathan Pollock ont repris leurs recherches scientifiques.

Il fait tellement sombre qu'ils doivent allumer les plafonniers.

Dans une des armoires du dressing de Palmcrona, Pollock trouve une mallette en cuir posée sous une rangée de costumes gris, bleus et noirs.

— Tommy, crie-t-il.

Kofoed entre dans la pièce l'air maussade.

— Qu'est-ce qu'il y a ?

Nathan Pollock tapote la mallette avec ses doigts gantés.

— Je crois que j'ai trouvé quelque chose.

Une fois qu'ils se sont approchés de la fenêtre, Pollock l'ouvre délicatement. Elle contient une série de documents. Pollock soulève avec précaution la fine page de garde portant les quelques mots : *Dernières volontés de Carl Palmcrona.*

Ils lisent en silence. Le document est daté du 1ᵉʳ mars, trois ans plus tôt. Palmcrona a légué tous ses biens à une seule personne : Stefan Bergkvist.

— Qui diable est ce Stefan Bergkvist ? demande Kofoed. D'après ce que j'ai compris, Palmcrona n'avait pas de famille, pas d'amis, il n'avait personne.

— Stefan Bergkvist habitait à Västerås… au moment où le document a été établi. Au 11, Rekylgatan à Västerås et…

Pollock s'interrompt et lève les yeux vers Kofoed :

— C'est un enfant. A en croire son numéro de Sécurité sociale, il n'a que seize ans.

Le testament a été établi par l'avocat de Palmcrona au cabinet Wieselgreen et fils. Pollock feuillette l'annexe qui détaille les ressources de Palmcrona. Il possédait quatre fonds de pension, une forêt de seulement deux hectares, une ferme à Sörmland louée depuis dix ans et l'appartement du 2, Grevgatan. Le bien le plus important est un compte à la Standard Chartered Bank à Jersey dont Palmcrona estime le solde à neuf millions d'euros.

— On dirait que Stefan est devenu riche, dit Pollock.

— Oui.

— Mais pourquoi ?

Tommy hausse les épaules :

— Certains lèguent tous ce qu'ils possèdent à leur chien ou à leur prof de gym.

— Je l'appelle.

— Le garçon ?

— Que faire d'autre ?

Nathan Pollock appelle les renseignements et demande à être mis en contact avec Stefan Bergkvist au 11, Rekylgatan à Västerås. On l'informe qu'une certaine Siv Bergkvist réside à cette adresse et il se dit qu'il doit s'agir de la mère du garçon. Par la fenêtre, Nathan regarde les gouttières déborder.

— Siv Bergkvist, répond une femme à la voix cassée.

— Je m'appelle Nathan Pollock et je suis inspecteur de police… êtes-vous la mère de Stefan Bergkvist ?

— Oui, chuchote-t-elle.

— Pourrais-je lui parler ?

— Quoi ?

— Il n'y a aucune raison de vous inquiéter, j'ai simplement besoin de lui poser des…

— Allez vous faire foutre, crie-t-elle avant de raccrocher.

Pollock compose son numéro, mais n'obtient pas de réponse. Il observe un instant la rue luisante de pluie en contrebas puis rappelle.

— Micke, répond un homme d'une voix tendue.

— Je m'appelle Nathan Pollock et je…

— Qu'est-ce que vous voulez, bordel ?

Au loin, Nathan entend la femme pleurer. Elle dit quelque chose à l'homme qui lui répond qu'il peut s'en charger.

— Non, dit-elle. Je vais le faire…

Le combiné semble changer de main et des pas résonnent sur le sol.

— Allô, dit la femme.

— J'ai vraiment besoin de...

— Stefan est mort, l'interrompt-elle d'une voix stridente. Pourquoi faites-vous ça, pourquoi téléphonez-vous pour dire que vous voulez lui parler, je n'ai plus la force...

Elle pleure dans le combiné et Pollock entend quelque chose se fracasser au sol.

— Je vous demande pardon, dit Pollock. Je ne savais pas, je...

— Je n'en ai pas la force, dit-elle en pleurs. Je n'en peux plus.

Des pas s'approchent et l'homme reprend le combiné :

— Maintenant, ça suffit.

— Attendez, s'empresse Pollock. Pourriez-vous me dire ce qui s'est passé ? C'est important...

Tommy Kofoed, qui a suivi la conversation, voit Nathan écouter attentivement, pâlir et puis passer lentement la main sur sa queue de cheval grise.

59

LORSQUE LA VIE PREND UN SENS

Plusieurs policiers se sont regroupés dans les couloirs du commissariat. L'ambiance est très tendue. Tous attendent impatiemment les dernières informations. La liaison avec le bateau de la police maritime a été coupée. Puis le central a perdu tout contact radio avec l'hélicoptère de sauvetage.

Joona est assis à son bureau, à la Rikskrim, et lit la carte postale que Disa lui a envoyée depuis le Gotland où elle assiste à une conférence. "Je te transmets une lettre d'amour de la part d'une admiratrice secrète. Bises, Disa." Elle a dû chercher longtemps pour trouver une carte qui lui donnerait des haut-le-cœur. Il se prépare au pire et retourne la carte. Sur l'image, on peut lire *Sex on the beach* au-dessus d'un caniche blanc qui porte un bikini rose et des lunettes de soleil. Le chien est assis dans un transat, un grand verre à cocktail posé à côté de lui.

On frappe à la porte et le sourire de Joona s'efface dès qu'il aperçoit le visage grave de Nathan Pollock.

— Carl Palmcrona a légué tous ses biens à son fils, dit Nathan.

— Je croyais qu'il n'avait pas de famille.

— Il est mort, il avait seize ans. Il semblerait qu'il ait été victime d'un accident hier.

— Hier ? répète Joona.

— Stefan Bergkvist a survécu trois jours à Carl Palmcrona.

— Que s'est-il passé ?

— Je n'ai pas très bien compris, une histoire de moto. J'ai demandé à ce qu'on me transmette le rapport préliminaire…

— Que sais-tu ?

L'homme à la queue de cheval grise s'installe sur une chaise en face du bureau.

— J'ai parlé à plusieurs reprises à la mère, Siv Bergkvist, ainsi qu'à son concubin, Micke Johansson... Apparemment Siv assurait le remplacement de la secrétaire de Palmcrona lorsqu'il travaillait au Fjärde sjöstridsflottiljen, la 4e flottille des forces navales de la marine royale suédoise. Ils ont eu une brève liaison et elle est tombée enceinte. Lorsqu'elle lui a annoncé la nouvelle, il lui a répondu qu'elle devait avorter. Siv est retournée à Västerås, a donné naissance à son enfant et a toujours affirmé qu'il était de père inconnu.

— Est-ce que Stefan savait que son père était Carl Palmcrona ?

Nathan secoue la tête en repensant aux paroles de la mère :

"J'ai toujours dit au petit que son père était mort avant sa naissance."

Après avoir frappé, Anja Larsson entre dans la pièce et dépose un dossier sur le bureau. Les feuilles sortent de l'imprimante et sont encore chaudes.

— Accident, dit Anja en quittant la pièce.

Joona commence à lire le rapport de l'enquête préliminaire. L'intensité de la chaleur a fait que la mort n'est pas survenue après une intoxication à l'oxyde de carbone, mais est directement liée aux conséquences de ses brûlures. La peau du garçon avait éclaté en formant de profondes entailles. Sa masse musculaire avait fondu. La chaleur avait également causé une fracture du crâne et des os longs. Le médecin légiste avait constaté un hématome extradural. Le sang avait commencé à bouillir.

— Quelle horreur, marmonne Joona.

Il ne restait rien de la baraque dans laquelle Stefan Bergkvist était mort, ce qui avait compliqué les investigations. Une fois sur les lieux, les policiers n'avaient trouvé qu'une couche de cendre recouvrant des débris en métal et les restes d'un corps recroquevillé devant ce qui avait été la porte. La théorie de la police reposait sur un seul témoignage, celui du conducteur de train qui a alerté les pompiers. Il avait vu une moto en feu. Tout indiquait que Stefan Bergkvist se trouvait à l'intérieur de la vieille baraque de chantier lorsque sa moto était tombée de façon à bloquer la porte. Le bouchon du réservoir n'était pas bien vissé et l'essence s'était alors répandue au sol. Au moment de la rédaction du rapport, on n'avait pas encore déterminé ce qui avait déclenché le feu mais, selon toute vraisemblance, il s'agissait d'une cigarette.

— Palmcrona meurt, dit lentement Pollock. Il lègue tous ses biens à son fils et, trois jours plus tard, celui-ci est retrouvé mort.

— L'héritage revient à la mère ?

— Oui.

Plongés dans leurs réflexions, ils se taisent et, après quelques secondes, ils entendent les pas traînants de Tommy Kofoed dans le couloir avant qu'il n'entre dans le bureau.

— J'ai ouvert le coffre-fort de Palmcrona, dit Kofoed d'un air renfrogné. Il ne contenait rien à part ceci.

Il tient un magnifique livre relié en cuir dans la main.

— Qu'est-ce que c'est ? demande Pollock.

— Une biographie, dit Kofoed. C'est assez commun pour les gens de sa classe sociale.

— Un journal intime tu veux dire ?

Kofoed hausse les épaules.

— Plutôt des notes personnelles qui n'ont pas l'air d'avoir été écrites pour être publiées. Elles ajoutent simplement un chapitre à l'histoire commune de la famille. Ce sont des pages manuscrites... Ça commence par un arbre généalogique, il y a ensuite la description de la carrière de son père suivie d'une énumération un peu monotone de ses propres études, examens, service militaire et carrière professionnelle... Il fait un certain nombre de mauvais placements et ses finances se détériorent assez rapidement, il vend alors des terres et des propriétés. Tout est décrit de façon assez insipide...

— Et son fils ?

— Sa relation avec Siv Bergkvist est décrite en quelques mots comme un accident, répond Tommy Kofoed en inspirant profondément. Mais assez rapidement, il commence à mentionner Stefan et les notes de ces huit dernières années lui sont exclusivement consacrées. Il suit sa vie de loin, sait à quelle école il va, quels sont ses centres d'intérêt, qui sont ses amis. Il mentionne l'héritage à plusieurs reprises et semble économiser tout son argent pour son fils. Enfin, il décrit comment il compte prendre contact avec lui dès qu'il aura dix-huit ans. Il espère que son fils lui pardonnera et qu'ils pourront enfin apprendre à se connaître après toutes ces années. Il ne pense qu'à cela... Et maintenant, ils sont morts tous les deux.

— Quel cauchemar, marmonne Pollock.

— Qu'est-ce que tu as dit ? demande Joona en levant la tête.

— Je me disais juste que c'est un vrai cauchemar, répond Pollock d'une voix étonnée. Il fait tout pour assurer l'avenir de son fils qui lui survit à peine trois jours sans jamais avoir su qui il était.

60

UN PEU PLUS DE TEMPS

Beverly est déjà couchée dans son lit lorsque Axel entre dans la chambre. La veille, il n'a dormi que deux heures et se sent ivre de fatigue.

— Combien de temps faut-il à Evert pour venir ici en voiture ? demande-t-elle d'une voix claire.

— Ton père, tu veux dire ? Six heures, peut-être.

Elle se lève et se dirige vers la porte.

— Qu'est-ce que tu fais ? demande Axel.

Elle se retourne :

— Je me disais qu'il m'attend peut-être dans la voiture.

— Tu sais qu'il n'est pas à Stockholm.

— Je veux juste regarder par la fenêtre au cas où.

— On peut l'appeler si tu veux.

— J'ai déjà essayé.

D'une main, il lui tapote délicatement la joue. Elle s'assied sur le lit.

— Tu es fatigué ? demande-t-elle.

— Je ne me sens pas très bien.

— Tu veux qu'on dorme ensemble ?

— Oui, je t'en prie.

— Je crois que papa voudra me parler demain, dit-elle à voix basse.

Axel hoche la tête :

— Tout ira bien demain.

Ses grands yeux brillants lui donnent un air plus jeune que jamais.

— Allonge-toi alors, dit-elle. Allonge-toi pour que tu puisses dormir, Axel.

Il cligne de ses yeux fatigués et la voit s'allonger délicatement de son côté du lit. Sa chemise de nuit en coton sent le propre.

Lorsqu'il se couche derrière elle, il a les larmes aux yeux. Il voudrait lui dire qu'il compte trouver un psychologue qui l'aidera à s'en sortir, que ça s'arrangera, que ça finit toujours par s'arranger.

Il prend machinalement l'un de ses avant-bras et pose son autre main sur son ventre. Il l'entend gémir lorsqu'il se blottit contre elle. Il enfouit son visage dans sa nuque, respire l'odeur de ses cheveux et la serre fort dans ses bras. Après un moment, il entend sa respiration se calmer. Ils sont complètement immobiles et leurs corps sont maintenant moites de transpiration, mais il ne la lâche pas.

*

Le matin suivant, Axel se lève tôt. Il n'a dormi que quatre heures et ses muscles sont endoloris. Il demeure un instant près de la fenêtre à observer les grappes de lilas foncées.

Il est encore fatigué lorsqu'il pénètre dans son nouveau bureau. Hier, il avait failli signer le contrat d'un mort. En faisant confiance au jugement de celui-ci plutôt qu'au sien, il aurait laissé son honneur entre les mains d'un pendu.

Il est soulagé d'avoir décidé d'attendre, mais regrette un peu d'avoir dessiné un bonhomme sur le contrat.

Il doit valider l'exportation de munitions pour le Kenya dans les jours prochains. Il ouvre le dossier et commence à lire la partie concernant les échanges commerciaux de la Suède dans la région.

Une heure plus tard, Jörgen Grünlicht pénètre dans le bureau d'Axel Riessen et s'installe sur une chaise face à lui. Il ouvre le dossier, le feuillette jusqu'à la page de la signature et croise ensuite le regard d'Axel.

— Bonjour, dit Axel.

Jörgen Grünlicht ne peut s'empêcher de sourire, le bonhomme aux cheveux ébouriffés dessiné sur la feuille ressemble bien à Axel Riessen et dans sa bulle il est justement écrit : bonjour !

— Bonjour, dit Jörgen.

— C'était trop tôt, explique Axel.

— Je comprends le message et, bien que l'affaire soit effectivement un peu urgente, je n'avais pas l'intention de vous stresser. Le ministre du Commerce est de nouveau sur mon dos et Silencia Defence appelle plusieurs fois par jour. Mais je vous comprends, sachez-le. Vous débutez et… vous voulez procéder consciencieusement.

— Oui.

— Et c'est très bien, poursuit-il. Mais si vous avez des doutes, vous pouvez transférer le dossier au gouvernement.

— Je n'ai pas de doutes. Je n'ai pas terminé, c'est aussi simple que ça.

— C'est juste que… de leur point de vue, nous avons déjà perdu trop de temps.

— J'ai mis tous les autres dossiers en attente et je peux vous dire que, jusqu'à présent, tout semble en ordre. Je ne compte pas m'opposer à ce que Silencia Defence charge le navire.

— J'informe toutes les parties que votre avis est positif.

— Vous le pouvez, je veux dire, si je ne trouve rien d'anormal, c'est…

— Vous ne trouverez rien, j'ai moi-même vérifié les documents.

— Dans ce cas, dit Axel d'une voix douce.

— Je ne vais pas vous déranger davantage, dit Jörgen en se levant. Quand pensez-vous avoir terminé ?

Axel regarde à nouveau le dossier.

— Comptez deux ou trois jours, je serais peut-être amené à demander des informations directement au Kenya.

— Bien entendu, dit Jörgen Grünlicht en quittant la pièce.

61

CE À QUOI IL PENSE TOUJOURS

Il est à peine 10 heures lorsque Axel quitte les bureaux de l'ISP pour aller travailler chez lui sur le dossier du Kenya. La fatigue lui donne froid et faim et il se rend au *Grand Hôtel* pour commander un brunch pour deux à emporter. Lorsque Axel pénètre dans la cuisine, Beverly est assise à table et feuillette le magazine de mariage *Amelia Brud & Bröllop*.

— Tu as faim ? demande-t-il.

— Je ne sais pas si je veux être en blanc pour mon mariage, dit Beverly. Peut-être rose clair...

— J'aime bien le blanc, marmonne-t-il.

Axel prépare le repas et ils montent ensemble jusqu'au salon. Ils s'installent dans deux fauteuils rococo près des grandes baies vitrées. Une table octogonale du XVIe siècle les sépare. Son plateau témoigne de l'engouement de l'époque pour la marqueterie. Il représente une femme qui joue de la cithare dans un jardin rempli de paons.

Axel sort la porcelaine marquée des armes argentées de la famille, des serviettes en tissu et de lourds verres à vin. Il verse du Coca dans le verre de Beverly et de l'eau minérale avec des rondelles de citron dans le sien. Le cou de Beverly est d'une incroyable finesse, son menton est charmant. Sa coupe courte souligne la courbe douce que dessine la partie postérieure de sa tête. Elle vide son verre et s'étire paresseusement dans un geste gracieux et enfantin. Axel pense alors que ses mouvements ne changeront pas à l'âge adulte, ni même lorsqu'elle sera une vieille dame.

— Parle-moi encore de musique, demande-t-elle.

— On en était où ? demande Axel en dirigeant la télécommande vers la chaîne stéréo.

Les enceintes diffusent alors l'interprétation d'une grande sensibilité que livre Alexander Malter d'*Alina*, du compositeur estonien Arvo Pärt. Axel observe les bulles frétiller dans son verre et regrette de ne plus pouvoir boire. Il voudrait accompagner les asperges avec du champagne et se servir ensuite un cocktail de Propavan* et de Stesolid® pour la nuit.

Axel lui ressert du Coca. Elle fait un signe de tête pour le remercier. Il fixe ses grands yeux foncés et ne se rend pas compte que le verre déborde de mousse avant que le soda ne se déverse sur la table. Le motif s'assombrit comme si un nuage avait masqué le soleil. Le liquide fait luire le ramage des paons.

Il se lève et aperçoit le reflet de Beverly dans la vitre. En observant le dessin de son menton, il réalise soudain qu'elle lui évoque Greta et s'étonne de ne le remarquer que maintenant.

Axel voudrait se détourner et quitter la maison à toute vitesse mais il se force à aller chercher une lavette tandis que le rythme de son cœur revient à la normale.

Elles ne se ressemblent pas exactement comme deux gouttes d'eau, mais, à bien des égards, Beverly lui fait penser à Greta.

Il s'arrête et essuie sa bouche d'une main tremblante.

Il pense à Greta tous les jours.

La semaine précédant le concours le hante encore.

C'était il y a trente-quatre ans et depuis sa vie s'est obscurcie. Il était si jeune, et avait déjà tant perdu.

* Médicament à base de propiomazine, un sédatif.

62

LE DOUX SOMMEIL

Le concours Johan Fredrik Berwald était la compétition la plus prestigieuse en Europe pour les jeunes violonistes. Elle avait révélé de nombreux virtuoses aujourd'hui mondialement reconnus. Pendant six tours, le jury avait sélectionné les meilleurs solistes et il n'en restait désormais que trois en lice. Le dernier tour était prévu pour le lendemain et devait se dérouler en public dans une salle de concert à Stockholm. Le concert serait retransmis à la télévision et orchestré par Herbert Blomstedt.

Il s'agissait d'un grand événement puisque deux des finalistes, Axel Riessen et Greta Stiernlood, étudiaient à l'Ecole nationale supérieure de musique de Stockholm. Le troisième finaliste était Shiro Sasaki, un Japonais.

Pour Alice Riessen, musicienne professionnelle n'ayant pas connu de véritable succès, la victoire de son fils Axel constituait un vrai motif de gloire. D'autant qu'à cette époque, elle avait reçu de nombreux avertissements du directeur de l'école d'Axel concernant ses absences répétées, son manque de concentration et sa négligence dans le travail.

Après avoir passé le second tour, Axel et Greta avaient été dispensés de cours afin de pouvoir consacrer tout leur temps aux répétitions. Ils avaient appris à se connaître et se réjouissaient de leur succès commun. Avant la grande finale, ils s'étaient souvent retrouvés chez Axel pour se soutenir mutuellement.

Pour la dernière étape du concours, les violonistes joueraient un morceau de leur choix.

Axel et son frère cadet Robert disposaient des sept pièces supérieures de la grande maison à Lärkstaden. Axel ne répétait en principe jamais, mais adorait jouer, découvrir de nouveaux morceaux et tester des choses nouvelles. Parfois, il jouait jusque tard dans la nuit, explorant les possibilités que lui offrait son instrument jusqu'à ce que ses doigts le brûlent.

La veille de la finale, Axel observait les pochettes de ses 33 tours étalées au sol devant sa platine. C'étaient trois disques de David Bowie, *Space Oddity*, *Aladdin Sane* et *Hunky Dory*.

Sa mère frappa à la porte et entra avec une bouteille de Coca et deux verres contenant des glaçons et des lamelles de citron. Légèrement surpris, Axel la remercia, saisit le plateau et le posa sur la table basse.

— Je croyais que vous répétiez, dit Alice en regardant autour d'elle.

— Greta devait rentrer pour manger.

— Mais tu aurais pu continuer pendant ce temps.

— Je l'attends.

— Tu sais que c'est la finale demain, dit-elle en s'installant à côté de son fils. Tu sais, je répète au moins huit heures par jour, parfois j'ai même travaillé dix heures.

— Je ne suis même pas réveillé dix heures par jour, plaisanta Axel.

— Axel, tu es doué.

— Comment tu le sais ?

— Je le sais. Mais ça ne suffit pas, ça n'a jamais suffi à personne.

— Maman, je répète comme un fou, mentit-il.

— Joue pour moi.

— Non, dit-il brusquement.

— Je comprends que tu ne veuilles pas de ta mère comme professeur, mais tu pourrais me laisser t'aider un peu, c'est le moment ou jamais, poursuivit patiemment Alice. La dernière fois que je t'ai entendu, c'était pour un concert de Noël il y a deux ans, personne ne comprenait ce que tu jouais…

— *Cracked Actor* de Bowie.

— C'était puéril… mais assez impressionnant, pour un garçon de quinze ans, avoua-t-elle en tendant la main pour le caresser. Mais demain…

Axel écarta la main de sa mère :

— Laisse-moi tranquille.

— Je peux savoir quel morceau tu as choisi ?

— Classique, répondit-il avec un large sourire.

— Dieu merci.

Il haussa les épaules en évitant son regard. Lorsqu'on sonna à la porte, il quitta la pièce et dévala l'escalier.

Il faisait presque nuit, mais la lumière se reflétait dans la neige devant la maison, adoucissant l'obscurité. Greta était sur le perron et portait un béret et un duffle-coat. Une écharpe à rayures était enroulée autour de son cou. Ses joues brillaient, rouges de froid, et ses cheveux qui tombaient sur ses épaules étaient parsemés de flocons de neige. Elle posa son étui à violon sur la commode du vestibule, accrocha son manteau, défit les lacets de ses bottines noires et sortit des petites chaussures d'intérieur de son sac à bandoulière.

Alice Riessen, qui était descendue la saluer, dit d'un ton enjoué :

— C'est formidable que vous vous aidiez pour répéter. Il faudra être sévère avec Axel, autrement il se laisse aller à la paresse.

— Je l'ai remarqué, dit Greta en riant.

Greta Stiernlood était la fille d'un riche industriel, actionnaire d'entreprises telles que Saab Scania ou Enskilda Banken. Il l'avait élevée seul – ses parents s'étaient séparés lorsqu'elle était petite et elle n'avait jamais plus revu sa mère. Très tôt, peut-être même avant sa naissance, son père avait décidé qu'elle deviendrait violoniste.

Dans la pièce consacrée aux répétitions d'Axel, Greta s'approcha du piano à queue. Ses boucles brillantes drapaient ses épaules. Elle était vêtue d'un chemisier blanc et d'une jupe écossaise qui tombait par-dessus des collants rayés.

Elle sortit le violon de son étui, attacha sa mentonnière, essuya un peu de colophane restée accrochée sur les cordes avec un chiffon en coton, tendit son archet et posa sa partition sur le trépied. Elle vérifia rapidement que le violon ne s'était pas désaccordé à cause du froid ou de l'humidité.

Puis elle se mit à jouer. Comme toujours, elle avait les yeux mi-clos et ses longs cils projetaient des ombres frémissantes sur son beau visage. Axel connaissait bien le morceau, il s'agissait du premier mouvement du quatuor à cordes n° 15 de Beethoven. Un thème grave et pénétrant.

Il sourit et se dit que Greta possédait un réel don pour la musique. La sincérité de ses interprétations forçait son respect.

— C'est beau, dit-il lorsqu'elle s'arrêta.

Elle changea de partition et souffla sur ses doigts endoloris.

— Mais je n'arrive pas à me décider... tu sais, papa dit que je devrais jouer la sonate en *sol* mineur de Tartini.

Elle se tut, regarda un moment la partition pour compter les doubles croches et mémoriser les légatos difficiles.

— Mais je ne me sens pas en confiance, je...

— Je peux écouter ?

— C'est vraiment pas terrible, dit-elle en rougissant.

Elle joua le dernier mouvement, le visage crispé. C'était beau et mélancolique, mais elle perdit le tempo lors d'un passage très aigu qui doit être joué avec fièvre.

— Merde, chuchota-t-elle en calant son violon sous son bras. Je suis à la traîne, j'ai travaillé comme une forcenée, mais il faut que je sois plus juste sur les doubles croches et les triolets...

— Pourtant, j'ai bien aimé l'ondulation, comme si tu arquais un grand miroir contre...

— Je me suis trompée, l'interrompt-elle d'une voix forte. Pardon, tu essayais juste d'être gentil, je sais, mais il faut que je joue juste. C'est insensé qu'à la veille du concours, je ne sache pas si je dois choisir le morceau simple ou tenter le difficile.

— Tu connais les deux, alors...

— Non, ce n'est pas vrai, ce serait un pari trop risqué. Mais accorde-moi quelques heures, trois heures, et j'oserai peut-être tenter Tartini demain.

— Tu ne peux pas le choisir juste parce que ton père pense que...

— Mais il a raison.

— Non, dit Axel en se roulant lentement un joint.

— Je connais le premier morceau, poursuit-elle, mais ce ne sera peut-être pas suffisant, ça dépend de ce que toi et le garçon japonais avez choisi.

— On ne peut pas penser comme ça.

— Comment faut-il penser alors ? Je ne t'ai pas vu répéter une seule fois. Qu'est-ce que tu vas jouer – tu t'es décidé au moins ?

— Ravel.

— Ravel ? Sans répéter ?

Elle poussa un rire.

— Tu es sérieux ?

— *Tzigane* de Ravel – rien d'autre.

— Axel, excuse-moi mais c'est de la folie, tu le sais, c'est trop compliqué, trop rapide, trop présomptueux et...

— Je veux jouer comme Perlman, mais sans me précipiter… parce qu'en réalité, cela ne va pas si vite.

— Axel, ça va terriblement vite, dit-elle en souriant.

— Oui, pour le lièvre pris en chasse… mais pour le loup, ça va trop lentement.

Elle lui adressa un regard las.

— Tu as lu ça où ?

— Ça a été attribué à Paganini.

— Bon, ça signifie qu'il n'y a que le garçon japonais qui puisse m'inquiéter. Tu ne répètes pas, Axel, tu ne peux pas jouer la *Tzigane* de Ravel.

— Ce n'est pas aussi difficile que tout le monde le prétend, répondit-il en allumant son joint.

— Non, bien sûr, dit-elle en recommençant à jouer.

Elle s'interrompit au bout d'un moment et lui décocha un regard grave.

— Tu vas jouer Ravel ?

— Oui.

— Tu m'as menti ? Tu répètes ce morceau depuis quatre ans ou quoi ? demanda-t-elle d'une voix sévère.

— Je me suis décidé à l'instant – juste au moment où tu m'as posé la question.

— Comment tu peux être bête à ce point ? dit-elle en riant.

— Je m'en fous d'être le dernier, dit-il en s'allongeant sur le canapé.

— Moi, je ne m'en fous pas, dit-elle simplement.

— Je sais, mais il y aura d'autres opportunités.

— Pas pour moi.

Elle rejoua le morceau de Tartini. Elle le maîtrisait davantage mais s'interrompit néanmoins et travailla encore et encore le passage compliqué.

Axel applaudit, posa *The Rise and Fall of Ziggy Stardust and the Spiders from Mars* de David Bowie sur la platine puis s'allongea, ferma les yeux et accompagna la chanson : *Ziggy really sang, screwed up eyes and screwed down hairdo. Like some cat from Japan, he could lick' em by smiling. He could leave' em to hang.*

Greta hésita, reposa son violon, s'approcha de lui et prit le joint qu'il lui tendait. Elle fuma quelques bouffées, toussa et le lui rendit.

— Comment tu fais pour être aussi bête ? demanda-t-elle en lui caressant soudain les lèvres.

Elle se pencha sur lui et tenta de l'embrasser, mais son baiser atterrit sur sa joue. Elle s'excusa à mi-voix et l'embrassa de nouveau. Leurs lèvres se cherchaient, tout en douceur. Il lui retira son pull-over sans manches et ses cheveux frétillèrent sous l'effet de l'électricité statique. Il sentit une petite décharge en touchant sa joue et retira rapidement sa main. Ils se sourirent nerveusement et s'embrassèrent à nouveau. Il défit les boutons de son chemisier et sentit ses petits seins à travers son soutien-gorge. Elle l'aida à se débarrasser de son T-shirt. Ses longs cheveux bouclés sentaient la neige et l'hiver, mais son corps était chaud comme un pain sorti du four.

Ils allèrent jusqu'à la chambre à coucher et s'effondrèrent sur le lit.

Elle ôta sa jupe portefeuille en tremblant et maintint sa culotte d'une main pour ne pas la baisser en même temps que ses épais collants.

— Qu'est-ce qu'il y a ? chuchota-t-il. Tu veux arrêter ?

— Je ne sais pas – tu veux arrêter ?

— Non.

— Je suis juste un peu nerveuse.

— Pourtant, tu es plus âgée que moi.

— Justement, tu n'as que dix-sept ans, c'est presque un peu indécent, dit-elle en souriant.

Le cœur d'Axel battait la chamade lorsqu'il retira sa culotte. Elle restait immobile pendant qu'il lui embrassait le ventre, les seins, le cou, le menton et les lèvres. Elle écarta délicatement les jambes et il vint sur elle. Elle pressait lentement ses cuisses contre ses hanches. Ses joues devinrent écarlates lorsqu'il la pénétra doucement. Elle le tira vers elle, caressant sa nuque et soupirant chaque fois qu'il s'enfonçait en elle.

Lorsque plus tard ils s'allongèrent, haletants, une fine couche de sueur s'était formée sur leurs corps nus. Et encore enlacés, ils fermèrent les yeux et s'endormirent rapidement.

63

LE CONCOURS JOHAN FREDRIK BERWALD

Le soleil s'était déjà levé lorsque Axel se réveilla, le jour où sa vie bascula. Greta et lui avaient dormi toute la nuit dans les bras l'un de l'autre, épuisés et heureux.

Axel quitta le lit, et observa un instant le visage paisible de Greta qui dormait, enroulée dans la grosse couette. Il se dirigea vers la porte, s'arrêta devant le miroir et contempla un moment son corps nu avant de continuer jusqu'à la pièce de musique. Il referma délicatement la porte de la chambre derrière lui, s'approcha du piano et sortit son violon de l'étui. Il le posa sur son épaule, avança jusqu'à la fenêtre. En observant la neige qui, poussée par le vent, s'échappait du toit et s'effilochait en de longs voiles, il joua de mémoire les premières notes de *Tzigane* de Maurice Ravel.

Le morceau débutait par une mélodie tzigane lente et mélancolique. Puis, le tempo s'accélérait. La mélodie se répétait en échos de plus en plus rapides, comme les souvenirs étincelants d'une nuit d'été.

Cela allait extrêmement vite.

Axel jouait parce qu'il était heureux, il ne réfléchissait pas, laissait simplement ses doigts courir sur le manche, danser avec l'eau frémissante du ruisseau. Il sourit en repensant au tableau que son grand-père paternel avait dans son salon. Il affirmait que c'était la version la plus belle de la Nixe* jamais peinte par Ernst Josephson. Enfant, Axel adorait les histoires sur cette créature qui poussait les gens à se noyer avec son magnifique jeu de violon.

---

* Un génie des eaux dans les mythologies germanique et nordique.

En cet instant, Axel se dit qu'il ressemblait à la Nixe, un jeune homme nu assis dans l'eau avec son violon. Seulement, à la différence de la Nixe de Josephson, Axel était heureux.

L'archet glissait sur les cordes à une vitesse vertigineuse.

Axel ne se souciait pas du crin qui se détachait et pendait maintenant de la hausse.

Voilà comment il faut jouer Ravel, se dit-il. Ça doit être gai, pas exotique. Ravel est un compositeur heureux, jeune.

Il laissa les dernières notes résonner longuement dans le violon, puis disparaître comme la neige du toit. Il abaissa son archet et était sur le point de s'incliner devant l'hiver lorsqu'il perçut un mouvement derrière lui.

Il se retourna et vit Greta dans l'encadrement de la porte. Elle tenait la couette autour d'elle et le fixait avec des yeux étrangement sombres.

Il s'inquiéta devant la gravité de son visage.

— Qu'est-ce qu'il y a ?

Elle ne répondit pas et déglutit avec peine. De grosses larmes roulèrent sur ses joues.

— Greta, qu'est-ce qu'il y a ?

— Tu disais que tu n'avais pas répété, dit-elle d'une voix creuse.

— Non, je… je… bégaya-t-il. Je t'ai déjà dit que c'est facile pour moi d'apprendre de nouveaux morceaux.

— Félicitations.

— Ce n'est pas ce que tu crois.

Elle secoua la tête.

— Je n'arrive pas à croire que j'aie pu être dupe à ce point.

Il reposa le violon et l'archet, mais elle retourna dans la chambre à coucher et ferma la porte derrière elle. Il enfila un jean qui pendait sur le dos d'une chaise et alla frapper à la porte.

— Greta ? Je peux entrer ?

Elle ne répondit pas. Il sentit une boule d'angoisse grossir en lui. Après un moment, elle sortit tout habillée. Elle ne lui adressa pas un regard, avança jusqu'au piano, rangea son violon et le laissa seul.

*

La salle de concert était bondée. Greta était la première à passer. Elle ne l'avait ni regardé, ni salué en arrivant. Elle était vêtue d'une robe en velours bleu nuit et portait un collier avec un pendentif en forme de cœur.

Axel était dans sa loge et attendait, les yeux mi-clos. C'était le silence complet. Seul un petit ventilateur émettait un faible bruissement. Son petit frère Robert était venu le rejoindre.

— Tu ne vas pas t'asseoir avec maman ? demanda Axel.

— Je suis trop nerveux… je ne peux pas regarder quand tu joues, je préfère attendre ici.

— Greta a commencé ?

— Oui, c'est bien.

— Quel morceau a-t-elle choisi ? La sonate de Tartini… ?

— Non, c'était quelque chose de Beethoven.

— Tant mieux, marmonna Axel.

Ils restèrent un moment silencieux. Soudain, on frappa à la porte. Axel se leva et ouvrit à une femme qui lui dit que c'était son tour.

— Bonne chance, dit Robert.

— Merci, répondit Axel en prenant son violon. Il accompagna la femme dans le couloir.

Des applaudissements provenaient de la salle et Axel aperçut Greta et son père qui s'empressaient de rentrer dans leur loge.

Axel traversa le couloir et dut ensuite attendre derrière un paravent que l'animateur le présente. Après avoir entendu son nom, il pénétra dans le faisceau éblouissant des projecteurs et sourit au public. Un murmure parcourut toute la salle lorsqu'il expliqua qu'il allait jouer la *Tzigane* de Maurice Ravel.

Il posa le violon contre son épaule et leva l'archet. Il commença à jouer l'introduction mélancolique et entraîna ensuite le tempo jusqu'à l'impossible. Le public retenait son souffle. Il savait que son interprétation était brillante, mais cette fois-ci, la mélodie n'évoquait pas l'eau d'un ruisseau. Comme la Nixe, il jouait avec douleur et fébrilité. A la troisième minute du morceau, lorsque les notes tombaient comme une pluie nocturne, il sauta sciemment certaines notes, ralentit le tempo, et joua légèrement faux avant d'interrompre le morceau.

Un épais silence emplissait la salle de concert.

— Je vous prie de m'excuser, chuchota-t-il en quittant la scène.

Le public applaudit poliment. Sa mère se leva de son siège, le suivit et l'arrêta dans le couloir.

— Viens ici mon garçon, dit-elle en posant ses mains sur ses épaules.

Elle caressa sa joue et sa voix était troublée par l'émotion lorsqu'elle lui dit :

— C'était incroyable, la meilleure interprétation que j'aie jamais entendue.

— Pardonne-moi, maman.

— Non, répondit-elle, en se détournant d'Axel pour quitter la salle de concert.

Axel rejoignait la loge pour récupérer ses vêtements, lorsqu'il fut arrêté par le célèbre chef d'orchestre, Herbert Blomstedt.

— C'était vraiment très bien avant que tu ne fasses semblant de te tromper, dit-il à voix basse.

*

Un silence sourd régnait dans la maison lorsque Axel rentra chez lui. Il était déjà tard. Il monta jusqu'au dernier étage, traversa la pièce de musique, pénétra dans la chambre à coucher et referma la porte derrière lui. La mélodie de Ravel résonnait encore dans sa tête. Il se remémorait la façon dont il avait supprimé quelques notes et ralenti le tempo jusqu'à laisser place au silence.

Il ralentissait encore et encore.

Axel s'allongea sur son lit et s'endormit près de son étui.

Le lendemain, il fut réveillé par la sonnerie du téléphone.

Le parquet grinçait faiblement, quelqu'un traversait la salle à manger.

Après un moment, des pas résonnèrent dans l'escalier. Sa mère entra dans sa chambre sans frapper.

— Lève-toi, dit Alice d'une voix grave.

Il fut saisi d'angoisse en découvrant son visage. Elle avait pleuré et ses joues étaient encore humides.

— Maman, je ne comprends pas…

— Tais-toi, l'interrompit-elle à voix basse. Le directeur de l'école a appelé et il…

— Il me déteste parce que…

— Tais-toi ! cria Alice.

La pièce était plongée dans le silence. Elle posa une main tremblante sur sa bouche. Des larmes coulaient sur ses joues.

— C'est au sujet de Greta, réussit-elle enfin à articuler. Elle s'est suicidée.

Axel la regarda en tentant de comprendre ce qu'elle disait.

— Parce que je…

— Elle avait honte, l'interrompit Alice. Elle aurait dû répéter, tu avais promis que vous travailleriez mais je le savais, je le savais au fond de moi… Elle n'aurait pas dû venir ici, elle… je ne dis pas que c'est ta faute, Axel. Ce n'est pas le cas. Elle n'a pas supporté…

— Maman, je…

— Chut. C'est fini.

Alice quitta la pièce. Comme pris dans une brume étourdissante, Axel se leva, vacilla, ouvrit son étui et fracassa son violon au sol de toutes ses forces.

Le manche se brisa et le corps de l'instrument voltigea au milieu des cordes détachées. Il l'écrasa avec ses pieds, projetant de multiples éclats de bois.

— Axel ! Qu'est-ce que tu fais ?

Son petit frère s'élança sur lui, mais Axel le repoussa violemment. Robert heurta le grand placard avec son dos, mais revint immédiatement à la charge.

— Axel, tu t'es trompé, quelle importance ? J'ai croisé Greta, elle s'est trompée aussi, tout le monde peut…

— Ferme-la ! hurla Axel. Ne prononce plus jamais son nom.

Robert le regarda interloqué, puis se retourna et quitta la pièce sans un mot. Axel continua à piétiner les éclats de bois jusqu'à ce qu'il ne soit plus possible de distinguer la nature de l'instrument.

Shiro Sasaki, le Japonais, avait remporté le concours Johan Fredrik Berwald.

Greta avait choisi le morceau de Beethoven, mais elle s'était tout de même trompée. Une fois chez elle, elle avait absorbé une grande quantité de somnifères et s'était enfermée dans sa chambre. On ne l'avait retrouvée que le lendemain, lorsqu'elle n'était pas descendue pour le petit-déjeuner.

Les souvenirs d'Axel sombrent comme une ville recouverte par les eaux et s'enfoncent toujours plus profondément dans la vase et les algues. Beverly l'observe avec de grands yeux. Il jette un œil à la lavette en tissu dans sa main puis au liquide renversé sur la table.

Un rayon de soleil illumine l'arrière de la tête de Beverly lorsqu'elle se retourne pour observer les violons accrochés au mur.

— J'aimerais tant pouvoir jouer du violon, dit-elle.

— On peut prendre des cours ensemble, répond-il en souriant.

— J'aimerais bien.

Il pose la lavette sur la table et sent la fatigue l'envahir à nouveau. Le son du piano résonne dans la pièce. Le pianiste joue sans tête d'étouffoir et les notes se mélangent comme dans un rêve.

— Pauvre Axel, tu as envie de dormir.

— Il faut que je travaille, marmonne-t-il comme pour lui-même.

— Tu te reposeras ce soir alors, dit-elle en se levant.

64

EN DESCENDANT

Installé dans son bureau, l'inspecteur Joona Linna lit les notes de Carl Palmcrona. Sur une page datée d'il y a cinq ans, Palmcrona raconte qu'il s'est rendu à l'école de son fils pour assister à la fête de fin d'année. Il s'était tenu à l'écart alors que tous s'étaient réunis dans la cour pour chanter *Den blomstertid nu kommer*. Son fils portait un jean et une veste blanche. Il avait de longs cheveux blonds et Palmcrona avait écrit : "La forme de son nez et ses yeux m'ont ému aux larmes." Il était rentré à Stockholm en se disant que son fils valait bien plus que tout ce qu'il avait accompli jusqu'alors et tout ce qu'il accomplirait jamais.

Le téléphone sonne et Joona décroche aussitôt. Petter Näslund l'appelle depuis un fourgon de police, à Dalarö.

— Je viens d'avoir l'équipe de l'hélicoptère, explique-t-il d'une voix stressée. Ils sont actuellement au-dessus de la baie d'Erstaviken. Penelope Fernandez est avec eux.

— Elle est en vie ? demande Joona en sentant un certain soulagement le gagner.

— Elle nageait vers le large lorsqu'ils l'ont trouvée.

— Comment va-t-elle ?

— Apparemment, ça va. Ils se dirigent vers l'hôpital Söder.

— C'est trop dangereux, dit fermement Joona. Qu'ils l'amènent plutôt au commissariat – on fera venir une équipe médicale de l'hôpital Karolinska.

Il entend Petter dire à quelqu'un de contacter l'hélicoptère.

— Tu as des infos sur les collègues ? demande Joona.

— C'est le chaos total. On a perdu des hommes, Joona. C'est complètement insensé.

— Et Björn Almskog ?

— On ne l'a pas retrouvé… on n'arrive pas à avoir des infos, on ne sait rien.

— Le tueur a disparu ?

— On l'aura rapidement, c'est une petite île. On a des hommes de l'Insatsstyrkan au sol et dans les airs, des bateaux, des garde-côtes et la police maritime est en chemin.

— Bien.

— Tu ne penses pas qu'on l'aura ?

— Si vous ne l'avez pas appréhendé sur le coup, il s'est sans doute volatilisé.

— C'est ma faute ?

— Petter, dit Joona d'une voix calme, si tu n'avais pas agi aussi vite que tu l'as fait, Penelope Fernandez serait morte… et sans elle on n'aurait rien, aucun lien avec la photo, aucun témoin.

Une heure plus tard, deux médecins de l'hôpital Karolinska examinent Penelope Fernandez dans une chambre sécurisée située au sous-sol de l'immeuble de la Rikskrim. Ils ont pansé ses blessures, l'ont réhydratée et lui ont donné des calmants et des compléments nutritionnels.

Petter Näslund informe le chef de la Rikskrim, Carlos Eliasson, que les dépouilles de leurs collègues, Lennart Johansson et Göran Sjödin, ont été identifiées. On a repéré un autre corps parmi les débris du bateau, il s'agit sans doute de Björn Almskog. Le cadavre d'Ossian Wallenberg a été retrouvé devant sa maison et des plongeurs ont été dépêchés sur la zone où l'hélicoptère de sauvetage a sombré. Petter suppose que les trois équipiers sont morts.

La police n'a pas capturé le tueur, mais Penelope Fernandez est en vie.

Devant le commissariat, le drapeau est en berne. La directrice de la police départementale, Margreta Widding, et Carlos Eliasson tiennent une conférence de presse dans une pièce prévue à cet effet au rez-de-chaussée.

Joona Linna n'y participe pas. Avec Saga Bauer, ils empruntent l'ascenseur qui les mènera au dernier sous-sol avec l'espoir que Penelope Fernandez puisse leur apporter des réponses.

65

CE QU'ELLE A VU

Cinq étages sous la partie la plus moderne du commissariat, un espace composé de deux appartements, huit chambres et deux dortoirs a été aménagé, pour servir de logement sécurisé à la direction de la police en cas de situation de crise, état d'urgence ou catastrophe naturelle. Depuis une dizaine d'années, les chambres sont également utilisées pour la protection des témoins en cas de menaces exceptionnelles.

Penelope Fernandez est allongée sur un lit d'hôpital et ressent de légers fourmillements le long de son bras lorsque le rythme de perfusion s'accélère.

— C'est pour vous réhydrater, on vous donne également des compléments nutritionnels, explique le médecin Daniella Richards.

Elle lui décrit d'une voix douce ce qu'elle fait tandis qu'elle scotche un cathéter dans le pli de son bras.

Les plaies de Penelope ont été nettoyées et pansées, son pied gauche est recouvert d'un bandage, les nombreuses égratignures dans son dos ont également été pansées et l'entaille profonde sur sa hanche a été recousue de huit points de suture.

— Je vous donnerais bien un peu de morphine pour la douleur.

— Maman, chuchote Penelope en s'humectant les lèvres. Je veux parler avec maman.

— Je comprends, répond Daniella. Je vais m'en occuper.

De grosses larmes coulent sur ses joues et jusque dans ses cheveux et ses oreilles. Elle entend le médecin demander à une infirmière de préparer une injection de 0,5 millilitre de morphine-scopolamine.

La pièce ressemble à une chambre d'hôpital ordinaire, mais paraît un peu plus douillette. Un bouquet de fleurs est posé sur la table de chevet et des tableaux aux teintes claires sont accrochés sur les murs jaunes. Une étagère en bouleau est remplie de livres déjà lus. La pièce n'a pas de fenêtres, mais une lampe allumée derrière une draperie ressemblant à un rideau atténue un peu l'impression d'être enfermé dans un bunker.

Daniella Richards explique gentiment à Penelope qu'ils vont la laisser se reposer, mais qu'elle peut appuyer sur le bouton d'appel si elle a besoin de quoi que ce soit.

— Il y aura toujours quelqu'un si vous voulez poser une question ou simplement avoir un peu de compagnie.

Une fois seule dans la chambre claire, Penelope ferme les yeux. La morphine se diffuse dans son corps et l'entraîne peu à peu vers un doux sommeil.

On entend un léger craquement lorsqu'une femme en niqab noir détruit les deux petites figurines en terre séchée. Une fille et son petit frère se réduisent en poussière sous sa sandale. La femme voilée porte un lourd sac de céréales sur son dos et ne remarque pas ce qu'elle a fait. Deux garçons sifflent et rient. Ils crient que les enfants esclaves sont morts et qu'il ne reste plus que des nourrissons, tous les Fours doivent mourir.

Penelope tente de chasser les images de Kubbum de ses pensées. Avant de s'endormir elle éprouve, l'espace d'un instant, la sensation que des tonnes de pierres, de terre et de béton sont déversées sur elle. Comme si elle s'enfonçait toujours plus profondément dans les entrailles de la terre.

*

Penelope Fernandez se réveille. La morphine a engourdi son corps et elle n'a pas le courage d'ouvrir les yeux. Elle se souvient qu'elle se trouve dans une chambre sécurisée sous le commissariat. Elle n'a plus besoin de fuir. Le soulagement qu'elle ressent un instant fait rapidement place à une immense vague de douleur et de chagrin. Elle ignore combien de temps elle s'est endormie, se dit qu'elle pourrait facilement replonger dans un profond sommeil, mais ouvre pourtant les yeux.

La chambre souterraine est plongée dans le noir.

Elle cligne des yeux, mais cela n'y change rien. Le bouton d'appel n'est pas allumé. Ce doit être une coupure de courant. Elle réprime un cri lorsque, soudain, elle entend le cliquetis de la porte. Elle fixe l'obscurité, son sang bourdonne dans ses oreilles. Elle ressent des picotements sur sa peau. Chacun de ses muscles semble se tendre. Quelqu'un touche ses cheveux. Presque imperceptiblement. Elle se fige et sent une présence à ses côtés. On lui caresse les cheveux, tout doucement. Des doigts s'enlacent dans ses boucles. Elle s'apprête à réciter une prière lorsque la personne à son chevet agrippe ses cheveux et la traîne hors du lit. Elle hurle lorsqu'il la projette contre le mur en fracassant un tableau et en arrachant sa perfusion. Elle gît à terre, entourée de débris de verre. Il la maintient toujours par les cheveux, la traîne jusqu'au lit, la retourne et cogne sa tête contre le montant. Puis il saisit son couteau à lame noire.

Penelope se réveille en tombant au sol, la porte s'ouvre et une infirmière accourt. Toutes les lampes sont allumées et Penelope comprend qu'elle a fait un cauchemar. Elle l'aide à se remettre dans le lit et lui parle d'une voix apaisante. Puis elle remonte les barres latérales du lit pour l'empêcher de retomber.

La sueur sur son corps finit par s'évaporer. Elle n'arrive plus à bouger et des frissons parcourent ses bras. Allongée sur le dos, elle fixe le plafond en maintenant fermement le bouton d'appel dans sa main. On frappe à la porte. Une jeune femme entre dans la pièce, elle a des rubans de couleur tressés dans ses longs cheveux. Son regard est à la fois doux et grave. Derrière elle se tient un homme aux cheveux blonds ébouriffés et au visage aimable.

— Je m'appelle Saga Bauer. Je suis de la Sûreté. Voici mon collègue Joona Linna, de la Rikskriminalen.

Penelope les observe sans bouger. Après quelques secondes elle baisse les yeux sur ses bras pansés, ses égratignures, ses bleus et le cathéter fixé dans le pli de son bras.

— Nous sommes navrés de tout ce qui vous est arrivé ces derniers jours. Et nous comprendrions si vous souhaitez qu'on vous laisse tranquille, mais nous devrons vous interroger dans les jours prochains et nous sommes dans l'obligation de vous poser les premières questions dès maintenant.

Saga Bauer s'installe sur une chaise près du lit.

— Il me cherche encore, n'est-ce pas ? demande Penelope après un moment.

— Vous êtes en sécurité ici, répond Saga.

— Dites-moi qu'il est mort.

— Penelope, nous devons…

— Vous n'avez pas pu l'arrêter, dit-elle faiblement.

— Nous allons l'avoir, je vous le promets, dit Saga. Mais vous devez nous aider.

Penelope soupire profondément et ferme les yeux.

— Ceci va être éprouvant pour vous, mais nous devons obtenir des réponses à nos questions, poursuit Saga. Est-ce que vous savez pourquoi tout cela a commencé ?

— Demandez à Björn, marmonne-t-elle. Il le sait peut-être.

— Qu'est-ce que vous avez dit ?

— Je vous ai dit de poser la question à Björn, chuchote Penelope en ouvrant lentement les yeux. Demandez à Björn, il le sait peut-être.

De petits insectes ont dû l'accompagner depuis la forêt, et Penelope se gratte frénétiquement le front, mais Saga prend calmement ses mains.

— Vous avez été poursuivie, dit Saga. Je ne peux pas imaginer à quel point cela a dû être horrible, mais nous devons savoir si vous pourriez identifier le tueur. Vous l'aviez déjà rencontré auparavant ?

Penelope secoue imperceptiblement la tête.

— C'est bien ce que nous pensions, dit Saga. Pourriez-vous nous donner un signalement, reconnaître un tatouage, des traits caractéristiques ?

— Non, chuchote Penelope.

— Mais vous pourriez peut-être nous aider à dessiner un portrait-robot ? Nous n'avons pas besoin de grand-chose pour lancer une recherche *via* Interpol.

L'homme de la Rikskrim s'approche d'elle. Ses yeux gris clair lui évoquent les pierres polies d'un ruisseau.

— Il me semble que vous avez secoué la tête à l'instant, dit-il d'une voix calme. Lorsque Saga vous a demandé si vous aviez déjà rencontré l'homme auparavant – c'est exact ?

Penelope hoche la tête.

— Alors vous avez dû le voir, poursuit Joona d'une voix aimable. Sinon, vous ne pourriez pas savoir que vous ne l'avez jamais rencontré.

Penelope regarde fixement devant elle en se souvenant comment le meurtrier donnait l'impression d'avoir tout le temps du monde, alors qu'en réalité il se déplaçait à une vitesse incroyable. Elle se rappelle sa façon de s'agenouiller pour viser lorsqu'elle était harnachée au filin de l'hélicoptère. Elle le revoit lever son arme et tirer. Il n'y avait aucune hâte, aucune nervosité dans ses gestes. Et lorsqu'un éclair a illuminé son visage, leurs yeux se sont croisés.

— Nous comprenons que vous ayez peur, poursuit Joona. Mais nous…

Il s'interrompt lorsqu'une infirmière fait irruption dans la chambre de Penelope et l'informe qu'elle n'a pas encore pu joindre sa mère :

— Elle n'est pas chez elle et ne répond pas au…

Penelope pousse un gémissement et enfouit son visage dans l'oreiller. L'infirmière pose une main réconfortante sur son épaule.

— Je ne veux pas, dit Penelope entre deux sanglots. Je ne veux pas…

Une autre infirmière accourt et explique rapidement qu'elle va ajouter des anxiolytiques dans le cathéter.

— Je dois vous demander de partir, dit-elle à l'intention de Saga et Joona.

— Nous reviendrons plus tard, dit Joona. Je crois savoir où se trouve votre mère. Je vais m'en occuper.

Penelope a cessé de pleurer mais sa respiration reste saccadée.

Elle entend l'infirmière préparer la perfusion. La chambre ressemble à un cachot. Sa mère ne voudra jamais venir ici. Elle serre les dents et s'efforce de retenir ses larmes.

Il est des instants où Penelope a l'impression de se rappeler ses premières années. Il arrive que certaines odeurs, comme celle de la transpiration, la renvoient dans la cellule où elle est née et des bribes de souvenirs remontent alors en elle – la lumière d'une torche balayant les visages des prisonniers, sa mère qui la confie à d'autres bras, une personne qui continue aussitôt à fredonner dans son oreille tandis que sa mère disparaît entre deux gardiens.

66

SANS PENELOPE

Claudia Fernandez descend du bus près du *Dalarö Strand Hotel*. En longeant le port, elle entend le bruit des hélicoptères et des sirènes qui s'éloignent. La battue ne peut pas déjà être terminée. Ils doivent continuer à chercher. Elle aperçoit quelques bateaux de police au large mais aucun ferry n'est à quai et il n'y a pas de voitures près du port.

— Penelope, crie-t-elle. Penelope !

Elle sait qu'elle doit passer pour une folle, que son comportement est étrange, mais si elle perd Penelope, elle n'a plus rien.

Elle marche au bord de l'eau. L'herbe est sèche et le rivage jonché de détritus. Des mouettes crient au loin. Elle se met à courir, mais ne tient pas longtemps et est obligée de ralentir son allure. Il y a de nombreuses villas Schweitzer sur le littoral. Elle dépasse un panneau mentionnant qu'elle entre dans une zone privée et rejoint une avancée en béton. Elle regarde en direction des gros rochers, constate qu'il n'y a personne et retourne vers le port. Un homme qui marche le long de la route lui fait un signe de la main. Elle ne distingue que sa silhouette et sa veste qui flotte au vent. Elle cligne des yeux dans la lumière éblouissante du soleil. L'homme lui crie quelque chose. Confuse, Claudia le regarde s'approcher. Il parcourt la distance qui les sépare à grandes enjambées et elle peut désormais apercevoir son visage.

— Claudia Fernandez, crie-t-il.

— C'est moi, dit-elle en attendant qu'il la rejoigne.

— Je m'appelle John Bengtsson. Joona Linna m'a envoyé. Il se disait que vous seriez sans doute ici.

— Pourquoi ? demande-t-elle d'une voix faible.

— Votre fille est en vie.
Claudia regarde l'homme qui répète en souriant :
— Penelope est en vie.

67

LÀ OÙ L'ARGENT COULE

Il règne une ambiance tendue au commissariat. Certains comparent les derniers événements avec le meurtre des policiers à Malexander en 1999 ou à la bestialité de Josef Ek deux ans plus tôt. Le drame qui s'est déroulé dans l'archipel fait la une des journaux, on a même surnommé le tueur "le boucher de la police". Les journalistes se perdent en conjectures et pressent leurs sources dans la police pour obtenir des informations.

Joona Linna et Saga Bauer doivent faire un point sur la situation avec le chef de la Rikskrim, Carlos Eliasson, le chef de la Säpo, Verner Zandén, l'inspecteur divisionnaire Petter Näslund, le directeur des opérations Benny Rubin ainsi que Nathan Pollock et Tommy Kofoed de la Riksmordskommissionen.

Ils traversent le couloir en discutant de leur entretien avec Penelope Fernandez.

— Je crois qu'elle va bientôt parler, dit Joona.

— Je n'en suis pas si sûre, elle pourrait tout aussi bien se fermer comme une huître, répond Saga.

Anja Larsson se tient devant la porte de son bureau et observe Joona et Saga s'approcher avec un regard triste. Lorsque, sans remarquer le cœur qu'elle forme avec ses doigts, Joona l'aperçoit, il lui sourit et lui fait un signe de la main avant d'entrer dans la salle de conférences.

Ils referment la porte derrière eux et saluent discrètement ceux qui ont déjà pris place autour de la table.

Saga prend la parole :

— J'aimerais commencer par dire que tous les soupçons qui pesaient sur les extrémistes de gauche ont été écartés.

Verner chuchote quelque chose à Nathan Pollock.

— N'est-ce pas ? dit Saga en haussant le ton.

Verner lève les yeux et hoche la tête :

— Oui, c'est correct.

Il se racle la gorge.

— Reprenons depuis le début, dit Carlos à Saga.

— Oui… Penelope Fernandez est militante pour la paix et présidente de la SFSF. Elle vit avec Björn Almskog, barman au club *Debaser* sur Medborgarplatsen. Elle habite au 3, Sankt Paulsgatan et lui au 47, Pontonjärgatan. Penelope Fernandez avait scotché une photo sur la porte vitrée entre son salon et l'entrée.

Saga Bauer projette une copie de la photo sur l'écran qui couvre l'un des murs de la pièce.

— La photo a été prise au printemps 2008 à Francfort.

— On reconnaît Palmcrona, dit Carlos.

— Oui, tout à fait, dit Saga en désignant les trois autres personnes. Voici Pontus Salman, directeur du fabricant d'armes Silencia Defence. Et l'homme que vous voyez ici est Raphaël Guidi en personne. C'est un célèbre marchand d'armes… et dans le milieu il est connu sous le nom de l'Archange. Il fait surtout des affaires en Afrique et au Moyen-Orient.

— Et la femme c'est pour le dessert ? demande Benny Rubin.

— Elle s'appelle Agathe al-Haji, dit Saga sans le moindre sourire. C'est la conseillère militaire du gouvernement soudanais, elle est très proche du président Omar el-Béchir.

A cette information, Benny tape violemment sur la table du plat de la main et, lorsque Pollock lui décoche un regard agacé, il lui montre les dents.

— Est-ce que ce type de réunions est normal ? demande Carlos.

— Je dirais que oui. Ils discutaient d'une importante livraison de munitions fabriquées sous licence pour l'armée soudanaise. Cette affaire pouvait être considérée comme pertinente du point de vue de la politique de sécurité et aurait sans doute été conclue si la Cour pénale internationale de La Haye n'avait pas émis un mandat d'arrêt contre le président El-Béchir.

— C'était en 2009, non ? demande Pollock.

— Ça m'a complètement échappé, dit Carlos.

— On n'en a pas beaucoup parlé dans la presse, dit Saga. Mais le président a été inculpé pour son implication directe dans des actes de torture, viols et génocide au Darfour.

— Et ils n'ont pas conclu de marché, constate Carlos.

— Non.

— Et la photo ? Qu'est-ce qu'elle a de si particulier ? Rien ? demande Verner.

— Penelope Fernandez ne semblait pas la considérer comme dangereuse puisqu'elle l'a accrochée sur sa porte, dit Saga.

— En même temps, elle n'est pas sans importance – puisqu'elle l'expose, commente Carlos.

— On n'en sait rien, c'est peut-être simplement un rappel de l'état du monde, spécule Saga. En bas de l'échelle certains luttent pour la paix tandis que les puissants trinquent au champagne.

— Nous espérons pouvoir bientôt interroger Penelope Fernandez, mais nous sommes presque certains que Björn Almskog a agi à son insu, poursuit Joona. Peut-être en sait-il davantage sur la photo que Penelope ou bien ne faisait-il que tenter sa chance. Quoi qu'il en soit, le 2 juin, Björn utilise une adresse e-mail anonyme depuis un cybercafé pour faire chanter Carl Palmcrona. Cet e-mail marque le début d'une brève correspondance : Björn lui écrit qu'il sait que la photo est gênante et qu'il est prêt à la lui vendre contre la somme de un million de couronnes.

— Extorsion classique, marmonne Pollock.

— Björn emploie seulement le mot "gênant", poursuit Saga, et nous supposons qu'il n'a pas compris avec quel sérieux Palmcrona allait prendre les choses.

— Björn pense contrôler la situation, dit Joona. Il est donc très surpris lorsque Palmcrona le met en garde. En effet, il lui explique avec le plus grand sérieux qu'il ignore ce dans quoi il s'est engagé puis l'implore de lui rendre la photo avant qu'il ne soit trop tard.

Joona boit une gorgée d'eau.

— Quel ton emploie-t-il ? demande Nathan Pollock. Tu dis qu'il est sérieux, mais est-il agressif ?

Joona secoue la tête en leur distribuant des copies de la correspondance.

— Pour moi l'échange n'est pas agressif.

Tommy Kofoed lit les e-mails, hoche la tête et note quelque chose.

— Que se passe-t-il ensuite ?

— Avant de rentrer chez elle le mercredi, la femme de ménage aide Palmcrona à accrocher un fil à linge au plafond.

Petter pousse un petit rire :

— Pourquoi ?

— Parce qu'il avait subi une opération du dos et n'y était pas parvenu lui-même, répond Saga.

— Dans ce cas, dit Carlos en souriant.

— Le lendemain, vers l'heure du déjeuner... on suppose que c'est après le passage de la poste, poursuit Joona, Palmcrona appelle un numéro à Bordeaux et...

— On n'a pas pu davantage tracer l'appel, ajoute Saga.

— Il a très bien pu joindre un standard téléphonique et son appel a été transféré vers un autre pays, un autre continent ou revenir en Suède, dit Joona. Il s'agit d'un appel très court, quarante-trois secondes. Peut-être laisse-t-il seulement un message. Il se peut qu'il parle de la photo et du chantage de Björn en s'attendant à obtenir de l'aide.

— Puisque... quelques minutes plus tard, la femme de ménage de Palmcrona appelle Taxi Stockholm et commande un taxi pour 14 heures au nom de Palmcrona et à destination de l'aéroport d'Arlanda. Exactement une heure et quinze minutes après cette brève conversation téléphonique, le téléphone sonne. Palmcrona a déjà enfilé son manteau et ses souliers, mais prend tout de même le temps de répondre. L'appel vient de Bordeaux, du numéro qu'il avait contacté. La conversation dure deux minutes. Palmcrona envoie un dernier courrier à Björn : *Maintenant, c'est trop tard, nous allons tous les deux mourir.* Il libère sa femme de ménage qui paie le taxi et rentre ensuite chez elle. Sans ôter son manteau, Carl Palmcrona entre dans le petit salon, pose sa mallette au sol, grimpe dessus et se pend.

Un silence s'installe autour de la table.

— Mais ce n'est pas fini, dit lentement Joona. L'appel de Palmcrona semble avoir déclenché quelque chose... Un tueur à gages a été envoyé pour effacer toutes les traces et s'occuper de la photo.

— Combien de fois... je veux dire, en Suède, a-t-on affaire à un tueur à gages ? dit Carlos d'une voix sceptique. Il doit y avoir énormément d'argent en jeu pour que de telles mesures soient prises.

Joona le regarde, inexpressif :

— Oui.

— Palmcrona a probablement lu l'e-mail de Björn à la personne qu'il a appelée. Il contenait son numéro de compte, dit Saga.

— Et il n'est pas particulièrement difficile de retrouver quelqu'un grâce à son numéro de compte, marmonne Verner.

— A peu près au moment où Palmcrona se suicide, Björn Almskog se connecte sur sa boîte mail anonyme depuis le cybercafé *Dreambow*, poursuit Joona. Il voit qu'il a reçu deux réponses de Carl Palmcrona.

— Il espère évidemment que Palmcrona va payer un million pour la photo, dit Saga.

— Mais le premier e-mail est une mise en garde et dans le second Palmcrona écrit qu'il est déjà trop tard, qu'ils vont tous les deux mourir.

— Et c'est le cas.

— On ne peut qu'imaginer à quel point Björn a dû prendre peur, dit Saga. Ce n'est pas vraiment un habitué du chantage, il a simplement tenté sa chance lorsque l'occasion s'est présentée.

— Que fait-il ?

Petter les regarde, la bouche ouverte. Carlos lui sert un peu d'eau.

— Björn se ravise et décide d'envoyer la photo à Palmcrona. Il veut en finir avec tout ça.

— Mais Palmcrona est déjà mort lorsque Björn lui écrit pour expliquer qu'il laisse tomber et qu'il va lui envoyer la photo, dit Joona.

— Le problème, c'est que la photo est toujours chez Penelope, dit Saga. Et elle ne sait rien du chantage.

— Il doit récupérer la photo sans qu'elle le découvre, dit Tommy Kofoed en hochant la tête.

— On ignore comment il comptait expliquer à Penelope que la photo avait disparu, poursuit Saga. Il a sans doute agi dans la précipitation en espérant que tout ça se tasserait pendant qu'ils seraient en mer.

Joona se lève et observe la rue par la fenêtre. Une femme porte un enfant dans ses bras et pousse une poussette où sont entassés des cartons de nourriture.

— Le lendemain matin, Penelope se rend en taxi au studio télé où elle doit participer à un débat, poursuit Saga. A peine est-elle partie que Björn s'introduit dans son appartement, arrache la photo, prend le métro de la station Slussen jusqu'à Centralen, achète une enveloppe et un timbre dans un kiosque à journaux, poste la lettre, court jusqu'au cybercafé et écrit un dernier e-mail à Palmcrona pour lui dire qu'il lui a envoyé la photo.

Björn se rend ensuite à son appartement, récupère ses bagages ainsi que ceux de Penelope avant de rejoindre son bateau, qui l'attend au club nautique de Långholmen. Lorsque Penelope a terminé, elle prend le métro à la station Karlaplan. On suppose qu'elle va directement à Hornstull et fait le reste du chemin à pied.

— A ce moment-là, le tueur a déjà fouillé l'appartement de Björn et a allumé le feu qui a ravagé tout l'étage.

— Mais j'ai vérifié le rapport… L'expert en incendie a conclu que le feu s'était déclaré à cause d'un fer à repasser oublié dans l'appartement voisin, objecte Petter.

— C'est sans doute le cas, dit Joona.

— Tout comme une explosion au gaz aurait été la cause d'un incendie dans l'appartement de Penelope, dit Saga.

— Le but du tueur à gages était sans doute d'effacer toutes les traces, poursuit Joona. Comme il n'a pas trouvé la photo dans l'appartement de Björn, il y a mis le feu et l'a suivi jusqu'à son bateau.

— Pour y chercher la photo, complète Saga. Et pour tuer Björn et Penelope en faisant passer ses meurtres pour un accident de bateau.

— Mais il ignorait que la sœur de Penelope, Viola, avait décidé à la dernière minute de les rejoindre sur le bateau.

Joona pense un instant à la jeune femme, à son visage innocent et vulnérable, à la trace rouge sur sa poitrine.

— Je pense qu'ils ont accosté sur une île au pertuis de Jungfrufjärden près de Dalarö, reprend Joona. Penelope a dû quitter le bateau avant que le tueur n'arrive. Lorsqu'il monte à bord, il noie Viola dans une bassine en pensant qu'il s'agit de Penelope. Puis, il place le corps sur la couchette de la cabine avant. En attendant Björn, il fouille le bateau à la recherche de la photo. Et comme elle reste introuvable, il met en place un système pour faire exploser le bateau. Le rapport d'Erixon est posé devant vous. On ne sait pas avec certitude ce qui s'est passé ensuite mais Björn et Penelope réussissent à lui échapper.

— Et abandonnent le bateau où se trouve toujours le corps de Viola Fernandez.

— On ignore comment ils s'enfuient, mais le lundi, ils ont rejoint l'île de Kymmendö.

Le visage de Benny se durcit :

— Chez Ossian Wallenberg ? Il était vachement bien celui-là, mais il faut dire qu'il était mal assorti à ce pays.

Carlos se racle délicatement la gorge et se ressert du café.

— Lorsque le tueur comprend qu'il les a perdus, il va chercher la photo chez Penelope, poursuit Joona, imperturbable. Il est interrompu par notre arrivée et ce n'est qu'à ce moment, lorsque je dois me battre avec lui, que je comprends qu'il s'agit d'un tueur à gages.

— Il a sans doute accès à nos systèmes, et peut écouter nos communications sur le réseau Rakel, dit Saga.

— C'est comme ça qu'il a compris que Björn et Penelope étaient à Kymmendö ? demande Petter.

— On l'ignore, répond Joona.

— En tout cas, il est très rapide. Il est probablement retourné à Dalarö pour trouver Penelope juste après avoir été interrompu par Joona et Erixon.

— Autrement dit, il est déjà sur les lieux lorsque je prends contact avec la police maritime, dit Petter en se penchant sur la table pour rassembler un paquet de feuilles.

— Et ensuite ? demande Carlos.

— On vient juste de commencer à reconstituer les événements, dit Petter. Mais on peut d'ores et déjà dire qu'il a réussi à détourner le bateau de la police maritime et qu'il a tué Lennart Johansson et Göran Sjödin. Il se dirige ensuite vers Kymmendö, achève Björn Almskog et Ossian Wallenberg, fait sauter le bateau, prend Penelope en chasse et provoque le crash de l'hélicoptère de sauvetage.

— Et disparaît, soupire Carlos.

— Mais grâce à la réactivité de Petter Näslund, Penelope Fernandez est encore en vie, dit Joona en voyant Pollock se tourner vers Petter d'un air intrigué.

— L'enchaînement des événements doit encore être étudié en détail, dit Petter d'un ton maussade qui toutefois ne masque pas le contentement qu'a provoqué le compliment de Joona.

— Ça va prendre un sacré bout de temps, dit Kofoed en souriant sans joie.

— Et la photo alors ? Elle doit tout de même signifier quelque chose, dit Carlos.

— C'est juste une foutue photo, soupire Petter.

— Sept personnes en sont mortes, dit Joona d'un ton grave. Et d'autres vont sans doute mourir si l'on ne…

Il s'interrompt et regarde par la fenêtre.

— La photo est peut-être comme une serrure dont on doit obtenir la clef, dit-il.

— Quelle clef ? demande Petter.

— Le photographe, dit Saga.

— Penelope Fernandez, c'est elle le photographe ? demande Pollock.

— Ça expliquerait qu'elle soit poursuivie, s'exclame Carlos un peu trop fort.

— Certes, dit Saga d'une voix hésitante.

— Mais ? dit Carlos.

— Qu'est-ce qui nous indique le contraire ? demande Benny.

— Joona ne croit pas que Penelope soit le photographe.

— Mais enfin, merde, s'écrie Petter.

Carlos a les mâchoires serrées, il fixe la table et se garde de tout commentaire.

— Penelope est en état de choc, à l'heure qu'il est nous ne connaissons pas encore le rôle qu'elle a joué dans tout ça, dit Saga.

Nathan Pollock s'éclaircit la voix et distribue des photocopies du testament de Carl Palmcrona :

— Palmcrona est détenteur d'un compte en banque sur l'île de Jersey.

— Un paradis fiscal, dit Petter Näslund en extirpant du tabac à chiquer de sa bouche. Il essuie son pouce contre la table sans noter le regard las de Carlos.

— Est-ce qu'on peut voir le solde de son compte ? demande Verner.

— Il n'y a aucun moyen d'accéder à ses transactions, dit Joona. Mais selon son propre testament, il s'agit de neuf millions d'euros.

— On ne sait pas encore comment il a pu amasser de telles sommes, dit Pollock.

— On a contacté la Transparency International, la principale organisation civile de lutte contre la corruption, mais ils n'ont rien sur Carl Palmcrona ni sur d'autres membres de l'ISP.

— Dans son testament, il demande que tous ses biens soient légués à un garçon de seize ans, Stefan Bergkvist. C'est son fils mais Palmcrona ne l'a jamais rencontré. Il est mort dans un incendie à Västerås seulement trois jours après le suicide de Palmcrona.

— Il n'aura jamais su qui était son père biologique, ajoute Saga.

— Selon le rapport de l'enquête préliminaire, il s'agit d'un accident, dit Carlos.

— Oui, mais est-ce que l'un d'entre nous croit réellement qu'il s'agit d'une simple coïncidence ? demande Joona.

— Ça me paraît impossible, dit Carlos.

— Mais c'est complètement dingue, dit Petter les joues en feu. Pourquoi quelqu'un tuerait son fils alors qu'il ne l'a jamais rencontré ?

— C'est quoi cette histoire ? demande Verner.

— Palmcrona est le dénominateur commun, dit Joona en désignant l'homme souriant sur la photo. Il est sur le cliché, a été victime de chantage, on l'a retrouvé pendu, son fils meurt et il a neuf millions d'euros sur un compte.

— L'argent est un élément intéressant, dit Saga.

— Mais il n'a pas d'autre famille que Stefan, pas de centres d'intérêt, n'a pas d'investissements en cours, d'actions ou…

— Si cette somme se trouve bel et bien sur son compte en banque, ces revenus doivent être liés d'une façon ou d'une autre à son statut de directeur général de l'ISP, dit Joona.

— Il a pu se livrer à des délits d'initié grâce à des hommes de paille, dit Verner.

— Ou accepter des pots-de-vin, dit Saga.

— *Follow the money*, chuchote Pollock.

— On doit interroger Axel Riessen, c'est le successeur de Palmcrona, dit Joona et se levant. S'il y a des éléments qui prêtent à confusion dans les décisions de Palmcrona, il a déjà dû s'en rendre compte.

68

QUELQUE CHOSE À FÊTER

Du côté de l'Institut royal de technologie, Joona entend au loin le son des trompettes et des sifflets se mêler au roulement des tambours. Un cortège de manifestants composé d'une soixantaine de jeunes descend Odengatan. Ils brandissent des symboles antifascistes et de larges banderoles pour protester contre la façon dont la Sûreté a traité la Brigaden.

Joona aperçoit les symboles de l'arc-en-ciel et de la faucille et du marteau sur un morceau d'étoffe qui flotte au vent. Il entend les manifestants scander de leur voix claire :

Säpo fascistes, Etat terroriste !

Les rumeurs de la manifestation s'assourdissent à mesure que Joona Linna et Saga Bauer remontent la charmante rue de Bragavägen qui serpente jusqu'à l'église Engelbrekt. Une personne de l'ISP les a informés que le directeur général travaillait chez lui cet après-midi.

Sur leur gauche apparaît bientôt la maison que les frères Riessen ont divisée en deux appartements séparés. La façade en briques foncées est très imposante. Des carreaux sertis de plomb, des pièces de menuiserie artisanale ou du cuivre vert-de-grisé mettent en valeur les oriels et les cheminées.

Ils rejoignent l'une des portes vernies près de laquelle une plaque en cuivre indique le nom d'Axel Riessen. Saga appuie sur la sonnette. Après un moment, un homme grand et bronzé ouvre la lourde porte.

Saga se présente et explique brièvement ce qui les amène. Axel Riessen observe attentivement sa carte de police puis lève les yeux :

— Je doute de pouvoir vous être d'une grande utilité, mais...

— C'est toujours un plaisir de passer, l'interrompt Joona Linna.

Axel lui jette un regard étonné qui laisse vite place à un sourire approbateur lorsqu'il les fait entrer dans le grand vestibule. Il est vêtu d'un pantalon de costume bleu foncé, d'une chemise bleu clair déboutonnée à hauteur du cou et porte des pantoufles. Il prend deux autres paires dans un petit placard et invite Saga et Joona à les enfiler.

— Je propose que nous allions nous asseoir à l'orangerie. D'habitude, il y fait plus frais.

Ils passent devant un large escalier en acajou aux lambris foncés et traversent deux salons contigus.

L'orangerie est une véranda qui donne sur la grande haie du jardin. Elle dessine de grandes ombres vertes qui frémissent sur la baie vitrée. Des orchidées inodores et des herbes aromatiques sont agencées avec goût sur le carrelage ou sur de jolies tables en cuivre.

— Je vous en prie, asseyez-vous, dit Axel en désignant les fauteuils. Je comptais justement prendre un thé avec des *crumpets* et il serait fort sympathique que vous me teniez compagnie.

— Je n'ai pas mangé de *crumpets* depuis mon séjour linguistique à Edimbourg, dit Saga avec un petit sourire.

— Dans ce cas, répond Axel d'un air satisfait en quittant la pièce.

Il revient quelques minutes plus tard avec un plateau en cuivre dans les mains. Il pose une théière, une coupelle contenant des quartiers de citron et un sucrier au centre de la table. Les petits gâteaux sont disposés sur une serviette en lin à côté d'un beurrier. Axel met soigneusement la table et sert le thé.

La faible musique d'un violon parvient jusqu'à eux.

— Dites-moi, que puis-je faire pour vous ? demande Axel.

Saga repose délicatement sa tasse et dit d'une voix claire :

— Nous aimerions vous poser quelques questions au sujet de l'ISP et nous espérons que vous pourrez nous aider.

— Absolument, mais dans ce cas, je voudrais m'assurer que tout est en règle, explique-t-il aimablement en prenant son portable.

— Je vous en prie, répond Saga.

— Excusez-moi, j'ai oublié votre nom.

— Saga Bauer.

— Est-ce que je peux revoir votre carte de police, Saga Bauer ? Elle lui remet sa carte. Il se lève et quitte la pièce.

Ils entendent quelques bribes de sa conversation téléphonique. Après quelques secondes, il revient et lui rend sa carte en la remerciant.

— L'année dernière, l'ISP a délivré des autorisations d'exportation vers l'Afrique du Sud, la Namibie, la Tanzanie, l'Algérie et la Tunisie, dit Saga comme si la pause n'avait jamais eu lieu. Il s'agissait de munitions pour mitrailleuses lourdes, canons sans recul, lance-roquettes, lance-grenades…

— Sans oublier le JAS Gripen*, l'interrompt Axel. La Suède collabore avec plusieurs de ces pays depuis longtemps.

— Mais jamais avec le Soudan ?

Il croise son regard et l'ombre d'un sourire passe sur son visage :

— J'ai du mal à l'imaginer.

— Je veux dire, avant le mandat d'arrêt contre le président El-Béchir.

— Je l'avais compris, répond-il visiblement amusé. Sinon ce serait impensable, c'est ce qu'on appelle un obstacle inconditionnel.

— Vous avez sans doute eu le temps d'examiner un bon nombre de décisions prises par Palmcrona, dit Saga.

— Bien entendu.

— Avez-vous repéré des anomalies ?

— Qu'entendez-vous par anomalies ?

— La moindre chose qui vous aurait paru étrange.

— Y a-t-il des raisons de le soupçonner ?

— C'est ce que nous aimerions savoir, dit-elle en souriant.

— Alors ma réponse est non.

— Jusqu'où avez-vous pu remonter dans les décisions de Carl Palmcrona ?

Joona écoute leur conversation sur la classification, les accords de principe et les autorisations d'exportation tout en observant le visage calme et attentif d'Axel Riessen. Soudain, il perçoit de nouveau la musique d'un violon. Elle semble provenir d'une fenêtre ouverte donnant sur le jardin. On joue une mazurka aux notes aiguës et mélancoliques. Puis le violoniste s'arrête d'un coup, reprend depuis le début, s'arrête de nouveau et recommence encore.

---

* Avion militaire multirôle développé par la Suède dans les années 1980.

Joona repense à la photographie qui montre quatre personnes dans la loge d'une salle de concert. Il touche distraitement son sac dans lequel il a conservé une copie de la photo.

Il revoit Palmcrona pendu au bout d'un fil à linge, et songe à son testament, à la mort de son fils.

Saga hoche la tête. Une ombre verte reflétée par le plateau en cuivre passe sur le visage de Riessen.

Palmcrona avait aussitôt compris la gravité de la situation. La seule chose que Björn ait indiquée dans son e-mail était que Palmcrona avait été photographié dans une loge avec le marchand d'armes Raphael Guidi. Carl Palmcrona ne doutait pas une seconde de l'authenticité de la photo.

Peut-être connaissait-il déjà son existence.

Ou alors, le fait que le maître chanteur sache qu'ils s'étaient rencontrés dans cette loge était la preuve qu'une photo existait bel et bien. Sinon, il n'aurait pas pu être au courant.

Axel verse un peu de thé dans la tasse de Saga. Elle essuie une miette au coin de sa bouche.

Quelque chose ne collait pas.

Pontus Salman s'était souvenu de la date à laquelle la photo avait été prise et ne semblait pas penser qu'elle pût être compromettante.

Alors, pourquoi était-elle si importante aux yeux de Palmcrona ?

Axel et Saga discutent des changements de politiques de sécurité selon qu'un embargo est décrété ou levé dans les différents pays.

Joona acquiesce de temps en temps en faisant mine de suivre la conversation alors qu'il se concentre sur ses propres réflexions.

Dans la loge, la table était dressée pour quatre, et il y a quatre personnes sur la photo. Cela implique que la cinquième personne, le photographe, n'avait pas été invitée à participer à la réunion.

Elle pourrait très bien avoir des réponses.

Il était impératif de faire parler Penelope Fernandez. Même si elle n'est pas le photographe, elle pourrait bien être la clef de l'énigme.

Joona passe en revue les personnes présentes sur la photo : Carl Palmcrona, Raphael Guidi, Agathe al-Haji et Pontus Salman.

Le seul élément curieux qu'avait évoqué la photo à Pontus Salman était que Carl Palmcrona avait accepté un verre de champagne alors qu'il n'y avait rien à fêter.

Mais imaginons que ce soit le cas.

Le pouls de Joona s'accélère.

Et si les quatre personnes avaient levé leurs verres pour trinquer juste après que la photo eut été prise.

Pontus Salman s'était reconnu et avait expliqué le pourquoi de leur rencontre ainsi que son lieu et sa date.

Pourtant, se dit Joona, on ne dispose que de ce que Pontus Salman nous a certifié : la réunion avait eu lieu à Francfort au printemps 2008.

On a besoin de l'aide de Penelope Fernandez.

Joona regarde ses mains qui sont posées sur son sac. Il doit être possible d'identifier les musiciens à l'arrière-plan, on distingue leur visage. Quelqu'un doit pouvoir les reconnaître.

Si nous pouvons les identifier, il sera peut-être possible de confirmer la date de la réunion.

Il s'agissait d'un quatuor et peut-être que ces quatre personnes n'ont joué ensemble qu'une seule fois. Cela déterminerait la date de la photo une bonne fois pour toutes. Ils auraient dû y penser depuis longtemps. Joona décide de laisser Saga avec Axel Riessen et d'aller au commissariat pour demander à Petter Näslund s'ils ont pensé au fait que la formation du quatuor pourrait déterminer la date exacte de la photo.

Il jette un œil à Saga et la voit sourire à Axel Riessen. Elle l'interroge ensuite sur la consolidation de l'industrie de défense américaine. Elle mentionne deux des principales entreprises de défense et de sécurité, Raytheon et Lockheed Martin.

Le son du violon leur parvient de nouveau. Il s'agit cette fois d'un morceau au tempo plus rapide. La musique s'arrête net et le violoniste accorde son instrument.

— Qui joue ? demande Joona en se levant.

— Mon frère, Robert, répond Axel d'une voix légèrement étonnée.

— Je vois – il est violoniste ?

— La fierté de la famille… mais il est avant tout luthier, son atelier est dans la maison, à l'arrière.

— Pensez-vous que je puisse lui poser une question ?

69

LE QUATUOR

Joona suit Axel sur la terrasse en marbre à l'arrière de la maison. Un lourd parfum émane des lilas. Ils avancent jusqu'à l'atelier et frappent à la porte. La musique s'arrête et un homme entre deux âges aux cheveux clairsemés ouvre la porte. Il a un visage d'une certaine beauté. Il semble qu'autrefois son corps ait été svelte puis se soit épaissi au fil des années.

— La police voudrait te parler, dit Axel d'un ton grave. Tu es soupçonné de conduite scandaleuse.

— J'avoue tout, dit Robert.

— C'est gentil, dit Joona.

— Autre chose ?

— Il se trouve qu'un certain nombre d'affaires traînent depuis un moment, dit Joona.

— Je suis sans doute coupable.

— Merci bien, dit Joona en lui serrant la main. Joona Linna, Rikskrim.

— De quoi s'agit-il ? demande Robert avec un sourire.

— Nous enquêtons sur la mort de l'ancien directeur général de l'ISP, c'est la raison pour laquelle nous voulions rencontrer votre frère.

— Je n'en sais pas plus sur Palmcrona que ce qu'ont dit les journaux.

— Je peux entrer un petit moment ?

— Evidemment.

— Je retourne auprès de votre collègue, déclare Axel en refermant la porte.

L'atelier est bas de plafond et, comme dans des combles, le toit est incliné. La pièce semble avoir été ajoutée à une cave déjà existante, où un bel escalier en bois vernis descend vers l'atelier. Une forte odeur de sciure, de résine et de térébenthine les accueille. Divers éléments servant à la fabrication des violons pendent aux murs et Joona observe un instant les bois précieux, les volutes sculptées, les divers outils, les rabots dont la taille ne dépasse pas celle d'un bouchon et les couteaux incurvés qui parsèment la pièce.

— Je vous ai entendu jouer par la fenêtre, dit Joona.

Robert hoche la tête et désigne un magnifique violon.

— Il a besoin d'être un peu ajusté.

— C'est vous qui l'avez fabriqué ?

— Oui.

— Vraiment sublime.

— Merci.

Robert prend le violon et le tend à Joona. L'instrument ne pèse presque rien. Joona le retourne et hume l'odeur du bois.

— Le secret, c'est le vernis, commente Robert en déposant l'instrument dans un étui à doublure bordeaux.

Joona ouvre son sac, en sort une pochette plastique et lui tend la photo envoyée à Carl Palmcrona par Björn Almskog.

— Palmcrona, dit Robert.

— Oui, mais est-ce que vous reconnaissez les personnes situées à l'arrière-plan, les musiciens ?

Robert regarde la photo de nouveau et hoche la tête.

— Lui, c'est Martin Beaver, dit-il en le montrant du doigt, Kikuei Ikeda... Isomura et Clive Greensmith au violoncelle.

— Des musiciens connus ?

Robert sourit malgré lui :

— Ce sont presque des légendes... le Tokyo String Quartet.

— Le Tokyo String Quartet – ce sont les quatre mêmes chaque fois ?

— Oui.

— Toujours ?

— Depuis très longtemps – ça marche bien pour eux.

— Remarquez-vous quelque chose de particulier sur cette photo ?

Robert observe attentivement le cliché.

— Non, dit-il après un moment.

— Ils ne jouent pas uniquement à Tokyo ?

— Ils jouent partout dans le monde, mais les instruments appartiennent à une fondation japonaise.

— C'est courant ?

— Oui, lorsqu'il s'agit d'instruments très particuliers, répond Robert. Et ceux que vous voyez sur la photo font partie des plus précieux au monde.

— Je vois.

— Le quatuor Paganini.

— Le quatuor Paganini, répète pensivement Joona en observant les musiciens.

Les sombres nuances du bois brillent sous les projecteurs et les costumes noirs des musiciens se reflètent dans le vernis.

— Ils ont été fabriqués par Stradivarius, explique Robert. L'instrument le plus ancien est le Desaint, un violon datant de 1680… C'est Kikuei Ikeda qui en joue. Martin Beaver joue sur le violon que le comte Cozio di Salabue a laissé à Paganini.

Robert s'arrête et adresse un regard interrogateur à Joona qui hoche la tête pour l'inciter à poursuivre.

— Ces quatre instruments appartenaient à Niccolò Paganini, je ne sais pas ce que vous savez à propos de Paganini, c'était un virtuose, violoniste et compositeur… il composait des œuvres qui étaient considérées comme ridicules car impossibles à jouer, jusqu'à ce que Paganini les interprète lui-même. Après sa mort, il a fallu attendre cent ans avant qu'on arrive à jouer ses morceaux… et certaines de ses techniques sont toujours considérées comme irréalisables… oui, il existe de nombreuses galéjades sur Paganini et ses duels violonistiques.

Un silence s'installe pendant lequel Joona observe à nouveau les quatre hommes assis sur scène à l'arrière-plan.

— Donc le Tokyo String Quartet joue souvent sur ces instruments ?

— Oui, ils doivent faire entre huit et neuf concerts par mois.

— Quand pensez-vous que cette photo a été prise ?

— Elle ne peut pas être vieille de plus de dix ans, si l'on regarde Martin Beaver que j'ai pu rencontrer à quelques reprises.

— On pourrait peut-être déterminer la date exacte si l'on savait où la photo a été prise ?

— C'est à l'Alte Oper à Francfort.

— Vous en êtes sûr ?

— Je sais qu'ils y jouent tous les ans. Parfois plusieurs fois par an.

— *Perkele*, marmonne Joona.

Il doit bien exister un moyen de déterminer cette date, et donc de démentir ou confirmer la déclaration de Pontus Salman.

Joona ouvre la pochette en plastique pour y ranger la photo et se dit que Penelope est sans doute la seule qui puisse les aider.

Il regarde de nouveau les musiciens et s'attarde sur l'un des violonistes et le mouvement de son archet. Joona lève soudain ses yeux gris clair sur Robert :

— Jouent-ils chaque fois les mêmes morceaux ?

— Les mêmes ? Non, enfin… ils ont interprété tous les quatuors de Beethoven, ce qui implique en soi un assez large choix. Mais ils jouent évidemment un tas d'autres choses aussi, Schubert ou Bartók. Et Brahms, sûrement. La liste est longue… Debussy, Dvořák, Haydn, beaucoup de Mozart, et Ravel.

Joona fixe le vide devant lui, se lève, fait quelques pas dans l'atelier puis se retourne vers Robert.

— J'ai une idée, dit-il avec enthousiasme. Pourrait-on, à partir de la photo, en observant les mains des musiciens… serait-il possible de déterminer quel morceau ils jouent ?

Robert ouvre la bouche comme pour parler, puis secoue simplement la tête. Il examine pourtant de nouveau la photo, le sourire aux lèvres. Le Tokyo String Quartet joue sous la lumière des projecteurs qui éclairent la scène de l'Alte Oper. Il observe le visage fin et délicat de Clive Greensmith, son grand front légèrement brillant. Et Kikuei Ikeda, qui joue une note aiguë avec le petit doigt de la main gauche sur la touche du violon.

— Malheureusement, c'est impossible, il pourrait s'agir de… n'importe quelles notes, j'allais dire, mais…

— Mais avec une loupe… On les voit les doigts, les cordes, les manches des instruments…

— Certes, mais…

Il soupire et secoue la tête.

— Connaîtriez-vous quelqu'un qui puisse m'aider ? poursuit Joona d'une voix résolue. Un musicien ou un professeur de l'Ecole nationale supérieure de musique, qui pourrait éventuellement analyser cette photo pour nous ?

— J'aurais aimé pouvoir…

— Ça ne marchera pas, n'est-ce pas ?

— Non, sérieusement, répond Robert en haussant les épaules. Si même Axel n'a pas réussi, je crois que c'est impossible.

— Axel ? Votre frère ?

— Il n'a pas regardé la photo ?

— Non.

— Mais vous l'avez interrogé.

— Pas à propos de la musique – c'est vous le musicien, dit Joona en souriant.

— Parlez-lui-en quand même.

— Pourquoi je lui…

On frappe à la porte et Saga Bauer entre dans l'atelier. La lumière du soleil illumine ses cheveux blonds.

— Axel est ici ? demande-t-elle.

— Non, répond Joona.

— Un autre inspecteur ? demande Robert avec un sourire.

— Säpo, répond brièvement Saga.

Le silence dure un peu trop longtemps, Robert ne semble pas parvenir à la quitter des yeux. Il dévore du regard ses grands yeux d'un bleu irréel et sa bouche rose gracieuse.

— Je ne savais pas que la Sûreté comptait des elfes parmi ses recrues, dit-il avec un grand sourire.

Il s'efforce de retrouver son sérieux :

— Pardon, je ne voulais pas, mais vous ressemblez réellement à un elfe ou à une princesse.

— Les apparences sont parfois trompeuses.

— Robert Riessen, se présente-t-il en lui tendant la main.

— Saga.

70

UN PRESSENTIMENT

Joona Linna et Saga Bauer quittent la demeure des Riessen et s'installent dans la voiture. Le téléphone de Saga vibre, elle consulte le message et sourit.

— Je déjeune à la maison, dit Saga en rougissant.

— Quelle heure est-il ?

— 11 h 30. Tu vas continuer à travailler ?

— Non, je vais à un déjeuner-concert au théâtre Södra avec une amie.

— Tu ne pourrais pas me déposer à Söder dans ce cas ? J'habite à Bastugatan.

— Je peux te ramener chez toi si tu veux.

Joona avait voulu rencontrer Robert Riessen et Saga était restée avec Axel. Il venait juste de commencer à décrire sa carrière au sein de l'ONU lorsque son téléphone avait sonné. Axel avait regardé l'écran, s'était excusé et avait quitté la pièce. Saga l'avait attendu quinze minutes puis avait fini par aller le chercher. Ne le trouvant pas, elle s'était rendue à l'atelier de Robert Riessen. Robert, Joona et elle l'avaient de nouveau cherché et avaient constaté qu'il n'était plus dans la maison.

— Que faisais-tu avec le frère d'Axel Riessen ?

— J'ai eu un pressentiment.

— Super, marmonne Saga. Un pressentiment.

— Tu vois… On a montré la photo à Pontus Salman, il s'est reconnu, nous a parlé de la réunion à Francfort, des négociations commerciales avec le gouvernement soudanais puis nous avons compris qu'ils avaient mis fin aux négociations lorsque la Cour pénale internationale de La Haye avait émis un mandat d'arrêt contre…

323

La sonnerie du téléphone l'interrompt, il prend son portable sans quitter la route du regard et répond :

— Ça a été rapide.

— La date correspond, dit Anja Larsson. Le Tokyo String Quartet a joué à l'Alte Oper et Pontus Salman était bien à Francfort.

— Je vois.

Saga le regarde hocher la tête et remercier avant de raccrocher.

— Alors Pontus Salman a dit la vérité ? demande Saga.

— Je ne sais pas.

— Mais les dates sont confirmées ?

— On sait seulement que Pontus Salman s'est rendu à Francfort et que le Tokyo String Quartet a joué à l'Alte Oper… mais Pontus est allé de nombreuses fois à Francfort et le Tokyo String Quartet joue à l'Alte Oper au moins une fois par an.

— Tu essaies de me dire que tu penses qu'il a menti sur la date bien que celle-ci vienne de t'être confirmée ?

— Non, mais… je ne sais pas, comme je le disais, c'était un pressentiment. Il aurait de bonnes raisons de mentir si Carl Palmcrona et lui ont négocié avec Agathe al-Haji après l'émission du mandat d'arrêt.

— Ce serait même criminel, ça consisterait presque à exporter des armes directement aux milices du Darfour ! Ce serait une infraction à la législation internationale et ça…

— On a cru Pontus Salman parce qu'il s'est identifié sur la photo. Mais le fait que ce soit vrai ne signifie pas forcément qu'il ne mente pas sur autre chose.

— C'est ça ton pressentiment ?

— Non, il y avait quelque chose dans la voix de Salman… lorsqu'il a dit que la seule chose curieuse sur la photo était que Carl Palmcrona ait accepté du champagne.

— Etant donné qu'il n'y avait rien à fêter.

— Oui, et j'ai la sensation qu'au contraire, ils fêtaient quelque chose, qu'ils trinquaient parce qu'ils avaient trouvé un accord.

— Tous les faits le contredisent.

— Mais la photo, s'obstine Joona. Cette ambiance dans la loge et… leurs visages, ils respirent le contentement comme s'ils venaient de signer un contrat.

— Même si c'était le cas, on ne pourrait pas déterminer la date sans Penelope Fernandez.

— Que dit son médecin ?

— Que nous allons bientôt pouvoir lui parler, mais qu'elle est encore trop épuisée mentalement.

— On n'a pas la moindre idée de ce qu'elle sait.

— Non, mais qu'est-ce qu'on a d'autre, merde ?

— La photo. A l'arrière-plan, on voit les quatre musiciens. En fonction de la position de leurs doigts, on pourrait peut-être savoir quel morceau ils interprètent et ainsi déterminer la date du concert.

— Joona, dit-elle en soupirant.

— Oui, dit-il avec un sourire.

— Tu es complètement givré – j'espère que tu en as conscience.

— Robert semble croire que c'est possible d'un point de vue théorique.

— Attendons plutôt que Penelope aille un peu mieux.

— J'appelle, dit Joona et prenant son portable. Il compose le numéro de la Rikskrim et demande la chambre U 12.

Saga l'observe.

— Je m'appelle Joona Linna, je suis…

Il s'arrête et un grand sourire illumine son visage.

— Bien sûr que je me souviens de vous et de votre manteau rouge, dit-il puis il écoute un instant son interlocuteur avant de reprendre. Oui, mais… Je pensais que vous alliez suggérer de l'hypnose.

Saga entend le médecin rire de la plaisanterie.

— Non, dit-il. Mais, sérieusement – nous avons vraiment besoin de lui parler.

Son visage redevient grave.

— Je vois, mais… le mieux serait que vous arriviez à la convaincre de… D'accord, nous trouverons une solution… Merci, au revoir.

Il raccroche et bifurque sur Bellmansgatan.

— C'était Daniella Richards.

— Qu'est-ce qu'elle dit ?

— Elle pense qu'on va pouvoir l'interroger d'ici quelques jours, mais il faut lui trouver une autre chambre – elle refuse de rester au sous-sol et dit…

— Il n'y a pas d'endroit plus sûr.

— Mais puisqu'elle refuse.

— On va devoir lui expliquer que c'est dangereux.

— Elle le sait déjà mieux que nous.

71

SEPT MILLIONS DE COMBINAISONS

Disa et Joona sont assis l'un en face de l'autre à une table du bar *Södra* au *Mosebacke Etablissement*. La lumière du soleil pénètre dans la salle par les immenses fenêtres qui donnent sur le vieux quartier de Gamla stan, l'îlot Skeppsholmen et l'eau scintillante. Ils ont mangé du hareng frais grillé à la poêle accompagné d'une purée de pommes de terre et d'airelles rouges. Ils sirotent désormais les dernières gorgées de leur bière. Sur une petite scène, Ronald Brautigam est installé devant un piano à queue noir et Isabelle van Keulen, le coude droit levé, fait glisser son archet sur les cordes.

La violoniste fait vibrer sa note pour souligner le finale du piano et termine ensuite le morceau par une note aiguë légèrement chevrotante.

Après le concert, Joona et Disa quittent le restaurant et s'arrêtent un instant sur la place Mosebacke.

— C'est quoi l'histoire de Paganini ? demande-t-elle en arrangeant le col de sa chemise. Tu parlais aussi de lui la dernière fois.

Il attrape délicatement sa main :

— J'avais juste envie de te voir...

— Pour que je puisse te prendre la tête parce que tu ne prends pas tes médicaments ?

— Non, dit-il d'un ton sérieux.

— Tu les prends alors ?

— Je les reprendrai bientôt, répond-il avec une touche d'impatience dans la voix.

Elle laisse son regard vert clair croiser le sien un moment puis inspire profondément et lui propose de se balader.

— En tout cas, le concert était magnifique, dit-elle. La musique et la lumière dans la salle créaient une atmosphère vraiment magique. J'ai toujours pensé que Paganini était… tu vois, un équilibriste… J'ai vu Yngwie Malmsteen jouer le *Caprice* n° 5 à Gröna Lund.

— Lorsque tu étais avec Benjamin Gantebein.

— On est devenus amis sur Facebook après toutes ces années.

Ils se promènent main dans la main et descendent vers le pont Skeppsbron.

— Ne devrait-il pas être possible de déterminer quelle note une personne joue selon la position de ses doigts sur le violon ?

— Sans rien entendre tu veux dire ?

— Sur une photo.

— A peu près, je dirais… cela dépend certainement de la connaissance que l'on a de l'instrument.

— Mais avec quel degré de précision ?

— Je peux demander à Kaj, si c'est important.

— Kaj ?

— Kaj Samuelsson, de l'université de musicologie, Musikvetenskapeliga. Il m'apprenait à conduire, je le connais par mon père.

— Tu peux l'appeler ?

— D'accord, dit Disa en haussant légèrement un sourcil. Tu veux que je l'appelle maintenant ?

— Oui.

Elle lâche sa main, prend son téléphone, fait défiler ses contacts et appelle le professeur.

— C'est Disa, dit-elle en souriant. J'appelle au beau milieu du déjeuner ?

Joona perçoit une voix d'homme qui parle joyeusement dans le combiné. Après avoir discuté un moment, Disa demande :

— Ecoute, je suis avec un bon ami et il aimerait que je te pose une question.

Elle rit un instant, puis se lance :

— Est-ce qu'on peut voir quelles notes joue un violoniste… non, pas… je veux dire selon la position de ses doigts.

Joona observe Disa qui écoute la réponse, le front plissé. De la musique militaire parvient jusqu'à eux depuis l'une des ruelles de Gamla stan.

— D'accord, dit Disa après quelques secondes. Tu sais quoi, Kaj, il vaut mieux que tu lui parles directement.

Sans un mot, elle tend le téléphone à Joona.

— Joona Linna.

— Dont Disa me parle tant, complète Kaj Samuelsson d'une voix gaie.

— Un violon n'a que quatre cordes, commence Joona. Il ne devrait pas être possible de jouer tant de notes différentes...

— Qu'entendez-vous par jouer ? demande le professeur.

— La note la plus grave doit être un *sol* à vide, dit Joona d'une voix calme. Et la note la plus aiguë doit bien se trouver quelque part...

— C'est un bon raisonnement, l'interrompt le professeur. Le scientifique français Mersenne a publié *L'Harmonie universelle* en 1636. Et dans cette œuvre, il explique que les meilleurs violonistes peuvent jouer jusqu'à une octave au-dessus de chaque corde à vide. Cela signifie que la portée s'étend de petit *sol* jusqu'au *mi₃*... ce qui nous donne au total trente-quatre notes sur une gamme chromatique.

— Trente-quatre notes, répète Joona.

— Mais avec les musiciens d'une époque un peu plus proche, poursuit Samuelsson d'un ton amusé, l'étendue de la portée a été développée selon le nouveau doigté... et on a commencé à pouvoir atteindre le *la₃* et ainsi obtenir une gamme chromatique de trente-neuf notes.

— Continuez, dit Joona en attendant Disa, qui s'arrête devant une galerie où sont exposés de curieux tableaux.

— Or, déjà en 1904, lorsque Richard Strauss a révisé le *Grand Traité d'instrumentation et d'orchestration modernes* de Berlioz, le *sol₄* était considéré comme la plus haute note possible pour un violoniste, la portée était donc de quarante-neuf notes.

Kaj Samuelsson rit un moment devant le silence expectatif de Joona.

— La limite dans les aigus est loin d'avoir été atteinte, explique le professeur. Et d'ailleurs, on peut ajouter tout un registre d'harmoniques et de quarts de ton.

Ils passent devant un bateau viking récemment construit près du port Slottskajen et se dirigent vers le parc Kungsträdgården.

— Et sur un violoncelle ?

— Cinquante-huit.

Disa lui adresse un regard impatient et désigne une terrasse de café.

— Ma vraie question est de savoir si vous seriez en mesure, à partir d'une photo représentant quatre musiciens, deux violons, un alto et un violoncelle, de deviner quel morceau ils interprètent en observant leurs doigts, les cordes et les manches des instruments ?

Joona entend Kaj Samuelsson marmonner quelque chose à l'autre bout du fil :

— Ça représenterait des centaines, des milliers...

Disa hausse les épaules et continue de marcher sans le regarder.

— Sept millions de combinaisons, déclare Kaj Samuelsson après un moment.

— Sept millions, répète Joona.

Le silence tombe de nouveau.

— Mais sur ma photo, poursuit Joona avec obstination, on voit clairement les doigts et les cordes. Il serait assez facile d'exclure de nombreuses possibilités.

— Je veux bien jeter un œil à la photo, répond le professeur. Mais je ne vais pas pouvoir deviner les notes, c'est impossible et...

— Mais...

— Imaginez-vous, Joona, poursuit-il gaiement, que vous parveniez malgré tout à faire ressortir des hypothèses de notes... comment les retrouveriez-vous parmi les milliers de quatuors à cordes de Beethoven, Schubert, Mozart... ?

— Je comprends, c'est impossible, l'interrompt Joona.

— Très sincèrement, oui.

Joona le remercie puis va s'asseoir près de Disa sur le bord d'une fontaine. Elle appuie sa joue contre son épaule. Lorsqu'il l'entoure de son bras, il se souvient des mots de Robert Riessen à propos de son frère : *Si même Axel n'a pas réussi, je crois que c'est impossible.*

72

L'ÉNIGME

En remontant Bragavägen, Joona Linna perçoit le brouhaha des cris provenant de la cour de l'Ecole allemande.

Il sonne à la porte d'Axel et, après avoir attendu un moment, il décide de contourner la maison. Un son fort et dissonant retentit soudain. Il semble provenir d'un instrument à cordes. Quelqu'un est assis à l'ombre d'un arbre touffu et Joona garde ses distances. Sur la terrasse en marbre, une jeune fille joue du violon. Elle doit avoir dans les quinze ans. Ses cheveux sont coupés très court et elle semble s'être dessiné sur les bras. Près d'elle, Axel Riessen hoche la tête et écoute d'un air concentré lorsqu'elle passe l'archet sur les cordes. On dirait qu'elle tient l'instrument pour la première fois. C'est peut-être la fille d'Axel, ou sa petite-fille, car il l'observe sans relâche d'un regard doux mêlé de curiosité.

Elle frotte maladroitement son archet sur les cordes et le violon émet un long grincement.

— Il doit être très mal accordé, suggère-t-elle pour justifier ses fausses notes.

Elle sourit et lui donne délicatement l'instrument.

— Jouer du violon est une question d'oreille, dit gentiment Axel. Il faut écouter, laisser la musique nous pénétrer et enfin la restituer avec l'instrument.

Il pose le violon contre son épaule et joue les premières notes de "La seguidilla", tirée de *Carmen* de Bizet. Puis il s'interrompt et lui montre le violon.

— Maintenant, j'accorde les cordes un peu n'importe comment, comme ça et comme ça, dit-il en tournant les chevilles plusieurs fois dans des sens différents.

— Pourquoi est-ce…

— Maintenant, le violon est désaccordé, poursuit-il. Et si je m'étais contenté d'apprendre le morceau de façon machinale en respectant scrupuleusement les positions des doigts, ça donnerait ceci.

Il joue de nouveau "La seguidilla", qui cette fois sonne complètement faux et en devient presque méconnaissable.

— Magnifique, dit-elle en riant.

— Alors que si l'on écoute le son des cordes, dit-il en pinçant la corde *mi*. Tu entends ? Elle est bien trop basse, mais c'est sans importance, il suffit de compenser en prenant la note plus haut sur le manche.

Axel Riessen rejoue l'air sur son violon désaccordé en utilisant des doigtés très particuliers et "La seguidilla" retrouve toute sa beauté.

— Tu peux faire de la magie, dit la jeune fille en applaudissant.

— Bonjour, dit Joona qui s'est approché. Il serre la main d'Axel puis celle de la jeune fille.

Il observe le violon désaccordé dans la main d'Axel :

— Impressionnant.

Axel suit son regard et secoue la tête :

— Figurez-vous que je n'ai pas joué depuis trente-quatre ans, dit-il avec une intonation singulière.

— Vous y croyez ? demande Joona à la jeune fille.

Elle hoche la tête puis répond de façon énigmatique :

— Vous ne voyez pas la lueur ?

— Beverly, dit Axel à voix basse.

Elle le regarde avec un sourire puis s'éloigne entre les arbres.

— J'ai besoin de vous parler.

— Je vous prie de m'excuser d'avoir disparu la dernière fois, dit Axel en accordant son violon. Mais j'ai eu une affaire urgente à régler.

— Pas de souci – je suis revenu.

Axel observe la jeune fille qui cueille quelques plantes sur la pelouse ombragée.

— Y a-t-il un vase à l'intérieur ? demande-t-elle.

— Dans la cuisine, répond-il.

Elle entre dans la maison avec un petit bouquet d'aigrettes de pissenlits.

— C'est sa fleur préférée, dit Axel qui pince la corde *sol*, règle la cheville puis repose le violon sur la table en mosaïque.

— J'aimerais que vous regardiez ceci, dit Joona et sortant la photo de sa pochette plastique.

Ils s'installent à la table. Axel sort ses lunettes de la poche de sa chemise et observe la photo avec attention.

— Quand est-ce que cette photo a été prise ? s'empresse-t-il de demander.

— Nous n'en sommes pas certains, mais à priori au printemps 2008, répond Joona.

— D'accord, dit Axel qui semble aussitôt plus détendu.

— Vous reconnaissez ces personnes ?

— Naturellement, dit Axel. Palmcrona, Pontus Salman, Raphael Guidi et… Agathe al-Haji.

— Oui, mais je parle des musiciens situés à l'arrière-plan.

Axel lui adresse un regard interrogateur, puis se penche à nouveau sur la photo.

— Le Tokyo String Quartet… ils sont bons, dit-il d'une voix neutre.

— Oui, mais j'aimerais savoir… je me demandais s'il était possible pour un connaisseur de déterminer… de déterminer quel morceau ils interprètent en regardant la position de leurs doigts sur la photo.

— Question intéressante.

— Est-il possible de formuler ne serait-ce qu'une supposition ? Kaj Samuelsson ne semblait pas le penser et, lorsque votre frère a regardé la photo, il a dit que c'était impossible.

Joona se penche légèrement vers Axel et son regard prend une expression douce et chaleureuse lorsqu'il lui dit :

— Selon votre frère, personne ne peut y parvenir – si ce n'est *vous*.

Un petit sourire se dessine sur ses lèvres :

— Il a dit ça, celui-là ?

— Oui. Mais je n'ai pas bien compris ce qu'il voulait dire…

— Moi non plus.

— J'aimerais tout de même que vous examiniez la photo avec une loupe.

— Vous espérez pouvoir établir avec certitude la date de la réunion, dit Axel qui a retrouvé tout son sérieux.

Joona hoche la tête, sort une loupe de son sac et la tend à Axel :

— Avec ça, vous devriez réussir à voir leurs doigts.

En silence, il regarde Axel observer la photo. Si la photo a été prise avant l'inculpation du président soudanais Omar el-Béchir en mars 2009, cela signifierait qu'il a fait fausse route. En revanche, si la date s'avérait être postérieure à l'émission du mandat d'arrêt, son pressentiment serait confirmé et il s'agirait bien d'actes criminels.

— Effectivement, je vois les doigtés, dit lentement Axel.

— Seriez-vous en mesure de déterminer de quelles notes il s'agit ? demande Joona à mi-voix.

Axel soupire, lui rend la photo et la loupe puis chante quatre notes à haute voix. Elles ont une tessiture assez basse, mais sont parfaitement claires. Il se concentre un moment, puis prend son violon et pince les cordes.

Joona Linna s'est levé :

— Vous plaisantez ?

Axel Riessen croise son regard :

— Martin Beaver joue un *ut*$_3$ et Kikuei, un *ut*$_2$. Kazuhide Isomura est en pause et Clive joue un pizzicato à quatre tons. C'est ce que je chantais à l'instant, grand *mi*, grand *la*, petit *la* et *do dièse*$_1$.

Joona inscrit les notes sur son calepin et demande :

— Quelle est la marge d'erreur de vos suppositions ?

— Ce ne sont pas des suppositions.

— D'après vous, est-ce qu'on retrouve cette combinaison de notes dans beaucoup de morceaux ? Je veux dire… serait-il possible de deviner ce que le Tokyo String Quartet jouait à ce moment-là ?

— Je ne connais qu'un seul morceau qui contienne cette combinaison.

— Comment le savez-vous ?

Axel dirige son regard vers la maison. L'épais feuillage de l'arbre se reflète dans la vitre.

— Continuez, je vous en prie, dit Joona.

— Je n'ai sûrement pas entendu toute la musique qu'ils ont jouée…

Axel hausse les épaules comme pour s'excuser.

— Mais selon vous, ces notes correspondent à un morceau en particulier ?

— Tout à fait, c'est la mesure 156 du premier mouvement du quatuor à cordes n° 2 de Béla Bartók.

Il pose le violon contre son épaule.

— *Tranquillo…* la musique est si merveilleuse et paisible, comme une berceuse. Ecoutez la première partie, dit-il en commençant à jouer.

Ses doigts glissent avec fluidité sur le manche, les notes semblent frémir, claires et parfaitement justes. Après avoir joué quatre mesures, il s'arrête.

— Les deux violons s'accompagnent, ils jouent les mêmes notes, mais à des octaves différentes. C'est presque trop beau, mais avec l'accord en *la* majeur du violoncelle, la partie des violons constitue comme une dissonance… même si l'on ne le ressent pas exactement ainsi vu que ce sont des notes de transition qui…

Il s'interrompt et repose le violon en silence.

Joona le fixe.

— Vous êtes absolument sûr que les musiciens jouent le quatuor à cordes n° 2 de Bartók ? demande-t-il à voix basse.

— Oui.

Joona fait quelques pas sur la terrasse et s'arrête près des grappes de lilas qui parsèment le feuillage. Avec ce qu'il vient d'entendre, il a tout ce dont il a besoin pour déterminer la date de la réunion.

Il ne peut réprimer un sourire, mais le dissimule en posant sa main sur sa bouche avant de se retourner. Il prend une pomme rouge dans une corbeille posée sur la table et croise le regard interrogateur d'Axel.

— Vous en êtes vraiment certain ?

Axel hoche la tête et Joona lui envoie la pomme, s'excuse, puis appelle Anja depuis son portable.

— Anja, je suis un peu pressé… J'ai besoin d'aide.

— Je sais, répond-elle en riant.

Joona tente de masquer son impatience :

— Tu pourrais vérifier le répertoire du Tokyo String Quartet pour ces dix dernières années ?

— J'ai déjà vérifié.

— Peux-tu me dire ce qu'ils ont joué à l'Alte Oper à Francfort durant cette période ?

— Oui, mais ils y ont joué tous les ans, parfois même plusieurs fois par an.

— Est-ce qu'ils ont déjà interprété le quatuor à cordes n° 2 de Béla Bartók ?

Après un moment, elle répond :

— Oui, une seule fois, opus 17.

— Opus 17, répète Joona en interrogeant Axel du regard qui lui répond par un hochement de tête.

— Pourquoi ? demande Anja.

— Quand ? demande Joona d'une voix grave. Quand est-ce qu'ils l'ont joué ?

— Le 13 novembre 2009.

— Tu en es sûre ?

La réunion a donc eu lieu huit mois après que le mandat d'arrêt contre le président soudanais eut été émis. Pontus Salman leur avait menti. Ils s'étaient réunis au mois de novembre 2009. Joona tient enfin le point de départ de tout ce déchaînement de violence.

Il effleure quelques grappes de lilas de la main et sent l'odeur d'un barbecue dans le voisinage qui parvient jusqu'au jardin. Joona doit contacter Saga Bauer et lui faire part de sa découverte.

— C'est tout ? demande Anja à l'autre bout du fil.

— Oui.

— Et le mot magique ?

— Oui, pardon… *Kiitokseksi saat pusun,* dit Joona, donc pour te remercier tu auras un bisou.

Il raccroche.

Le Soudan était sous le coup d'un embargo sur les armes, lorsque Pontus Salman a rencontré Palmcrona, Raphael et Agathe al-Haji. A ce moment-là, tout commerce de cet ordre était interdit. Sans exception.

Mais Agathe al-Haji voulait acheter des munitions tandis que les autres protagonistes avaient été attirés par l'appât du gain et ne s'étaient pas préoccupés de choses aussi futiles que les droits de l'homme ou la législation internationale.

Pontus Salman leur avait donné une fausse date d'une voix glaciale. Il pensait sans doute que quelques éléments véridiques glissés dans sa réponse masqueraient son mensonge.

Joona revoit le visage stoïque et grisâtre de Salman lorsqu'il affirmait être sur la photo et en déterminait la date.

C'est du trafic d'armes, chuchote une voix dans sa tête. C'est de ça dont il s'agit, une photo, un maître chanteur et des morts.

Saga Bauer s'était levée après l'entretien et avait laissé l'empreinte de ses cinq doigts sur le bureau de Salman telles les traces muettes de souvenirs indélébiles.

Au mois de mars 2009, la Cour pénale internationale de La Haye avait émis un mandat d'arrêt contre le président du Soudan, Omar el-Béchir, pour l'implication directe du pays dans l'extermination de trois groupes ethniques au Darfour. Depuis lors, toute exportation de munitions avait été interrompue. L'armée soudanaise dispose encore de ses armes, des mitrailleuses et des fusils d'assaut, mais rapidement les munitions viennent à manquer. Les premiers à en ressentir le besoin sont évidemment les milices au Darfour. Carl Palmcrona, Pontus Salman, Raphael Guidi et Agathe al-Haji font fi de la législation internationale et se rencontrent au mois de novembre alors que l'implication du président dans le génocide a été rendue publique depuis plusieurs mois.

— Qu'est-ce que vous avez appris ? demande Axel en se levant.

— Pardon ? demande Joona.

— Est-ce qu'il vous a été possible de déterminer la date ?

— Oui, répond brièvement Joona.

Axel cherche à croiser le regard fuyant de Joona :

— Qu'est-ce qui ne va pas ?

— Je dois y aller, marmonne Joona.

— Est-ce qu'ils se sont réunis après le mandat d'arrêt contre El-Béchir ? Ce n'est pas possible. Il faut que je le sache !

Joona lève la tête et le fixe de ses yeux brillants et parfaitement calmes.

73

UNE DERNIÈRE QUESTION

Saga Bauer est allongée sur le ventre sur un épais tapis. Elle ferme les yeux tandis que Stefan embrasse lentement son dos. Ses cheveux blonds sont étendus autour d'elle comme un nuage flamboyant. Le visage chaud de Stefan frôle son corps.

Continue, se dit-elle.

Le contact de ses lèvres entre ses omoplates la chatouille légèrement.

Elle s'efforce de rester calme mais son corps frémit de plaisir.

Les enceintes diffusent le duo pour violoncelle et mezzo-soprano du compositeur Carl Unander-Scharin. Les deux parties s'harmonisent en un rythme répétitif et enivrant qui évoque le lent écoulement d'un ruisseau.

Toujours immobile, Saga sent le désir monter en elle. Elle respire la bouche entrouverte et passe sa langue sur ses lèvres.

Les mains de Stefan glissent sur sa taille, autour de ses hanches et soulèvent délicatement ses fesses.

Jamais un homme ne m'a touchée avec une telle douceur, se dit-elle en souriant.

Il la regarde écarter ses cuisses. Elle ne peut dompter l'excitation fiévreuse qui s'est emparée de son corps.

Elle s'entend gémir lorsqu'elle sent la brûlure de sa langue.

Délicatement, il retourne son corps. Le tapis a laissé des rayures sur son ventre.

— Continue, chuchote-t-elle.

— Autrement tu me descends.

Elle hoche la tête et lui sourit, son visage est radieux. Quelques mèches de cheveux noirs tombent sur le visage de Stefan. Sa queue de cheval balaie sa poitrine.

— Viens, viens, dit Saga.

Elle attire son visage à elle et l'embrasse, rencontre sa langue chaude et humide.

Il ôte son pantalon et pose son corps nu sur elle. Elle enroule ses jambes autour de sa taille et le sent pénétrer en elle. Elle pousse un long gémissement, respire de plus en plus vite avant qu'ils ne s'arrêtent un instant pour ressentir la vertigineuse intimité qui les lie. Stefan la pénètre à nouveau en douceur. Ses hanches fines ondulent lentement. Saga laisse ses doigts parcourir ses omoplates, ses reins, ses fesses.

C'est alors que le téléphone sonne. Evidemment, pense-t-elle. Les notes du calme *Blue Jeans Blues* de ZZ Top parviennent jusqu'à eux depuis un tas de vêtements roulés en boule sur le canapé.

— Laisse sonner, chuchote-t-elle.

— C'est le téléphone de ton travail.

— Je m'en fous, marmonne-t-elle en tentant de le retenir.

Mais il se relève, s'agenouille et fouille les poches de son pantalon à la recherche de son portable. Ne le trouvant pas, il finit par saisir le jean à l'envers et le secouer. Le téléphone tombe à terre. Il a cessé de sonner. Un petit tintement annonce qu'un message a été enregistré.

*

Vingt minutes plus tard, Saga court à petites foulées dans les couloirs de la Rikskrim. Ses cheveux sont encore humides après la douche prise en toute hâte. L'aiguillon du désir insatisfait persiste dans son corps. Sa culotte et son jean la gênent. Saga aperçoit le visage rond et l'expression interrogative d'Anja Larsson au-dessus de son ordinateur lorsqu'elle se précipite vers le bureau de Joona. Il l'attend au milieu de la pièce et tient la photographie dans sa main. Lorsqu'elle rencontre son regard gris comme un glacier, un frisson de malaise parcourt son dos.

— Ferme la porte, dit-il.

Elle la referme aussitôt, se retourne et attend. Son souffle est rapide et silencieux.

— Axel Riessen se souvient de toutes les musiques qu'il entend, chaque note de chaque instrument d'un orchestre symphonique...

— Je ne comprends pas ce que tu dis.

— Il a pu trouver quel morceau le quatuor jouait lorsque la photo a été prise, c'était le quatuor à cordes n° 2 de Béla Bartók.

— D'accord, tu avais raison, s'empresse-t-elle de répondre. Il était possible de reconnaître le morceau, mais on…

— La photo a été prise le 13 novembre 2009, l'interrompt Joona avec dans la voix une âpreté inhabituelle.

— Ces salopards ont donc conclu une affaire d'exportation d'armes avec le Soudan après l'inculpation d'El-Béchir, dit-elle entre ses dents.

— Oui.

— Ils savaient que les munitions se retrouveraient au Darfour, chuchote-t-elle.

Joona hoche la tête, les muscles de ses mâchoires se contractent.

— Carl Palmcrona ne devrait pas être dans cette loge, dit-il. Pontus Salman ne devrait pas y être, personne ne devrait y être…

— Mais là on les tient sur une photo, dit-elle avec un zèle retenu. Raphael Guidi concocte une énorme affaire avec le Soudan.

— Oui, répond Joona en fixant les yeux bleu vif de Saga.

— Le vrai gros poisson est évidemment un sale type, mais les plus gros s'échappent toujours.

En silence, ils observent un moment la photo représentant quatre personnes dans une loge à l'Alte Oper, le champagne, leurs visages, les musiciens jouant sur les anciens instruments de Paganini.

— Nous avons résolu la première énigme, dit Saga en inspirant profondément. Nous savons que le Soudan tentait de se procurer des munitions en dépit de l'embargo.

— Palmcrona était là, l'argent sur son compte correspond sans doute à des pots-de-vin. Mais en même temps… Palmcrona n'a validé aucune exportation pour le Soudan après cette histoire de mandat, c'est complètement impossible, il n'aurait jamais réussi à faire pass…

Joona s'interrompt lorsque son téléphone se met à vibrer dans sa veste. Il répond, écoute en silence, raccroche et observe Saga.

— C'était Axel Riessen, dit Joona. Il affirme qu'il a compris ce qu'il y a derrière la photo.

74

UN PLAN PARFAIT

Il y a, dans la cour arrière de l'église finlandaise située à Gamla stan, une figurine en métal haute de seulement quinze centimètres qui représente un garçon assis avec les bras enroulés autour de ses genoux. A trois mètres de celle-ci, Axel Riessen est appuyé contre un mur couleur ocre et mange des nouilles dans une petite boîte en carton. Il a la bouche pleine et fait signe à Joona et à Saga avec ses baguettes lorsqu'ils franchissent la grille.

— Qu'avez-vous compris ? demande Joona.

Axel hoche la tête, pose son repas sur le rebord en tôle d'une des fenêtres de l'église et s'essuie la bouche avec une serviette en papier avant de leur serrer la main.

— Vous disiez comprendre de quoi il retournait sur la photo, répète Joona.

Axel baisse les yeux, souffle profondément puis relève la tête :

— Le Kenya. Les quatre personnes dans la loge trinquent au champagne pour sceller un accord concernant une importante exportation de munitions pour le Kenya.

Il s'arrête un instant.

— Continuez, dit Joona.

— Le Kenya achète 1,25 million de munitions de 5,56 x 45 mm fabriquées sous licence.

— Pour des fusils d'assaut, dit Saga.

— Elles sont livrées au Kenya, poursuit Axel d'une voix grave. Mais les munitions ne sont pas destinées au Kenya. Elles seront réexpédiées au Soudan, pour approvisionner les milices du Darfour. Je me suis rendu à l'évidence. Les munitions seront acheminées vers le Soudan car l'acheteur est représenté par Agathe al-Haji.

— Et c'est là que le Kenya intervient, déclare Joona.

— Oui, les quatre personnes de la loge se sont rencontrées alors que le mandat d'arrêt contre le président El-Béchir avait été émis, n'est-ce pas. Le quatuor à cordes n° 2 de Bartók n'a été joué qu'une seule fois. Il est interdit d'exporter au Soudan, mais pas au Kenya.

— Comment pouvez-vous être aussi sûr de ce que vous avancez ? demande Saga.

— On m'a transmis cette affaire après le suicide de Carl Palmcrona. C'était sa dernière mission et il ne l'a pas menée à bien. Et j'ai promis de signer l'autorisation d'exportation aujourd'hui, dit-il les dents serrées.

— Ce sont les mêmes munitions, la même affaire. Après le mandat d'arrêt contre le président, ils ont simplement remplacé Soudan par Kenya sur le contrat, dit Saga.

— C'était du solide, dit Axel.

— Jusqu'à ce que quelqu'un photographie leur petite réunion, poursuit Joona.

— Lorsque Palmcrona s'est suicidé, les préparatifs étaient terminés. Tout le monde pensait sans doute qu'il avait déjà signé l'autorisation d'exportation, dit Axel.

— Ils ont dû pas mal stresser lorsqu'ils ont compris qu'il ne l'avait pas fait, dit Joona en souriant.

— Toute l'affaire s'est retrouvée bloquée, dit Saga.

— J'ai été recruté très rapidement, raconte Axel. On m'a carrément mis le stylo dans la main pour me faire signer le contrat.

— Mais ?

— Je voulais me faire ma propre opinion.

— Ce que vous avez fait.

— Oui.

— Et tout avait l'air en ordre ? demande Saga.

— Oui… et j'ai promis de signer et je l'aurais fait sans hésiter si je n'avais pas vu la photo et fait le rapprochement avec le Kenya.

Un silence s'installe et ils observent le petit garçon en fer, la plus petite œuvre d'art dans l'espace public de Stockholm. Joona se penche et tapote sa tête lustrée. Le métal est brûlant après toute une journée au soleil.

— Ils sont en train de charger le navire au port de Göteborg, dit Axel à voix basse.

— Oui, dit Saga. Mais sans autorisation d'exportation…

— Ces munitions ne quitteront pas la Suède, affirme Axel.

— Vous deviez signer l'autorisation aujourd'hui, dit Joona. Est-ce que vous avez un moyen de faire un peu traîner les choses ? Il est très important pour notre enquête que vous ne leur disiez rien.

— Ils ne vont pas se contenter d'attendre.

— Dites-leur que vous n'avez pas tout à fait terminé, dit Joona.

— Oui, mais ça va être difficile. La livraison a déjà pris beaucoup de retard… Je vais faire mon possible.

— Ce n'est pas uniquement pour notre enquête, il en va aussi de votre sécurité, explique-t-il.

Axel sourit et demande d'une voix sceptique :

— Vous pensez qu'ils seraient susceptibles de me menacer ?

Joona lui retourne son sourire :

— Tant qu'ils s'attendent à un retour positif de votre part, il n'y a aucun danger. Mais si vous dites non, certains vont perdre énormément d'argent. Je n'imagine même pas la somme des pots-de-vin qu'il a fallu verser pour que les bonnes personnes au Kenya acceptent de fermer les yeux.

— Je ne vais pas pouvoir retarder la signature éternellement. Pontus Salman a essayé de me joindre toute la journée. Ces gens savent comment cela fonctionne, je ne pourrais pas les duper, dit Axel au moment où son téléphone sonne.

Il jette un œil à l'écran et se fige :

— Je crois que c'est encore Pontus Salman…

— Répondez, dit Joona.

— D'accord, dit Axel en décrochant.

— J'ai essayé de vous joindre à plusieurs reprises, dit Salman de sa voix traînante. Vous savez… le porte-conteneurs est chargé, cela nous revient très cher de rester à quai. L'armateur a essayé de vous appeler, il ne semble pas avoir reçu l'autorisation d'exporter.

— Je suis navré, dit Axel en regardant Joona et Saga. Je n'ai malheureusement pas eu le temps de vérifier les derniers…

— J'ai parlé avec le siège du gouvernement, vous étiez censé signer aujourd'hui.

Axel hésite, diverses idées fusent dans sa tête, il voudrait se contenter de mettre fin à la conversation, mais il s'éclaircit la voix comme pour s'excuser avant de mentir :

— Une autre affaire est intervenue.

Axel entend le timbre particulier de sa voix, sa réponse a un peu trop tardé. Il avait failli lui dire la vérité, qu'aucune autorisation ne leur serait accordée dans la mesure où ils prévoyaient de faire entrer clandestinement la marchandise au Darfour.

— J'avais l'impression que l'affaire serait résolue aujourd'hui au plus tard, dit Salman sans cacher son irritation.

— Vous avez pris un risque, dit Axel.

— Qu'est-ce que vous voulez dire ?

— Sans autorisation, il n'y aura pas d'exportation pour…

— Mais nous avons… Pardonnez-moi.

— Vous avez obtenu l'autorisation de fabriquer les munitions, vous avez obtenu un accord de principe et je vous ai envoyé des signaux positifs, mais pas plus.

— Beaucoup de choses entrent en ligne de compte, répond Salman d'un ton plus conciliant. Puis-je faire passer un message à l'armateur ? Pourriez-vous estimer combien de temps cela va prendre ? Il doit savoir s'il va rester longtemps au port, il en va de toute la logistique.

— Je suis toujours positif, mais je dois tout vérifier une dernière fois et vous aurez votre signature, dit Axel.

L'APPÂT

Saga Bauer fait de la corde à sauter dans la salle de gym de la police depuis cinquante minutes lorsqu'un collègue inquiet s'approche pour lui demander comment elle se sent. Son visage est luisant de transpiration et elle a les mâchoires crispées, mais ses pieds ne cessent de danser au-dessus de la corde.

— Tu es trop dure avec toi-même, dit-il.

— Non, répond-elle en continuant de sauter les dents serrées.

Vingt-cinq minutes plus tard, Joona Linna entre dans la salle et s'installe sur un banc bancal près des haltères.

— Quel merdier, dit-elle sans s'arrêter. Ils vont faire passer des munitions au Darfour et on ne peut rien faire.

— Au moins on sait de quoi il s'agit maintenant, répond Joona calmement. On sait qu'ils tentent de passer par le Kenya et…

— Mais qu'est-ce qu'on va faire, putain ? demande-t-elle en sautant. Intercepter cet enfoiré de Pontus Salman ? Contacter Europol pour Raphael Guidi ?

— On ne peut toujours rien prouver.

— C'est trop gros, personne ne veut que ça soit aussi gros. Même nous, on aurait préféré que ça ne soit pas si gros, répète-t-elle alors que la corde à sauter siffle autour d'elle et claque contre le sol. Carl Palmcrona et Pontus Salman en Suède… Raphael Guidi, c'est un poids lourd… mais il faut aussi quelqu'un au sein du gouvernement kenyan, sinon ça ne fonctionnerait pas… et peut-être même quelqu'un du gouvernement suédois…

— On ne les aura pas tous, tempère Joona.

— Le plus raisonnable serait sans doute de classer l'affaire.

— Alors on n'a qu'à le faire.

Elle rit et continue à sauter, les lèvres pincées.

— Palmcrona a probablement accepté des pots-de-vin pendant des années, dit Joona d'un air pensif. Mais lorsqu'il a reçu le courrier de chantage de Björn Almskog, il a eu peur que la fête ne touche à sa fin… alors il a appelé quelqu'un, sans doute Raphael… Mais au cours de la conversation, il a pris conscience qu'il n'était pas irremplaçable… et qu'à cause de la photo, on le considérait plutôt comme un élément gênant. Il était devenu un problème pour les gens ayant investi dans cette affaire. Ils n'étaient pas prêts à perdre leur argent et risquer leur existence pour lui.

— Du coup il se suicide, dit Saga qui saute de plus en plus vite.

— Il disparaît… et il ne reste alors plus que la photographie et le maître chanteur.

— Ils embauchent donc un homme de main, dit-elle haletante.

Joona hoche la tête alors que Saga commence à sauter en relevant les genoux.

— Si Viola ne les avait pas accompagnés sur le bateau, il aurait tué Björn et Penelope et fait couler le bateau.

Saga accélère encore la cadence, puis s'arrête.

— On l'aurait… on l'aurait classé comme un accident, dit-elle à bout de souffle. Il aurait récupéré la photo, nettoyé tous les ordinateurs et quitté le pays sans laisser de traces.

— Or mon sentiment, c'est qu'il ne craint même pas d'être démasqué, il est simplement pragmatique. Il est plus facile de résoudre des problèmes lorsque la police n'est pas impliquée, mais il se concentre sur ses problèmes… sinon, il n'aurait pas incendié les appartements. Cela attire énormément l'attention, mais il veut être méticuleux dans sa tâche et il donne la priorité à sa mission.

Saga prend appui sur ses cuisses, de la sueur coule de son visage.

— Je pense qu'on aurait fini par faire le rapprochement entre l'accident de bateau et les incendies, dit-elle en se redressant.

— Mais alors, il serait trop tard. La mission de l'homme de main consiste à effacer toutes les traces et tous les témoins.

— Or, on a récupéré la photographie et Penelope, dit-elle en souriant. Et il n'a pas encore résolu son problème.

— Pas encore…

Elle donne quelques coups souples sur le punching-ball suspendu au plafond, puis regarde Joona d'un air songeur.

— Pendant ma formation, j'ai vu le film d'un hold-up dans une banque où tu neutralisais un homme à l'aide d'un revolver cassé.

— J'ai eu de la chance.

— Oui.

Il pousse un petit rire alors qu'elle s'approche de lui, teste un peu son jeu de jambes, tourne autour de lui, puis s'arrête. Elle tend ses mains ouvertes et rencontre son regard. Elle l'appelle avec les doigts. Elle veut qu'il tente un coup sur elle. Il sourit et comprend la référence au geste de Bruce Lee. Il secoue la tête, mais ne la lâche pas du regard.

— J'ai vu comment tu te déplaces, dit-il.

— Alors tu n'as rien à craindre, répond-elle brièvement.

— Tu es rapide et tu arriverais peut-être à placer ton premier coup, mais après...

— Je serais déjà partie, complète-t-elle.

— Bien pensé, mais...

Elle refait le même geste, l'invite à s'approcher, légèrement plus impatiente.

— Tu vas sans doute attaquer trop fort, poursuit-il d'un ton amusé.

— Non.

— Essaie, tu verras, dit calmement Joona.

Elle l'invite encore une fois à la rejoindre mais il se contente de lui tourner le dos et se dirige vers la porte. Elle le rattrape en deux enjambées et lui lance un crochet du droit. Il baisse la nuque de façon à ce que le coup passe au-dessus de sa tête puis pivote soudainement, saisit son arme et la plaque simultanément au sol en maintenant son pied contre son jarret.

— Attends, il faut que je te dise un truc, fait Saga.

— Que j'avais raison ?

— Ne te fais pas d'illusions, répond-elle en lui décochant un regard furieux.

— Quand on attaque trop fort...

— Je n'ai pas attaqué fort, l'interrompt-elle. J'ai ralenti mon geste parce que j'ai pensé à quelque chose d'important qui...

— Alors, tout s'explique, dit-il en riant.

— Je m'en tape de ce que tu crois, poursuit-elle. Mais je me suis dit qu'on pourrait utiliser Penelope comme appât.

— De quoi tu parles ?

— J'ai pensé au fait qu'elle allait être transférée dans une autre chambre et j'ai eu cette idée juste au moment où j'ai voulu te frapper. Je n'y ai pas mis toute ma force parce que si je t'avais mis K.-O., nous ne pourrions pas en discuter.

— Parle-moi, dans ce cas, dit-il aimablement.

— J'ai réalisé que le tueur serait attiré par Penelope. Qu'on le veuille ou non, il cherche à remplir sa mission.

Joona, qui a retrouvé tout son sérieux, hoche la tête d'un air pensif.

— Continue.

— On n'est pas certains qu'il puisse écouter nos communications radio, tout ce qui est dit sur Rakel... mais ça paraît vraisemblable vu qu'il a su que Penelope était à Kymmendö.

— Oui.

— Il la retrouvera d'une manière ou d'une autre, c'est ce que je pense. Et il se fout qu'elle soit sous protection policière. On fera tout pour garder le nouvel emplacement secret, mais c'est carrément impossible de la protéger sans communication radio.

— Il va la retrouver, confirme Joona.

— C'est ce que je me suis dit... On utilise Penelope comme appât, la question est seulement de savoir si on sera prêt à la protéger le moment venu. Elle sera sous protection comme prévu, mais si l'on met également la Span* sur le coup, on pourra peut-être le capturer.

— Tu as raison... tu as tout à fait raison.

* Abréviation de Spaningsroteln, brigade de police semblable à la BRI en France.

76

L'APPARTEMENT SÉCURISÉ

Carlos, Saga et Joona traversent rapidement le long couloir menant aux bureaux de la Säpo. A leur arrivée, Verner Zandén les attend déjà dans un canapé moelleux. Sans perdre de temps avec les politesses d'usage, il se met à parler dès que la porte s'est refermée sur eux :

— On a déjà fait appel à Klara Olofsdotter, du parquet Internationella åklagarkamrarna*… Il s'agit d'une opération de grande ampleur pour la Rikskrim et la Säpo, mais qui diable essayons-nous d'appréhender ?

— Nous savons peu de chose, répond Saga. Nous ignorons même s'il travaille seul, il peut s'agir d'un professionnel venant de Belgique ou du Brésil. C'est peut-être un ancien du KGB.

— En fait, ce n'est pas si compliqué que ça de mettre notre radio sur écoute, dit Carlos.

— Le tueur sait évidemment que Penelope Fernandez est sous surveillance et qu'il serait difficile d'arriver jusqu'à elle, dit Joona. Mais à un moment donné, les portes doivent bien s'ouvrir, les gardes du corps doivent se relayer, il faut lui apporter à manger, elle doit rencontrer sa mère, un psychologue, elle doit voir Niklas Dent de la GMP pour le profilage criminel et…

Son téléphone sonne, il regarde rapidement l'écran et coupe l'appel.

— Notre priorité est bien entendu de protéger Penelope, dit Saga. Mais ce faisant, nous aurons aussi la possibilité de coincer l'homme qui est responsable de la mort de plusieurs de nos collègues.

* Parquet en charge des crimes d'envergure internationale particulièrement graves.

— Je n'ai pas besoin de vous rappeler qu'il s'agit d'un homme dangereux. Je pense qu'aucun de nous n'a déjà eu affaire à un homme de ce calibre.

*

L'appartement sécurisé est situé au 1, Storgatan. Ses fenêtres donnent sur Sibyllegatan et offrent une vue de la place Östermalmstorg. Il n'y a aucun vis-à-vis. L'immeuble le plus proche se trouve à plus de cent mètres.

Saga Bauer tient la porte en acier de l'entrée lorsque le médecin Daniella Richards aide doucement Penelope Fernandez à sortir d'un fourgon de police couleur plomb. Des policiers de la Sûreté lourdement armés les entourent.

— C'est le logement non souterrain le plus sécurisé de tout Stockholm, explique Saga.

Penelope ne réagit pas et suit Daniella Richards jusqu'à l'ascenseur. L'entrée et la cage d'escalier sont truffées de caméras de surveillance.

— Nous avons installé des détecteurs de mouvement, un système d'alarme très pointu et deux lignes cryptées pour joindre le central, poursuit Saga.

Une fois arrivées au troisième étage, Daniella et Saga conduisent Penelope jusqu'à une imposante porte blindée menant à un sas surveillé par une femme officier en uniforme. Elle ouvre une seconde porte blindée et les fait entrer dans l'appartement.

— L'appartement dispose d'un système de protection contre les incendies très performant, il est muni de sa propre alimentation électrique et de son propre système de ventilation, poursuit Saga.

— Vous êtes en sécurité ici, dit Daniella Richards.

Penelope lève enfin la tête et regarde le médecin avec des yeux vitreux.

— Merci, dit-elle d'une voix effacée.

— Je peux rester si vous voulez.

Penelope fait non de la tête et Daniella quitte l'appartement avec Saga.

Penelope verrouille la porte et s'approche d'une des fenêtres blindées qui donnent sur Östermalmstorg. Une sorte de film recouvrant le verre opacifie la vitre à l'extérieur. Elle regarde par la fenêtre et suppose que certaines des personnes qui s'affairent sur la place sont des policiers en civil.

Elle touche délicatement la vitre du bout des doigts. Aucun bruit ne parvient depuis l'extérieur.

Soudain, une sonnerie retentit.

Penelope tressaille et son rythme cardiaque s'accélère.

Elle s'approche de la porte et appuie sur le bouton du visiophone. L'agent dans le sas regarde dans la caméra et explique à Penelope que sa mère est venue la voir.

— Penny, Penny ? demande sa mère d'une voix inquiète derrière la garde.

Penelope tourne le verrou, entend le cliquetis du mécanisme et ouvre la lourde porte en acier.

— Maman, dit-elle avec le sentiment que sa voix ne peut fendre l'épais silence qui règne dans l'appartement.

Elle fait entrer sa mère, ferme à clef derrière elle, mais reste interdite devant la porte. Elle serre les dents et commence à trembler mais s'efforce de masquer tout sentiment sur son visage.

Elle jette un œil à sa mère, mais n'ose pas croiser son regard. Elle sait que celle-ci va lui reprocher de ne pas avoir su protéger sa sœur.

Claudia fait quelques pas hésitants dans l'entrée et regarde autour d'elle d'un œil inquiet.

— Ils prennent bien soin de toi, Penny ?

— Je vais bien maintenant.

— Mais il faut qu'ils te protègent.

— Ils le font, je suis en sécurité ici.

— C'est tout ce qui compte, dit Claudia d'une voix presque inaudible.

Penelope s'efforce de ravaler ses larmes. Une douleur lancinante lui enserre le cou.

— Il y a tant de choses à régler, poursuit sa mère en détournant son visage. Je… Je n'arrive pas à comprendre, je n'arrive pas à comprendre que je doive m'occuper de l'enterrement de Viola.

Penelope hoche lentement la tête. Sa mère tend soudain sa main et effleure délicatement sa joue. Penelope tressaille malgré elle et sa mère retire rapidement sa main.

— Ils disent que c'est bientôt terminé, explique Penelope. La police compte appréhender l'homme… celui qui… a tué Viola et Björn.

Claudia hoche la tête et se retourne ensuite vers sa fille. Son visage est à nu, vulnérable. A son grand étonnement, Penelope s'aperçoit que sa mère sourit.

— Dire que tu es en vie. Que je t'ai encore, c'est la seule chose qui compte, la seule…

— Maman.

— Ma puce.

Claudia tend de nouveau sa main et, cette fois, Penelope ne recule pas.

77

L'OPÉRATION

Dans l'oriel d'un appartement situé au troisième étage au 4A Nybrogatan patiente la responsable des opérations, Jenny Göransson. Les heures passent, mais personne n'a rien à signaler. Tout est calme. Elle jette un œil sur la place en contrebas et sur le toit au-dessus de l'appartement de Penelope d'où quelques pigeons s'envolent et disparaissent.

Sonny Jansson y est en faction. Il a sans doute bougé et fait fuir les oiseaux.

Jenny le contacte et il lui confirme s'être avancé pour regarder à l'intérieur d'un appartement.

— Je pensais avoir vu une bagarre, mais ils jouent à la Wii et s'agitent dans tous les sens.

— Reprends ta position, dit sèchement Jenny.

Elle prend ses jumelles et scrute à nouveau le coin obscur entre le kiosque et l'orme qu'elle considère comme une zone fragile.

Vêtu d'un jogging, l'agent Blomberg court le long de Sibyllegatan. Il prend contact d'une voix tendue :

— Je vois quelque chose au cimetière.

— Qu'est-ce que tu vois ?

— Quelqu'un bouge sous les arbres, à environ dix mètres de la clôture qui donne sur Storgatan.

— Vérifie, mais fais attention.

Il passe l'escalier près du pignon du Musée militaire et pénètre dans le cimetière à petites foulées. La nuit estivale est chaude et claire. Il avance silencieusement sur la pelouse qui longe l'allée. Il pourrait s'arrêter quelque part et faire mine de s'étirer, mais il poursuit son chemin. Les feuilles bruissent légèrement. Le ciel est masqué par les branchages et il règne une épaisse obscurité entre les stèles funéraires. Soudain, il aperçoit un visage presque au niveau du sol. C'est une femme d'une vingtaine d'années. Ses cheveux sont coupés à ras et teints en rouge. Son sac militaire gît à côté de sa tête. Elle affiche un sourire béat tandis qu'une autre femme remonte son pull et commence à lui embrasser les seins.

Blomberg recule doucement avant d'appeler Jenny Göransson :

— Fausse alerte, un couple d'amoureux.

Trois heures se sont écoulées, la nuit commence à fraîchir et de la rosée s'est déposée sur le sol. Blomberg est parcouru de légers frissons. Il continue son tour et se retrouve face à une femme entre deux âges aux traits fatigués. Elle semble très ivre et chancelle sur place en tenant deux caniches en laisse. Les chiens reniflent le trottoir avec ardeur, impatients d'avancer, mais elle les tire furieusement en arrière.

A l'angle du cimetière, il croise une femme en uniforme d'hôtesse de l'air. Les roues de sa petite valise bleu marine bourdonnent sur le bitume. Elle adresse un regard indifférent à Blomberg qui ne semble pas faire attention à elle bien qu'ils soient collègues depuis plus de sept ans.

Maria Ristonen poursuit son chemin jusqu'à la bouche de métro pour jeter un œil à la personne qui se tient dans le renfoncement d'une porte cochère à côté de l'entrée de la station. Le bruit de ses talons résonne entre les murs. La valise heurte le bord du trottoir et se renverse. Elle doit s'arrêter pour la remettre droite et en profite pour observer l'individu. C'est un homme assez bien habillé, son visage a une expression difficile à définir. Il semble chercher quelque chose et pose un regard stressé sur elle. Le cœur de Maria Ristonen bat de plus en plus vite, elle se retourne et entend la responsable des opérations, Jenny Göransson, parler dans son oreillette.

— Blomberg le voit aussi, il est en route. Attends Blomberg, Maria. Attends Blomberg.

Maria replace sa valise dans le bon sens mais ne peut traîner davantage sans paraître suspecte. Elle s'efforce de ralentir le pas et avance vers l'homme au regard inquiet. Bientôt, elle devra le dépasser et continuer en lui tournant le dos. L'homme s'enfonce un peu plus vers la porte lorsqu'elle approche. Il a une main à l'intérieur de sa veste. Maria Ristonen sent l'adrénaline l'envahir lorsqu'il fait soudain quelques pas dans sa direction et sort l'objet qu'il tenait caché sous sa veste. Maria aperçoit par-dessus son épaule que Blomberg a mis l'homme en joue mais baisse son bras lorsque Jenny crie dans son oreillette que c'est une fausse alerte. L'homme n'est pas armé, il tient seulement une canette de bière dans sa main.

— Pute, crache l'homme en faisant gicler de la bière sur elle.

— Mon Dieu, soupire Jenny dans son oreillette. Continue juste jusqu'au métro, Maria.

La nuit s'écoule sans événements particuliers, les dernières boîtes ferment et seuls quelques maîtres-chiens, ramasseurs de bouteilles, livreurs de journaux ou joggeurs viennent rompre le silence de la nuit. Jenny Göransson commence à se languir de la relève, qui doit intervenir à 8 heures. Elle jette un œil vers l'église Hedvig Eleonora puis vers les fenêtres opaques de Penelope Fernandez. Elle suit Storgatan des yeux jusqu'au presbytère où le réalisateur Ingmar Bergman a grandi. En mâchant un chewing-gum à la nicotine, elle scrute la place, les bancs du parc, les arbres, les statues.

Soudain, Jenny Göransson devine un mouvement derrière les grilles en acier du portail menant au marché couvert d'Östermalm. Malgré l'obscurité, elle perçoit des mouvements rapides dans le reflet des vitrines faiblement éclairées.

Jenny Göransson appelle Carl Schwirt. Il est assis sur un banc entre les arbres où se trouvait autrefois l'entrée du théâtre populaire Folkteatern. Deux sacs-poubelles remplis de bouteilles vides sont posés à ses pieds.

— Non, je vois que dalle, répond-il.

— Ne bouge pas.

Peut-être devrait-elle donner l'ordre à Blomberg de quitter son poste près de l'église et de courir jusqu'à Humlegården pour vérifier si tout est en ordre.

Jenny observe à nouveau le portail, il lui semble que quelqu'un est agenouillé dans l'obscurité près de la grille noire. Un taxi semble s'être trompé de chemin et fait demi-tour sur Nybrogatan. Jenny place rapidement ses jumelles sur ses yeux et attend que les feux de la voiture balaient la façade en briques rouges du marché. La lumière passe sur le portail, mais elle ne voit rien. La voiture s'arrête et enclenche la marche arrière.

— Quel imbécile, marmonne-t-elle lorsqu'une roue monte sur le trottoir.

Mais soudain, les feux de la voiture éclairent une vitrine dans laquelle le portail se reflète directement.

Il y a bien quelqu'un derrière la grande grille.

Il ne lui faut qu'une seconde pour assimiler ce qu'elle a vu. Un homme règle la hausse d'une arme. Elle repose ses jumelles et contacte le central par radio. Elle crie presque dans le micro :

— Alerte rouge, je vois une arme. C'est une arme militaire avec lunette télescopique, un homme près du portail du marché couvert… Je répète : un tireur embusqué est posté à l'angle du pâté de maisons entre Nybrogatan et Humlegårdsgatan !

L'homme se tient derrière la grille. Il observe la place déserte depuis un moment en attendant que le ramasseur de bouteilles assis sur un banc parte. Constatant que l'homme comptait visiblement y passer la nuit, il a décidé de l'ignorer. A la faveur de la nuit, il déplie la crosse équipée d'un amortisseur de recul de son Modular Sniper Rifle, un fusil de précision semi-automatique dont la portée de tir peut atteindre deux kilomètres. Sans se presser, il monte un cache-flamme en titane sur la bouche du canon, insère le chargeur et abaisse le bipied qui supporte l'arme.

Juste avant la fermeture du marché, il s'était caché dans une des remises et avait attendu le passage du personnel de ménage et de la société de surveillance. Une fois l'éclairage éteint et les couloirs silencieux, il était sorti de sa cachette.

Il avait déconnecté l'alarme des deux grandes portes d'entrée depuis l'intérieur avant de se rendre sous le porche extérieur qui donne sur la rue.

Derrière la grille, l'entrée couverte constitue une petite pièce, un excellent poste de tir. Il est protégé de tous les côtés mais a une vue dégagée en face de lui. S'il demeure immobile, il est invisible. Et si quelqu'un approche, il n'a qu'à s'enfoncer dans l'obscurité.

Il pointe son fusil sur l'appartement de Penelope Fernandez et scrute les pièces à travers sa lunette à visée électro-optique. Il est patient. Il attend depuis longtemps, le matin s'approche et il devra bientôt quitter son poste pour attendre la nuit suivante. Il sait que, à un moment ou à un autre, elle regardera la place par la fenêtre en pensant être à l'abri derrière le verre laminé.

Il ajuste la visée et, lorsque les feux d'une voiture balaient la façade du marché, il s'éloigne un instant avant de poursuivre l'étude de l'appartement du 1, Storgatan. Il aperçoit presque aussitôt un rayonnement thermique derrière une des fenêtres. Le halo, obstrué par la vitre blindée, est faible et granuleux. Il ne s'attendait pas à ce que la qualité soit si mauvaise. Il tente de ne pas perdre les contours flous du rayonnement thermique et d'en trouver le centre. Une lueur rose pâle bouge sur le fond violet, s'éclaircit un instant puis s'intensifie de nouveau.

Soudain, il distingue quelque chose sur la place : deux policiers en civil se dirigent vers lui en courant, leurs armes plaquées le long du corps.

78

LE MARCHÉ COUVERT

Penelope se réveille très tôt et ne parvient plus à se rendormir. Elle reste longtemps allongée, les yeux fixés au plafond, avant de se lever et de faire bouillir l'eau pour le thé. Elle pense à la police. Ils ne pourront maintenir leur opération de surveillance que quelques jours. Bientôt cela ne sera plus justifiable d'un point de vue économique. Si le tueur n'avait pas assassiné froidement des policiers, jamais un tel budget n'aurait été débloqué.

Elle verse l'eau dans la théière et y introduit deux sachets de thé au citron. Elle apporte la théière et une tasse jusqu'au salon encore plongé dans le noir, les pose dans la niche de la fenêtre, allume la lampe verte qui y est suspendue et observe la place déserte en contrebas.

Soudain, elle voit deux personnes traverser la place en courant, puis s'effondrer à terre et ne plus bouger. C'est une scène surréaliste. Elle éteint rapidement la lampe qui se met à cogner contre la vitre. Elle regarde de nouveau au-dehors en se décalant sur le côté. Un groupe d'intervention remonte Nybrogatan à toute allure, un portail menant au marché couvert s'illumine de lueurs étranges et, au même instant, elle entend un bruit étrange, comme un chiffon humide lancé contre la vitre. Une balle traverse le verre laminé et s'incruste dans le mur derrière elle. Penelope se jette à terre et s'éloigne en rampant.

Le sol est recouvert d'éclats de verre provenant de la lampe, mais elle ne se rend pas compte qu'elle s'écorche les paumes des mains.

Stewe Billgren vient d'être transféré à la section des opérations spéciales de la Rikskrim. Il se trouve à présent sur le siège passager de la voiture Alfa aux côtés de sa supérieure directe, Mira Carlsson. La voiture banalisée remonte lentement Humlegårdsgatan. Stewe Billgren n'a jamais été confronté à une alerte rouge mais il s'est souvent demandé comment il réagirait. Il y pense de plus en plus souvent depuis que sa compagne est sortie de la salle de bains le visage illuminé d'un grand sourire pour lui montrer son test de grossesse.

Stewe Billgren ne s'est pas encore remis du match de foot qu'il a disputé la veille. Une certaine lourdeur, prémices de courbatures, pèse sur les muscles de ses cuisses et de ses mollets.

Quelques détonations sourdes résonnent à l'extérieur et Mira sursaute avant de regarder par le pare-brise :

— Putain, qu'est-ce qui…

Une voix crie dans leur radio que deux collègues ont été descendus sur la place Östermalmstorg et que l'unité 5 doit prendre Humlegårdsgatan.

— On le tient, dit le coordinateur des opérations d'une voix grave. Le marché n'a que quatre entrées, bordel, et…

— Vous en êtes sûr ? l'interrompt Jenny Göransson.

— Une porte sur Nybrogatan, une au coin de l'immeuble et deux sur Humlegårdsgatan.

— Déplacez des hommes, on a besoin de renforts, crie Brolin dans la radio.

— On consulte un plan du marché couvert.

— Déplacez l'unité 1 et 2 jusqu'à la porte de devant, crie quelqu'un d'autre. L'unité 2 entre, l'unité 1 sécurise la porte.

— Allez, allez, allez !

— L'unité 3 rejoint les entrées latérales et assiste l'unité 4, dit Jenny d'une voix concentrée. L'unité 5 a déjà reçu l'ordre d'entrer dans le marché, on utilisera la voiture Alfa banalisée de la Span, ils sont dans le coin.

Le responsable stratégique et tactique du central, Ragnar Brolin, contacte la voiture Alfa. Stewe Billgren jette un regard inquiet à Mira Carlsson et répond à l'appel. D'une voix stressée, Brolin leur donne l'ordre de monter jusqu'à Majorsgatan et d'attendre les nouvelles directives. Il explique rapidement que la zone de l'opération s'est élargie et qu'ils vont sans doute devoir prêter main-forte à l'unité 5.

Le responsable répète qu'il s'agit d'une alerte rouge et que le suspect est à l'intérieur du marché couvert.

— Merde, chuchote Stewe. Je ne devrais pas être là, quel crétin…

— Calme-toi, dit Mira.

— C'est juste que ma copine est enceinte, je l'ai su la semaine dernière, je vais être père.

— Félicitations.

Sa respiration s'accélère, il mord frénétiquement l'ongle de son pouce et regarde droit devant lui. Devant eux, Mira voit trois policiers lourdement armés foncer depuis la place Östermalmstorg jusqu'à Humlegårdsgatan. Ils s'arrêtent devant la première entrée latérale du marché et forcent la barrière. Deux d'entre eux ôtent le cran de sûreté de leur fusil d'assaut avec désignateur laser et entrent. Le troisième court jusqu'à la deuxième entrée et force la grille.

Stewe Billgren cesse de mordre son ongle et pâlit soudain lorsque le responsable stratégique et tactique Brolin appelle de nouveau leur voiture :

— Span, voiture Alfa, répondez !

— Réponds, dit Mira à Stewe.

— Alfa, voiture Alfa, crie le responsable avec impatience.

— Allez !

— Ici voiture Alfa, répond Stewe à contrecœur.

Brolin dit d'une voix forte :

— On ne va pas avoir le temps de déplacer des hommes. On doit intervenir tout de suite, vous devez renforcer l'unité 5. Je répète, vous devez renforcer l'unité 5. Est-ce bien reçu ?

— Oui, répond Stewe dont le cœur bat à tout rompre.

— Vérifie ton arme, dit Mira d'une voix tendue.

Comme dans un rêve au ralenti, il sort son arme de service, expulse le chargeur et vérifie les munitions.

— Pourquoi est-ce que…

— Entre maintenant, dit Mira.

Stewe secoue la tête et marmonne :

— Les policiers tombent comme des mouches…

— Maintenant, dit-elle fermement.

— Je vais être père et je… devrais peut-être…

— J'entre, l'interrompt Mira. Mets-toi derrière la voiture, surveille l'entrée et garde le contact radio en permanence, tiens-toi prêt au cas où il prenne la fuite.

Mira Carlsson presse le levier de sécurité de son Glock et quitte la voiture sans regarder son collègue. Elle court jusqu'à l'entrée la plus proche, passe rapidement la tête à l'intérieur puis la ressort. Son collègue de l'unité 5 l'attend en haut des marches.

Mira inspire profondément, elle sent que la peur s'est emparée de tout son corps. Elle pénètre dans le marché par l'étroite entrée. Il y fait très sombre et un relent d'ordures parvient du stock, sous le marché. Elle croise le regard de son collègue qui lui fait signe de le suivre et d'assurer la ligne de tir sur la droite. Il attend quelques secondes puis montre avec ses doigts : trois, deux, un. Son visage est fermé et concentré tandis qu'il fait face au marché, court sur quelques mètres puis se remet à couvert derrière un comptoir.

Mira entre à son tour et scrute le couloir sur sa droite à l'affût du moindre mouvement. Son collègue se tasse un peu plus contre le comptoir contenant des fromages de la taille de pneus. Il respire rapidement et entre en contact radio avec la direction tactique. Le point rouge de son désignateur laser tremblote sur le sol devant ses pieds. Mira rejoint le comptoir et tente de distinguer ce qui les entoure. Une lueur grisâtre éclaire les vitres du plafond vingt mètres au-dessus d'eux. Elle lève son Glock et aperçoit les surfaces en inox des présentoirs derrière le guidon de son arme. Un grand filet de bœuf attendri par suspension à l'intérieur d'un placard en verre. Quelque chose frémit dans le reflet de la vitre. Elle devine une fine silhouette avec des ailes mouchetées. Un ange de la mort, a-t-elle le temps de penser avant que les murs du marché ne soient éclairés par les tirs d'une arme automatique équipée d'un silencieux.

Stewe Billgren est accroupi derrière la voiture banalisée aux portières et aux vitres renforcées. Il a sorti son Sig Sauer et prend appui sur le capot tandis que son regard passe sans cesse d'une entrée à l'autre du marché. Des sirènes retentissent de tous les côtés et des policiers lourdement armés accourent sur la place devant l'entrée principale. Soudain, les détonations cinglantes d'une arme à feu résonnent dans le marché. Stewe tressaille et prie pour qu'il ne lui arrive rien en se disant qu'il devrait fuir à toute vitesse et mettre un terme à sa carrière de policier.

79

AU MOMENT DES FAITS

Joona Linna se réveille dans son appartement de Wallingatan. Il ouvre les yeux et regarde un petit nuage passer dans le ciel devant sa fenêtre. Il ne ferme jamais ses rideaux, il préfère laisser pénétrer la lumière naturelle de l'aube.

Il est très tôt.

A peine ferme-t-il les yeux pour se rendormir, que le téléphone sonne.

Il sait ce dont il s'agit avant même de se redresser et de répondre. Il écoute silencieusement le compte rendu de l'évolution de l'opération en ouvrant son coffre pour prendre son arme, un Smith & Wesson argenté étincelant. Le suspect est encore à l'intérieur du marché couvert d'Östermalm et la police vient de prendre l'immeuble d'assaut sans avoir élaboré une quelconque stratégie au préalable.

Il s'est écoulé seulement six minutes depuis qu'on a donné l'alerte et que le suspect a disparu à l'intérieur du marché. La direction tactique tente désormais d'organiser l'opération, de délimiter un périmètre et de déplacer des unités sans relâcher la surveillance de l'appartement de Penelope Fernandcz.

Une nouvelle unité d'intervention pénètre dans le marché par l'entrée de Nybrogatan. Une fois la porte franchie, ils bifurquent immédiatement à gauche et passent devant un chocolatier. Ils se faufilent ensuite entre les tables d'un restaurant de poisson où sont posées des chaises retournées, et contournent divers bacs dans lesquels gisent des homards et des turbots sur de la glace pilée. Les pas rapides des policiers résonnent sur le sol lorsqu'ils se déplacent accroupis ou se déploient pour s'abriter derrière les piliers. Alors qu'ils attendent les nouvelles consignes, ils entendent un gémissement dans l'obscurité : un policier grièvement blessé gît dans son sang derrière le comptoir de la charcuterie.

Le jour a commencé à se lever et pénètre par les vitres noires de suie au plafond. Le cœur de Mira bat la chamade. Ils perçoivent un échange de tirs entre des armes lourdes et un pistolet. Un policier reste silencieux tandis que l'autre crie qu'il a reçu un coup au ventre, qu'il a besoin d'aide.

— Personne ne m'entend ? gémit-il.

Sur une vitre, Mira observe le reflet d'une silhouette qui bouge derrière un étal où sont disposés des faisans et de la viande de renne fumée. Elle le désigne à son collègue qui appelle le central et demande à voix basse si un policier se trouve dans l'allée principale. Mira essuie la transpiration de son front du revers de sa manche et, en tenant fermement son arme, elle suit l'inquiétant mouvement du regard. Accroupie, elle s'approche avec précaution et se cache derrière un étal de légumes. Elle sent l'odeur du persil et des pommes de terre disposés devant elle. Le Glock tremble dans sa main, elle le baisse, inspire profondément et s'approche du rebord. Son collègue lui fait un signe. Il coordonne une intervention avec trois autres agents venus de Nybrogatan. Il se déplace en direction du tueur en longeant un comptoir. Soudain, un coup est tiré vers le restaurant. Mira entend le bruit mat de la balle qui pénètre le gilet pare-balles d'un de ses collègues. Elle traverse les plaques de carbure de bore et s'introduit dans la chair souple. La douille de la balle émet un tintement en tombant sur le sol près de Mira.

Le tueur voit le coup pénétrer la poitrine du policier et ressortir entre ses omoplates. Il est mort avant même que ses genoux cèdent. Il s'effondre sur le côté et renverse une des tables dans sa chute. La salière et le poivrier roulent sous une chaise.

Le tueur se déplace rapidement entre les divers stands en pointant chaque fois son canon vers de nouvelles lignes de tir. Il comprend qu'un policier se cache derrière un mur en briques à côté de la poissonnerie. Un troisième s'approche également et longe l'allée où sont suspendus des lièvres et de la viande de cerf. Le désignateur de son arme est allumé. Le tueur pivote et tire deux coups rapides en avançant vers la cuisine du restaurant de poisson.

Mira entend deux nouveaux coups de feu et voit le corps de son jeune collègue vaciller alors que du sang jaillit là où la balle est ressortie. Son fusil d'assaut heurte le sol. Le policier trébuche en arrière et fait une telle chute que son casque se détache et roule sur le sol. Le désignateur de son arme se dirige droit sur Mira. Elle se décale et s'accroupit contre un étal de fruits. Vingt-quatre policiers font alors irruption dans le marché, six par entrée, et elle tente en vain d'établir un contact radio avec le central. Soudain, elle aperçoit le tueur à seulement dix mètres devant elle. Il se déplace avec souplesse et une rapidité extrême. Juste avant qu'il ne pénètre dans la cuisine du restaurant, Mira le met en joue, vise et tire trois fois.

Le tueur est touché en haut du bras gauche mais pousse les portes battantes et entre dans la cuisine obscure. Il longe une grande table de cuisson, fait tomber quelques plats en inox et se dirige tout droit sur une étroite porte en acier. Du sang chaud coule sur le dos de sa main. La balle a fait des ravages. C'est une balle expansive mais il se dit que même si l'arrière du bras doit être sérieusement lacéré, l'artère n'est pas touchée. Sans s'arrêter ni même jeter un œil à sa blessure, il ouvre la porte du monte-charge, le traverse et ressort dans un couloir étroit. Il enfonce la porte en tôle d'un violent coup de pied.

Enfin, il rejoint une cour intérieure bitumée dans laquelle sont garées huit voitures. La grande façade du marché est jaune et lisse dans la lumière matinale. Il replie la crosse de son fusil, court jusqu'à une vieille Volvo rouge qui n'est pas équipée d'un dispositif d'immobilisation et brise la vitre latérale arrière d'un coup de pied puis tend la main et ouvre la portière avant. Des coups de feu résonnent à l'intérieur du marché. Il s'installe dans la voiture et force le boîtier qui entoure le pêne de la serrure, coupe l'antivol de direction, arrache la partie postérieure de la serrure du contact et démarre la voiture à l'aide de la lame de son couteau.

80

L'ONDE DE CHOC

Stewe Billgren vient juste de voir douze policiers lourdement armés franchir les deux portes du marché couvert. Il pointe son arme sur l'entrée la plus proche depuis que Mira a disparu à l'intérieur avec un collègue de l'unité 5 il y a dix minutes. Maintenant, elle a des renforts. Soulagé, il se lève et s'installe sur le siège conducteur de la voiture. Au loin, des gyrophares illuminent les façades dans Sturegatan. Stewe fixe sa radio de police puis la lueur pâle de l'unité Rakel à côté de la radio normale S70M. Soudain, il aperçoit un mouvement dans son rétroviseur. Le capot d'une Volvo rouge apparaît à l'angle de la maison voisine du marché. Elle traverse lentement le trottoir et prend à droite sur Humlegårdsgatan.

La voiture s'approche, le dépasse et bifurque sur Majorsgatan juste devant lui. Le ciel clair se reflète dans les vitres et il ne parvient pas à distinguer l'individu derrière le volant. Il regarde à nouveau en direction de la place et voit la responsable des opérations parler dans sa radio. Stewe pourrait aller la rejoindre pour lui demander des nouvelles de Mira mais il est soudain frappé par l'étrangeté d'un certain nombre d'éléments. Ses observations prennent un sens nouveau. L'homme dans la Volvo rouge a complètement lâché le volant pour changer de vitesse. Il ne se servait pas de son bras gauche. Sa veste noire luisait, elle était humide. Stewe sent son pouls s'accélérer. Le ciel ne se reflétait pas dans la vitre latérale arrière. Il ne s'y reflétait pas car il n'y avait pas de vitre. Le siège arrière était parsemé d'éclats de verre. La vitre était cassée et le bras du conducteur était en sang. Stewe Billgren appelle immédiatement la responsable des opérations alors que la Volvo rouge entame la montée de Majorsgatan. Son appel reste sans réponse et il décide alors de suivre le véhicule suspect. Ce n'est pas une décision réfléchie mais il laisse son instinct le guider et ne pense plus à sa propre sécurité. Il démarre sa voiture et passe les vitesses. Il tourne sur Majorsgatan, la Volvo rouge accélère. Le conducteur comprend qu'il est découvert et fait crisser les pneus de sa voiture sur le bitume. Les deux véhicules prennent de la vitesse, remontent la rue étroite et passent devant l'église néogothique Trefaldighetskyrkan. Stewe passe la quatrième et tente d'arriver à hauteur de la Volvo pour forcer le conducteur à s'arrêter. La façade claire de l'immeuble en face se rapproche dangereusement. La Volvo tourne à droite sur Linnégatan, mais le virage est tellement serré que la voiture doit monter sur le trottoir au niveau d'un auvent rouge. Elle renverse violemment quelques tables de la terrasse du café. Du bois fendu et des débris métalliques sont projetés en l'air. La portière avant gauche s'est détachée et frotte sur le bitume en provoquant une gerbe d'étincelles. Stewe la suit toujours. Une fois arrivé au croisement, il freine et tourne, fait un dérapage et gagne plusieurs secondes dans le virage. La Volvo rouge n'est plus qu'à quelques mètres. Les deux voitures descendent Linnégatan à toute allure. L'aile avant de la Volvo vient s'écraser avec fracas sur le pare-brise de Stewe. Il perd de la vitesse puis accélère de nouveau. Un taxi qui arrive d'une rue perpendiculaire klaxonne longuement à leur passage. Ils se décalent tous les deux sur la voie opposée pour dépasser deux voitures. Stewe a le temps de distinguer les barrages routiers autour de la place Östermalmstorg. Des curieux ont déjà commencé à se réunir. La rue s'élargit près du musée d'Histoire et Stewe tente à nouveau d'entrer en contact avec le central.

— Span, voiture Alfa, crie-t-il.

— Je vous écoute, répond une voix.

— Je le poursuis sur Linnégatan en direction de Djurgården, crie Stewe. Il conduit une Volvo rouge qui...

La voiture heurte une barrière en bois devant un tas de sable et Stewe perd sa radio qui disparaît devant le siège passager. Le pneu avant droit décolle, il tourne sur la gauche, passe le trou creusé dans le bitume, débraye et contrôle le dérapage de l'autre côté, glisse jusqu'à la voie opposée puis retrouve le contrôle de son véhicule et enfonce l'accélérateur.

Ils descendent en direction de Narvavägen, une rue à double voie qui croise Linnégatan et sa contre-allée verdoyante. Un bus est contraint de piler au passage de la Volvo pour éviter la collision. Il dérape sur le carrefour et l'arrière, qui dessine un arc de cercle vers l'avant, détruit un réverbère. Un autre véhicule s'écarte du bus et fonce droit dans un abribus. Des éclats de verre sont projetés sur la pelouse et le trottoir. Pour les esquiver, une femme se jette au sol. Le chauffeur de bus tente de contrôler sa trajectoire, les pneus grondent, le toit arrache une grosse branche d'un arbre feuillu.

Stewe suit la Volvo en direction de la salle de concert Berwaldhallen. Il arrive à sa hauteur et voit le conducteur pointer son arme sur lui. Il freine au moment où la balle traverse la vitre latérale et passe à dix centimètres de son visage. La voiture est envahie d'éclats de verre qui sont projetés en tous sens. La Volvo percute un vélo attaché à un panneau publicitaire du *Café Linda*. Le vélo est propulsé en l'air avant de retomber sur le capot et le toit de la voiture. Il atterrit ensuite devant la voiture de Stewe qui ne peut l'éviter et roule dessus avec fracas. Ils ont encore gagné de la vitesse avant le virage à droite qui mène vers Strandvägen. Stewe accélère encore à la sortie du virage, ses pneus patinent contre le bitume. Ils se faufilent entre les voitures dans les premiers ralentissements du matin, entendent le crissement des freins derrière eux suivi par le fracas d'un choc. Ils bifurquent à gauche près de Berwaldhallen, traversent une pelouse et parviennent à la rue Dag Hammarskjöld.

Stewe dégaine son arme et la pose parmi les éclats de verre sur le siège passager. Il espère pouvoir rattraper la Volvo sur Djurgårdsbrunnsvägen et se placer alors sur sa gauche pour tenter de neutraliser le conducteur par un tir diagonal arrière. Ils approchent les cent trente kilomètres à l'heure lorsqu'ils dépassent l'ambassade des Etats-Unis. Soudain, la Volvo quitte la route, ses pneus fument, elle tourne à droite juste après l'ambassade de Norvège, franchit le trottoir et emprunte une allée gravillonnée entre les arbres. Stewe réagit un peu trop tard et doit effectuer une courbe plus large. Il coupe la route à un bus, monte sur le trottoir et traverse la pelouse en passant dans quelques petits buissons. Ses pneus avant éclatent contre les pierres de bordure du jardin lorsqu'il contourne l'Institut culturel italien. Il franchit un nouveau trottoir, dérape à gauche sur Gärdesgatan et voit aussitôt la Volvo. Elle est arrêtée sur la chaussée, à environ cent mètres, au milieu du carrefour de Skarpögatan.

Stewe distingue le conducteur dans la voiture par la vitre arrière. Il prend son arme sur le siège, presse le levier de sécurité et s'approche doucement. Il aperçoit la lueur des gyrophares des voitures de police sur Valhallavägen derrière les studios de Sveriges Television. L'homme en noir quitte la Volvo rouge et court vers les ambassades d'Allemagne et du Japon. Stewe accélère juste au moment où la Volvo explose dans une nuée de flammes et de fumée. Il sent l'onde de choc sur son visage et la déflagration le rend momentanément sourd. Le monde autour de lui est étrangement muet lorsqu'il fait monter sa voiture sur le trottoir et pénètre dans la fumée noire. Il dépasse des débris en feu mais ne distingue pas le tueur. Pourtant, il n'y a pas d'issue possible. Il accélère encore, s'arrête au bout de la rue, quitte la voiture et revient sur ses pas à pied, son arme à la main. Le conducteur s'est volatilisé. Stewe entend désormais un sifflement curieux, comme si un vent violent s'abattait contre lui. Stewe a une vue d'ensemble des ambassades derrière leurs clôtures gris clair. L'homme ne peut pas être allé bien loin. Il a dû s'introduire dans une des cours en passant à travers une barrière ou par-dessus une clôture. Plusieurs personnes sortent des immeubles pour voir d'où venait l'explosion. Stewe fait quelques pas, se retourne et scrute les alentours. Soudain, il aperçoit le tueur à l'intérieur du site de l'ambassade d'Allemagne, près du bâtiment principal. Il marche avec tout le naturel du monde puis ouvre la porte d'entrée principale et entre. Stewe Billgren baisse son arme et tente de calmer sa respiration. Une note aiguë a commencé à résonner dans ses oreilles. Il sait que les ambassades étrangères bénéficient de l'extraterritorialité, ce qui l'empêche de suivre le suspect à l'intérieur. Il doit s'arrêter.

81

L'AMBASSADE D'ALLEMAGNE

Un policier en uniforme est posté à dix mètres du barrage routier de Sturegatan près de Humlegården lorsque Joona Linna arrive sur les lieux à grande vitesse. L'agent de police tente de lui faire signe pour qu'il fasse demi-tour et qu'il emprunte une autre route, mais Joona continue d'avancer puis se gare sur le bas-côté et sort de sa voiture. Il lui montre rapidement sa carte de police, passe sous les rubans du périmètre de sécurité et commence à courir en direction du marché couvert.

Il ne s'est écoulé que dix-huit minutes depuis qu'on l'a appelé, mais l'échange de tirs est terminé et les ambulances commencent à arriver sur place.

Au même moment, la responsable des opérations, Jenny Göransson, reçoit un rapport sur la course poursuite qui s'est engagée dans Diplomatstaden. Le tueur pourrait s'être introduit dans l'ambassade d'Allemagne. Saga Bauer parle avec une collègue devant le marché, une couverture drape ses épaules. Saga fait signe à Joona de venir. Il rejoint les deux femmes et adresse un hochement de tête à Saga :

— Je pensais que je serais le premier.

— Tu es trop lent, Joona.

— Eh oui, répond-il avec un sourire.

La femme à la couverture lève les yeux sur Joona et le salue.

— Voici Mira Carlsson de la Span, dit Saga. Elle était l'une des premières à entrer dans le marché et elle pense avoir touché le suspect.

— Mais vous n'avez pas vu son visage ? demande Joona.

— Non.

Joona regarde l'entrée du marché puis se tourne vers Saga.

— Ils ont dit que tous les immeubles voisins seraient sécurisés, grommelle-t-il.

— Les experts ont sans doute estimé que la distance était trop importante pour...

— Ils se sont trompés, l'interrompt Joona.

— Oui, répond Saga en désignant l'entrée principale du marché. Il se cachait derrière la grille de cette entrée et il a tiré un coup de feu qui a traversé sa fenêtre.

— C'est ce qu'on m'a dit. Elle a eu de la chance, dit-il à voix basse.

On a délimité un périmètre autour de la grande entrée du marché couvert d'Östermalm. De petits panneaux numérotés indiquent l'emplacement des premiers indices trouvés par les enquêteurs sur la scène de crime : une empreinte de chaussure et la douille d'une balle de précision américaine. Plus loin, entre les portes ouvertes, Joona voit quelques tomates répandues à terre ainsi que le chargeur d'un fusil d'assaut suédois Ak5.

— Stewe Billgren, explique Saga. Le collègue de Mira... celui qui a poursuivi le suspect jusqu'à Diplomatstaden affirme qu'il l'a vu passer l'entrée principale de l'ambassade allemande.

— Il peut s'être trompé ?

— C'est possible... Nous sommes en contact avec l'ambassade et ils soutiennent qu'il n'y a... Saga consulte son carnet. Ils soutiennent qu'il n'y a pas eu d'activité inhabituelle sur place.

— Tu as parlé avec Billgren ?

— Oui.

Saga adresse un regard grave à Joona :

— Il y a eu une explosion et il n'entend presque rien, mais il est persuadé d'avoir bien vu. Selon lui, le tueur est entré dans l'ambassade.

— Il a pu se sauver par l'arrière.

— Quoi qu'il en soit, nous avons désormais des hommes tout autour de l'immeuble et un hélicoptère qui survole la zone. On attend l'autorisation d'entrer.

Joona jette un regard agacé en direction du marché :

— Ça peut prendre du temps.

Il prend son portable.

— Je vais parler à Klara Olofsdotter.

Klara Olofsdotter est le procureur général d'Internationella åklagarkamrarna. Elle répond à la deuxième sonnerie.

— Je sais que c'est toi, Joona Linna. Et je sais de quoi il s'agit.

— Alors tu dois également savoir qu'il faut qu'on entre.

— Ce n'est pas si simple. C'est une situation foutrement sensible, si je puis me permettre. J'ai eu la secrétaire de l'ambassadeur au téléphone, explique Klara Olofsdotter. Et elle affirme que tout est en ordre à l'ambassade.

— Nous pensons qu'il se trouve à l'intérieur, s'obstine Joona.

— Mais comment se serait-il introduit dans l'ambassade ?

— C'est peut-être un citoyen allemand qui demande l'aide consulaire, ils venaient d'ouvrir. Il peut être employé à temps partiel, avoir un passeport ou… une forme de statut diplomatique, peut-être même l'immunité. Il est peut-être protégé par quelqu'un, nous n'en savons rien pour l'instant, il se peut qu'il soit un proche de l'attaché militaire ou de Joachim Rücker.

— Mais nous ne savons même pas à quoi il ressemble. Il n'y a aucun témoin, comment peut-on entrer dans une ambassade sans savoir comment…

— Il faut un témoin, je vais nous trouver un témoin, l'interrompt Joona.

Elle ne répond pas immédiatement et Joona entend la respiration de Klara Olofsdotter dans le combiné.

— Alors je ferai en sorte que vous puissiez entrer.

82

LE VISAGE

Joona Linna et Saga Bauer sont entrés dans l'appartement sécurisé de la place Östermalmstorg. Aucune lampe n'est allumée, seul le soleil matinal pénètre par la fenêtre. Penelope Fernandez est assise par terre, le dos contre le mur, et désigne la vitre blindée.

— Oui, la balle est entrée par là, confirme Saga à voix basse.

— La lampe m'a sauvée, chuchote Penelope en baissant sa main.

Ils observent les débris de verre et le câble qui pend, nu.

— J'ai éteint pour mieux voir ce qui se passait sur la place, dit Penelope. La lampe a commencé à vaciller et il a dû penser que c'était moi, pas vrai ? Il croyait que je bougeais, que la chaleur provenait de mon corps.

Joona se tourne vers Saga.

— Avait-il une hausse électro-optique ?

Saga hausse la tête et dit :

— Selon Jenny Göransson, oui.

— Comment ? demande Penelope.

— Vous avez raison – la lampe vous a sans doute sauvé la vie, répond Joona.

— Doux Jésus, gémit-elle.

Joona la regarde calmement de ses yeux gris.

— Penelope, dit-il d'un ton grave. Vous avez vu son visage, n'est-ce pas ? Pas maintenant, mais avant. Vous avez dit que vous ne l'avez pas vu. Je comprends que vous ayez peur, mais… maintenant, j'aimerais que vous hochiez la tête si vous pensez pouvoir le décrire.

Elle s'essuie rapidement les joues, lève les yeux sur l'inspecteur puis secoue la tête.

— Est-ce que vous êtes en mesure de nous donner un quelconque signalement ? demande délicatement Saga.

Penelope pense à la voix de l'inspecteur, à son doux accent finlandais et se demande comment il peut savoir qu'elle a vu le visage du tueur. Elle l'a vu, mais elle ne sait pas si elle pourrait le décrire. Tout est allé tellement vite. Elle n'a aperçu que son visage trempé par la pluie, quelques secondes après qu'il eut tué Björn et Ossian.

Elle aurait aimé pouvoir effacer chaque souvenir.

Mais ce visage fatigué, presque inquiet, est encore et encore illuminé par la lumière pâle de l'éclair.

Saga Bauer rejoint Joona qui se tient près de la fenêtre où est entrée la balle. Il lit un long SMS sur son portable.

— Klara Olofsdotter a parlé avec le responsable juridique qui a eu l'ambassadeur, dit Joona. Dans une heure, trois personnes auront accès à l'ambassade pendant quarante-cinq minutes.

— On devrait y aller maintenant, dit Saga.

— Il n'y a pas le feu, dit Joona en laissant son regard errer sur la place.

Les journalistes se bousculent devant les barrages de police autour du marché.

— Est-ce que tu as dit au procureur qu'on va avoir besoin de renforts ? demande Saga.

— On en discutera avec le service de sécurité de l'ambassade.

— Qui va entrer ? Comment faut-il procéder ?

Joona se tourne vers elle.

— Je me demande… l'agent qui a poursuivi le tueur…

— Stewe Billgren.

— Oui, Stewe Billgren. Est-ce que tu crois qu'il serait en mesure de l'identifier ?

— Il n'a pas vu son visage, personne n'a vu son visage, répond Saga qui va s'asseoir par terre à côté de Penelope.

Elle reste silencieuse un moment, puis s'appuie contre le mur comme elle et inspire calmement avant de poser sa première question.

— Qu'est-ce qu'il vous veut ? Celui qui vous poursuit – savez-vous pourquoi tout cela est arrivé ?

— Non, répond Penelope d'une voix prudente.

— Il veut récupérer une photo que vous avez accrochée sur la porte vitrée de votre appartement, dit Joona le dos tourné.

Elle baisse le regard et hoche à peine la tête.

— Est-ce que vous savez pourquoi il veut récupérer cette photo ? demande Saga.

— Non, répond-elle en se mettant à pleurer.

Saga attend un moment avant de poursuivre :

— Björn essayait d'extorquer de l'argent à Carl Palmcrona et…

— Je n'étais au courant de rien, l'interrompt Penelope d'une voix plus calme. Je n'étais pas impliquée.

— Nous l'avons compris, dit Joona.

Saga pose une main douce sur celle de Penelope :

— C'est vous qui avez pris la photo ?

— Moi ? Non, je… La photo est arrivée à la SFSF… j'en suis la présidente et…

Elle se tait.

— La photo est arrivée par la poste ? demande Joona.

— Oui.

— De la part de qui ?

— Je ne sais pas, s'empresse-t-elle de répondre.

— Il n'y avait pas de lettre ?

— Non, je ne crois pas, je veux dire, je n'ai rien vu de la sorte.

— Simplement une enveloppe avec une photo ?

Elle hoche la tête.

— Vous avez toujours l'enveloppe ?

— Non.

— Qu'est-ce qu'il y avait marqué dessus ?

— Juste mon nom et celui de l'association… pas de boîte postale, juste les noms.

— Penelope Fernandez, dit Saga. L'Association suédoise pour la paix et l'arbitrage.

— Vous avez ouvert l'enveloppe et sorti la photo, dit Joona. Qu'est-ce que vous avez vu à ce moment-là ? Que signifiait la photo pour vous ?

— Signifiait ?

— Qu'est-ce que vous avez pensé en la regardant ? Vous avez reconnu les individus ?

— Oui… trois d'entre eux, mais…

Elle s'interrompt.

— Dites-nous ce que vous avez pensé en regardant la photo.

— Que quelqu'un avait dû me voir à la télé, dit-elle en rassemblant ses pensées avant de poursuivre. Je pensais que cette photo était un exemple flagrant de ce qui se passe… Palmcrona est censé être neutre, c'est d'une importance capitale... et le voilà à l'opéra qui trinque au champagne avec le P.-D.G. de Silencia Defence et un marchand d'armes qui opère en Afrique et au Moyen-Orient... c'est même scandaleux.

— Que comptiez-vous faire de la photo ?

— Rien. Il n'y a rien à faire, les choses sont ce qu'elles sont, mais en même temps... Je me souviens d'avoir pensé que... au moins je savais à quoi m'en tenir avec Palmcrona.

— Oui.

— Ça m'a rappelé ces crétins du service de l'immigration, je ne sais plus quand, qui fêtaient avec du champagne russe le fait d'avoir refoulé une famille. Ils célébraient le fait d'avoir refusé l'asile en Suède à une famille qui sollicitait leur aide, une famille avec un enfant malade...

Penelope se tait à nouveau.

— Vous connaissez la quatrième personne sur la photo ? La femme ?

Penelope secoue la tête.

— Agathe al-Haji, dit Saga.

— C'est Agathe al-Haji ?

— Oui.

— Pourquoi est-ce que...

Penelope l'interroge de ses grands yeux sombres.

— Vous savez quand la photo a été prise ? demande Saga.

— Non, mais le mandat d'arrêt contre El-Béchir a été émis au mois de mars 2009 et...

Penelope s'arrête net une seconde fois et son visage devient écarlate.

— Qu'est-ce qu'il y a ? demande Saga en chuchotant presque.

— La photo a été prise après, dit Penelope d'une voix tremblante. Pas vrai ? La photo a été prise après l'émission du mandat d'arrêt contre le président.

— Qu'est-ce qui vous fait dire ça ? demande Saga.

— C'est bien ça ? répète Penelope.

— Oui, répond Joona.

Ses joues reprennent leur teinte blafarde.

— L'affaire avec le Kenya, dit Penelope, la bouche tremblante. C'est l'affaire avec le Kenya, sur la photo, c'est de ça dont il s'agit, c'est le contrat avec le Kenya, c'est ça que Palmcrona est en train de conclure, une vente de munitions pour le Kenya. Je savais qu'il y avait anguille sous roche, je le savais.

— Continuez, dit Joona.

— Le Kenya a déjà des accords stables avec la Grande-Bretagne. C'est le Soudan qui veut acheter des munitions. La livraison transite simplement par le Kenya pour être ensuite acheminée vers le Soudan et le Darfour.

— Oui, répond Saga. Nous pensons que c'est ainsi que cela doit se passer.

— Mais c'est interdit, c'est pire… c'est de la haute trahison, ça va à l'encontre de la législation internationale, il s'agit d'un crime contre l'humanité…

Elle se tait un moment puis reprend :

— C'est donc pour ça que tout est arrivé, dit-elle ensuite à voix basse. Et non pas parce que Björn a essayé de faire du chantage.

— Sa tentative de chantage a seulement fait prendre conscience à ces personnes qu'il existait une photo susceptible de les compromettre.

— Je pensais que la photo était gênante, dit Penelope. Gênante, pas plus.

— En ce qui les concerne, ça a commencé lorsque Palmcrona a appelé pour les prévenir qu'il était victime d'un chantage, explique Saga. Jusqu'alors ils ignoraient l'existence de la photo. L'appel de Palmcrona les a fait stresser. Et ils étaient dans l'incapacité de savoir ce que la photo dévoilait ou non. En tout cas, ils ont compris que ce n'était pas bon. On ignore ce qu'ils ont supposé. Peut-être pensaient-ils que c'était Björn ou vous qui les aviez photographiés dans la loge.

— Mais…

— Ils n'avaient aucun moyen de savoir ce que vous saviez ou non. Mais ils ne voulaient prendre aucun risque.

— Je vois, dit Penelope. Et on en est toujours au même point, non ?

— Oui.

Penelope hoche la tête comme pour intégrer les informations.

— A leurs yeux, je pourrais être le seul témoin de l'affaire, dit-elle.

— Ils ont misé beaucoup d'argent sur le contrat avec le Kenya.

— Ce n'est pas possible, chuchote-t-elle.

— Comment ?

Penelope relève la tête, croise le regard de Saga et dit :

— Ils ne peuvent pas exporter des munitions au Darfour, ce n'est pas possible, j'y suis allée deux fois…

— Ils s'en fichent, c'est uniquement une question d'argent, dit Saga.

— Non, il s'agit de… de tellement plus, dit Penelope en se tournant vers le mur. Il s'agit de…

Elle se souvient du crissement qu'elle avait entendu lorsqu'une figurine en terre avait été écrasée sous le sabot fendu d'une chèvre. Une petite femme de terre séchée au soleil avait été réduite en poussière. Un enfant avait ri et s'était écrié qu'il s'agissait de la vilaine mère de Nufi. Tous les Fours doivent mourir, tous doivent être exterminés, avaient crié les autres enfants pleins d'entrain.

— Qu'essayez-vous de nous dire ? demande Saga.

Penelope la regarde un moment, mais ne lui répond pas. Elle replonge dans le souvenir de son mois passé au Kenya et dans le Sud-Ouest du Soudan.

Après un long et pénible trajet en voiture, elle était arrivée au campement de Kubbum, au sud-ouest de Nyala dans le Djanoub Darfour au Sud-Soudan. Dès le premier jour, aux côtés de Jane et de l'homme que l'on surnommait Grey, elle avait tenté de venir en aide aux victimes des massacres perpétrés par les janjawids. Dans la nuit, Penelope avait été réveillée par trois adolescents appartenant à la milice qui hurlaient en arabe qu'ils allaient tuer tous les esclaves. Ils marchaient au milieu de la route et l'un d'entre eux tenait un revolver à la main. Penelope les observait depuis sa fenêtre lorsqu'ils s'étaient soudain approchés d'un vieil homme qui faisait griller des patates douces et l'avaient tué d'un coup de revolver. Les garçons avaient ensuite regardé autour d'eux et s'étaient dirigés vers la baraque dans laquelle Jane et elle logeaient. Penelope retenait son souffle en les entendant marcher d'un pas lourd sur la véranda. Ils discutaient avec vivacité.

Puis ils avaient enfoncé la porte de la baraque et étaient entrés dans le couloir. Penelope, qui s'était cachée sous son lit, récitait silencieusement des Notre Père. Ils renversaient des meubles, les fracassaient contre le sol ou les détruisaient à coups de pied. Après un moment, elle avait de nouveau entendu les voix des garçons dans la rue. L'un d'eux ricanait et criait que les esclaves allaient tous mourir. Penelope avait rampé hors de sa cachette et s'était approchée de la fenêtre. Les garçons avaient pris Jane, l'avaient traînée par les cheveux et jetée au milieu de la route. La porte de l'autre baraque près de la route s'était ouverte et Grey était apparu, une machette à la main. Le plus maigre des garçons s'était dirigé vers lui. Grey avait une tête de plus que le garçon et de larges épaules.

— Qu'est-ce que vous voulez ? avait demandé Grey.

Son visage grave luisait de sueur.

Le garçon n'avait pas pris la peine de répondre à sa question et lui avait tiré une balle dans le ventre. Le bruit de la détonation avait résonné entre les baraques. Grey avait été projeté en arrière puis avait titubé avant de s'écrouler sur le dos. Il avait tenté de se relever mais s'était finalement immobilisé, la main posée sur son ventre.

— Un Four mort, avait crié l'un des garçons qui tenait Jane par les cheveux.

L'autre garçon écarta ses cuisses de force. Elle se débattait mais continuait à leur parler d'une voix calme et ferme. Grey cria quelque chose aux garçons. Le garçon qui tenait le revolver était retourné auprès de lui, lui avait hurlé à la figure, puis avait appuyé le canon contre son front et avait pressé la détente. La balle n'était pas partie, il l'avait pressée encore et encore six fois de suite, mais le revolver était vide. Il y avait eu un moment de flottement dans la rue, puis les portes des autres baraques s'étaient ouvertes et des femmes africaines en étaient sorties. Les adolescents avaient lâché Jane et s'étaient mis à courir. Cinq femmes étaient parties à leur poursuite. Elle avait arraché la couverture du lit, déverrouillé sa porte, s'était précipitée dans le couloir pour atteindre la rue. Elle avait couru jusqu'à Jane et l'avait enveloppée dans sa couverture, puis elle l'avait aidée à se relever.

— Retourne à l'intérieur, dit Jane. Ils peuvent revenir avec d'autres munitions, il ne faut pas que tu restes là…

Toute la nuit et toute la matinée suivante, Jane avait opéré. Ce n'était que vers 10 heures du matin qu'elle était retournée dans la baraque. Elle était alors certaine d'avoir sauvé la vie de Grey. Le soir, elle avait travaillé comme à son habitude et, le lendemain, la routine avait repris dans la tente de l'hôpital. De jeunes garçons lui prêtaient toujours main-forte, même s'ils étaient plus sur leurs gardes et que parfois ils faisaient semblant de ne pas entendre ce qu'elle disait lorsqu'ils avaient l'impression qu'elle en demandait trop.

— Non, chuchote Penelope.

— Qu'essayez-vous de nous dire ? répète Saga.

Ils ne peuvent pas exporter des munitions au Soudan, se dit Penelope.

— Ils n'ont pas le droit.

— Vous étiez mieux protégée dans la chambre souterraine, dit Saga.

— Protégée ? Personne ne peut me protéger, répond Penelope.

— Nous l'avons repéré, il est à l'intérieur de l'ambassade d'Allemagne et nous avons encerclé le bâtiment…

— Mais vous ne l'avez pas encore, l'interrompt Penelope en haussant la voix.

— Il est probablement blessé, blessé par balle, nous allons entrer et…

— Je veux venir, dit Penelope.

— Pourquoi est-ce que…

— Parce que j'ai vu son visage.

Joona et Penelope tressaillent et Penelope adresse un regard à Joona :

— Vous aviez raison. Je l'ai vu.

— Ça va être chaud, mais on a le temps de faire un portrait-robot, dit Saga d'une voix stressée.

— Ça ne changera rien, dit Joona. On ne peut pas appré-hender quelqu'un dans l'ambassade d'un autre pays en se ba-sant sur la seule ressemblance d'un portrait-robot.

— Mais s'il était identifié par un témoin, dit Penelope en se levant, regardant calmement Joona dans les yeux.

83

LE COUPABLE

Penelope est encadrée par Saga Bauer et Joona Linna derrière un fourgon blindé sur Skarpögatan devant l'ambassade du Japon. Ils sont situés à seulement cinquante mètres de l'entrée de l'ambassade allemande. Elle sent le poids du gilet pare-balles sur ses épaules et la pression qu'il exerce sur sa poitrine.

Dans cinq minutes, trois personnes auront accès pendant quarante-cinq minutes au site de l'ambassade pour tenter d'identifier et d'appréhender le suspect.

Penelope laisse Joona placer un pistolet de réserve dans une gaine sur son dos. Il ajuste l'angle plusieurs fois afin qu'il puisse aisément arracher l'arme de son corps en cas de besoin.

— Elle ne veut pas porter d'arme, dit Saga.

— Ce n'est pas grave, dit Penelope.

— On ne sait pas ce qui va se passer à l'intérieur, dit Joona. J'espère que tout se déroulera dans le calme, mais si ce n'est pas le cas, cette arme pourrait faire la différence.

Tout le site grouille de policiers suédois, d'agents de la Sûreté, d'unités d'élite et d'ambulances.

Joona Linna regarde en direction de la Volvo. Il ne reste quasiment plus que le châssis carbonisé. Des débris ont été projetés partout dans le carrefour mais Erixon a déjà trouvé un détonateur et des restes de nitramine.

— Probablement de l'hexogène, dit-il en remontant ses lunettes sur son nez.

— Un pain d'explosifs, dit Joona en consultant sa montre.

Un berger allemand tourne autour des jambes d'un agent de police, se couche sur le sol et souffle, la langue pendante.

Saga, Joona et Penelope sont escortés par une unité d'élite jusqu'à une barrière où quatre policiers militaires allemands les attendent.

— Ne vous inquiétez pas, dit Saga à Penelope d'une voix douce. Vous devrez seulement identifier le tueur. Une fois que ce sera fait, nous vous escorterons dehors. Le service de sécurité de l'ambassade attendra que vous soyez à l'abri pour l'appréhender.

Un policier militaire dont le visage est couvert de taches de rousseur ouvre la barrière et les fait entrer sur le site de l'ambassade. Il les salue aimablement et se présente. Il s'agit de Karl Mann, le responsable de la sécurité.

Ils l'accompagnent à l'entrée principale.

L'air matinal est encore frais.

— C'est un individu extrêmement dangereux, dit Joona.

— Nous en avons conscience, on nous a informés, répond Karl Mann. Mais j'étais en service toute la matinée et il n'y a que des diplomates et des citoyens allemands ici.

— Pourriez-vous nous avoir une liste ? demande Saga.

— Ecoutez, nous examinons les enregistrements des caméras de surveillance, déclare Karl Mann. Parce que je me dis que votre collègue a dû se tromper. Je pense que le suspect a franchi les barrières, mais au lieu d'entrer dans le bâtiment, il a dû contourner l'ambassade et traverser la pelouse en direction de la Maison de la radio.

— C'est possible, dit calmement Joona.

— Combien de personnes se trouvent à l'ambassade ? demande Saga.

— Ce sont les heures de visites et il y a quatre rendez-vous en cours.

— Quatre personnes ?

— Oui.

— Et le personnel ? demande Saga.

— Ils sont onze.

— Et le personnel de sécurité ?

— En ce moment, nous sommes cinq.

— Personne d'autre ?

— Non.

— Pas de menuisier ou peintre ou…

— Non.

— Vingt personnes en tout, dit Saga.

— Vous allez commencer par faire un tour par vous-même ? demande Karl Mann d'une petite voix.

— Votre compagnie ne serait pas de refus, dit Saga.

— Combien d'hommes ? demande Karl Mann.

— Autant que possible et aussi lourdement armés que possible, répond Joona.

— Vous devez vraiment l'estimer dangereux, dit-il en souriant. Je peux me passer de deux hommes supplémentaires.

— Nous ne savons pas ce qui nous attend si…

— Vous pensez qu'il est blessé à l'épaule, objecte Karl Mann. Je ne me fais pas trop de souci.

— Peut-être n'est-il jamais entré, peut-être a-t-il déjà quitté l'ambassade, dit Joona à l'agent en baissant la voix. Mais s'il est encore là, on peut s'attendre à subir des pertes.

En silence, Joona, Saga et Penelope parcourent le couloir du rez-de-chaussée, ils sont escortés par trois policiers militaires équipés de fusils d'assaut et de grenades à choc. Le bâtiment de l'ambassade est en rénovation depuis quelques années et l'activité principale a été transférée à Artillerigatan. Mais bien que les travaux ne soient pas complètement terminés, les locaux ont rouvert au printemps. Une odeur de peinture et de sciure de bois imprègne l'air et certains sols sont encore recouverts d'une bâche de protection.

— Nous voudrions d'abord voir les personnes qui ne font pas partie du personnel.

— C'est ce que j'avais compris, répond Karl Mann.

Etrangement calme, Penelope avance entre Saga Bauer et Joona Linna. Elle n'arrive pas à croire qu'elle pourrait croiser le tueur ici à l'ambassade. Les lieux lui paraissent bien trop calmes et banals.

Pourtant, elle perçoit un changement dans l'attitude de Joona. Il est très attentif et elle le voit sonder toutes les portes et les grilles de ventilation du regard.

Une alarme retentit soudain et le groupe s'immobilise. Karl Mann prend sa radio et parle brièvement en allemand à un de ses collègues.

— C'est l'alarme d'une porte qui fait des siennes, explique-t-il ensuite en suédois. La porte est verrouillée mais l'alarme sonne comme si la porte était restée ouverte pendant trente secondes.

Ils se remettent alors en route tandis que Penelope Fernandez sent à chaque pas le frottement du pistolet dans son dos.

— Ici, il y a Martin Schenkel, un attaché commercial, explique Karl Mann. Il reçoit la visite de Roland Lindkvist.

— On aimerait bien les rencontrer, dit Joona.

— Il a demandé à ne pas être dérangé ce matin.

Joona ne répond pas.

Saga saisit le bras de Penelope et ils s'arrêtent alors que les autres poursuivent jusqu'à la porte fermée.

— Attendez un instant, dit le policier militaire à Joona avant de frapper à la porte.

Il attend un moment avant qu'on l'autorise à entrer. Il ouvre la porte, entre et referme derrière lui.

Joona regarde en direction d'une pièce fermée à l'aide d'une bâche en plastique gris. A l'intérieur, on devine une pile de plaques de plâtre. Par moments, le plastique se bombe comme une voile, émettant un léger bruissement. Il fait un pas en direction de la bâche lorsqu'ils entendent des voix suivies d'un bruit sourd, derrière la porte du bureau de l'attaché commercial. Penelope recule, elle aurait aimé pouvoir se sauver de là.

— On attend ici, lui dit Saga à voix basse tandis qu'elle dégaine son arme.

Penelope se souvient que cette ambassade avait été occupée par le commando Holger Meins au printemps 1975. Ils gardaient douze personnes en otage et avaient exigé qu'Andreas Baader, Ulrike Meinhof, Gudrun Ensslin et vingt-trois autres membres de la Fraction Armée rouge soient libérés de leur prison en Allemagne de l'Ouest. C'était dans ces mêmes couloirs qu'ils couraient en hurlant, c'était entre ces murs qu'ils avaient traîné l'ambassadeur Dietrich Stoecker par les cheveux et avaient poussé le corps ensanglanté de Heinz Hillegaart en bas de l'escalier. Penelope ne parvient pas à se rappeler quelles avaient été les différentes étapes des négociations, mais le chancelier fédéral Helmut Schmidt avait informé le premier ministre suédois Olof Palme qu'il ne comptait pas céder au chantage des ravisseurs et deux des otages avaient été descendus. Karl-Heinz Dellwo avait hurlé d'une voix stridente qu'il allait descendre une personne par heure jusqu'à ce que ses demandes soient satisfaites.

Joona Linna se retourne et se plaque contre le mur du bureau de l'attaché commercial. Les deux autres policiers militaires sont quant à eux complètement immobiles. Joona dégaine son pistolet, baisse le chien puis frappe à la porte.

Une étrange odeur se répand dans le couloir, comme si quelqu'un avait oublié une casserole sur le feu.

Joona frappe à nouveau mais n'obtient pas de réponse. Il entend seulement une voix monotone qui semble répéter la même phrase encore et encore. Il attend quelques secondes, cache l'arme derrière lui et appuie sur la poignée.

Karl Mann se trouve juste en dessous d'une lampe pendue au plafond, son fusil d'assaut au niveau des hanches. Il jette un œil à Joona puis à l'homme assis dans un fauteuil au fond de la pièce.

— Monsieur Schenkel, voici l'inspecteur suédois, dit-il.

Des livres et des classeurs gisent au sol, comme s'ils y avaient été lancés dans un accès de colère. Toute l'attention de l'attaché commercial semble captée par la télévision. Il regarde un match de football retransmis en direct depuis Pékin. La Mannschaft affronte l'équipe nationale chinoise.

— Ne receviez-vous pas Roland Lindkvist ? demande froidement Joona.

— Il est parti, répond Martin Schenkel sans décrocher les yeux de l'écran.

Ils avancent dans le couloir. L'humeur de Karl Mann semble s'être détériorée, il donne des ordres aux deux autres policiers militaires d'une voix sèche. Une femme vêtue d'une robe en tricot gris clair marche d'un pas rapide sur la bâche qui recouvre le sol fraîchement poncé du couloir voisin.

— Qui était-ce ? demande Joona.

— La secrétaire de l'ambassadeur, répond Karl Mann.

— Nous aimerions la rencontrer et…

Une puissante alarme retentit soudain dans toutes les pièces, une voix préenregistrée explique en allemand qu'il ne s'agit pas d'un exercice d'évacuation et que tout le monde doit quitter le bâtiment immédiatement sans emprunter les ascenseurs.

84

LE FEU

Karl Mann parle d'une voix stressée dans sa radio en se dirigeant vers la cage d'escalier.

— Il y a un feu à l'étage supérieur, dit-il brièvement.

— Quelle en est l'étendue ? demande Joona en lui emboîtant le pas.

— Nous l'ignorons pour l'instant, mais nous évacuons l'ambassade, il y a onze personnes là-haut.

Karl Mann saisit un extincteur dans un placard et retire la goupille de sûreté.

— Je sors avec Penelope, crie Saga.

— C'est lui qui a déclenché l'incendie, dit Penelope. Il va disparaître pendant qu'ils essaient de l'éteindre.

Joona suit les trois policiers militaires dans la cage d'escalier. Leurs pas résonnent entre les murs en béton. En silence, ils montent l'escalier à grandes enjambées jusqu'au deuxième étage. Une forte odeur de fumée règne sur le palier et des voiles gris serpentent sous le plafond.

Karl Mann ouvre une porte et regarde à l'intérieur d'un bureau vide tandis que Joona ouvre la porte suivante. Il n'y a personne non plus. Ils continuent d'avancer.

— On dirait que le feu provient de la salle Schiller, il y a une cuisine à l'arrière, dit Karl Mann en faisant un signe droit devant lui.

Au bout du couloir, de la fumée noire s'échappe de la double porte. Elle semble s'écouler telle de l'eau trouble par tous les interstices pour venir se répandre le long du plafond.

Une femme pousse un cri. Un grondement sourd résonne dans le bâtiment comme un coup de tonnerre qui viendrait des profondeurs de la construction. Soudain, ils entendent un bruit de verre brisé derrière la double porte, il semble que les vitres aient éclaté sous l'effet de la chaleur.

— Il faut faire évacuer les gens, dit Joona. C'est…

Karl Mann fait taire Joona d'un geste de la main lorsqu'il entend son nom dans la radio. Il pose l'extincteur au sol et répond. Il échange quelques mots en allemand avec son interlocuteur puis se tourne vers le groupe.

— Ecoutez, dit-il d'une voix ferme. Les gars du poste de surveillance ont repéré un homme habillé en noir sur leurs écrans, il est dans les toilettes des hommes, il y a un pistolet dans le lavabo.

— C'est lui, dit Joona.

Karl Mann appelle le poste de surveillance et se renseigne à voix basse sur la position exacte de l'homme.

— Deux mètres à droite de la porte, explique Karl Mann. Il saigne abondamment de l'épaule et est assis par terre… mais la fenêtre est ouverte, il se peut qu'il tente de s'échapper par là.

Leurs pas martèlent maintenant le papier de protection marron, ils passent une échelle de peintre et s'arrêtent derrière Karl Mann. La température est nettement plus élevée ici et la fumée ondule au plafond comme un cours d'eau boueux. Tout autour d'eux crépite et gronde, le sol semble trembler sous leurs pieds.

— Il a quoi comme arme ? demande Joona à voix basse.

— Ils ne pouvaient voir que le pistolet dans le lavabo, mais pas…

— Demandez s'il a toujours son sac à dos sur lui, dit Joona. Car il a avec lui…

— C'est moi qui dirige l'opération, siffle Karl Mann.

Karl Mann fait signe à un de ses hommes, ils vérifient ensemble leur fusil d'assaut et pénètrent à l'intérieur des vestiaires. Joona aurait aimé les mettre de nouveau en garde avant qu'ils ne disparaissent. Il sait d'expérience que les tactiques classiques ne font pas le poids face à ce type de tueur. Ce sont des mouches qui s'approchent d'une araignée. Ils vont se prendre dans sa toile un à un.

Joona sent la fumée lui piquer les yeux.

Il sait qu'une araignée tisse sa toile avec deux fils différents. Les fils collants qui retiennent les proies et les fils secs sur lesquels elle peut se déplacer sans s'engluer.

Joona baisse alors le chien de son Smith & Wesson et suit les policiers militaires avec précaution. Ils sont déjà en formation devant les toilettes des hommes. L'un d'eux, un blond dont les longs cheveux sortent du casque, retire la goupille d'une grenade à choc. Il ouvre, lance la grenade sur le carrelage et referme rapidement la porte. Une détonation sourde résonne à l'intérieur et l'autre policier militaire ouvre la porte et pointe son arme dans l'obscurité. Karl Mann désigne la pièce et, sans une seconde d'hésitation, le policier blond se précipite à l'intérieur en tenant son fusil d'assaut levé, la crosse contre l'épaule. Joona est soudain pétri d'angoisse.

Il entend le policier blond dire quelque chose d'une voix apeurée, presque enfantine. Une violente déflagration retentit. Le policier est expulsé par la porte dans un tourbillon de fumée et de mortier. La porte est arrachée de ses gonds. L'autre policier a lâché son arme, dérape sur le côté et pose un genou à terre. L'onde de choc fait reculer Joona d'un pas. Le policier blond est allongé sur le dos dans le couloir, il a la bouche ouverte et du sang entre les dents. Il est inconscient et un important éclat de grenade a pénétré la chair de sa cuisse. Du sang rouge vif est expulsé de la blessure et éclabousse le sol. Joona se précipite sur lui et le tire plus loin. Il sent la chaleur du sang qui continue à s'écouler de la plaie sur ses mains lorsqu'il noue la ceinture de l'homme et un bras de chemise autour de sa cuisse pour former un bandage compressif.

L'autre homme s'est effondré, il pleure et semble terrifié.

Deux policiers militaires aident un homme aux cheveux gris à traverser le couloir, son visage est noir de suie et il peut à peine marcher tout seul. Une femme a attaché son gilet autour de sa bouche et se précipite à l'extrémité du couloir, les yeux écarquillés de peur.

Son pistolet en main, Karl Mann pénètre dans les toilettes en faisant crisser les éclats des miroirs et du carrelage sous ses pas. Le tueur gît à terre. Il est encore en vie. Ses jambes frétillent nerveusement et ses bras tentent désespérément de trouver un appui. Il a le visage mutilé. Karl Mann regarde autour de lui et voit le fil de fer. L'homme voulait sans doute leur tendre un piège et amorcer une grenade à main lorsqu'il a été surpris par la grenade à choc et a perdu la sienne.

— Allons évacuer les autres, chuchote Karl Mann en quittant les toilettes.

Joona essuie le sang de ses mains pour appeler le central et demander qu'on fasse venir une des ambulances garées près de l'ambassade du Japon. Il voit Penelope arriver depuis la cage d'escalier. Saga marche sur ses pas. Les yeux de Penelope sont d'un noir intense mais cerclés de rouge comme si elle avait pleuré pendant des heures. Saga tente de la calmer et de la retenir mais elle se libère de son étreinte.

— Où est-il ? crie-t-elle. Je veux le voir.

— Nous devons sortir, hurle Joona. Le couloir sera bientôt envahi par les flammes.

Penelope ignore sa remarque, se dirige vers la porte des toilettes et voit l'homme qui gît à terre, le corps tremblant et le visage ensanglanté. Elle gémit puis ressort dans le couloir en tâtonnant sur les murs pour se maintenir debout. Sur son passage, elle fait tomber une lettre encadrée du chancelier fédéral Willy Brandt qui était accrochée au mur. La vitre se brise mais le cadre reste appuyé contre le mur.

Penelope respire avec peine, elle a un haut-le-cœur et se force à déglutir puis sent que Saga tente de la prendre dans ses bras pour la ramener vers la cage d'escalier.

— Ce n'est pas lui, gémit Penelope.

— Nous devons sortir, dit Saga d'une voix réconfortante en l'entraînant avec elle.

Des ambulanciers portant des masques de protection contre la fumée emportent le policier militaire blessé. Une nouvelle explosion résonne dans le couloir comme une profonde expiration. Des éclats de verre et de bois sont projetés en l'air. Un homme avance en titubant, tombe mais parvient à se relever. De la fumée s'échappe d'une porte ouverte. Un homme corpulent est immobile dans le couloir. Du sang coule de son nez sur sa chemise et sa cravate. Les policiers militaires leur crient de se diriger vers la sortie de secours. Des langues de feu lèchent l'encadrement d'une porte. Le papier de protection sur le sol prend feu avant de disparaître en se tortillant. Deux personnes marchent à quatre pattes sur le sol brûlant. Une femme dont la robe est en feu pousse un terrible hurlement avant qu'un policier militaire ne l'asperge de mousse blanche.

Joona tousse à cause de la fumée de plus en plus épaisse mais pénètre tout de même dans les toilettes des hommes et observe les ravages causés par la grenade. Le tueur est désormais complètement immobile, son visage est recouvert de bandages. Du sang cramoisi s'échappe encore de la blessure par balle au niveau de son épaule. Le placard contenant le matériel nécessaire aux premiers secours est posé sur le sol, des pansements et des compresses en sont tombés et gisent parmi la poussière et les morceaux de carrelage blanc. Les murs sont noirs, les cabines des toilettes détruites, les miroirs brisés et de l'eau s'écoule au sol par un conduit arraché.

Un lavabo contient sept chargeurs et un pistolet de la marque Heckler & Koch. Et derrière l'une des cuvettes, Joona aperçoit le sac à dos en nylon noir du tueur.

Des cris et des voix apeurées mêlés aux consignes des militaires parviennent depuis le couloir. Karl Mann entre dans les toilettes avec des ambulanciers.

— Je veux que quelqu'un le surveille, dit Joona avec un geste en direction du tueur lorsque les ambulanciers le déposent sur une civière et l'attachent.

— Il sera mort avant même d'arriver à l'hôpital, répond Karl Mann en toussant.

— Aucune importance, je veux que vous le surveilliez tant qu'il se trouve sur le site de l'ambassade.

Karl Mann croise le regard déterminé de Joona et ordonne à un de ses hommes de rester avec le suspect jusqu'à ce qu'on le remette à la police suédoise.

La fumée noire envahit peu à peu le couloir. Des personnes crient et toussent. Terrifiées, elles se dirigent vers la sortie en se tenant le plus près possible du sol. On appelle Karl Mann sur sa radio et il s'accroupit sous la fumée pour répondre.

— Il manque encore une personne, il devrait se trouver à cet étage.

Joona saute par-dessus la porte qui a été soufflée pendant l'explosion et se dirige vers un bureau encore fermé. Il pose sa main sur la poignée.

La lumière clignote un temps avant de s'éteindre complètement. Seule la lueur inconstante des flammes éclaire désormais le couloir enfumé. Des gerbes d'étincelles jaillissent d'une pièce donnant sur le couloir. Tout le bâtiment crépite et gronde violemment, les parois semblent grincer comme du métal qui se tord.

Joona jette un dernier coup d'œil à Karl Mann qui gesticule pour lui signifier de reculer. Il dégaine son arme et ouvre la porte de quelques centimètres, se décale sur le côté, attend quelques secondes et regarde ensuite dans l'obscurité.

Il ne voit rien hormis l'ombre noire du bureau contre les persiennes fermées. Il perçoit soudain un faible mouvement au niveau du sol et se décale de la ligne de tir.

— Evacuez les locaux, crie quelqu'un dans son dos.

Joona se retourne et voit quatre pompiers faire irruption dans le couloir. Ils se dispersent et sondent les pièces une à une. Avant que Joona n'ait eu le temps de les mettre en garde, l'un des pompiers dirige le puissant faisceau de sa lampe torche à l'intérieur. Deux yeux brillent et un labrador aboie.

— Nous prenons les choses en main. Est-ce que vous arriverez à sortir par vous-même ?

— Une personne est portée disparue, déclare Karl.

— Soyez prudents, dit Joona en regardant le jeune pompier dans les yeux.

— Allez, venez, lui crie Karl.

— Je vais juste vérifier quelque chose.

En toussant, Joona entre dans les toilettes des hommes, se précipite dans une des cabines et s'empare du sac à dos du tueur.

85

SUIVRE SON POURSUIVANT

Les jambes de Penelope flageolent, elle s'appuie contre la clôture et fixe le bitume des yeux. Elle lutte contre son envie de
vomir. Ce qu'elle a vu dans les toilettes s'est comme imprimé
sur sa rétine. Le visage mutilé, les dents, le sang.

Le poids du gilet pare-balles l'attire vers le sol. Elle reprend
peu à peu conscience de l'agitation qui règne autour d'elle.
Les sirènes des ambulances ne cessent de hurler. Des policiers
crient des instructions dans leur radio. Elle voit des ambulanciers courir avec une civière. C'est l'homme des toilettes. Il est
allongé sur le dos. Son visage est recouvert mais son sang a
déjà imprégné les compresses.

Saga et une infirmière s'approchent de Penelope. Elles lui
disent qu'elle est en état de choc.

— Ce n'était pas lui, dit Penelope en pleurs tandis qu'elles
l'enveloppent dans une couverture.

— Un médecin viendra bientôt vous voir, dit l'infirmière.
Mais je peux déjà vous donner un calmant. Est-ce que vous
souffrez d'une maladie du foie ?

Penelope secoue la tête et l'infirmière lui remet une capsule
bleue.

— Vous devez l'avaler… C'est un demi-milligramme de
Xanor.

— Xanor, répète Penelope en regardant dans sa main.

— Ça va vous apaiser et ce n'est pas du tout dangereux,
explique l'infirmière avant de repartir d'un pas pressé.

— Je vais vous chercher de l'eau, dit Saga qui se dirige vers
une voiture de police.

Penelope a les doigts gelés. Elle regarde à nouveau la petite
capsule bleue dans sa main.

Joona Linna est toujours à l'intérieur du bâtiment. Des personnes, recouvertes de suie et intoxiquées par la fumée, sont encore escortées vers la sortie. Les diplomates sous le choc forment un petit groupe à côté de la barrière de l'ambassade du Japon en attendant leur transfert vers l'hôpital Karolinska. Une femme vêtue d'une robe bleu marine s'affaisse sur le sol et pleure sans pouvoir s'arrêter. Un policier s'installe à ses côtés, pose son bras sur ses épaules et lui parle d'une voix douce. L'un des diplomates passe frénétiquement sa langue sur ses lèvres et s'essuie les mains encore et encore, comme s'il n'arrivait pas à les nettoyer. Un homme plus âgé au costume froissé parle au téléphone d'un air stoïque. L'attachée militaire, une femme aux cheveux teints en roux, a essuyé ses larmes et tente d'apporter son aide aux ambulanciers. Le regard vide, elle tient une pochette de sang qui servira à une transfusion pendant que les ambulanciers déplacent un patient. Un homme assis se tient la tête dans ses mains recouvertes de bandages. Il se lève et la couverture qui était sur ses épaules glisse à terre. Il marche lentement le long de la clôture, l'air absent.

Un policier militaire pleure, une main appuyée contre un poteau.

L'homme aux mains brûlées continue d'avancer dans la lumière du matin. Il contourne le bâtiment et prend à droite sur Gärdesgatan.

Soudain, Penelope a le souffle coupé. Une sensation terrifiante déferle dans ses veines, comme si on lui avait injecté de l'eau glacée. Elle n'a pas vu son visage, mais elle a vu son dos. C'est l'homme aux mains bandées. Elle sait que c'est lui le tueur. Il monte vers Gärdet, s'éloignant tranquillement des policiers et des ambulanciers. Elle n'a pas besoin de voir son visage, car elle a déjà vu son dos et sa nuque lorsqu'elle est passée en bateau sous le pont Skurusund, quand Viola et Björn étaient encore en vie.

Penelope ouvre sa main et laisse s'échapper la capsule bleue.

Le cœur battant à tout rompre, elle marche dans sa direction. Elle bifurque sur Gärdesgatan, la couverture glisse de ses épaules, exactement comme lui, alors qu'elle accélère son allure. Elle commence à courir en le voyant se précipiter entre les arbres du petit bois en face. Il semble affaibli et doit avoir perdu beaucoup de sang. Elle sait déjà qu'il ne pourra pas lui échapper. Quelques choucas s'envolent de la cime des arbres et s'éloignent à tire-d'aile. Penelope a rejoint le petit bois. En traversant les hautes herbes à grandes enjambées, elle sent sa force grandir en elle. Il n'est plus qu'à cinquante mètres. Il titube et s'appuie contre le tronc d'un arbre. La bande de gaze qui entourait sa main se défait et pend mollement entre ses doigts. Il quitte le bosquet et se dirige en chancelant jusqu'à une grande pelouse baignée par la lumière du soleil. Sans s'arrêter, elle s'empare du pistolet que Joona avait accroché sur son dos, le regarde, ôte le cran de sûreté, avance encore un peu, ralentit et vise ses jambes.

— Arrêtez, chuchote-t-elle en pressant la détente.

Le coup part, le recul propulse son bras et son épaule en arrière tandis qu'un reste de poudre brûle le dos de sa main.

La balle est partie dans le vide et Penelope voit que le tueur tente de courir plus vite.

Tu n'aurais pas dû toucher à ma sœur, se dit-elle.

L'homme traverse un petit chemin, s'arrête, se tient l'épaule, puis continue à travers la pelouse.

Penelope court, pénètre dans la lumière du soleil, croise le chemin qu'il vient de passer et lève à nouveau son arme :

— Arrêtez, crie-t-elle.

Le coup part et elle voit la balle arracher de l'herbe de la pelouse dix mètres devant lui. Penelope est gagnée par une poussée d'adrénaline, elle se sent tout à fait lucide et concentrée. Elle vise et tire à nouveau. Elle entend la détonation, sent le recul dans son bras et voit la balle pénétrer le pli du genou et ressortir par la rotule. Le tueur pousse un hurlement de douleur et s'écroule dans l'herbe, il tente de ramper, mais elle se précipite vers lui et il s'adosse contre un bouleau.

Arrête, pense Penelope en le visant à nouveau avec son arme. Tu as tué Viola, tu l'as noyée dans une bassine, tu as tué Björn.

— Vous avez assassiné ma petite sœur, dit-elle à voix haute.

Elle tire. La balle pénètre son pied gauche et du sang gicle sur l'herbe.

Lorsque Penelope arrive à sa hauteur, il est toujours adossé contre le tronc d'arbre mais son menton repose contre sa poitrine. Il saigne abondamment, halète comme un animal, mais ne bouge pas.

Elle s'arrête devant lui à l'ombre de l'arbre et pointe le canon de son arme sur lui.

— Pourquoi ? demande-t-elle à voix basse. Pourquoi est-ce que ma sœur est morte, pourquoi est-ce...

Elle se tait, déglutit et s'agenouille pour voir son visage.

— Je veux que vous me regardiez quand je tire.

L'homme humecte ses lèvres et tente de relever la tête. Elle est trop lourde et il n'en a pas la force. Il est sur le point de perdre connaissance à cause de tout le sang qu'il a perdu. Elle pointe son arme sur lui puis tend l'autre bras pour soulever son menton. Elle l'observe et ses mâchoires se crispent lorsqu'elle reconnaît les traits fatigués du visage illuminé par un éclair sur l'île de Kymmendö. Elle se souvient désormais de l'expression calme de son regard et de la cicatrice en travers de sa bouche. Il n'a rien perdu de son flegme et elle se dit que c'est étrange qu'il n'ait pas la moindre peur d'elle quand, subitement, il attrape ses cheveux avec une rapidité déconcertante et la tire vers lui. Il la serre tellement fort qu'elle tombe en avant contre sa poitrine. Elle n'a pas le temps de s'écarter qu'il a déjà changé de prise et saisi ses poignets pour s'emparer de son arme. Elle le repousse de toutes ses forces avec ses bras et ses pieds, tombe à la renverse dans l'herbe et lorsqu'elle relève la tête il tire deux coups successifs.

86

LE TRONC BLANC DU BOULEAU

Ce n'est qu'une fois arrivé en bas des escaliers de l'ambassade, s'élançant dans le couloir du rez-de-chaussée, que l'inspecteur Joona Linna commence à ressentir à quel point il a du mal à respirer et combien ses yeux le brûlent. Il faut qu'il sorte à l'air libre, il doit respirer. Il tousse, s'appuie contre un mur mais s'efforce d'avancer. Une nouvelle déflagration résonne et une lampe se détache du plafond pour tomber juste devant lui. Il entend le hurlement des sirènes au-dehors et rejoint rapidement l'entrée principale de l'ambassade. Sur l'avancée en béton juste devant la porte, six policiers militaires gardent l'entrée du bâtiment. Joona respire à pleins poumons, tousse un moment puis regarde autour de lui. Deux camions de pompiers ont déployé leur échelle sur la façade. La cour fourmille de policiers et d'ambulanciers. Karl Mann est allongé sur une pelouse et un médecin se penche sur lui pour écouter ses poumons. Penelope Fernandez marche le long de la clôture qui donne sur l'ambassade du Japon avec une couverture drapée sur les épaules.

Avant de quitter le bâtiment, Joona s'était rendu une dernière fois dans les toilettes pour récupérer le sac à dos du tueur, resté coincé derrière une cuvette. Il n'arrivait pas à comprendre pourquoi il aurait eu besoin de cacher un sac à dos vide alors qu'il avait laissé son pistolet et ses chargeurs dans un lavabo.

Il tousse de nouveau, ouvre le sac à dos et regarde à l'intérieur. Il contient trois passeports différents et un couteau de combat dont la lame est encore mouillée de sang.

Qui as-tu tailladé ? murmure Joona.

Sur la lame blanche en métal fritté, le sang a commencé à coaguler. Joona lève à nouveau les yeux sur les ambulanciers et les personnes se tenant de l'autre côté de la clôture. Une femme dont la robe a brûlé est allongée sur une civière, une autre femme la tient par la main. Un homme d'un certain âge dont le front est recouvert de taches de suie parle au téléphone, le regard complètement vide.

Joona comprend soudain son erreur, il lâche le sac à dos et le couteau ensanglanté et se précipite vers la clôture en criant au gardien de le laisser passer.

Il quitte le site de l'ambassade en courant, dépasse quelques agents et franchit le ruban de signalisation qui délimite le périmètre de sécurité, se fraie sans un mot un passage parmi les journalistes et s'arrête au milieu de la route pour bloquer l'ambulance jaune qui quitte les lieux.

— Est-ce que vous avez examiné la blessure à son bras ? crie-t-il en brandissant sa carte de police.

— Qu'est-ce que vous dites ? demande le conducteur de l'ambulance.

— L'homme touché par la grenade a une blessure à l'épaule et je…

— Ce n'est pas franchement une priorité vu les…

— Je dois examiner la blessure, l'interrompt Joona.

Le conducteur s'apprête à lui rétorquer que ce n'est pas possible mais quelque chose dans la voix de Joona le fait renoncer.

Joona contourne l'ambulance et ouvre les portières à l'arrière. Le visage de l'homme sur la civière est couvert de compresses, il est sous oxygène et une pompe d'extraction de mucus est reliée à sa bouche. L'un des ambulanciers découpe rapidement la veste noire et la chemise du patient et met l'épaule à nu.

Il ne s'agit pas d'une blessure par balle. C'est une entaille profonde. Elle lui a été infligée par un couteau.

Joona sort de l'ambulance, balaie rapidement la zone du regard et aperçoit Saga entre les voitures. Elle tient un gobelet en plastique à la main, mais dès qu'elle croise le regard de Joona, elle jette le gobelet et se précipite vers lui.

— Il nous échappe encore, dit-il tout bas. Il ne faut pas qu'il nous échappe.

Joona regarde autour de lui. Un instant plus tôt, il avait vu Penelope Fernandez longer la clôture de l'ambassade du Japon avant de bifurquer sur Gärdesgatan.

— Prends un fusil, crie Joona en se mettant à courir.

Il suit la grille, tourne à droite, regarde autour de lui, mais n'aperçoit ni Penelope ni le tueur.

Une femme laisse ses dalmatiens courir librement sur la pelouse derrière l'Institut culturel italien.

Joona continue le long d'une façade blanche éclatante, dégaine son arme en pensant au fait que le tueur a été évacué de l'ambassade avec tous les autres.

Saga crie quelque chose derrière lui, mais il ne l'entend pas. Son cœur bat trop vite, ses pensées grondent dans sa tête.

Il accélère, court maintenant en direction d'un petit terrain boisé. Soudain, il entend un coup de feu. Il trébuche dans un fossé, remonte la petite pente et file entre les arbres.

De nouveaux coups de feu retentissent, des détonations brèves et aiguës.

Joona se fraie un chemin parmi les branchages puis se retrouve sur une pelouse ensoleillée. A trois cents mètres, il aperçoit Penelope sous un bouleau, elle bouge lentement. Un homme est assis contre le tronc, la tête ballante. Penelope s'accroupit devant lui, mais soudain il fait un mouvement brusque. Elle est violemment tirée en avant puis retombe ensuite en arrière. L'homme pointe son arme sur elle. Tout en courant, Joona lève son arme et vise l'homme, mais la distance qui les sépare est bien trop importante. L'homme tire alors deux coups dans la poitrine de Penelope. Elle est allongée sur le dos, immobile. Joona court vers eux. L'homme semble faible, mais il lève de nouveau son arme sur elle. Joona tire deux coups de feu mais ne l'atteint pas. Il voit que Penelope agite ses pieds dans l'herbe pour essayer de s'échapper. Le tueur regarde Joona un instant avant de se retourner vers Penelope. Il la regarde dans les yeux et pointe le pistolet sur son visage. Un coup part. Joona entend une violente détonation derrière lui. Il sent un sifflement passer devant son oreille droite tandis qu'une giclée de sang éclabousse le tronc blanc du bouleau derrière l'homme. La balle blindée a transpercé son sternum et son cœur. Joona continue d'avancer en maintenant son pistolet pointé sur lui. Un deuxième coup de feu résonne et Joona voit le corps inerte se soulever légèrement lorsque la balle pénètre sa poitrine à peine un centimètre au-dessus du premier point d'impact. Joona baisse son arme et se retourne. Saga Bauer se tient à la lisière de la forêt, un fusil de précision contre l'épaule. Ses longs cheveux blonds scintillent sous les rais de lumière qui s'immiscent entre les feuilles. Elle abaisse lentement son fusil, le visage toujours concentré.

Penelope se relève en toussant et fait un pas de côté vers la lumière du soleil.

Elle fixe l'homme qui gît à terre. Joona avance jusqu'à eux, éloigne le pistolet d'un coup de pied et pose sa main sur son cou pour s'assurer qu'il est mort.

Penelope ôte son gilet pare-balles et le laisse tomber dans l'herbe. Joona s'approche d'elle. Elle fait un pas hésitant vers lui. Elle semble sur le point de s'évanouir. Il la prend dans ses bras et sent toute la fatigue de son corps lorsqu'elle pose sa joue contre sa poitrine.

87

BROUILLER LES PISTES

L'homme au visage mutilé qui avait été retrouvé dans les toilettes de l'ambassade d'Allemagne est décédé seulement une heure après son arrivée à l'hôpital. Il a été identifié sous le nom de Dieter Gramma, secrétaire de l'attaché culturel. Pendant son autopsie, le médecin légiste en chef, Nils Ahlén, a repéré de minuscules morceaux de scotch sur ses vêtements. Des marques et des plaies sur ses poignets et son cou indiquaient que l'homme avait été attaché avant l'explosion. L'enquête préliminaire sur les lieux du crime et les enregistrements des caméras de surveillance ont permis de reconstituer les événements assez précisément : une fois arrivé dans son bureau situé au deuxième étage de l'ambassade, Dieter Gramma a allumé son ordinateur et ouvert sa boîte électronique. Il n'a répondu à aucun e-mail, mais a ajouté à trois d'entre eux l'icône "tâche à accomplir". Puis, il s'est rendu dans la cuisine et a mis la machine à café en marche avant d'aller aux toilettes. Il s'apprêtait à ouvrir la porte de l'une des cabines lorsqu'il est tombé nez à nez avec un homme cagoulé qui se tenait près d'un lavabo.

Le tueur blessé s'était introduit dans l'ambassade grâce à son passeport allemand pour fuir la police et gagner un peu de temps.

Dans le miroir, le tueur a rapidement vérifié que la taille de Dieter Gramma correspondait à la sienne avant de recouvrir de scotch la lentille de la caméra de surveillance. Dieter Gramma n'a sans doute pas eu le temps de crier avant que l'homme lui colle son pistolet contre la poitrine, le force à s'agenouiller et lui scelle la bouche avec un morceau de scotch. Il a ensuite échangé sa veste noire contre le costume de Dieter Gramma, l'a attaché près de la conduite d'eau, dos à la caméra de surveillance. Puis il a introduit la lame à double tranchant dans le trou situé sur l'épaule de sa veste jusqu'à l'enfoncer profondément dans la chair de Dieter Gramma.

La douleur, la peur et l'endorphine libérée dans son corps ont certainement rendu Dieter Gramma tellement confus qu'il n'a pas compris ce qui se passait ensuite. Le tueur a découpé un morceau de fil de fer à la pince, l'a accroché autour du cou de Dieter Gramma en tordant les extrémités. Il a passé dans cette boucle un fil de fer plus long puis y a fixé une grenade m/2000. Il l'a dégoupillée en maintenant une pression avec sa main. S'il avait lâché prise, le mécanisme se serait aussitôt déclenché et trois secondes plus tard la grenade aurait explosé. Mais il a scotché la grenade sur la poitrine de Dieter Gramma en maintenant la pression et a tiré le fil de fer qui passait dans la boucle autour du cou de Dieter Gramma, derrière le siphon du lavabo et l'a tendu jusqu'à l'autre côté de la porte de façon à créer une explosion qui serait provoquée par un fil de détente si quelqu'un pénétrait dans la pièce.

Dans le chaos qui régnerait ensuite, la police n'aurait pas le temps de se poser de questions et supposerait que l'homme à la veste noire était celui qu'ils cherchaient.

Le tueur ne devait pas être au mieux de sa forme, mais il ne s'est pas écoulé plus de quatre minutes entre le moment où Dieter Gramma est entré dans les toilettes et celui où le tueur a posé son arme et quelques chargeurs dans le lavabo, jeté le rouleau de scotch, caché son sac à dos derrière une cuvette, ôté le scotch de la caméra de surveillance et quitté la pièce.

Une fois dans le couloir, il a titubé jusqu'à la salle de réunion fermée par la double porte. Il a pénétré dans la pièce et y a allumé un feu qui s'est rapidement propagé. Puis, il a frappé à la porte du bureau de la responsable Davida Meyer. Celle-ci l'a invité à entrer et il venait juste de commencer à lui expliquer la raison prétendue de sa visite lorsque l'alarme incendie s'était déclenchée.

Pendant presque vingt-cinq minutes, Dieter Gramma est resté à genoux, fermement attaché avec une grenade sur la poitrine avant d'être repéré sur l'enregistrement d'une caméra de surveillance. Il a probablement essayé d'appeler à l'aide mais ne voulait pas prendre le risque que la grenade se détache du scotch. L'autopsie a révélé que les vaisseaux sanguins de son cou avaient éclaté et que sa bouche était déchiquetée.

Les policiers militaires ont ouvert la porte des toilettes et y ont envoyé une grenade à choc. Ce type de grenade ne projette pas d'éclats métalliques comme une grenade à main habituelle, mais provoque, dans une pièce fermée, un très fort bruit et une vive lumière pouvant faire perdre connaissance ou provoquer une cécité temporaire. Lorsque la grenade à choc a explosé, Dieter Gramma s'est cogné la tête contre les tuyaux et le mur et s'est évanoui. Un jeune policier militaire, Uli Schneider, a fait irruption dans la pièce remplie d'une épaisse fumée. Le jeune policier n'a vu que trop tard le fil de fer.

La grenade a été arrachée du scotch qui la maintenait sur le corps de Dieter Gramma et le mécanisme s'est déclenché. La grenade, restée bloquée au niveau de la boucle sous son menton, a alors explosé.

LE VISITEUR

Joona Linna, Saga Bauer et Penelope Fernandez s'éloignent de Diplomatstaden dans un fourgon blindé en longeant Strand-vägen et l'eau scintillante.

— Je l'avais vu, dit Penelope d'une voix monotone. Je savais qu'il n'abandonnerait jamais, il allait me poursuivre encore et encore…

Elle s'interrompt et regarde fixement devant elle.

— Et enfin me tuer, dit-elle.

— Oui, répond Saga.

Penelope ferme les yeux et se laisse bercer par les doux mouvements de la voiture. Ils passent devant l'étrange monument à la mémoire de Raoul Wallenberg. Elle observe les caractères en hébreu qui le recouvrent, comme de l'écume remuée par le vent.

— Qui était-ce ? demande Penelope. Celui qui me poursuivait ?

— Un tueur à gages, répond Joona. On les appelle aussi des *grob*.

— Ni Europol ni Interpol n'a quoi que ce soit sur lui, dit Saga.

— Un tueur à gages, répète lentement Penelope. Il a donc été envoyé par quelqu'un ?

— Oui, répond Saga. C'est sûr et certain, mais nous ne trouverons aucun élément le reliant à son employeur.

— Raphael Guidi ? demande Penelope à voix basse. C'est lui ? Ou est-ce que c'est Agathe al-Haji ?

— Nous pensons que c'est Raphael Guidi, dit Saga. Pour Agathe al-Haji, un témoignage de votre part affirmant qu'elle tente d'acheter des munitions serait sans grande importance.

— Ses agissements ne sont un secret pour personne, dit Joona.

— Alors c'est Raphael Guidi qui a engagé le tueur à gages, mais… qu'est-ce qu'il veut ? Vous le savez ? Est-ce que tout tourne autour de la photo ? C'est ça ?

— Raphael Guidi doit croire que vous êtes le photographe, il pense que vous êtes un témoin direct et que vous avez peut-être vu et entendu des choses susceptibles de le compromettre.

— Il le pense toujours ?

— Probablement.

— Alors, il va engager un nouveau tueur ?

— C'est ce que nous redoutons, répond Saga.

— Pendant combien de temps est-ce que je pourrais bénéficier d'une protection policière ? Est-ce que je vais avoir une nouvelle identité ?

— Il faut qu'on en parle, mais…

— Ils vont me poursuivre jusqu'à ce que je n'aie plus la force de fuir.

Ils passent devant le grand magasin NK et aperçoivent trois jeunes employés en grève devant la luxueuse entrée.

— Il n'abandonnera pas, confirme Joona d'un ton grave. C'est la raison pour laquelle nous devons dévoiler toute l'affaire à la presse, car si nous faisons cela… il n'aura plus aucune raison de vous tuer.

— Raphael Guidi est intouchable, nous en avons conscience, dit Saga. Mais on peut faire des sacrés trucs en Suède et on va le lui montrer…

— Comme quoi ?

— On peut commencer par faire capoter l'affaire, dit Saga. Le cargo ne quittera pas le port de Göteborg sans l'autorisation d'Axel Riessen.

— Et qu'est-ce qui vous fait croire qu'il ne signera pas ?

— Il ne fera jamais ça, dit Joona. Il en sait autant que nous sur l'affaire.

— Bien, chuchote Penelope.

— Puis on s'attaquera à Pontus Salman et à tous ceux qui sont impliqués, poursuit Saga.

Le silence retombe dans la voiture.

— Il faut que j'appelle ma mère, dit Penelope après un moment.

— Vous pouvez emprunter mon téléphone, dit Saga.

Penelope semble hésiter, puis compose un numéro et attend.

— Maman, c'est moi, Penny. Tu sais, l'homme qui…

— Penny, on sonne à la porte, je dois…

— Maman, attends, l'interrompt Penelope d'une voix inquiète. Qui est-ce qui sonne ?

— Je ne sais pas.

— Mais tu attends de la visite ?

— Non, mais…

— Il ne faut pas que tu ouvres, s'écrie Penelope.

Sa mère marmonne quelque chose et pose le combiné. Penelope entend ses pas sur le sol et la sonnette qui retentit de nouveau. La porte s'ouvre et elle perçoit le bruit d'une conversation. Penelope se sent impuissante. Elle jette un œil à Saga et Joona qui l'observent d'un air tendu. Après un crépitement étrange, Penelope entend à nouveau la voix de sa mère :

— Tu es encore là, Penny ?

— Oui.

— Il y a quelqu'un ici qui te cherche, dit la mère.

— Qui me cherche ?

Penelope s'humecte les lèvres.

— D'accord, maman. Passe-le-moi.

Elle entend un frottement dans le combiné puis la voix d'une femme :

— Penelope ?

— Oui.

— Il faut qu'on se voie.

— Qui est à l'appareil ?

— C'est moi qui vous ai envoyé la photographie.

— Je n'ai pas reçu de photographie.

— Bonne réponse, dit la femme. Nous ne nous connaissons pas, mais c'est bien moi qui vous ai envoyé la photo.

Penelope ne répond pas.

— Je dois vous rencontrer aujourd'hui, aussi vite que possible, poursuit la femme d'une voix stressée. Je vous ai envoyé une photo de quatre personnes dans une loge, prise à la dérobée le 13 novembre 2009. L'une d'elles est mon mari, Pontus Salman.

89

LA RÉUNION

La maison de Pontus Salman est située sur Roskullsvägen, sur l'île Lidingö. C'est une villa des années 1960 qui, malgré quelques marques des années écoulées, dégage toujours une impression de qualité. Ils se garent sur la voie pavée en face du garage et Saga quitte la voiture. Sur la grande porte, quelqu'un s'est amusé à dessiner un pénis à la craie.

Ils sont convenus que Joona attende dans la voiture avec Penelope tandis que Saga se rendra dans la villa. La porte est ouverte, mais Saga sonne tout de même en appuyant sur le bouton de la grande sonnette en forme de tête de lion. Trois notes résonnent à l'intérieur mais rien ne se passe. Saga dégaine son Glock, vérifie le chargeur, ôte le cran de sûreté, sonne à nouveau et pénètre dans la maison.

C'est une maison semi-souterraine et le hall d'entrée s'ouvre sur un grand salon, une cuisine et un coin salle à manger. De grandes fenêtres offrent une vue imprenable sur la pointe de l'île Lidingö.

Saga traverse la cuisine, inspecte une à une les chambres à coucher puis retourne dans le hall d'entrée. Elle descend un escalier et entend soudain de la musique derrière une porte sur laquelle est vissée une plaque en cuivre portant les lettres R & R. Elle ouvre la porte et reconnaît la voix de Joan Sutherland dans *La Traviata* de Verdi.

Au bout du couloir, on distingue la lueur bleue et miroitante d'une piscine éclairée.

Saga s'approche à pas feutrés et tente de distinguer des bruits à travers la musique. Elle devine des pas, des pieds nus sur un carrelage mouillé.

Elle tient son arme le long de sa cuisse, continue à avancer et aperçoit maintenant des meubles en rotin et des feuilles de palmier. Il fait chaud et humide. Une odeur de chlore et de jasmin s'intensifie à mesure qu'elle approche. Elle fait bientôt face à une grande piscine en carrelage bleu clair. Une baie vitrée s'ouvre sur le jardin. Une femme svelte d'une cinquantaine d'années vêtue d'un maillot de bain doré se tient près d'un bar, un verre de vin blanc à la main.

En apercevant Saga, elle pose le verre sur le comptoir et va à sa rencontre.

— Bonjour, je m'appelle Saga Bauer.

— Quelle agence ?

— Säpo.

En riant, la femme embrasse Saga sur les deux joues et lui dit son nom : Marie-Louise Salman.

— Vous avez apporté un maillot ? demande-t-elle en retournant vers le bar.

Ses pieds laissent de longues empreintes fines sur le sol en terre cuite. Son corps svelte semble bien entraîné. Sa démarche a quelque chose d'étudié, comme si elle voulait donner à Saga l'occasion de l'observer. Marie-Louise Salman prend son verre, se retourne et jette un regard curieux à Saga, comme pour vérifier qu'elle reste le centre de son attention.

— Un verre de sancerre ? demande-t-elle d'un ton allègre.

— Non merci.

— Je nage pour garder la forme, même si je me suis un peu calmée sur le mannequinat. On a vite fait d'avoir des troubles narcissiques dans cette branche. Oui, je ne vous apprends rien. Ça vous fout les jetons le jour où plus personne n'allume votre cigarette.

Marie-Louise se penche en avant et chuchote d'un air dramatique :

— J'ai une liaison avec le plus jeune des Chippendales. Vous savez qui c'est ? Peu importe, ils sont tous pédés.

— Je suis là pour vous parler d'une photo que vous avez envoyée…

— Je savais qu'il ne pourrait pas la boucler, s'exclame-t-elle avec une indignation feinte.

— Qui ?

— Jean Paul Gaultier.

— Le styliste ?

— Oui, le styliste, avec le haut à rayures, la coupe en brosse dorée et la vilaine petite bouche. Il me déteste encore. Je le savais.

Saga lui sourit patiemment et lui tend un peignoir d'un air interrogateur en voyant qu'elle a la chair de poule.

— J'aime bien avoir froid… parce que ça m'embellit. En tout cas, c'est ce que me disait Depardieu au printemps dernier où… Je ne me souviens plus – c'était peut-être mon adorable petit Renaud qui le disait. Peu importe.

Soudain, des pas résonnent dans le couloir menant au pool house. Marie-Louise semble nerveuse et regarde autour d'elle comme pour trouver une issue.

— Il y a quelqu'un ? crie une femme.

— Saga, crie Joona.

Saga fait un pas en avant et voit Joona et Penelope accompagnés d'une femme d'une cinquantaine d'années aux cheveux foncés joliment coupés à la garçonne.

— Marie-Louise, dit la femme avec un sourire crispé. Qu'est-ce que tu fais là ?

— Je pensais juste nager un peu, répond-elle. J'avais besoin de me rafraîchir.

— Tu sais que je veux que tu appelles avant de venir.

— C'est vrai, excuse-moi, j'ai oublié.

— Marie-Louise est la sœur de Pontus, ma belle-sœur, explique la femme avant de se tourner vers Saga et de se présenter : Veronique Salman.

— Saga Bauer, Säpo.

— Allons nous asseoir dans la bibliothèque, dit Veronique en retournant dans le couloir.

— Est-ce que je peux me baigner maintenant que je suis là ? crie Marie-Louise.

— Pas toute nue, répond Veronique sans lui accorder un regard.

90

LE PHOTOGRAPHE

Saga, Joona et Penelope la suivent à travers les différentes pièces du rez-de-chaussée et entrent dans une bibliothèque, une pièce plutôt étroite et éclairée par de petits carreaux sertis de plomb peint en jaune, marron et rose. Des livres sont rangés derrière des vitres, le mobilier est en cuir et dans la cheminée sont disposés des samovars en cuivre.

— Pardonnez-moi de ne pas vous proposer quelque chose, mais je suis assez pressée, je pars dans une heure…

Le regard inquiet de Veronique Salman erre un instant sur la pièce et elle lisse sa robe du plat de la main avant de poursuivre à voix basse :

— Je dois… je veux juste vous dire ce que j'ai à dire. Je ne témoignerai pas. Si vous essayez de me forcer à témoigner, je nierai tout ce que j'ai dit, quelles qu'en soient les conséquences.

Elle tente de redresser un abat-jour, mais sa main tremble tellement qu'il se remet immédiatement de travers.

— Je pars sans Pontus, il ne m'accompagnera pas, dit-elle en fixant le sol.

Sa bouche frémit et elle rassemble ses esprits un moment.

— Penelope, dit-elle en la regardant dans les yeux. Vous pensez que Pontus est une crapule, et je veux que vous sachiez que je vous comprends, mais ce n'est pas le cas, vraiment pas.

— Je n'ai pas dit…

— Attendez, je vous en prie, l'interrompt-elle. Je veux simplement dire que j'aime mon mari, mais que je… que je ne sais plus quoi penser de ce qu'il fait. Avant, je me disais que les gens ont toujours échangé des armes. Le commerce d'armes existe depuis que l'homme existe. Ce n'est pas une excuse. J'ai travaillé à la Sécurité au sein du ministère des Affaires étrangères pendant de nombreuses années. Et lorsqu'on fait ce genre de travail, on doit accepter qu'on est bien loin de l'utopie d'un monde sans conflits armés. En pratique, tous les pays doivent être dotés d'une force armée, mais… il y a des nuances, c'est ainsi que je vois les choses…

Elle rejoint la porte, l'ouvre, regarde dehors et la referme.

— Exporter des armes dans des pays en situation de guerre, soutenir des conflits en fournissant des armes, on n'a pas le droit.

— Non, chuchote Penelope.

— Je comprends Pontus en tant qu'homme d'affaires, poursuit Veronique Salman. Car Silencia avait vraiment besoin de ce contrat. Le Soudan est un grand pays dont l'approvisionnement en munitions pour leurs fusils d'assaut est instable, ils n'ont recours qu'à Fabrique Nationale* et la Belgique ne leur livre visiblement pas de munitions. Tous les regards sont braqués sur eux, mais la Suède n'a jamais été une puissance coloniale et nous avons bonne réputation dans la région. Pontus a vu les possibilités du marché et a vite réagi lorsque la guerre civile au Soudan s'est terminée. Raphael Guidi a organisé l'affaire. Ils devaient signer le contrat. Tout était prêt mais la Cour pénale internationale de La Haye a émis un mandat d'arrêt contre le président El-Béchir à cause de son implication dans le génocide au Darfour.

— Cette exportation enfreindrait la législation internationale, dit Saga.

— Tout le monde le savait, mais Raphael n'a pas voulu mettre un terme à l'affaire. Quelques mois ont passé, puis il a expliqué que l'armée du Kenya voulait récupérer le contrat. Il s'agissait de la même quantité de munition et du même prix… J'ai essayé d'en parler avec Pontus, je lui ai dit qu'il était évident que les munitions étaient destinées au Soudan, mais Pontus m'a juste répondu que le Kenya avait sauté sur l'occasion, que c'était une bonne affaire et qu'ils avaient besoin de munitions. Je ne sais pas s'il y croyait lui-même, je ne pense pas, mais, quoi qu'il en soit, il s'est entièrement défaussé de sa responsabilité sur Carl Palmcrona et l'ISP. Si Palmcrona signait l'autorisation d'exportation, alors tout était en ordre et d'après lui…

---

*Fabrique d'armement basée en Belgique.

— C'est trop facile, dit Penelope.

— C'est pour ça que j'ai pris la photo, je suis entrée et j'ai pris une photo avec mon portable en prétendant téléphoner, j'ai expliqué à Pontus que je ne me sentais pas bien et que j'allais prendre un taxi pour rentrer à l'hôtel.

— C'était courageux, dit Penelope.

— Mais je ne savais pas à quel point c'était dangereux, sinon je ne l'aurais jamais fait. J'en voulais à Pontus, je souhaitais le faire changer d'avis. J'ai quitté l'Alte Oper au milieu du concert et j'ai regardé la photo dans le taxi. C'était du grand n'importe quoi, comme vous le savez l'acheteur était représenté par Agathe al-Haji. Elle est tout de même le conseiller militaire du président soudanais, je veux dire, les munitions seraient directement injectées dans cette guerre civile dont personne ne voulait entendre parler.

— Génocide, chuchote Penelope.

— Lorsqu'on est rentrés, j'ai dit à Pontus qu'il fallait qu'il se retire… Je n'oublierai jamais son regard lorsqu'il m'a répondu que c'était impossible. J'ai conclu un pacte Paganini, disait-il. Lorsque j'ai vu son expression, j'ai pris peur. Il semblait terrifié. Je n'osais pas garder la photo sur mon téléphone, je l'ai donc imprimée, puis effacée de la carte SIM et du disque dur de l'ordinateur et je vous l'ai envoyée.

Veronique Salman est assise devant Penelope, les bras ballants et le visage fatigué.

— Je ne savais pas ce qui allait arriver, dit-elle à voix basse. Comment aurais-je pu le savoir ? Je suis tellement, tellement navrée, je ne peux pas vous dire…

Le silence s'installe un moment dans la pièce. Au loin, vers la piscine, ils entendent le bruit d'un meuble que l'on tire sur le sol.

— Qu'est-ce qu'un pacte Paganini ? demande Joona.

— Raphael possède plusieurs violons d'une valeur inestimable. Il collectionne les instruments sur lesquels Paganini jouait il y a plus de cent ans. Certains d'entre eux sont chez lui, il en prête d'autres à des musiciens professionnels et…

Elle se caresse nerveusement les cheveux avant de poursuivre.

— Cette histoire de Paganini… je n'ai pas tout compris, mais Pontus dit que Raphael relie Paganini au contrat, il dit que ses contrats sont éternels. Aucun document n'est signé, c'est… un pacte. Pontus m'a raconté que Raphael avait tout préparé. Il avait tous les chiffres en tête, il connaissait la logistique par cœur et savait exactement quand et comment l'affaire devait être conclue. Il a informé toutes les personnes concernées de ce qu'il exigerait d'elles et des sommes qu'elles allaient gagner sur cette affaire. Une fois qu'on lui embrasse la main, il n'y a plus d'issue possible. On ne peut pas fuir, pas se cacher, pas même mourir...

— Pourquoi pas ? demande Joona.

— Raphael est tellement... je ne sais pas, il... c'est tellement affreux, dit-elle la bouche tremblante. Il réussit à soutirer... il fait dire à toutes les personnes impliquées comment ils... comment ils se représentent leur pire cauchemar.

— Comment ça ? demande Saga.

— C'est ce que disait Pontus, il disait que Raphael a ce don, répond-elle avec sérieux.

— Mais qu'entend-il par cauchemar ? demande Joona.

— J'ai évidemment demandé à Pontus s'il lui avait dit quelque chose, je lui ai évidemment posé la question, dit-elle stressée. Mais il refuse de répondre, je ne sais pas quoi penser.

Un silence de plomb règne dans la petite bibliothèque. De grosses auréoles de transpiration sont apparues sur la chemise blanche de Veronique Salman.

— Vous ne pourrez pas arrêter Raphael, dit-elle après un moment en regardant Joona droit dans les yeux. Mais vous devez veiller à ce que les munitions n'atteignent pas le Darfour.

— Nous allons le faire, dit Saga.

— Vous comprenez... que le fait que l'agitation après les élections au Soudan ne se soit pas transformée en pure catastrophe dépend en grande partie de la pénurie de munitions, c'est... je veux dire, si ça se complique davantage, les associations humanitaires quitteront le Darfour.

Veronique Salman consulte sa montre, dit à Joona qu'elle doit bientôt se rendre à l'aéroport, puis s'approche de la fenêtre. Elle regarde rêveusement à travers la vitre colorée.

— Mon petit ami est mort, dit Penelope en essuyant des larmes sur ses joues. Ma sœur est morte, je ne sais combien d'autres encore.

Veronique Salman se tourne vers elle :

— Penelope, je ne savais pas quoi faire, j'avais cette photo, j'ai pensé que si quelqu'un était susceptible d'identifier les personnes dans la loge, c'était bien vous. J'ai pensé que vous comprendriez mieux que quiconque ce qu'impliquait le fait qu'Agathe al-Haji achète des munitions, vous avez vous-même été au Darfour, vous avez des contacts là-bas, vous œuvrez pour la paix et...

— Mais vous avez eu tort, l'interrompt Penelope. Vous avez envoyé la photo à la mauvaise personne, je connaissais Agathe al-Haji, mais je n'avais aucune idée de ce à quoi elle ressemblait.

— Je ne pouvais pas envoyer la photo à la police ou à la presse, ils n'auraient pas compris ce que ça signifiait, pas sans explications, et je ne pouvais pas expliquer les circonstances. Comment aurais-je pu, c'était impossible. Si j'avais compris une chose, c'était que je ne devais pas être associée à la photo, alors je vous l'ai envoyée. Je voulais m'en débarrasser, je savais que je ne pourrais jamais dévoiler mon lien avec elle.

— Mais maintenant vous l'avez fait, dit Joona.

— Oui, parce que je... je...

— Pourquoi ? demande-t-il. Qu'est-ce qui vous a fait changer d'avis ?

— Parce que je vais quitter le pays et que je dois...

Elle se tait et regarde ses mains.

— Que s'est-il passé ?

— Rien, dit-elle entre ses larmes.

— Vous pouvez nous le dire.

— Non, c'est...

— Faites-nous confiance, chuchote Saga.

Veronique essuie ses yeux et relève la tête :

— Pontus m'a appelée de notre maison d'été, il ne faisait que pleurer en me demandant pardon. Je ne sais pas ce qu'il entendait par là, mais il m'a dit qu'il allait tout faire pour échapper à son cauchemar.

91

UNE DERNIÈRE ISSUE

Au calme derrière un bras de terre, une barque à rames en acajou verni tangue doucement sur le lac Malmsjö. Un léger vent souffle de l'est. Il apporte avec lui une faible odeur de fumier au-dessus de l'eau provenant des fermes alentour. Pontus Salman a remonté les rames, mais la barque n'a pas dérivé de plus de dix mètres en une heure. Il se dit qu'il aurait apporté quelque chose à boire s'il avait su que cela lui prendrait autant de temps de se tirer une balle dans la tête. Un fusil de chasse à double canon est posé sur ses cuisses.

Seuls les clapotements de l'eau contre la coque et le faible bruissement du vent à travers le feuillage des arbres viennent rompre le silence.

Il ferme les yeux un moment, tente de calmer sa respiration, puis les rouvre et pose la crosse contre le fond de la barque. Il veille à ce qu'elle soit bien calée contre une planche et dirige le canon chauffé par le soleil de ses deux mains pour venir en coller l'extrémité contre son front.

Il a un haut-le-cœur à l'idée que toute sa tête soit déchiquetée.

Ses mains tremblent tellement qu'il est obligé d'attendre un moment.

Il se ressaisit et dirige la bouche du canon sur son cœur.

Les hirondelles ont commencé à voler plus bas, elles rasent la surface de l'eau à la recherche d'insectes.

Il va sans doute pleuvoir cette nuit, se dit-il.

Un avion dessine un trait blanc sur le ciel et Pontus pense de nouveau à son cauchemar.

A cette idée, il lui semble que tout le lac s'assombrit, comme si l'eau noircissait depuis les profondeurs.

Il prend alors le canon dans sa bouche, il le sent frôler ses dents, il sent le goût du métal.

Il tend la main vers la détente mais se fige en entendant le bruit d'une voiture. Son cœur fait un bond dans sa poitrine. En une seconde à peine, de nombreuses idées fusent dans sa tête. Il réalise enfin que ce ne peut être que sa femme car elle est la seule à savoir où il se trouve.

Il repose le fusil et sent son pouls battre dans tout son corps, il tremble comme une feuille en tentant d'apercevoir quelque chose entre les arbres du côté de sa maison.

Un homme marche sur le sentier menant au ponton.

Il lui faut un moment pour comprendre qu'il s'agit de l'inspecteur qui s'est rendu à son bureau pour lui montrer la photo de Veronique.

En le reconnaissant, une angoisse d'une tout autre nature l'envahit. Dites-moi que ce n'est pas trop tard, se répète-t-il encore et encore alors qu'il commence à ramer en direction du bord. Dites-moi que ce n'est pas trop tard, dites-moi que je ne vais pas devoir affronter mon cauchemar, dites-moi que ce n'est pas trop tard.

*

Pontus Salman ne rame pas jusqu'au ponton. Son visage est livide et il se contente de hocher la tête lorsque Joona Linna lui demande d'approcher. Il fait pivoter la barque à l'aide de ses rames de façon à ce que l'avant de l'embarcation pointe vers le lac.

Joona s'assied sur le banc fissuré et décoloré par le soleil installé au bout du ponton. Au bord du lac, la végétation semble vibrer dans la chaleur. L'eau clapote doucement.

— Qu'est-ce que vous voulez ? demande Pontus d'une voix effrayée.

— Je viens de parler avec votre femme, dit Joona à voix basse.

— Vous lui avez parlé ?

— Oui, et je…

— Vous avez parlé avec Veronique ? demande Pontus inquiet.

— Je dois vous poser quelques questions.

— C'est trop tard.

— Vous avez tout le temps pour faire ça, dit Joona en regardant le fusil dans la barque.

— Que savez-vous ? marmonne Pontus.

Les rames bougent doucement dans l'eau.

— Je sais que les munitions pour le Kenya sont en réalité destinées au Soudan.

Pontus Salman ne répond pas.

— Je sais que c'est votre épouse qui a pris la photo dans la loge.

Pontus demeure la tête baissée, mais relève les rames et de l'eau s'écoule sur ses mains.

— Je ne peux pas mettre un terme à cette affaire, dit-il résolument. J'étais pressé, j'avais besoin de cette commande…

— Alors vous avez signé le contrat.

— C'était inattaquable, même une fois l'affaire dévoilée au grand jour. On pouvait tous prétendre être de bonne foi, personne n'était coupable.

— Et pourtant ça a mal tourné.

— Oui.

— J'avais prévu d'attendre pour vous arrêter…

— Puisque vous ne pouviez rien prouver.

— Je n'en ai pas encore parlé avec le procureur, mais je suis sûr que nous pouvons vous proposer une remise de peine si vous acceptez de témoigner contre Raphael Guidi.

— Témoigner ? Je ne témoignerai pas, dit Pontus d'une voix ferme. Vous ne comprenez pas. J'ai signé un type de contrat très particulier et si je n'étais pas aussi lâche, j'aurais déjà fait comme Palmcrona.

— Nous vous protégerons si vous témoignez.

— Palmcrona a trouvé un moyen d'y échapper, chuchote Pontus. Il s'est pendu. Désormais, c'est son successeur qui doit signer l'autorisation d'exportation. Palmcrona n'avait plus aucun intérêt pour Raphael et il n'a pas eu à affronter son cauchemar…

Un sourire illumine soudain le visage blafard de Pontus.

Joona l'observe un moment. Lui sait que Palmcrona n'a pas échappé à son cauchemar, à savoir la mort de son fils.

— Une psychologue est en chemin, explique Joona. Et elle va tenter de vous démontrer que le suicide n'est pas…

Pontus Salman commence à ramer vers le large.

— Pontus, je n'ai pas fini, j'ai d'autres questions, dit Joona en haussant la voix. Vous dites que le prochain directeur de l'ISP sera obligé de signer l'autorisation, mais que se passera-t-il s'il refuse ? Ne peut-il pas simplement refuser de conclure un pacte Paganini ?

Pontus Salman s'immobilise mais la barque continue de glisser, ses rames traînant dans l'eau.

— Si, il le peut, répond-il calmement. Mais il ne le fera pas…

92

DÉMASQUÉ

Axel est réveillé par le téléphone qui sonne sur sa table de chevet.

Il n'avait pu s'endormir qu'au petit matin contre le corps moite de Beverly.

Il observe désormais son jeune visage qui lui évoque encore les traits de Greta, sa bouche et ses paupières.

Beverly chuchote quelque chose dans son sommeil et se retourne sur le ventre.

Une vague de tendresse l'envahit à la vue de ce petit corps frêle, de ce jeune corps à faire fondre le cœur.

Il se redresse dans son lit et tend la main pour attraper le petit livre *La Panne* de Friedrich Dürrenmatt lorsqu'on frappe à la porte de sa chambre.

— Attends, dit Axel tandis que Robert entre dans la pièce.

— Je pensais bien que tu serais réveillé, dit son frère. J'aurais besoin de ton avis sur un nouvel instrument que je…

Robert découvre Beverly et s'arrête net.

— Axel, bredouille-t-il. C'est quoi cette histoire, Axel ?

Beverly se réveille au son de sa voix mais lorsqu'elle l'aperçoit dans la pièce, elle se cache sous la couverture. Axel se lève et enfile sa robe de chambre, mais Robert recule vers la porte.

— Enfoiré, dit-il à voix basse. Enfoiré…

— Ce n'est pas ce que…

— Tu as abusé d'elle ? Une fille malade ? crie Robert.

— Je peux expliquer.

— Espèce de salaud, chuchote Robert avant de le saisir par le col et de le repousser sur le côté.

Axel perd l'équilibre et renverse une lampe. Robert s'éloigne de la pièce à reculons.

— Attends, dit Axel en le suivant. Je sais de quoi ça a l'air, mais ce n'est pas ça. Tu peux demander…

— Je vais me rendre à la police avec elle, dit Robert, bouleversé. Je ne t'aurais jamais cru capable de…

Sa voix s'étrangle et ses yeux s'emplissent de larmes.

— Je ne suis pas un pédophile, dit Axel en s'efforçant de rester calme. Il faut que tu comprennes. J'ai juste besoin de…

— Tu as juste besoin de te livrer à des violences sexuelles sur des enfants, l'interrompt Robert qui semble complètement désespéré. Tu abuses de quelqu'un dont tu as promis de t'occuper, que tu as promis de protéger.

Ils s'arrêtent devant la bibliothèque et Robert s'affaisse sur le canapé. Il regarde son frère et tente de maîtriser sa voix :

— Axel, tu comprends que je suis obligé de l'amener à la police.

— Oui. Je le comprends.

Robert n'a plus le courage de regarder son frère dans les yeux. Il passe sa main sur sa bouche avant de soupirer.

— Ça ne sert à rien d'attendre.

— Je vais la chercher, dit Axel en retournant dans la chambre.

Beverly est assise sur le lit, elle lui sourit et agite ses orteils.

— Habille-toi, dit-il d'une voix grave. Tu dois accompagner Robert.

Lorsqu'il revient au salon, Robert se lève aussitôt du canapé. Ils attendent tous les deux en fixant le plancher.

— Tu restes ici, dit Robert à voix basse.

— Oui, chuchote Axel.

Après un moment, Beverly entre dans la pièce. Elle porte un jean et un T-shirt. Sans maquillage, elle paraît plus jeune que jamais.

93

LA MORT DE GRETA

Robert conduit en silence. Il s'arrête à un feu et attend qu'il passe au vert.

— Je suis vraiment désolé, dit-il à voix basse. Mon frère disait qu'il t'hébergeait en attendant que tu trouves un logement étudiant, je ne comprends pas, je n'aurais jamais cru que…

— Axel n'est pas un pédophile, chuchote-t-elle.

— Je ne veux pas que tu prennes sa défense, il ne le mérite pas.

— Il ne me touche pas, il ne l'a jamais fait.

— Qu'est-ce qu'il fait alors ?

— Il me tient.

— Tient ? répète Robert. Mais tu as dit…

— Il me tient pour pouvoir dormir, dit-elle d'une voix claire et franche.

— Qu'est-ce que tu veux dire ?

— Il n'y a rien de tordu – rien que j'aie remarqué en tout cas.

Robert soupire et lui dit qu'elle pourra tout raconter à la police.

En prononçant ces mots, un désespoir immense semble enserrer sa poitrine.

— C'est par rapport à son sommeil, explique lentement Beverly. Il ne peut pas dormir sans cachets, mais ma présence l'apaise, il devient…

— Tu es mineure, l'interrompt Robert.

Beverly regarde fixement au-dehors à travers le pare-brise. Les feuilles des arbres frémissent dans la brise de ce début d'été. Deux femmes enceintes se promènent sur le trottoir en papotant. Une vieille dame est complètement immobile, le visage levé vers le soleil.

— Pourquoi ? demande soudain Robert. Pourquoi est-ce qu'il n'arrive pas à dormir la nuit ?

— Il dit que c'est comme ça depuis cent ans.

— Oui, il a détruit son foie avec tous ces médicaments.

— Il m'a tout raconté à l'hôpital, dit Beverly. Quelque chose lui est arrivé, mais…

Robert s'arrête devant un passage piéton. Un enfant perd sa tétine dans la rue, sa mère ne le remarque pas et continue à avancer. L'enfant se libère et part en courant. La femme pousse un cri, mais s'aperçoit que Robert a vu la scène. Elle rattrape l'enfant qui gigote dans ses bras et l'amène de l'autre côté de la rue.

— Il y avait une fille qui est morte, dit lentement Beverly.

— Qui ?

— Il ne veut jamais en parler, mais juste à ce moment-là, à l'hôpital…

Elle se tait, croise ses doigts puis tambourine sur ses jambes.

— Raconte-moi ce qu'il a dit, dit Robert d'une voix tendue.

— Ils ont passé la nuit ensemble et après elle s'est suicidée, dit Beverly en lorgnant Robert du coin de l'œil. Je lui ressemble, pas vrai ?

— Oui.

— A l'hôpital il disait qu'il l'avait tuée, chuchote Beverly.

Robert tressaille et se tourne vers elle.

— Comment ça ?

— Il m'a raconté qu'elle était morte à cause de lui.

Robert la regarde, bouche bée.

— Il dit… il dit que c'était sa faute ?

Beverly hoche la tête.

— C'était sa faute, poursuit-elle. Car ils auraient dû répéter leur morceau de violon, mais ils ont couché ensemble et elle a pensé qu'il l'avait piégée pour gagner le concours.

— Ce n'était pas sa faute.

— Si.

Robert s'affaisse sur son siège. Il frotte son visage à plusieurs reprises.

— Doux Jésus, chuchote-t-il. Il faut que je…

Quelqu'un klaxonne derrière eux et Beverly lui adresse un regard inquiet.

— Qu'est-ce qu'il y a ? demande-t-elle.

— Je… Il faut que je lui dise quelque chose, dit Robert qui commence à faire demi-tour. J'étais resté dans les coulisses lorsqu'il a joué, je sais ce qui s'est passé, Greta est passée avant lui, elle était la première et…

— Tu participais aussi ?

— Attends, l'interrompt Robert. J'ai tout entendu, je… La mort de Greta, ça n'a rien à voir avec Axel…

Il est si bouleversé qu'il doit s'arrêter, son visage a la couleur de la cendre lorsqu'il se tourne vers Beverly et dit :

— Pardon, chuchote-t-il. Mais il faut vraiment que je…

— Tu es sûr ?

— Comment ?

— Tu es sûr que ce n'était pas la faute d'Axel ?

— Oui.

— Mais qu'est-ce qui s'est passé ?

Robert essuie ses larmes et ouvre la portière d'un air pensif.

— Accorde-moi une seconde, il faut que je… il faut que je lui parle, dit-il à voix basse en sortant de la voiture.

Les gros tilleuls sur Sveavägen dispersent leurs graines qui dansent au soleil au-dessus des voitures et des gens. Soudain, Robert sourit, il prend son téléphone et compose le numéro d'Axel. Après trois sonneries, son sourire s'estompe. Il retourne vers la voiture, son portable contre l'oreille. Ce n'est que lorsqu'il interrompt l'appel pour tenter de le joindre sur son portable qu'il se rend compte que la voiture est vide. Beverly a disparu. Il regarde autour de lui, mais ne la voit nulle part. Le grondement de la circulation est constant. Le vacarme des jeunes conducteurs lui parvient de la place Sergel. Il referme la portière, démarre et roule lentement en cherchant Beverly des yeux.

94

DU PLASTIQUE BLANC

Axel Riessen ignore depuis combien de temps il est à la fenêtre, le regard perdu à l'horizon après le départ de Robert et
Beverly. Ses pensées s'attardent dans le passé. Il s'arrache à ses
souvenirs puis avance jusqu'à la chaîne stéréo, met la face A
de *The Rise and Fall of Ziggy Stardust and the Spiders from
Mars* de David Bowie et monte le volume.

Pushing thru the market square...

Axel prend dans le bar une bouteille de whisky parmi les
plus chères. C'est un Macallan datant de la première année de
la guerre, 1939. Il se verse un demi-verre et s'installe dans le
canapé. Les yeux mi-clos, il écoute la musique, la voix jeune et
le piano, puis il hume dans son verre l'odeur du fût de chêne,
de cuves et de caves obscures, de la paille et du citrus.

Il boit une gorgée, l'alcool brûle ses lèvres et emplit sa
bouche. En déployant ses arômes, le liquide a vu défiler des
générations, des changements de gouvernements, des guerres
et des trêves.

Axel tente de se convaincre que ce qui s'est passé est pour
le mieux. Peut-être Beverly obtiendra-t-elle enfin l'aide dont
elle a besoin. Il a soudain envie d'appeler son frère pour lui
dire qu'il l'aime, mais se ravise et sourit du caractère légèrement pathétique de cette idée. Il ne se suicidera pas, il affron-
tera simplement ce qui l'attend et tentera d'y faire face.

Il apporte son whisky dans la chambre à coucher et regarde
un instant le lit défait. Il a juste le temps d'entendre que son
portable vibre dans sa veste lorsque des pas font grincer le parquet du salon.

— Beverly ! dit-il, étonné.

Elle a le visage poussiéreux et elle tient une aigrette de pissenlit à la main.

— Je ne voulais pas parler avec la police…

— Où est Robert ?

— J'ai fait du stop pour rentrer. Il n'y a pas eu de soucis, tout s'est bien passé…

— Pourquoi as-tu fait ça ? Tu aurais dû…

— Ne sois pas fâché, je n'ai rien fait de mal, j'avais juste besoin de te dire quelque chose de très important…

Le téléphone se met de nouveau à vibrer.

— Attends, Beverly, je dois répondre…

Il fouille dans les poches de sa veste, trouve son portable et s'empresse de répondre :

— Axel Riessen.

C'est une voix lointaine :

— Allô ?

— Allô, répond Axel.

— Raphael Guidi à l'appareil, dit-il en anglais d'une voix grave. Je vous prie d'excuser le grésillement sur la ligne, mais je suis en mer.

— Aucun problème, répond poliment Axel en voyant Beverly s'asseoir sur le lit.

— Je vais aller droit au but. Je vous appelle pour savoir si vous avez eu le temps de signer l'autorisation d'exportation pour le Kenya. Je m'attendais à ce que le cargo puisse quitter le port à l'heure qu'il est.

Axel se rend dans le salon avec le téléphone mais n'entend que sa propre respiration. Il pense à la photo de Raphael Guidi, Carl Palmcrona, Agathe al-Haji et Pontus Salman. Il revoit la façon dont Palmcrona tenait son verre de champagne, son large sourire exhibant ses gencives.

— Vous êtes toujours là ? demande Raphael Guidi après un moment.

— Je ne compte pas signer l'autorisation, répond sèchement Axel. Un frisson lui parcourt le dos.

— Je pourrais peut-être vous faire reconsidérer la question, dit Raphael. Je vous invite à songer à ce que je pourrais vous offrir si…

— Vous n'avez rien qui m'intéresse.

— Là, je pense que vous avez tort. Lorsque je signe un contrat…

Axel raccroche et le silence s'installe dans la pièce. Tandis qu'il remet le téléphone dans sa veste, il sent un grand malaise l'envahir, comme un mauvais pressentiment. Il se dirige alors vers la porte du couloir qui mène à l'escalier. Lorsqu'il regarde par la fenêtre, il perçoit un mouvement dans le parc, comme une ombre transparente entre les buissons à côté de la maison. Axel se tourne vers l'autre fenêtre mais ne voit rien. En revanche, il entend un bref tintement au rez-de-chaussée, comme du verre qui se brise au soleil. Axel se dit que c'est absurde, et pourtant il comprend ce qui est en train de se passer. Son cœur bat à tout rompre, une montée d'adrénaline met tous ses sens en alerte, et il déplace aussi vite qu'il le peut sans courir. Il rejoint Beverly dans la chambre. Une belle lumière pénètre dans la pièce par l'interstice entre les rideaux. C'est comme un mur en verre qui transpercerait l'espace jusqu'aux pieds de Beverly. Elle s'est déshabillée et s'est allongée sur le lit défait avec le petit roman de Dürrenmatt posé sur le ventre.

— Axel. Je suis venue t'annoncer une bonne nouvelle…

— Ne t'inquiète pas, l'interrompt-il d'une voix qu'il veut la plus calme possible. Mais il faut que tu te caches sous le lit. Fais-le maintenant et restes-y, au moins une heure.

Elle s'exécute sans poser de questions. Axel entend des pas rapides dans l'escalier. Ils sont au moins deux. Le jean et le T-shirt de Beverly gisent sur le fauteuil. Il les jette sous le lit. Son cœur cogne dans sa poitrine, il regarde autour de lui et se sent terriblement impuissant. Les idées se bousculent dans sa tête. Il prend son téléphone et se précipite dans le salon. Derrière lui, des pas résonnent dans le couloir qui mène à la bibliothèque. Les mains tremblantes, il ouvre le clapet de son portable. Le plancher grince doucement, quelqu'un arrive à pas feutrés. Il n'a plus le temps de téléphoner. Il tente de rejoindre la fenêtre pour crier à l'aide, mais quelqu'un empoigne son poignet droit et appuie quelque chose de frais contre son cou. Il ignore qu'il s'agit d'un pistolet à impulsion électrique. Son corps reçoit une décharge de soixante-neuf mille volts en émettant une sorte de crépitement, mais Axel ne ressent qu'une série de coups violents, comme si quelqu'un lui frappait la nuque avec une barre de fer. Il ne se rend pas compte qu'il crie, son cerveau s'endort et le monde alentour disparaît. Lorsqu'il reprend connaissance, un homme a déjà collé du scotch sur sa bouche. Il est allongé au sol et son corps est parcouru de

spasmes. Ses jambes et ses bras tremblent. Il ressent une douleur terrible dans le cou. Il n'a aucun moyen de se défendre,
ses muscles sont paralysés. Avec une brutalité qui leur semble
toute naturelle, ils l'enroulent dans du plastique blanc. Il se
froisse autour de son corps et Axel pense qu'il va étouffer.
Puis ils l'enroulent de scotch avant de le soulever. Il tente de
se tortiller mais ne parvient pas à bouger. Il ne contrôle plus
ses muscles. Les deux hommes le portent calmement en bas
de l'escalier, sortent de la maison par la porte d'entrée et montent
dans une fourgonnette qui les attend devant.

95

DISPARU

Joona hèle Pontus Salman pour tenter de le faire revenir. La barque s'éloigne encore. Joona court alors vers la psychologue et deux agents de police de Södertälje qui arrivent au loin. Il les accompagne ensuite jusqu'au ponton et leur suggère de rester prudents bien qu'il ne pense pas que Pontus Salman soit susceptible de se faire du mal ou d'en faire à autrui.

— Assurez-vous simplement de le prendre en charge, je vous recontacterai dès que possible. Il se précipite vers sa voiture.

En passant sur le pont au-dessus de Fittjaviken, Joona pense à ce que lui a dit Pontus Salman. Il semblait persuadé qu'Axel Riessen allait également conclure un pacte Paganini.

Alors qu'il compose le numéro d'Axel Riessen, Joona se remémore son entretien avec Veronique Salman. Elle avait les traits fatigués et avait expliqué d'un air effrayé que, une fois qu'on avait baisé la main de Raphael Guidi, il n'y avait plus d'échappatoire possible.

Le mot cauchemar semblait être la clef, il revenait sans cesse. La femme de ménage de Palmcrona l'avait employé, Veronique Salman avait dit que Raphael pouvait obtenir de tous l'aveu de leur pire cauchemar. Sans oublier Pontus Salman, qui affirmait que Palmcrona avait réussi à échapper à son cauchemar en mettant fin à ses jours.

Stefan Bergkvist n'a jamais su que Carl Palmcrona était son père. Joona frissonne en songeant à la chaleur épouvantable qui a brûlé la chair sur son squelette, fait bouillir son sang et éclater le crâne du garçon.

Même la mort ne peut rompre un pacte Paganini.

Joona tente une nouvelle fois de joindre Axel Riessen avant de composer le numéro de sa ligne directe à l'ISP.

— Secrétaire du directeur général Axel Riessen, répond une femme.

— Je cherche à joindre Axel Riessen.

— Il n'est pas joignable pour le moment.

— Je suis inspecteur de police et j'ai besoin de lui parler tout de suite.

— Je comprends, mais…

— Interrompez-le s'il est en réunion.

— Il n'est pas là, dit-elle en haussant le ton. Il n'est pas venu ce matin et je n'ai pas réussi à le joindre.

— Bien, dit Joona en raccrochant.

Joona gare sa Volvo dans Brahegatan devant le portail de la maison d'Axel Riessen. Il a juste le temps d'apercevoir quelqu'un fermer la porte d'entrée de son frère. Joona se précipite sur le perron et appuie sur la sonnette. La fermeture cliquette et la porte s'ouvre.

— Tiens, dit Robert Riessen. Bonjour.

— Axel est-il à la maison ?

— Il devrait, mais je viens d'arriver. Il s'est passé quelque chose ?

— J'ai essayé de le joindre sans succès.

— Moi aussi, dit Robert en faisant entrer Joona.

Ils montent quelques marches et pénètrent dans une grande salle où pend un lustre en verre rose. Robert frappe à une porte et ils entrent dans l'appartement d'Axel. Ils gravissent en silence les marches de l'escalier.

— Axel ! crie Robert.

Rien ne semble avoir bougé, la chaîne stéréo est allumée mais n'émet aucun son. Un volume de l'*Encyclopaedia Britannica* gît sur le chariot de la bibliothèque.

— A-t-il pu partir en voyage quelque part ? demande Joona.

— Non, dit Robert d'une voix fatiguée. Mais il fait tellement de choses étranges.

— Que voulez-vous dire ?

— On pense le connaître, mais… Non, je ne sais pas.

Joona entre dans la chambre et balaie rapidement la pièce du regard. Un grand tableau est posé contre le mur, un pissenlit a été mis dans un verre à whisky, un livre repose sur le lit défait.

Robert a commencé à descendre l'escalier et Joona le suit jusqu'à la grande cuisine.

96

RAPHAEL GUIDI

Joona gare sa voiture près du parc Kronoberg et traverse rapidement les grandes pelouses en direction du commissariat tandis qu'il appelle la police de Södertälje. Une sourde inquiétude a commencé de grandir en lui depuis qu'il a quitté le lac alors que Pontus Salman devait être appréhendé.

Ce mauvais pressentiment se voit confirmé lorsqu'un agent de Södertälje lui explique qu'il ignore où se trouve Pontus Salman.

— Je vous rappelle, dit l'homme dans un dialecte du Gotland. Accordez-moi quelques minutes.

— Mais vous l'avez bien arrêté ?

— Logiquement, oui, dit l'homme d'une voix hésitante.

— J'ai été très clair sur le fait qu'il fallait le prendre en charge.

— Ce n'est pas la peine de me mettre la pression. Je suis sûr que les collègues ont assuré.

Il pianote sur son ordinateur, marmonne quelque chose et pianote encore avant de répondre :

— Si, si, on l'a ici et on a confisqué son fusil, un Winchester 400.

— Bien, gardez-le. On va envoyer une voiture pour le récupérer, dit Joona en sentant une vague odeur de chlore lorsqu'il passe devant les grandes portes vitrées de la piscine Kronoberg.

Il prend l'ascenseur et a presque atteint le bureau de Carlos Eliasson lorsque son téléphone sonne. C'est Disa. Il n'a pas vraiment le temps de prendre l'appel, mais répond tout de même.

— Salut, dit Disa. Tu viens demain ?

— Tu as dit que tu ne voulais pas fêter ton anniversaire.

— Je sais, mais je me suis dit… juste toi et moi.

— Ça me dit bien, dit Joona.

— J'ai quelque chose d'important à te dire.

— D'accord, dit Joona.

— Je…

— Je suis désolé, Disa, l'interrompt-il. Mais je ne peux pas te parler plus longtemps. Je dois me rendre à une réunion importante.

— J'ai une surprise.

— Disa, il faut vraiment que j'y aille, dit-il en ouvrant la porte.

— Mais…

— Je suis vraiment navré, je n'ai pas le temps.

Il entre, referme la porte derrière lui et s'installe dans le canapé à côté de Saga Bauer.

— Nous n'arrivons pas à joindre Axel Riessen et nous craignons que cela n'ait un rapport avec l'autorisation qu'il doit signer, dit Joona. Nous pensons que Raphael Guidi y est pour quelque chose et c'est pourquoi il nous faut un mandat d'arrêt aussi vite que…

— Mandat d'arrêt ? demande Carlos, incrédule. Axel Riessen ne répond pas au téléphone depuis deux heures, il ne s'est pas présenté à son travail ce matin et vous pensez qu'il a été kidnappé par Raphael Guidi, un homme d'affaires reconnu qui n'a jamais été inculpé pour la moindre chose.

Carlos déplie ses doigts un à un :

— Un, la police suédoise n'a rien sur lui ; deux, Europol n'a rien sur lui ; trois, Interpol n'a rien. J'ai contacté la police en France, en Italie, à Monaco.

— Mais moi j'ai discuté avec Anja, dit Joona avec un sourire.

— Tu as discuté avec…

La porte s'ouvre et Anja Larsson entre :

— Depuis environ dix ans, le nom de Raphael Guidi est apparu dans six enquêtes préliminaires concernant des trafics d'armes, des délits financiers et des décès, dit-elle.

— Des enquêtes préliminaires, objecte Carlos. Ça ne signifie pas…

— Je peux finir ? l'interrompt-elle.

— Oui, évidemment.

— Les soupçons qui pesaient contre Raphael Guidi ont été abandonnés dès le début de l'enquête dans presque tous les cas et il n'a jamais comparu devant un tribunal.

— Rien, dit Carlos.

— Son groupe a gagné 123 millions de dollars avec l'opération *Tempête du désert* en fournissant les missiles air-sol AGM-65 Maverik aux avions de combat Nighthawk, poursuit Anja après avoir jeté un œil à ses notes pour vérifier ses informations. Mais c'est l'une de ses entreprises affiliées qui a fourni les lance-roquettes aux forces serbes lorsqu'ils ont descendu le même avion pendant la guerre du Kosovo.

Anja leur montre une photo de Raphael. Il porte des lunettes de soleil aux verres orangés, des vêtements décontractés, un pantalon bleu barbeau et une chemise ample de la même couleur. Entouré de deux gardes du corps, il sourit à l'objectif devant une Lamborghini Diablo.

— La femme de Raphael... c'était la fameuse violoniste Fiorenza Colini. Un an seulement après la naissance de leur fils Peter, elle a eu un cancer du sein. Elle a suivi tous les traitements possibles, mais elle est morte lorsque leur fils avait sept ans.

Sur une coupure de presse de *La Repubblica*, une photo représente Fiorenza Colini, un magnifique violon rouge contre l'épaule. A l'arrière-plan, apparaît l'orchestre de la Scala au complet, le chef d'orchestre Riccardo Muti se tient à ses côtés. Ses cheveux brillent dans la lumière des projecteurs.

Fiorenza Colini porte une robe scintillante couleur platine brodée de fils argentés. Elle sourit, les paupières mi-closes. Son coude droit est positionné vers le bas, elle tire l'archet, sa main gauche est située à l'extrémité du manche, elle joue une note aiguë.

Raphael Guidi aux côtés d'Alice Cooper en une de *Newsweek*, exhibant son nouveau-né. Le magazine a titré "Billion Dollar Baby".

Sur une autre coupure de presse, on le voit en costume clair en train de discuter avec Silvio Berlusconi. Derrière eux, trois blondes aux maillots de bain minuscules sont assises autour d'une piscine en marbre rose en forme de cœur.

— Raphael Guidi vit à Monaco, mais si on veut le rencontrer, il faut aller en mer d'après ce que j'ai compris. En ce moment il passe le plus clair de son temps sur son énorme yacht *Theresa*. On peut le comprendre. Le yacht a été construit par Lürssen à Brême il y a quinze ans, et à l'époque c'était le plus cher au monde.

Une photo tirée du *Vogue* français représente le bateau en forme de flèche au milieu de la mer, comme un fer de lance en porcelaine. Sur la double page centrale s'étale un article titré "Un lion à Cannes". Il est accompagné d'une photo prise à bord du yacht de luxe lors du Festival de Cannes. Tous les hommes sont en smoking. L'acteur Kevin Costner discute avec Salma Hayek et Raphael Guidi est encadré par sa femme et la fameuse playmate suédoise, Victoria Silvstedt. Derrière lui attendent deux gardes du corps au visage impavide. On devine le port à travers les nombreuses fenêtres de la salle à manger. Des toucans sont enfermés dans des cages à oiseaux qui pendent au plafond. Au centre de la salle, il y a un lion en cage.

Ils rendent les coupures de presse à Anja qui dit calmement :

— On écoute ça tous ensemble… ? Les services de renseignement belges ont enregistré une conversation téléphonique entre un procureur italien et Salvatore Garibaldi qui était le général de brigade de l'Esercito italiano, l'armée de terre italienne.

Elle distribue une traduction de la conversation, introduit ensuite la clef USB dans l'ordinateur de Carlos puis lance le programme. Une voix monotone relate en français les circonstances de la conversation, les lieux, la date et l'heure. On entend ensuite un cliquetis métallique et une tonalité lointaine.

Il y a un grésillement puis une voix distincte se fait entendre :

— Je vous écoute, je suis prêt à lancer une enquête préliminaire, dit le procureur.

— Mais je ne témoignerai jamais contre Raphael, même pas sous la torture, pas…

La voix de Garibaldi disparaît, on entend un nouveau grésillement puis le silence complet avant que sa voix ne revienne, mais plus faible, comme si on l'écoutait à travers une porte fermée :

— … avec des freins de bouche et des lance-roquettes sans recul… et une putain de quantité de mines, il y avait des mines terrestres, des mines anti-véhicules, des mines antichars… Raphael n'aurait jamais… comme au Rwanda, il s'en foutait. Il y avait des gourdins et des machettes – pas de quoi faire fortune. Mais lorsque ça s'est propagé au Congo, il a voulu entrer dans le jeu, il trouvait que ça devenait intéressant. Il a d'abord armé le FPR* pour bien mettre la pression à Mobutu puis il a

* Front patriotique rwandais.

430

commencé à fournir des armes lourdes aux Hutus pour leur permettre d'affronter le FPR.

Une étrange tonalité siffle à travers le bruissement.

— Cette histoire de cauchemar, je n'y croyais pas vraiment. J'ai dû rester à ses côtés, tenir sa main transpirante… Ma fille, elle avait quatorze ans. Tellement belle, tellement belle… Raphael… il l'a fait lui-même, il voulait la taillader, criait qu'il possédait mon cauchemar. Je n'arrive pas à comprendre.

La ligne grésille de nouveau et on perçoit un hurlement, du verre se brise, l'enregistrement saute.

— Comment est-ce qu'on peut faire des choses aussi… Il a pris le couteau d'un des gardes du corps… le visage de ma fille, son joli, joli…

Salvatore Garibaldi pleure, se lamente et s'écrie ensuite qu'il veut mourir, que c'est tout ce qu'il veut.

L'enregistrement se termine et laisse place à un silence de plomb. Une lumière dansante s'infiltre par les petites fenêtres qui donnent sur les pentes vertes du parc Kronoberg.

— Cet enregistrement, dit Carlos après un moment. Il ne prouve rien… il a dit au début qu'il ne comptait pas témoigner, donc j'imagine que le procureur a classé l'enquête préliminaire.

— Trois semaines après cette conversation téléphonique, la tête de Salvatore Garibaldi a été retrouvée par un maître-chien dans le fossé près du viale Goethe derrière l'hippodrome de Rome, dit Anja.

— Et la fille ? demande Joona à voix basse. Qu'est-ce qui s'est passé ?

— Maria Garibaldi, âgée de quatorze ans, est toujours portée disparue, dit Anja d'un ton bref.

Carlos soupire, marmonne quelque chose, avance jusqu'à l'aquarium et observe un moment ses poissons paradis avant de se retourner.

— Qu'est-ce que je peux faire ? Vous ne pouvez pas prouver que les munitions sont destinées au Soudan et vous n'avez pas le moindre indice pour impliquer Raphael Guidi dans la disparition d'Axel Riessen. Donnez-moi un élément tangible et j'en parlerai au procureur, mais j'ai besoin d'un lien et pas seulement…

— Je sais que c'est lui, l'interrompt Joona.

— Et pas seulement que Joona en soit persuadé, termine Carlos.

— Nous avons besoin d'un mandat et de moyens pour arrêter Raphael Guidi pour infraction aux lois suédoises et internationales, s'obstine Joona.

— Pas sans preuves, dit Carlos.

— Nous trouverons des preuves, dit Joona.

— Vous devrez convaincre Pontus Salman de témoigner.

— Nous allons le chercher aujourd'hui, mais je crois que ça va être difficile, il a toujours trop peur… il était tellement terrorisé qu'il était sur le point de se suicider, dit Joona.

— Mais si on arrête Raphael, il osera peut-être parler. Je veux dire, si ça se calme, dit Saga.

— Nous ne pouvons pas arrêter quelqu'un comme Raphael Guidi sans preuves, ni témoins, dit Carlos avec emphase.

— Alors, qu'est-ce qu'on fait, bordel ? dit Saga.

— On met la pression à Pontus Salman, c'est tout ce qu'on peut…

— Mais je pense qu'Axel Riessen est en danger, dit Joona. C'est trop urgent pour…

Ils se taisent tous les trois et se tournent vers la porte lorsque le procureur en chef Jens Svanehjälm entre dans la pièce.

97

LA FUITE

La climatisation a rafraîchi l'air dans la voiture. Pontus Salman sent ses mains trembler sur le volant. Il est déjà au milieu du pont de Lidingö. Un ferry finlandais quitte son emplacement à quai. Quelqu'un brûle des feuilles du côté du musée Milles-gården.

Quelques heures auparavant, il était assis dans sa petite barque et tentait d'enfoncer un fusil dans sa bouche. Le goût de métal persiste comme un souvenir funeste du frottement de l'arme sur ses dents.

Une femme aux cheveux ébouriffés s'était avancée sur le ponton avec l'inspecteur, elle lui avait crié de se rapprocher. Elle semblait avoir quelque chose d'important à lui dire. Elle devait avoir dans les quarante ans. Elle arborait une coiffure punk bleuâtre et ses lèvres étaient soulignées d'un rouge vif.

Après qu'il se fut installé face à elle dans une petite pièce grise, elle lui avait appris qu'elle s'appelait Gunilla et qu'elle était psychologue.

Elle lui avait parlé du fusil et de ses intentions d'un ton grave et sévère.

— Pourquoi vouliez-vous mourir, Pontus ? demanda Gunilla.

— Je ne le veux pas, répondit-il honnêtement.

La petite pièce était restée silencieuse un moment. Puis ils avaient continué à parler, et ses questions le confortaient de plus en plus dans l'idée qu'il ne voulait pas mourir et que fuir était la solution. Il avait alors commencé à penser à son voyage. Il pouvait disparaître et commencer une nouvelle vie sous une autre identité.

La voiture a désormais passé le pont. Pontus Salman consulte sa montre et un sentiment de soulagement se répand dans sa poitrine. L'avion a déjà dû quitter l'espace aérien suédois à l'heure qu'il est.

Il a parlé à Veronique de la Polynésie-Française et il l'imagine parfaitement, quittant l'aéroport avec un sac de voyage en tissu bleu et un chapeau à bord large qu'elle serait obligée de tenir pour ne pas qu'il s'envole.

Pourquoi ne s'échapperait-il pas lui aussi ?

Il doit simplement faire un saut chez lui pour récupérer son passeport dans le tiroir du bureau.

Je ne veux pas mourir, pense Pontus Salman en entendant les voitures gronder autour de lui.

Il était allé sur le lac pour fuir son cauchemar, mais il n'avait pas été capable d'appuyer sur la détente.

Je prends n'importe quel avion, se dit-il. Je peux aller en Islande, au Japon ou au Brésil. Si Raphael Guidi avait vraiment voulu me tuer, je ne serais déjà plus là.

Pontus Salman monte sur la voie d'accès au garage devant sa maison et quitte la voiture. Il respire l'odeur du bitume chauffé par le soleil mêlée à celle des gaz d'échappement et de la végétation.

La rue est vide, tout le monde travaille et les enfants du quartier sont encore à l'école.

Pontus Salman entre chez lui. Les lumières de la maison sont éteintes et les persiennes baissées.

Son passeport est dans son bureau, à l'étage inférieur et il commence à descendre l'escalier.

Une fois en bas, il se fige pour écouter un bruit étrange qui ressemble à une couverture qu'on traîne sur le carrelage.

— Veronique ? demande-t-il d'une voix qui porte à peine.

Pontus Salman voit la lueur de la piscine ondoyer sur le mur en pierre blanc. Il avance lentement, son cœur bat à tout rompre.

98

LE PROCUREUR

Le procureur en chef Jens Svanehjälm salue discrètement Saga Bauer, Joona Linna et Carlos Eliasson avant de s'installer. Les feuilles qu'Anja Larsson leur a apportées sont posées sur la table basse devant lui. Svanehjälm boit une gorgée de son café en regardant l'image en haut de la pile puis se tourne vers Carlos :

— Je crois que vous aurez du mal à me convaincre.

— On va y arriver, dit Joona en souriant.

— *Make my day**, dit le procureur.

On ne peut presque pas distinguer la pomme d'Adam sur le cou fin de Svanehjälm. Ses épaules frêles qui semblent retomber sous son costume renforcent l'impression d'un garçon qui s'est déguisé en adulte.

— C'est assez compliqué, commence Saga. Nous pensons qu'Axel Riessen, de l'ISP, a été enlevé et que cela a un rapport avec tout ce qui s'est passé ces derniers jours.

Elle s'arrête lorsque sonne le téléphone de Carlos.

— Je suis désolé, je pensais avoir prévenu que nous ne voulions pas être dérangés, dit-il avant de répondre. Oui, Carlos Eliasson…

Il écoute, rougit, puis marmonne quelque chose. Il remercie son interlocuteur de l'avoir appelé puis repose le combiné avec un mouvement mesuré.

— Je vous prie de m'excuser, dit Carlos.

— Aucun problème, répond Jens Svanehjälm.

— Je veux dire que je vous prie de m'excuser de vous avoir dérangé avec cette réunion, précise Carlos. C'était la secrétaire

---

* Fais-moi plaisir.

d'Axel Riessen, j'ai été en contact avec elle plus tôt dans la journée… Elle vient d'avoir Axel Riessen au téléphone.

— Qu'est-ce qu'elle a dit – qu'il a été enlevé ? dit Svanehjälm avec un petit sourire.

— Il est sur le bateau de Raphael Guidi pour discuter des dernières questions concernant l'autorisation d'exportation.

Joona et Saga échangent un bref regard.

— Cette réponse vous satisfait-elle ? demande le procureur.

— Visiblement, Axel Riessen a exigé un entretien avec Raphael Guidi, déclare Carlos.

— Il aurait dû nous en parler, dit Saga.

— Sa secrétaire m'a expliqué qu'ils étaient toute la journée en réunion sur le bateau pour éclaircir quelques zones d'ombre concernant une affaire en cours et qu'Axel Riessen comptait être en mesure de faxer sa signature à l'ISP ce soir.

— Pour l'autorisation d'exportation ? demande Saga en se levant.

— Oui, répond Carlos.

— Qu'est-ce qu'il devait faire après la réunion ? demande Joona.

— Il devait…

Carlos se fige et regarde Joona, étonné :

— Comment savais-tu qu'il avait des choses prévues après la réunion ? Sa secrétaire m'a dit qu'Axel Riessen avait posé des vacances pour naviguer le long des côtes jusqu'à Kaliningrad. Raphael Guidi doit lui prêter un Forgus.

— Ça fait rêver, dit Svanehjälm en se levant.

— Imbéciles, dit Saga en donnant un coup de pied dans la corbeille à papier. Ne me dis pas que vous ne pigez pas qu'on l'a forcé à appeler ?

— Nous pouvons tout de même nous comporter en adultes, marmonne Carlos.

Il redresse la corbeille et ramasse ce qui est tombé par terre.

— Nous avons fini – n'est-ce pas ? dit Svanehjälm d'une voix sérieuse.

— Axel Riessen est retenu en otage sur le bateau de Raphael Guidi, dit Joona. Donnez-nous des moyens pour aller le récupérer.

— Je suis peut-être un imbécile, mais je ne vois aucune raison valable de prendre la moindre mesure à son encontre, dit Jens Svanehjälm en quittant la pièce.

Ils le voient refermer calmement la porte derrière lui.

— Je suis désolée d'avoir pété un plomb, dit Saga à Carlos. Mais ça ne colle pas, on ne pense pas qu'Axel Riessen ait signé cette autorisation de son plein gré.

— Saga, j'ai mis deux juristes sur le coup, explique calmement Carlos. Tout ce qu'ils ont constaté, c'est que le dossier de Silencia Defence est parfait, le contrôle très ambitieux et...

— Mais nous avons une photo sur laquelle Palmcrona et Salman rencontrent Raphael Guidi et Agathe al-Haji pour...

— Je sais, l'interrompt Carlos. C'était la réponse à l'énigme, mais sans preuves nous ne pouvons pas aller plus loin et la photo ne suffit pas.

— Alors on va rester plantés là à regarder le cargo quitter la Suède alors qu'on sait pertinemment que les munitions vont alimenter le génocide au Soudan ? s'indigne Saga.

— Allez chercher Pontus, répond Carlos. Convainquez-le de témoigner contre Raphael, promettez-lui n'importe quoi, si seulement il témoigne...

— Mais s'il ne le fait pas, s'il refuse ? demande Saga.

— Alors on ne pourra rien faire.

— Nous avons un autre témoin, dit Joona.

— J'aimerais bien le rencontrer, dit Carlos d'une voix sceptique.

— Il faut juste aller le récupérer avant qu'on ne le retrouve noyé au large de Kaliningrad.

— Tu n'auras pas ce que tu veux cette fois, Joona.

— Si.

— Non.

— Si, dit Joona d'une voix dure.

Carlos regarde Joona avec des yeux navrés.

— On n'arrivera jamais à convaincre le procureur avec cette histoire, dit-il après un moment. Mais je ne peux pas passer ma vie assis ici à te dire non quand tu dis oui, donc...

Il se tait, soupire et réfléchit un instant avant de poursuivre :

— Donc, je t'autorise à partir seul à la recherche d'Axel Riessen pour t'assurer qu'il va bien.

— Joona a besoin de renforts, s'écrie presque Saga.

— Ceci n'est pas une opération de police, c'est uniquement pour que Joona me lâche les baskets, répond Carlos.

— Mais Joona va...

— Je veux que vous alliez chercher Pontus Salman à Söder-tälje, exactement comme je l'ai dit, l'interrompt Carlos. Car si l'on arrive à obtenir un témoignage qui tient la route, je veillerai à ce qu'on frappe fort et qu'on appréhende Raphael Guidi une bonne fois pour toutes.

— On n'a pas assez de temps pour ça, dit Joona qui se dirige vers la porte.

— Je peux interroger Pontus Salman toute seule, dit Saga.

— Et Joona ? Qu'est-ce que…

— Je vais passer dire bonjour à Raphael, dit-il en quittant la pièce.

99

LA RÉCOMPENSE

Après avoir été confiné dans le coffre d'une voiture, Axel Riessen peut enfin en sortir et marcher. Il se trouve dans un aéroport privé. La piste d'atterrissage en béton est bordée par une grande clôture. Devant une sorte de baraque avec une grosse antenne attend un hélicoptère.

Les cris plaintifs des mouettes retentissent dans le ciel alors qu'Axel avance, encadré par les deux hommes qui l'ont enlevé. Il n'est vêtu que de sa chemise et de son pantalon. Il n'y a pas lieu de parler, il se laisse docilement guider et monte dans l'hélicoptère. Il s'installe, accroche la ceinture autour de sa taille et de ses épaules tandis que les deux hommes prennent place dans le cockpit. Le pilote effectue les réglages nécessaires, tourne ensuite une petite clef brillante sur le tableau de bord, puis enfonce une pédale.

L'autre homme déplie une carte et la pose sur ses genoux.

Sur le pare-brise, un morceau de scotch est en train de se détacher. Les moteurs commencent à gronder puis le rotor se met lentement en mouvement. Les pales balaient paresseusement l'air, malgré la brume, la lumière du soleil scintille audessus de l'herbe. Le rotor tourne de plus en plus vite.

Au sol, un gobelet en carton est chassé par l'air.

Le moteur chauffe, le bruit dans la cabine devient presque assourdissant. Le pilote tient le manche de la main droite, le guide avec de petits mouvements saccadés et soudain ils décollent.

L'hélicoptère monte presque à la verticale puis s'incline vers l'avant et prend de la vitesse.

Une sensation d'aspiration semble empoigner le ventre d'Axel lorsqu'ils passent au-dessus de la clôture, montent au-dessus des arbres et pivotent si brusquement que l'hélicoptère semble sur le point de basculer sur le côté.

Ils survolent rapidement quelques champs verts, des routes éparses et une maison avec un toit en tôle scintillant.

L'hélicoptère gronde et, à travers le pare-brise, on ne peut plus distinguer les pales dans leur tournoiement.

La terre ferme laisse bientôt place à la mer ridée gris plomb.

Axel tente de comprendre ce qui lui arrive : tout a commencé par une conversation avec Raphael Guidi qui était sur son bateau dans le golfe de Finlande, vers la mer Baltique et la Lettonie. Il ne s'est pas écoulé plus d'une minute entre le moment où Axel a dit à Raphael qu'il ne comptait pas signer l'autorisation d'exportation et celui où deux hommes se sont introduits dans sa maison et l'ont électrocuté.

Pendant qu'ils le transportaient, ils ont toujours veillé à le manipuler doucement et l'ont allongé le plus confortablement possible.

Après une demi-heure de route, ils se sont arrêtés pour changer de voiture.

Environ une heure plus tard, Axel marchait sur la piste d'atterrissage goudronnée tachée de kérosène pour rejoindre l'hélicoptère.

La mer monotone défile comme une autoroute en dessous d'eux. Bien que nuageux et d'un blanc moite, le ciel paraît immobile. Ils volent à pleine vitesse à une altitude de cinquante mètres au-dessus du niveau de la mer. Le pilote est en contact radio avec quelqu'un, mais il est impossible d'entendre ce qu'il dit.

Axel finit par s'assoupir et, lorsqu'il se réveille, il n'a plus aucune notion du temps. Soudain, il aperçoit un magnifique yacht de luxe. C'est un immense bateau blanc équipé de piscines bleu clair et de plusieurs ponts supérieurs.

Ils s'en approchent rapidement.

Axel sait que Raphael Guidi est un homme terriblement riche et il se penche pour avoir une vue d'ensemble. C'est le bateau le plus incroyable qu'il ait jamais vu. Fuselé, une proue pointue comme une langue de feu, blanc comme neige. Il doit mesurer plus de cent mètres, une passerelle pompeuse s'étend sur deux étages au-dessus du pont arrière.

Ils plongent vers l'hélistation sur le pont avant. La vitesse des pales crée une série d'ondes concentriques autour du bateau.

L'atterrissage est presque imperceptible, l'hélicoptère fait du sur-place, descend lentement puis tangue légèrement avant de se poser sur la plate-forme. Ils attendent que le rotor ralentisse. Le pilote reste dans le cockpit pendant que l'autre homme guide Axel Riessen. Ils avancent rapidement, dos courbés, jusqu'à ce qu'ils passent une porte vitrée. Quand ils la referment derrière eux, le bruit de l'hélicoptère est presque étouffé. La pièce dans laquelle ils ont pénétré ressemble à une élégante salle d'attente, meublée de sièges, de tables basses et d'une télévision. Un homme vêtu de blanc leur souhaite la bienvenue et invite Axel à s'asseoir en désignant les sièges.

— Souhaitez-vous quelque chose à boire ? demande l'homme en blanc.

— De l'eau, s'il vous plaît, répond Axel.

— Gazeuse ou plate ?

Avant qu'Axel n'ait le temps de répondre, un autre homme fait irruption dans la pièce.

Il ressemble à celui qui était assis près du pilote. Les deux hommes sont grands et musclés, leurs corps singulièrement semblables et synchronisés. En revanche, le dernier arrivé a des cheveux très blonds, des sourcils presque blancs et un nez qui porte la marque d'une ancienne fracture tandis que le premier est grisonnant et porte des lunettes en écaille.

Ils avancent en silence, comme mesurant chacun de leurs gestes. Ils accompagnent Axel jusqu'aux suites situées sous le pont.

Le yacht semble curieusement désert. Axel a le temps de remarquer que la piscine est vide et ne semble pas avoir été remplie depuis de nombreuses années. Quelques meubles usés, un canapé sans coussins et quelques chaises de bureau gisent au fond du bassin.

Axel Riessen note également que les beaux meubles en rotin qui se trouvent sur une petite estrade sont mal entretenus. Le joli tressage est détérioré et de nombreuses tiges ressortent des fauteuils et de la table.

Plus il avance dans le bateau, plus celui-ci lui apparaît comme une coquille vide. Les pas d'Axel résonnent contre le sol en marbre des couloirs déserts. Ils franchissent une double porte portant l'inscription *Sala da pranzo* élégamment taillée dans le bois foncé. La salle à manger a des proportions démesurées. Les fenêtres panoramiques offrent une vue exceptionnelle sur la mer dégagée. Un large escalier recouvert d'un tapis rouge mène à l'étage. D'énormes lustres en cristal descendent du plafond. La pièce a été prévue pour de grandes réceptions, mais sur la table sont posés une photocopieuse, un téléfax, deux ordinateurs et un grand nombre de classeurs.

Au fond, un petit homme est assis à une table aux dimensions beaucoup plus raisonnables. Ses cheveux sont grisonnants et une auréole dégarnie brille au milieu de son crâne. Axel reconnaît immédiatement le marchand d'armes Raphael Guidi. Il est vêtu d'un pantalon de jogging bleu clair et d'une veste assortie portant le chiffre 7 sur la poitrine et sur le dos. Il porte des baskets blanches sans chaussettes.

— Bienvenue, dit l'homme en anglais avec un accent à couper au couteau.

Un téléphone sonne dans sa poche, il sort son portable, regarde l'écran et choisit de ne pas répondre. Presque aussitôt, il reçoit un autre appel, décroche, dit quelques mots en italien puis pose son regard sur Axel Riessen. Il fait un geste vers les fenêtres panoramiques donnant sur l'immensité ondulante de la mer obscure.

— Je ne suis pas ici de mon plein gré, commence Axel.

— Vous m'en voyez navré, on n'a pas le temps pour ça…

— Alors, qu'est-ce que vous voulez ?

— Je veux gagner votre loyauté, répond sèchement Raphael.

Le silence s'installe et les deux gardes du corps sourient furtivement en regardant le sol avant de retrouver leur sérieux. Raphael boit une gorgée de sa boisson vitaminée jaune et rote discrètement.

— La loyauté, c'est la seule chose qui compte, dit-il à voix basse en regardant Axel droit dans les yeux. Vous prétendiez tout à l'heure que je n'avais rien qui pourrait vous intéresser mais…

— C'est le cas.

— Mais je pense au contraire que j'ai une bonne proposition à vous faire, poursuit Raphael en tordant sa bouche en une sorte de grimace censée rappeler un sourire. Afin d'obtenir votre loyauté, je sais que je dois vous proposer quelque chose que vous désirez vraiment, peut-être même plus que tout.

Axel secoue la tête :

— Je ne sais même pas moi-même ce que je désire plus que tout.

— Je pense que si. Vous souhaitez pouvoir dormir à nouveau, dormir des nuits entières sans…

— Comment le savez-vous… ?

Il s'arrête net et Raphael lui adresse un regard froid et impatient.

— Alors vous savez sans doute que j'ai déjà tout essayé, dit lentement Axel.

Raphael fait un geste signifiant son indifférence :

— Vous aurez un nouveau foie.

— Je suis déjà sur liste d'attente pour un nouveau foie, dit Axel avec un sourire involontaire. Je téléphone aux médecins chaque fois qu'ils ont eu une réunion du conseil, mais je suis responsable de ma lésion et mon tissu cellulaire est si particulier qu'on ne peut trouver de donneur…

— J'ai un foie pour vous, Axel Riessen, dit Raphael de sa voix revêche.

Le silence tombe, Axel sent que son visage rougit et que ses oreilles s'enflamment.

— Et en contrepartie ? demande Axel qui déglutit avec peine. Vous voulez que je signe l'autorisation d'exportation pour le Kenya.

— Oui, je veux que nous concluions un pacte Paganini.

— Qu'est-ce que…

— On a le temps, réfléchissez-y, c'est une grande décision, vous devez connaître toutes les informations concernant le donneur, etc.

Les pensées se bousculent à la vitesse de l'éclair dans la tête d'Axel.

Il se dit qu'il peut signer l'autorisation d'exportation et, si la greffe prend, il pourra témoigner contre Raphael Guidi. Il obtiendra une protection, il le sait, il sera peut-être obligé de changer d'identité, mais il pourra dormir de nouveau.

— Et si nous mangions ? J'ai faim, vous avez faim ? demande Raphael.

— Peut-être…

— Mais avant de manger, j'aimerais que vous téléphoniez à votre secrétaire à l'ISP pour lui dire que vous êtes ici.

PONTUS SALMAN

Son téléphone à l'oreille, Saga s'arrête dans le couloir à hauteur d'un grand conteneur en plastique destiné au recyclage du papier. Elle observe distraitement un papillon mort qui tremblote comme une feuille dans la bouche d'aération.

— Vous n'avez rien d'autre à faire à Stockholm ? demande un homme en dialecte de Gotland lorsqu'elle est mise en relation avec la police de Södertälje.

— C'est au sujet de Pontus Salman, dit-elle d'une voix stressée.

— Oui, mais là il est parti, dit le policier, satisfait.

— Qu'est-ce que vous racontez ? demande-t-elle d'une voix forte.

— Enfin, j'ai seulement parlé avec Gunilla Sommer, la psychologue qui s'est rendue avec lui aux urgences psychiatriques.

— Oui ?

— Elle ne considérait pas cette menace de suicide comme sérieuse, donc elle l'a laissé partir, les lits ne sont pas gratuits et…

— Lancez un avis de recherche, l'interrompt Saga.

— Sur quelle base ? Une tentative de suicide sans conviction ?

— Veillez juste à le retrouver, dit Saga avant de raccrocher.

Elle se dirige vers les ascenseurs lorsque Göran Stone se met en travers de son chemin les bras écartés.

— Tu veux interroger Pontus Salman – pas vrai ? demande-t-il d'un ton taquin.

— Oui, répond-elle en se remettant à marcher. Il ne la laisse pas passer.

— Il te suffit de rouler un peu des hanches. Et peut-être d'agiter un peu tes boucles et tu seras promue ou…

— Ecarte-toi, dit Saga entre ses dents. Des taches rouges ont commencé à apparaître sur son front.

— D'accord, excuse-moi de vouloir aider, dit Göran Stone d'un ton indigné. Mais on vient d'envoyer quatre voitures chez Salman pour…

— Qu'est-ce qui s'est passé ? l'interrompt Saga.

— Ce sont les voisins qui ont alerté la police, dit-il en souriant. Ils ont visiblement entendu des bang bang et des cris.

Saga le pousse pour passer et se met à courir.

— Merci beaucoup Göran, crie-t-il. Tu es vraiment le meilleur !

Sur la route vers Lidingö, elle s'efforce de ne pas penser à ce qui a pu se passer, mais ses idées reviennent sans cesse à la voix de l'homme sur l'enregistrement qui parle de sa fille en pleurant.

Saga se dit que, ce soir, elle mettra toutes ses forces dans son entraînement et qu'elle se couchera tôt.

On ne peut pas circuler sur Roskullsvägen, il y a tellement de monde dans la rue qu'elle est obligée de se garer à quelques centaines de mètres de la maison de Salman. Des curieux et des journalistes se bousculent près des rubans de signalisation bleu et blanc en tentant d'apercevoir quelque chose dans la maison.

Saga s'excuse d'une voix stressée lorsqu'elle force son passage dans la foule. La lumière bleue des véhicules d'intervention oscille sur les arbres. L'agent Magdalena Ronander se penche contre le mur en brique rouge et vomit. La voiture de Pontus Salman est garée devant le garage. C'est une BMW blanche dont le pare-brise a volé en éclats. De petits débris de verre ensanglantés gisent sur la carrosserie et autour de la voiture sur la voie d'accès. On devine le corps d'un homme derrière les traînées de sang sur la vitre latérale.

C'est Pontus Salman.

Magdalena lève un regard fatigué sur la façade, s'essuie la bouche avec un mouchoir et arrête Saga alors qu'elle est sur le point d'entrer dans la maison.

— Non, non, dit-elle d'une voix enrouée. Tu n'as vraiment pas envie d'aller là-dedans.

Saga regarde vers l'intérieur de la grande maison, se retourne vers Magdalena pour lui demander quelque chose, mais se ravise. Il faut qu'elle appelle Joona pour lui dire qu'ils n'ont plus de témoin.

101

LA FILLE AUX PISSENLITS

Joona traverse à toute vitesse le hall d'arrivée de l'aéroport de Vanda, près de Helsinki, lorsque son téléphone sonne.

— Saga, qu'est-ce qui se passe ?

— Pontus Salman est mort, il est dans sa voiture devant sa maison, on dirait qu'il s'est mis une balle dans la tête.

Joona sort, rejoint le premier taxi de la file, explique au chauffeur qu'il va au port et s'installe sur la banquette arrière.

— Qu'est-ce que tu as dit ?

— Rien.

— Nous n'avons plus de témoin, dit Saga d'une voix inquiète. Qu'est-ce qu'on va faire, bordel ?

— Je ne sais pas, dit Joona en fermant un moment les yeux.

Il perçoit les mouvements de la voiture, une ondulation souple et docile. Le taxi quitte la zone de l'aéroport, accélère et rejoint l'autoroute.

— Tu ne peux aller sur le bateau de Raphael sans renforts…

— La fille, dit soudain Joona.

— Quoi ?

— Axel Riessen jouait au violon avec une fille, dit Joona qui ouvre grands ses yeux gris. Elle a pu voir quelque chose.

— Qu'est-ce qui te fait dire ça ?

— Il y avait un pissenlit, un pissenlit dans un verre de whisky.

— De quoi tu parles ?

— Essaie de la retrouver, c'est tout.

Joona s'adosse contre la banquette et se souvient d'Axel, le violon dans la main, lorsque la fille était arrivée avec un bouquet d'aigrettes de pissenlit à la main. Il revoit le pissenlit dont la tige était pliée sur le rebord du verre de whisky dans la chambre d'Axel. Elle était là et il est possible qu'elle ait vu quelque chose.

*

Joona embarque sur le *Kirku*, un bateau que la marine finlandaise a réquisitionné pour la surveillance côtière six ans plus tôt. Lorsqu'il serre la main du commandant de bord Pasi Rannikko, il pense immédiatement à Lennart Johansson, l'agent de la police maritime de Dalarö qui adorait surfer et se faisait appeler Lance.

Pasi Rannikko est lui aussi un jeune homme bronzé aux yeux bleu clair. Mais, à la différence de Lance, il prend son poste très au sérieux et il est évident qu'improviser une mission au-delà du territoire de la Finlande ne l'enchante guère.

— Cette sortie ne me dit rien du tout, dit sèchement Pasi Rannikko. Mais mon supérieur est pote avec le vôtre… et visiblement ça a suffi.

— Je m'attends à recevoir une autorisation du procureur d'ici peu, dit Joona qui sent les vibrations du navire lorsqu'il quitte la jetée et manœuvre doucement sur l'eau.

— Dès que vous avez votre autorisation, je contacterai le *FNS Hanko*. C'est un bateau lance-missiles comptant vingt officiers et sept appelés.

Il désigne le bateau lance-missiles sur le radar.

— Il peut monter à trente-cinq nœuds et il ne lui faudra pas plus de vingt minutes pour nous rattraper.

— Bien.

— Le yacht de Raphael Guidi a passé l'île Dagö et navigue désormais au large de l'Estonie… J'espère que vous êtes conscient que nous ne pouvons pas embarquer sur un bateau situé dans les eaux territoriales estoniennes, sauf en situation d'urgence ou en cas d'activités criminelles avérées.

— Oui.

Le bateau quitte le port sous le grondement des machines.

— Voilà l'équipage au complet, dit Pasi Rannikko d'un air ironique.

Un homme imposant à la barbe blonde monte sur la passerelle. Il est le premier et unique timonier et se présente : "Niko

Kapanen, comme le hockeyeur." Il lorgne curieusement Joona, se gratte la barbe puis demande avec précaution :

— Il est soupçonné de quoi, en réalité, ce Guidi ?

— Kidnapping, meurtre, meurtres de policiers, trafic d'armes, dit Joona.

— Et la Suède envoie un seul policier ?

— Oui, sourit Joona.

— Et nous, on vous aide avec une vieille péniche non armée.

— Dès qu'on aura l'autorisation du procureur, on sera quasiment un peloton, dit Pasi Rannikko d'une voix monotone. Je préviendrai Urho Saarinen sur le *Hanko* et il nous rejoindra en vingt minutes.

— Mais les inspections, dit Niko. On peut quand même inspecter un…

— Pas dans les eaux territoriales estoniennes, l'interrompt Rannikko.

— Quelles conneries, grommelle Niko.

— Ça s'arrangera, dit Joona d'un ton bref.

QUAND LE TABLEAU SE RETOURNE

Axel Riessen est allongé sur le lit de la chambre à coucher d'une suite composée de cinq pièces qu'on lui a attribuée sur le yacht de Raphael Guidi. A côté de lui sont éparpillés les documents du dossier sur son éventuel donneur, un homme qui a sombré dans un profond coma à la suite d'une opération qui n'a pas fonctionné. Toutes les valeurs sont parfaites – le tissu cellulaire correspond parfaitement.

Axel fixe le plafond tandis que son cœur semble prêt à exploser dans sa poitrine. Il sursaute lorsqu'on frappe à la porte. C'est l'homme en blanc qui l'avait accueilli à son arrivée.

— Dîner, dit l'homme d'un ton sec.

Ensemble, ils traversent un spa. De profonds bassins verts sont remplis de bouteilles vides et de canettes de bière. Des serviettes sous plastique sont toujours rangées sur les élégantes étagères en marbre blanc. Axel distingue une salle de gym derrière une baie vitrée dépolie. Une double porte en métal mat coulisse silencieusement pour les laisser pénétrer dans un espace de relaxation dont la moquette beige s'harmonise parfaitement avec les sièges et une table basse en pierres à chaux poncées.

Dans la pièce règne une étrange lumière qui crée des ombres furtives et des taches illuminées sur les murs et le sol. Axel lève les yeux et constate qu'ils se trouvent sous la grande piscine du yacht. Le fond de celle-ci est en verre et, au-dessus des déchets et des meubles qui y sont entassés, on peut entrevoir le ciel pâle.

Raphael Guidi est assis dans un canapé, vêtu du même pantalon de jogging et d'un T-shirt blanc qui lui serre le ventre.

Il tapote le siège à côté de lui et Axel le rejoint. Les deux gardes du corps sont postés derrière Raphael comme deux ombres.

Personne ne parle. Le téléphone de Raphael Guidi sonne, il répond et engage une longue conversation.

Après un moment, l'homme en blanc revient avec un chariot de service. Il met silencieusement la table puis y dépose un grand plateau avec des hamburgers, du pain et des frites, une bouteille de ketchup et une grande bouteille de Pepsi.

Raphael n'y prête aucune attention et continue simplement sa conversation téléphonique. Il semble discuter d'un tas de détails logistiques et de la vitesse de production.

Personne ne dit mot, tous attendent patiemment.

Après quinze minutes, Raphael Guidi met fin à sa conversation et regarde Axel Riessen calmement. Il commence ensuite à parler sur un ton affable.

— Vous voulez peut-être un verre de vin ? dit-il. Vous pourrez avoir un nouveau foie dans quelques jours.

— J'ai relu plusieurs fois toutes les informations à propos du donneur, dit Axel. C'est parfait, je suis impressionné, tout correspond…

— C'est intéressant, cette histoire de vœux, l'interrompt Raphael. Ce qu'on désire le plus au monde. Je voudrais que ma femme soit en vie, que l'on puisse être à nouveau ensemble.

— C'est compréhensible.

— Mais pour moi, les vœux sont directement liés à leurs contraires, dit Raphael.

Il prend un hamburger et une barquette de frites et passe ensuite le plateau à Axel.

— Merci.

— Le vœu d'un côté de la balance compense le cauchemar de l'autre, poursuit Raphael.

— Le cauchemar ?

— Je veux simplement dire que… nous passons nos vies tiraillés entre des extrêmes, des vœux qui ne se réalisent jamais et des cauchemars qui ne deviennent jamais réalité.

— Peut-être, répond Axel en prenant une bouchée de son hamburger.

— Votre vœu de retrouver le sommeil peut se réaliser, mais comment… Je me demande comment vous imaginez l'autre côté de la balance, comment vous représentez-vous votre pire cauchemar ?

— A vrai dire, je ne sais pas, dit Axel en souriant.

— De quoi avez-vous peur ? demande Raphael qui sale ses frites.

— Maladie, mort… et grande douleur.

— Evidemment, la douleur, je suis d'accord. Mais, pour moi, par exemple, j'ai commencé à réaliser qu'il s'agit de mon fils. Il sera bientôt adulte et je commence à avoir peur qu'il ne me tourne le dos, qu'il ne disparaisse.

— La solitude ?

— Oui, je crois. La solitude totale est sans doute mon cauchemar.

— Je suis déjà seul, dit Axel en souriant. Le pire est déjà arrivé.

— N'en soyez pas si sûr, plaisante Raphael.

— Non, mais que ça se répète…

— Comment ça ?

— Laissez tomber, je n'ai pas envie d'en parler.

— Que vous soyez de nouveau la cause du suicide d'une jeune fille ? dit lentement Raphael en posant quelque chose sur la table.

— Oui.

— Qui se suiciderait ?

— Beverly, chuchote Axel qui s'aperçoit que ce qu'a déposé Raphael sur la table est une photo.

Elle est retournée.

Axel tend la main sans vraiment le vouloir. Ses doigts tremblent lorsqu'il retourne la photo. Il retire la main d'un coup sec et tente de reprendre son souffle. La photo représente le visage étonné de Beverly dans la lumière d'un flash. Il fixe la photo et tente de comprendre. Il réalise qu'il s'agit d'un avertissement. Elle a été prise il y a plusieurs jours, dans sa cuisine, lorsque Beverly avait essayé le violon avant d'entrer dans la maison à la recherche d'un vase pour son bouquet de pissenlits.

103

PLUS PRÈS

Au bout de deux heures à bord du navire de garde de la marine finlandaise, Joona voit pour la première fois le yacht de luxe de Raphael Guidi glisser à l'horizon. Dans la lumière du soleil, il ressemble à un navire en cristal étincelant.

Le commandant de bord Pasi Rannikko revient, se met à côté de lui et fait un signe de tête en direction du grand yacht.

— Il faut s'approcher de combien ? demande-t-il d'un air déterminé.

Joona lui adresse un regard gris glacier scintillant.

— Suffisamment près pour que nous puissions voir ce qui se passe à bord, dit-il calmement. J'ai besoin de…

Il s'arrête quand une douleur lancinante lui prend les tempes. Il s'appuie contre le bastingage et tente de respirer calmement.

— Qu'est-ce qu'il y a ? demande Pasi Rannikko d'une voix teintée de rire. Vous avez le mal de mer ?

— Ce n'est rien, dit Joona.

La douleur irradie de nouveau, il s'accroche et réussit à rester debout pendant toute la vague de douleur. Il sait qu'il ne peut en aucun cas prendre son médicament maintenant, il risque de le fatiguer et de faire baisser son attention.

Joona sent le vent frais rafraîchir les gouttes de sueur sur son front. Il pense au regard de Disa, son visage grave, transparent. Le soleil brille sur la surface lisse de la mer et il voit soudain la couronne de mariée dans son esprit. Elle scintille dans sa vitrine au Musée nordique. Il pense à l'odeur de fleurs sauvages et à une église décorée de feuillages pour un mariage d'été, son cœur bat si fort qu'il ne comprend d'abord pas que le capitaine lui parle.

— Qu'est-ce que tu en penses ?

Joona regarde d'un air perplexe Pasi Rannikko qui est à côté de lui puis en direction du yacht blanc.

104

LE CAUCHEMAR

Axel n'arrive plus à manger, il se sent malade. Son regard est irrémédiablement attiré par la photo de Beverly.

Raphael trempe tranquillement ses frites dans du ketchup sur le bord de son assiette.

Axel s'aperçoit soudain qu'un jeune homme les observe depuis le seuil de la porte.

Il a l'air fatigué et inquiet. Il tient un téléphone portable dans sa main.

— Peter, crie Raphael. Viens !

— Je n'ai pas envie, dit le jeune homme d'une voix faible.

— Ce n'était pas une question, dit Raphael avec un sourire crispé.

Le garçon les rejoint et salue timidement Axel Riessen.

— Voici mon fils, explique Raphael comme s'il s'agissait d'un dîner tout à fait ordinaire.

— Salut, dit Axel d'une voix chaleureuse.

Près du minibar, l'homme qui était assis à côté du pilote dans l'hélicoptère lance des cacahuètes à un chien enjoué aux poils longs et drus. Ses cheveux gris ont un aspect métallique et ses lunettes blanches scintillent.

— Les noix le rendent malade, dit Peter.

— Tu pourras aller chercher le violon après le repas, non ? demande Raphael avec une soudaine fatigue dans la voix. Notre invité est passionné par la musique.

Peter hoche la tête, il est pâle et en sueur, les cernes autour de ses yeux sont presque violets.

Axel se force à sourire :

— Tu as quoi comme violon ?

Peter hausse les épaules.

— Il est bien trop beau pour moi, c'est un Amati. Ma mère était musicienne, c'est son Amati.

— Un Amati ?

— Quel instrument est véritablement le meilleur ? demande Raphael. Amati ou Stradivarius ?

— Cela dépend uniquement de la personne qui en joue, répond Axel.

— Vous êtes suédois, dit Raphael. En Suède, il existe quatre violons fabriqués par Stradivarius, mais aucun sur lequel ait joué Paganini… et j'imagine…

— C'est sûrement exact, dit Axel.

— Je collectionne des instruments à cordes qui se souviennent encore comment… Non, laissez-moi le formuler différemment… Si ces instruments sont manipulés comme il le faut, vous entendrez dans leur musique le regret d'une âme perdue.

— Peut-être, répond Axel.

— Je veille à rappeler ce regret lorsqu'il est temps de signer un contrat, poursuit Raphael avec un sourire dénué de joie. Je réunis les parties concernées, nous écoutons de la musique, ce son triste et ensuite nous concluons un pacte en misant sur nos vœux et nos cauchemars… c'est ça, un contrat Paganini.

— Je vois.

— Vraiment ? Il n'est pas possible de le résilier, même par sa propre mort. Car celui qui rompt les accords ou se donne la mort doit savoir que son pire cauchemar se réalisera.

— Qu'est-ce que vous voulez que je réponde à ça ?

— Je dis seulement… Ceci n'est pas à prendre à la légère, et je… comment dire ? se demande-t-il d'une voix hésitante. Je ne vois pas ce que gagnerait mon activité à ce que vous me preniez pour quelqu'un de bon.

Raphael s'approche du grand écran de télévision accroché au mur.

Il sort un disque de sa poche et l'introduit dans le lecteur DVD. Peter s'installe sur l'un des bras du canapé.

Le garçon jette un regard froid sur les hommes qui se trouvent dans la pièce. Il est blond et ne ressemble pas du tout à son père. Son corps n'est pas large et trapu, au contraire il est plutôt élancé, son visage est délicat.

L'image tressaute et des rayures grises défilent sur l'écran. Axel sent la peur grandir en lui lorsque apparaissent sur l'image trois personnes qui sortent d'une villa en briques. Il reconnaît aussitôt deux d'entre elles : l'inspecteur Joona Linna et Saga Bauer. La troisième est une jeune femme aux traits latins.

Joona Linna prend son portable et téléphone. Il ne semble pas obtenir de réponse. Leurs visages sont fermés et trahissent une inquiétude certaine. Ils montent tous les trois dans une voiture.

D'un pas instable, on approche la caméra de la porte d'entrée, elle s'ouvre et l'enregistrement s'obscurcit jusqu'à ce que le diaphragme automatique s'ajuste à la lumière intérieure. Deux sacs de voyage sont posés dans le vestibule. La caméra continue en direction de la cuisine, tourne ensuite à gauche et descend un escalier, longe un couloir en carrelage et pénètre dans une grande pièce avec une piscine. Une femme en maillot de bain est assise dans un transat tandis qu'une autre avec les cheveux coupés à la garçonne parle au téléphone.

La caméra recule brusquement, attend que la conversation téléphonique touche à sa fin puis continue d'avancer. Un bruit de pas résonne sur le sol et la femme qui tient encore son téléphone tourne son visage fatigué vers la caméra. Elle se fige dans une expression de terreur.

— Je crois que je n'ai plus envie de regarder, papa, dit le garçon d'une voix faible.

— C'est maintenant que ça commence, répond Raphael.

Le film s'interrompt et l'écran devient noir. Après un instant, une image tremblote puis se stabilise. La caméra semble désormais fixée sur un trépied et filme les deux femmes. Elles sont assises l'une à côté de l'autre contre le mur en carrelage. Sur une chaise devant elles se trouve Pontus Salman. Il semble respirer rapidement et son corps se tortille nerveusement sur la chaise.

L'heure au coin de l'image indique que l'enregistrement remonte à seulement une heure.

Un homme habillé en noir et dont le visage est masqué par une cagoule empoigne Veronique par les cheveux et approche son visage de la caméra.

— Pardon, pardon, pardon, dit Raphael d'une voix de fausset.

Axel lui adresse un regard interrogateur, mais entend soudain la voix de Veronique Salman :

— Pardon, pardon, pardon.

Sa voix tremble de peur.

— Je ne savais pas, piaule Raphael en désignant la télé.

— Je ne savais pas, dit Veronique en pleurant. J'ai pris la photo, mais je ne voulais pas faire de mal, je ne savais pas à quel point c'était stupide, je pensais seulement que…

— Choisissez, dit l'homme cagoulé à Pontus Salman. Dans quel genou est-ce que je tire ? Celui de votre femme… ou celui de votre sœur ?

— Pitié, chuchote Pontus. Ne faites pas ça.

— Qui ?

— Ma femme, répond Pontus d'une voix à peine audible.

— Pontus, l'implore Veronique. Pitié, ne le laisse pas…

Pontus s'effondre en larmes. Ces pleurs sont saccadés, déchirants.

— Ça va lui faire mal si je lui tire dessus, avertit l'homme.

— Ne le laisse pas faire ça ! s'écrie Veronique prise de panique.

— Vous avez changé d'avis ? Vous voulez que je tire sur votre sœur plutôt ?

— Non.

— Demandez-moi de le faire.

— Qu'est-ce que vous dites ? demande Pontus terrifié.

— Demandez-le-moi gentiment.

Le silence tombe, puis Axel entend Pontus Salman dire :

— Veuillez, s'il vous plaît… tirer dans le genou de ma femme.

— Je peux lui tirer dans les deux puisque vous me le demandez ainsi, dit l'homme en posant son revolver contre le genou de Veronique Salman.

— Ne le laisse pas faire ça, s'écrie-t-elle. Pitié, Pontus…

L'homme tire, une brève détonation résonne et sa jambe frétille. Du sang éclabousse le carrelage. Un petit voile de gaz de propulsion s'échappe du pistolet. Veronique pousse un hurlement jusqu'à ce que sa voix s'étrangle. Il tire dans l'autre genou. Le recul fait sauter le canon du pistolet. Sa jambe se tord dans un angle impossible.

Veronique crie de nouveau, d'une voix rauque et étrangère. Son corps est parcouru de spasmes et du sang ne cesse de couler sur le carrelage en dessous d'elle.

Pontus Salman vomit et l'homme cagoulé lui jette un regard étonné, presque rêveur.

Le haut du corps de Veronique glisse sur le côté. Haletante, elle tente d'atteindre ses jambes de ses mains. L'autre femme semble être en état de choc, son visage est verdâtre et ses yeux ne sont plus que deux grands trous noirs.

— Votre sœur souffre de troubles psychiques, non ? demande l'homme d'un ton amusé. Vous pensez qu'elle pige ce qui se passe ?

Il tapote ensuite la tête de Pontus Salman comme pour le réconforter, puis lui demande :

— Je viole votre sœur ou je tire sur votre femme ?

Pontus ne répond pas, il semble sur le point de perdre connaissance.

Ses yeux roulent en arrière et l'homme le frappe violemment au visage.

— Répondez-moi, je tire sur votre femme ou je viole votre sœur ?

La sœur de Pontus Salman secoue nerveusement la tête.

— Violez-la, chuchote Veronique entre ses halètements. Pitié, pitié, Pontus, dis-lui de la violer.

— Violez-la, chuchote Pontus.

— Comment ?

— Violez ma sœur.

— D'accord, tout de suite, dit l'homme.

Axel baisse les yeux sur le sol entre ses pieds. Il lutte pour ignorer les râles, les implorations, les cris d'épouvante du film. Il tente de diriger ses pensées vers des souvenirs musicaux, essaie de comprendre les intervalles qui apparaissent chez Bach, ces intervalles qui semblent baignés de lumière.

Enfin, le silence s'installe. Axel regarde l'écran. Les deux femmes gisent, mortes, contre le mur. L'homme cagoulé est debout, haletant, un couteau dans une main et un pistolet dans l'autre.

— Votre cauchemar s'est réalisé – maintenant vous pouvez vous suicider, dit-il en jetant le pistolet sur Pontus. Il disparaît ensuite de l'image, derrière la caméra.

105

LE TÉMOIN

Saga Bauer quitte Magdalena Ronander et enjambe les rubans de signalisation pour rejoindre sa voiture. Les curieux sont de plus en plus nombreux. La grande fourgonnette de la chaîne SVT s'est garée un peu plus loin. Un policier en uniforme tente de faire circuler la foule pour laisser passer une ambulance.

Saga s'éloigne de l'agitation, monte l'allée pavée d'un jardin et passe devant un jasmin. Elle marche de plus en plus vite et court sur les derniers mètres qui la séparent de sa voiture.

— La fille, avait dit Joona. Il faut que tu trouves la fille. Il y avait une fille chez Axel Riessen. Il l'appelait Beverly. Parle avec Robert, son frère. Elle a dans les quinze ans, il doit y avoir un moyen de la retrouver.

— J'ai combien de temps pour convaincre le procureur ?

— Pas beaucoup, répondit Joona. Mais suffisamment.

En conduisant vers Stockholm, Saga tente de joindre Robert Riessen, sans succès. Elle appelle alors le standard de la Rikskrim et demande à parler à l'assistante de Joona, une femme corpulente qui a gagné une médaille de natation aux JO et qui s'obstine à forcer sur le vernis à ongles et sur le rouge à lèvres brillants.

— Anja Larsson, répond immédiatement une voix.

— Salut, ici Saga Bauer, on s'est rencontrées tout à l'heure dans le bureau de…

— Oui, l'interrompt froidement Anja.

— Je voulais savoir si vous pouviez trouver une fille qui s'appelle Beverly et…

— J'envoie la facture à la Säpo ?

— Faites comme ça vous chante, retrouvez-moi seulement ce putain de numéro de téléphone avant que…

— Surveillez votre langage, mademoiselle.

— Laisse tomber.

Saga pousse un juron en enfonçant furieusement le klaxon à l'intention d'une voiture qui ne démarre pas bien que le feu soit passé au vert. Elle est sur le point de raccrocher lorsqu'elle entend de nouveau la voix d'Anja :

— Elle a quel âge ?

— Quinze ans, peut-être.

— Il n'y a qu'une seule Beverly de cet âge-là, Beverly Andersson. Elle ne figure pas dans les annuaires… mais, à l'état civil, elle est enregistrée à la même adresse que son père, Evert Andersson.

— D'accord, je vais l'appeler. Vous pouvez m'envoyer le numéro par SMS ?

— C'est déjà fait.

— Merci, merci Anja… Je suis désolée d'être un peu impatiente, je suis seulement inquiète pour Joona. Je ne voudrais pas qu'il fasse quelque chose de stupide s'il n'obtient pas de renfort.

— Vous lui avez parlé ?

— C'est lui qui m'a demandé de chercher la fille. Je ne l'ai même pas rencontrée, je ne sais pas… Il compte sur moi pour régler ça, mais je…

— Téléphonez au père de Beverly et moi je continue à chercher, dit Anja avant de raccrocher.

Saga se gare sur le bas-côté à Hjortehagen et compose le numéro envoyé par Anja. L'indicatif 0418 correspond à la Scanie. Svalöv peut-être, se dit-elle en écoutant les signaux d'émission d'appel.

106

LE PÈRE

Dans une cuisine en pin, un homme sursaute lorsque le téléphone sonne. Il vient de rentrer chez lui après avoir passé plus d'une heure à dépêtrer une de ses génisses qui est passée par-dessus la clôture électrique et s'est accrochée dans le fil barbelé du voisin. Evert Andersson a du sang sur les mains et les essuie sur son bleu de travail.

Ce ne sont pas seulement ses mains sales qui l'empêchent de répondre, mais aussi le sentiment qu'il n'y a personne avec qui il aimerait parler. Il se penche et regarde l'écran. C'est un numéro masqué, sans doute un vendeur avec une voix affectée. Il ignore l'appel, mais le téléphone se remet aussitôt à sonner. Evert Andersson finit par répondre :

— Andersson.

— Bonjour, je m'appelle Saga Bauer, dit une voix stressée. Je suis de la police, inspectrice à la Säpo. Je suis à la recherche de votre fille, Beverly Andersson.

— Qu'est-ce qui s'est passé ?

— Elle n'a rien fait, mais je pense qu'elle détient des informations importantes qui pourraient nous aider.

— Et elle a disparu ? demande-t-il d'une voix faible.

— Je pensais que vous auriez peut-être un numéro où je pourrais la contacter.

Il y a une époque où Evert avait considéré sa fille comme son successeur, celle qui assurerait la continuité de la tradition, celle qui passerait ses jours ici dans sa maison, ses granges, ses dépendances et qui se promènerait dans les champs. Elle traverserait la ferme comme l'avait fait sa mère, ses bottes en caoutchouc vertes s'enfonçant dans la boue. Elle serait de la même corpulence, porterait une veste en cuir et ses cheveux seraient réunis en une tresse drapant son épaule.

Mais, petite, Beverly avait déjà quelque chose de différent, quelque chose qui lui faisait peur.

En grandissant, elle devenait de plus en plus différente. Différente de lui, différente de sa mère. Un jour, il était entré dans la grange. Elle avait seulement huit ou neuf ans. Elle était assise dans un box vide sur un seau retourné et chantait, les yeux fermés. Elle semblait perdue dans le son de sa propre voix. Il aurait voulu crier, lui dire d'arrêter, de ne pas faire l'idiote, mais l'expression illuminée de son visage l'en avait empêché. A partir de ce moment-là, il avait su qu'il y avait une part d'elle qu'il ne comprendrait jamais. Et il avait peu à peu cessé de lui parler. Dès qu'il essayait de lui dire quelque chose, les mots disparaissaient dans sa bouche.

A la mort de sa mère, le silence dans la ferme est devenu absolu. Beverly a commencé à errer dans la campagne, elle pouvait disparaître durant des heures, parfois des jours et des nuits entières. La police avait dû la récupérer dans des endroits où elle n'avait pas le moindre souvenir de s'être rendue. Elle accompagnait n'importe qui, il suffisait de lui parler gentiment.

— Je n'ai rien à lui dire. A quoi bon avoir son numéro de téléphone ? dit-il sèchement dans un dialecte de Scanie.

— Vous êtes certain…

— Un Stockholmois ne peut pas comprendre, lance-t-il avant de raccrocher.

Il regarde ses doigts autour du combiné, voit le sang sur ses jointures, la crasse sous ses ongles, le long des envies, dans chaque sillon et crevasse sur sa peau. Il rejoint lentement le fauteuil vert, attrape au passage le supplément du journal du soir et commence à lire. Ce soir, il paraît qu'il y aura une émission en l'honneur du présentateur Ossian Wallenberg. Surpris par ses propres larmes, Evert laisse le journal lui glisser des mains. Il est soudain submergé par le souvenir de Beverly, assise dans le canapé à côté de lui, riant de bon cœur des bêtises du *Vendredi doré*.

107

LA CHAMBRE VIDE

Dans sa voiture, Saga Bauer pousse un juron à voix haute puis ferme les yeux et tape le volant de la main à plusieurs reprises. Lentement, elle se répète qu'elle doit rassembler ses esprits et trouver une solution avant qu'il ne soit trop tard. Elle est tellement absorbée dans ses pensées qu'elle sursaute lorsque le téléphone sonne.

— C'est encore moi, dit Anja Larsson. Je vous mets en relation avec Herbert Saxéus à Sankta Maria Hjärta, dit-elle brièvement.

— D'accord, qu'est-ce que…

— Saxéus s'occupait de Beverly Andersson durant les deux ans où elle a séjourné à la clinique.

— Merci, c'était…

Mais Anja a déjà transféré l'appel de Saga sur une autre ligne. Elle patiente et se souvient que l'hôpital Sankta Maria Hjärta se trouve à Torsby, à l'est de Stockholm.

— Oui, ici Herbert, dit une voix chaleureuse.

— Bonjour, je m'appelle Saga Bauer, je suis de la police, inspectrice à la Säpo. J'ai besoin d'entrer en contact avec une jeune fille qui était l'une de vos patientes, Beverly Andersson.

Silence dans le combiné.

— Elle va bien ? demande le médecin après un moment.

— Je ne sais pas, je dois lui parler. C'est vraiment urgent.

— Elle habite chez Axel Riessen, qui… Il a une sorte de responsabilité informelle envers elle.

— Alors elle habite chez lui ? demande Saga en démarrant.

— Axel Riessen lui loue une chambre jusqu'à ce qu'elle trouve son propre appartement. Elle n'a que quinze ans, mais ce serait une erreur d'essayer de la forcer à retourner chez elle.

La circulation est calme et Saga peut rouler plus vite.

— Est-ce que je peux savoir pour quoi Beverly était traitée ? demande-t-elle.

Le médecin inspire profondément et dit ensuite d'une voix grave et aimable :

— Je ne sais pas si c'est très intéressant… En tant que médecin, je répondrais qu'elle a un grave trouble de la personnalité, groupe B.

— Ce qui signifie ?

— Rien, répond Herbert Saxéus en s'éclaircissant la voix. Mais si vous me le demandez en tant qu'être humain, je répondrais que Beverly est saine, plus saine que la plupart d'entre nous… Je sais que ça fait sûrement un peu cliché, mais je pense que ce n'est pas elle qui est malade.

— Mais le monde.

— Oui, dit-il en soupirant.

Saga le remercie, raccroche et bifurque sur Valhallavägen. Dans son dos, le siège est poisseux de transpiration. Le téléphone sonne et elle passe rapidement le feu près du Stade olympique au moment où il passe au rouge avant de répondre.

— Je me suis dit que je pouvais aussi appeler le père de Beverly, dit Anja. C'est vraiment un brave type, mais il a eu une dure journée et s'est occupé d'une vache blessée. Il a dû la réconforter. Sa famille a toujours habité au même endroit mais il ne reste plus que lui à la ferme. Nous avons parlé du *Merveilleux Voyage de Nils Holgersson* et, enfin, il est allé chercher quelques lettres que Beverly lui avait envoyées. Il ne les avait même pas ouvertes, vous imaginez l'entêtement du bonhomme. Beverly avait noté son numéro de téléphone dans chaque lettre.

Saga Bauer remercie Anja avec insistance puis compose le numéro. Elle se gare devant la maison d'Alex et Robert Riessen en attendant que Beverly Andersson réponde. Les sonneries se succèdent mais Beverly ne répond pas. Le soleil brille à travers la poussière devant l'église. Saga sent son corps trembler d'angoisse, le temps presse. Joona va se retrouver seul face à Raphael Guidi.

Le téléphone vissé à l'oreille, elle rejoint l'entrée de chez Robert Riessen et sonne. Soudain, elle entend un clic dans le téléphone suivi par un faible froissement.

— Beverly ? demande Saga. C'est toi ?

Elle entend quelqu'un respirer.

— Réponds-moi, Beverly, dit Saga de sa voix la plus douce. Où es-tu ?

— Je…

Silence.

— Qu'est-ce que tu as dit, Beverly ? Je t'entends mal.

— Je n'ai pas encore le droit de sortir, chuchote la fille en raccrochant.

*

Robert Riessen est très pâle. Il fait entrer Saga dans la chambre de Beverly Andersson et lui demande de fermer derrière elle une fois qu'elle a fini. La pièce paraît presque inhabitée. Saga voit seulement quelques habits pliés dans l'armoire, une paire de bottes en caoutchouc, une doudoune et le chargeur d'un téléphone.

Saga referme la porte et se dirige vers l'appartement d'Axel Riessen pour tenter de comprendre ce que Joona a voulu dire, pourquoi la fille pourrait être en mesure de témoigner. Elle traverse les salons et la bibliothèque calme. La porte de la chambre d'Axel Riessen est entrouverte. Saga marche sur l'épais tapis chinois devant le lit et entre dans la salle de bains. Elle retourne dans la chambre, l'atmosphère y semble tendue. Saga pose une main sur son Glock dans la gaine qu'elle porte au niveau de l'épaule. Sur la table, un verre de whisky qui contient les restes fanés d'un pissenlit.

La poussière bouge lentement dans la lumière du soleil et les objets semblent habités de silence. Son cœur fait un bond dans sa poitrine lorsque la branche d'un arbre, à l'extérieur, cogne contre la vitre. Elle s'approche du lit défait et observe les plis des draps calandrés, les deux coussins.

Saga a l'impression d'entendre des bruits de pas dans la bibliothèque et s'apprête à se faufiler dans le couloir lorsqu'une main attrape sa cheville. Il y a quelqu'un sous le lit. Elle recule brusquement, dégaine son pistolet et renverse la table de chevet.

Saga pose un genou à terre et vise, mais baisse rapidement son arme.

Une jeune fille la regarde de ses grands yeux terrifiés dans l'obscurité sous le lit. Saga range son arme et pousse un long soupir.

— Tu brilles, chuchote la fille.

— Beverly ? demande Saga.

— Je peux sortir maintenant ?

— Je t'assure que tu peux sortir maintenant, dit calmement Saga.

— Ça fait une heure ? Axel a dit que je n'avais pas le droit de sortir avant qu'il ne se soit écoulé une heure.

— Ça fait beaucoup plus d'une heure, Beverly.

Saga l'aide à sortir de l'espace étroit. La jeune fille ne porte que ses sous-vêtements et se relève avec difficulté après avoir été allongée aussi longtemps sans bouger. Ses cheveux sont coupés court et ses bras sont couverts de dessins faits à l'encre.

— Qu'est-ce que tu fais sous le lit d'Axel Riessen ? demande Saga d'une voix calme.

— C'est mon meilleur ami, répond Beverly à voix basse en enfilant son jean.

— Je pense qu'il court un grave danger – il faut que tu me dises ce que tu sais.

Beverly est immobile, son T-shirt à la main. Elle rougit soudain et des larmes emplissent ses yeux.

— Je n'ai pas…

Beverly s'interrompt lorsque sa bouche commence à trembler.

— Calme-toi, dit Saga, qui s'efforce d'atténuer le stress dans sa voix. Commence depuis le début.

— J'étais allongée sur le lit lorsque Axel est entré, dit Beverly d'une voix faible. J'ai compris qu'il s'était passé quelque chose, il était tout pâle. J'ai pensé qu'il était triste parce que j'avais fait du stop, je n'ai pas vraiment le droit.

Elle se tait et détourne le visage.

— Continue, s'il te plaît, Beverly, il y a urgence.

Beverly chuchote un pardon, s'essuie rapidement les yeux avec son T-shirt et regarde Saga de ses yeux humides.

— Axel est entré dans la chambre. Il m'a dit d'aller sous le lit et de rester cachée pendant une heure… puis il s'est précipité dans le salon et je ne sais pas… je n'ai vu que leurs pieds, mais deux messieurs sont arrivés derrière lui. Ils lui ont fait quelque chose d'affreux. Il criait et ils l'ont jeté à terre et l'ont enveloppé dans du plastique blanc et sont sortis avec lui. Tout s'est passé très vite. Je n'ai pas vu leur visage… je ne sais même pas si c'étaient des êtres humains…

— Attends un peu, dit Saga en sortant son portable. Il faut que tu viennes avec moi et que tu racontes la même chose à quelqu'un qui s'appelle Jens Svanehjälm.

Saga téléphone à Carlos Eliasson, les mains tremblantes.

— Nous avons un témoin qui a vu Axel Riessen se faire enlever. Nous avons un témoin, répète-t-elle. Le témoin a vu Riessen se faire agresser et enlever, ça doit suffire.

Saga croise le regard de Beverly tandis qu'elle écoute la réponse de Carlos.

— Bien, on arrive tout de suite. Allez chercher Svanehjälm, veillez à ce qu'il prépare le contrat avec Europol.

108

LOYAUTÉ

Raphael Guidi traverse la salle à manger avec une pochette en cuir à la main, il la pose sur la table et la pousse vers Axel Riessen.

— Le cauchemar de Pontus Salman, vous l'aurez peut-être compris, était d'être forcé à choisir entre sa femme et sa sœur, explique-t-il. Je ne sais pas, avant je ne trouvais pas nécessaire d'être aussi explicite, mais j'ai... Comment dire ? J'ai pu constater que certains s'étaient mis en tête de pouvoir fuir leurs cauchemars en mourant. Comprenez-moi bien, la plupart du temps tout est très sympathique et civilisé, et je suis très généreux envers ceux qui font preuve de loyauté.

— Vous me menacez de faire du mal à Beverly.

— Vous pouvez choisir votre petit frère si vous le préférez, dit Raphael en buvant une gorgée de boisson vitaminée. Il s'essuie le coin de la bouche et demande ensuite à Peter d'aller chercher le violon.

— Vous ai-je raconté que je possède uniquement des instruments sur lesquels a joué Paganini ? Ce sont les seuls qui m'intéressent. On dit que Paganini détestait son visage... et personnellement je pense qu'il a vendu son âme au diable pour être adoré. Il se décrivait lui-même comme un singe... mais lorsqu'il jouait, les femmes se jetaient à ses pieds. Ça valait le coup. Il jouait et jouait encore jusqu'à ce qu'il soit entouré par une nuée de fumée.

Axel regarde la mer qui semble immobile par les grandes baies vitrées. Derrière la petite fenêtre qui donne sur le pont avant, il aperçoit l'hélicoptère blanc avec lequel il est arrivé. Ses pensées errent entre le film terrible qu'on l'a forcé à regarder et la recherche d'un endroit par lequel il pourrait fuir.

Il se sent las et écoute d'une oreille distraite Raphael pala-brer sur les violons, la fixation de Stradivarius sur les notes les plus aiguës, la dureté du bois, l'érable qui pousse lentement et le sapin.

Raphael s'interrompt, affiche un nouveau sourire dénué de vie et dit :

— Tant que vous serez loyal, vous pourrez jouir de ce qui remplit le bon côté de la balance. Vous aurez un nouveau foie, vous dormirez bien et vous vivrez pleinement votre vie. La seule chose que j'exige en retour, c'est que vous n'oubliiez pas notre pacte.

— Et vous voulez l'autorisation d'exportation signée.

— Je l'aurai quoi qu'il arrive, mais je ne veux pas vous for-cer, je ne veux pas vous tuer, ce serait du gaspillage, je veux…

— Ma loyauté, complète Axel.

— Vous trouvez que c'est stupide ? demande Raphael. Ré-fléchissez-y un moment et comptez ensuite sur vos doigts les personnes dont vous savez qu'elles vous sont entièrement loyales.

Le silence s'installe. Axel regarde droit devant lui.

— Exactement, dit Raphael d'un air désolé.

109

LE PACTE

Axel ouvre la pochette en cuir sur la table, elle contient tous les documents nécessaires pour permettre au porte-conteneurs *M/S Icelus* de quitter le port de Göteborg avec sa cargaison de munitions.

La seule chose qui manque est sa signature.

Peter, le fils de Raphael Guidi, entre dans la pièce le visage blafard et inexpressif. Il tient un très beau violon et Axel voit immédiatement qu'il s'agit d'un Amati, un Amati très bien entretenu.

— Comme je pense l'avoir mentionné, je trouve qu'une certaine musique sied bien avec ce que nous nous apprêtons à faire, dit Raphael. Ce violon appartenait à sa mère… et bien avant cela, Niccolò Paganini en jouait.

— Il a été fabriqué en 1657, dit Peter en sortant ses clefs et son portable de sa poche pour les poser sur la table. Il cale ensuite le violon contre son épaule.

Le garçon place l'archet sur les cordes et commence à jouer, quelque peu hésitant. Axel reconnaît aussitôt les premières notes de l'œuvre la plus connue de Paganini, les *Vingt-Quatre Caprices*, considérés comme les morceaux les plus difficiles à jouer au monde. Le garçon joue comme s'il était sous l'eau. Le tempo est bien trop lent.

— C'est un pacte avantageux, dit Raphael à voix basse.

Dehors, il fait encore jour, les grandes fenêtres projettent une lueur grise dans la pièce.

Axel pense à Beverly lorsqu'elle avait grimpé dans son lit à la clinique psychiatrique en chuchotant : *Une lueur t'entoure, je l'ai vue depuis le couloir.*

— Vous avez fini de réfléchir ? demande Raphael.

Axel ne supporte pas de regarder les yeux vides de Raphael, il détourne la tête et prend le stylo posé devant lui. Il entend les pulsations de son cœur résonner dans ses tempes et il tente de masquer le rythme saccadé de sa respiration.

Cette fois, il ne dessinera pas de petit bonhomme, il signera de son propre nom en priant Dieu pour que Raphael Guidi s'en contente et le laisse retourner en Suède.

Axel sent le stylo trembler dans sa main. Il pose son autre main sur son poignet pour la stabiliser, inspire profondément et approche lentement le stylo jusqu'à la ligne vide.

— Attendez, dit Raphael. Avant de signer quoi que ce soit, je veux savoir si vous comptez être loyal.

Axel lève la tête et croise son regard.

— Si vous êtes vraiment prêt à affronter votre cauchemar en cas de rupture du pacte, vous devez le prouver en embrassant ma main.

— Comment ça ? chuchote Axel.

— Allons-nous conclure un pacte ?

— Oui.

— Embrassez ma main, dit Raphael d'une voix dénaturée, comme s'il jouait l'idiot dans une vieille pièce de théâtre.

Le fils de Raphael joue de plus en plus lentement, il tente de faire obéir ses doigts, de changer de prise, mais continue de se tromper dans les passages difficiles, il balbutie et finit par abandonner.

— Continue, dit Raphael sans le regarder.

— C'est trop dur pour moi, ça ne sonne pas bien.

— Peter, c'est médiocre d'abandonner avant même d'avoir…

— Joue-le toi-même, l'interrompt-il.

Le visage de Raphael se ferme soudain, il semble figé comme une roche poussiéreuse.

— Tu fais ce que je te dis, lance-t-il d'une voix tendue.

Le garçon reste immobile, la tête baissée. La main de Raphael monte doucement jusqu'à la fermeture Eclair de son survêtement.

— Peter, j'ai trouvé que ça sonnait bien, dit-il calmement.

— Le chevalet est de travers, dit Axel tout bas.

Peter regarde le violon et rougit :

— C'est possible de le réparer ?

— C'est facile à ajuster, je peux le faire si tu veux, dit Axel.

— Ça prend longtemps ? demande Raphael.

— Non.

Il pose le stylo, prend le violon, le retourne en prenant conscience de la légèreté de l'instrument. Il n'avait jamais touché un Amati auparavant et encore moins un sur lequel avait joué Paganini.

Le téléphone de Raphael Guidi sonne. Il le regarde, se lève et s'éloigne un peu.

— C'est impossible, dit-il avec une expression étrange.

Un sourire étonné se dessine sur ses lèvres puis il dit quelque chose d'une voix tendue aux gardes du corps. Ils quittent la pièce et montent en hâte l'escalier avec Raphael.

Peter observe Axel pendant qu'il détend les cordes. L'instrument grince. Le bruit sec de ses doigts est amplifié par la caisse de résonance. Axel remonte délicatement le chevalet et retend ensuite les cordes par-dessus.

— Ça s'est bien passé ? chuchote Peter.

— Oui, répond Axel tout en accordant le violon. Essaie et tu verras.

— Merci, dit Peter en récupérant le violon.

Axel voit que le portable de Peter est sur la table et dit :

— Continue de jouer, tu venais de faire la première roulade et tu entrais dans le passage pizzicato.

— Maintenant je suis gêné, dit Peter en se détournant.

Axel se penche vers la table, tend délicatement la main, atteint le portable du bout des doigts, lui donne une pichenette maladroite et le téléphone pivote une fois sur lui-même.

Toujours de dos, Peter pose le violon contre son épaule et prend l'archet.

Axel prend le téléphone, le garde au creux de sa main et se décale légèrement.

Peter baisse l'archet vers les cordes, mais s'interrompt, se retourne et tente de regarder derrière Axel.

— Mon téléphone, dit-il. Il est derrière vous ?

Axel laisse le téléphone glisser de sa main sur la table avant de se retourner et de le ramasser.

— Vous pouvez voir si j'ai reçu un message ? demande Peter.

Axel regarde le téléphone et constate que le réseau est excellent bien qu'ils soient en pleine mer. Le bateau doit être équipé d'une connexion satellite.

— Pas de message, dit-il en reposant le téléphone sur la table.

— Merci.

Axel reste penché sur la table pendant que Peter continue à jouer les *Vingt-Quatre Caprices*, lentement et de plus en plus hors tempo.

Peter n'est pas doué, il a beaucoup répété, mais il ne maîtrise absolument pas le morceau. Pourtant, le son du violon est si merveilleux qu'Axel aurait apprécié même si un enfant tripotait les cordes. Il s'incline un peu plus vers la table et écoute en tentant d'atteindre le téléphone.

Peter lutte pour trouver le bon emplacement où pincer les cordes, mais il perd le rythme, s'interrompt et recommence. Axel se décale lentement sur le côté, mais n'a pas le temps d'attraper le téléphone car Peter, qui joue de plus en plus faux, s'arrête et se retourne vers Axel :

— C'est très dur, dit-il en faisant une autre tentative.

Il recommence mais se trompe encore.

— C'est impossible, dit-il en baissant le violon.

— Si tu gardes l'annulaire sur la corde *la*, c'est plus facile d'avoir le temps de…

— Vous pouvez me montrer ?

Axel regarde le téléphone sur la table. Un reflet scintille à l'extérieur et Axel tourne son regard vers les fenêtres. La mer est étrangement lisse. Un grondement monte de la salle des machines, un roulement continu qu'il n'avait pas remarqué auparavant.

Peter lui donne le violon et Axel le pose contre son épaule, serre un peu plus les cordes et commence à jouer le morceau. Le début mélancolique semble se propager dans la pièce. Les notes du violon ne sont pas puissantes, mais merveilleusement douces et pures. La musique de Paganini déferle de plus en plus rapide et puissante.

— Mon Dieu, chuchote Peter.

Le tempo se fait soudain beaucoup plus rapide, *prestissimo*. C'est magnifique et très enjoué. La mélodie est portée par des changements de prise soudains et des sauts incroyables entre les octaves.

Axel a toute la musique dans la tête et n'a qu'à laisser libre cours à ses mains. Toutes les notes ne sont pas parfaites, mais ses doigts semblent voler sur le manche en parcourant le bois et les cordes.

Raphael crie quelque chose depuis la passerelle et on entend un choc violent qui fait tinter le lustre en cristal. Axel continue de jouer – les roulades claires semblent scintiller comme le soleil sur l'eau douce.

Des pas résonnent soudain dans l'escalier et Axel s'arrête net de jouer lorsqu'il voit Raphael avec le visage luisant de sueur et un couteau militaire ensanglanté dans la main. A ses côtés, le garde du corps aux cheveux gris tient un fusil d'assaut jaune-vert, un FN SCAR belge.

110

À BORD

Depuis leur bateau, Joona Linna, Pasi Rannikko et l'officier à la barbe blonde surveillent le yacht de luxe immobile sur la mer. Le vent est tombé pendant la journée et le pavillon italien pend mollement. Il ne semble pas y avoir d'activité sur le bateau. Comme si l'équipage et les passagers étaient plongés dans un profond sommeil. C'est le calme plat sur la mer Baltique et le ciel bleu clair se reflète sur l'eau. La houle lente qui soulève légèrement la surface disparaît peu à peu.

Soudain, le téléphone de Joona sonne. Il passe les jumelles à Niko et répond.

— Nous avons un témoin ! crie Saga à l'autre bout du fil. La fille, elle a tout vu. Axel Riessen a été enlevé, le procureur a déjà fait ce qu'il fallait, vous pouvez embarquer pour le retrouver !

— Bon boulot, dit Joona.

Pasi Rannikko le regarde d'un air interrogateur tandis qu'il raccroche.

— Nous avons l'autorisation du procureur pour appréhender Raphael Guidi, dit Joona. Il est soupçonné d'enlèvement.

— Je contacte le *FNS Hanko*, dit Pasi Rannikko avant de se précipiter vers le central radio situé près de la barre.

— Ils seront là dans vingt minutes, dit Niko d'une voix excitée.

— Ceci est une demande de renfort, crie Pasi Rannikko dans le micro. Nous avons l'autorisation du procureur d'embarquer sur le bateau de Raphael Guidi et de l'appréhender illico… Oui, c'est correct… Oui… Dépêchez-vous ! Dépêchez-vous, nom d'un chien !

Joona regarde dans les jumelles, suit du regard l'escalier blanc qui mène à la plate-forme sur la poupe. Ils passent sous le pont inférieur et montent jusqu'au pont arrière où quelques parasols sont entreposés. Il tente de distinguer quelque chose à travers les baies vitrées, mais il ne voit rien dans l'obscurité. Il suit alors la balustrade, jusqu'à l'escalier qui mène à la grande terrasse.

Sur le toit, les bouches d'aération soufflent de l'air qui semble trembler dans la chaleur. Joona dirige alors ses jumelles vers les fenêtres noires et s'arrête. Il pense deviner un mouvement derrière la vitre. Quelque chose de blanc frotte contre la fenêtre. Il pense d'abord à une énorme aile, comme des plumes que l'on appuierait contre la vitre.

Puis il se dit qu'il s'agit d'un tissu ou de plastique blanc. Joona cligne des yeux pour mieux voir et soudain il aperçoit un visage qui le fixe derrière des jumelles. La porte en acier menant à la passerelle s'ouvre et un homme blond vêtu de noir descend un escalier à pas rapides puis se dirige sur le pont avant.

C'est la première fois que Joona voit quelqu'un à bord du bateau de Raphael.

L'homme en noir monte jusqu'à l'hélistation et rejoint l'hélicoptère. Il détache les sangles fixées autour des patins et ouvre la porte du cockpit.

— Ils écoutent nos communications radio, dit Joona.

— On change de canal, crie Pasi Rannikko.

— Ça n'a plus d'importance, explique Joona. Ils ne vont pas rester sur le bateau, on dirait qu'ils s'apprêtent à prendre l'hélicoptère.

Il passe les jumelles à Niko.

— Les renforts arrivent d'ici quinze minutes, dit Pasi Rannikko.

— Ça sera trop tard.

— Il y a quelqu'un dans l'hélicoptère, confirme Niko.

— Raphael a su que nous avions l'autorisation du procureur, dit Joona. Il a dû avoir l'information en même temps que nous.

— On y va tous les deux ? demande Niko.

— On dirait bien, dit Joona en lui adressant un bref regard.

Niko introduit un chargeur dans un fusil d'assaut noir comme du pétrole, un Heckler & Koch 416 à canon court.

Pasi Rannikko dégaine son pistolet et le tend à Joona.

476

— Merci, dit Joona, en vérifiant le chargeur. Puis, il le fait passer d'une main à l'autre pour se familiariser avec l'arme.

C'est un M9A1 semi-automatique. Il ressemble au M9 utilisé pendant la guerre du Golfe, mais le chargeur a une apparence un peu différente et il y a une attache pour une lampe et une visée laser.

Sans en dire davantage, Pasi Rannikko manœuvre le bateau en direction du pont arrière du yacht qui est situé juste au-dessus de la surface de l'eau. Une fois arrivés à proximité du yacht, ils prennent réellement conscience de sa taille. Il leur semble énorme, comme un gratte-ciel. Pasi enclenche la marche arrière et freine dans les remous. Niko passe les défenses au-dessus du bastingage qui crissent lorsque les deux coques s'approchent trop.

Joona embarque et les deux bateaux s'écartent. Niko saute et Joona l'attrape par la main pour le hisser à bord. Son fusil d'assaut tinte contre la balustrade. Ils échangent un bref regard et se dirigent vers l'escalier en se frayant un chemin entre quelques chaises en osier et de vieux cartons de vin.

Niko se retourne et fait signe à Pasi Rannikko qui s'éloigne du yacht.

111

TRAÎTRES

Raphael Guidi est sur la passerelle avec son garde du corps. Le timonier les fixe d'un regard terrifié et se frotte le ventre.

— Qu'est-ce qui se passe ? demande Raphael.

— J'ai donné ordre de faire chauffer le moteur de l'hélicoptère, dit le timonier. Je pensais…

— Où est le bateau ?

— Là, dit-il en désignant l'arrière du yacht.

Tout près, derrière le pont de la piscine, entre les treuils des canots de sauvetage, le cargo de la surveillance côtière s'éloigne. Des remous déferlent sur l'étrave grise mouchetée et l'eau écume à cause des rotations contraires des hélices.

— Qu'est-ce qu'ils ont dit, qu'est-ce qu'ils ont dit exactement ? demande Raphael.

— Ils étaient pressés, ils ont demandé des renforts, ils disaient qu'ils avaient un mandat d'arrêt.

— Ce n'est pas possible, dit Raphael en regardant autour de lui.

Le pilote de l'hélicoptère est déjà installé dans le cockpit et le rotor vient juste de se mettre en mouvement. Soudain, ils entendent les *Vingt-Quatre Caprices* de Paganini depuis la salle à manger située en dessous d'eux.

— Voilà la position des renforts, dit le timonier en désignant le radar.

— Je vois, combien de temps avons-nous ? demande Raphael.

— Ils maintiennent une vitesse d'environ trente-trois nœuds, ils seront là dans dix minutes.

— Aucun problème, dit le garde du corps en jetant un regard vers l'hélicoptère. Nous aurons le temps de faire partir Peter et vous, au moins trois minutes avant…

L'autre garde du corps, le blond, fait irruption par la porte vitrée de la passerelle. Son visage blême trahit un stress intense.

— Quelqu'un est là. Il y a quelqu'un sur le bateau, s'écrie-t-il.

— Ils sont combien ? demande le garde du corps grisonnant.

— Je n'en ai vu qu'un, mais je ne sais pas… il a un fusil d'assaut, mais pas d'équipement spécial.

— Stoppe-le, dit l'homme aux cheveux gris à son collègue.

— Donne-moi un couteau, dit Raphael.

Le garde du corps sort un couteau à lame fine. Raphael le saisit et s'approche du timonier avec un regard tendu.

— Ils n'étaient pas censés attendre les renforts ? crie-t-il. Tu disais qu'ils devaient attendre les renforts !

— D'après ce que j'ai compris, ils…

— Qu'est-ce qu'ils foutent ici ? Ils n'ont rien sur moi, dit Raphael. Ils n'ont rien !

Le timonier secoue la tête et recule. Raphael le suit.

— Qu'est-ce qu'ils foutent ici alors qu'ils n'ont rien sur moi ? crie-t-il. Il n'y a rien…

— Je ne sais pas, je ne sais pas, répond le timonier, les larmes aux yeux. J'ai simplement dit ce que j'ai entendu…

— Qu'est-ce que tu leur as dit ?

— Dit ? Je ne comprends pas…

— Je n'ai pas le temps, crie Raphael. Raconte-moi juste ce que tu leur as dit, bordel !

— Je n'ai rien dit.

— Bizarre, tu ne trouves pas ?

— J'ai écouté leurs canaux comme je le devais, je n'ai pas…

— Est-ce que c'est si dur d'admettre la vérité ? mugit Raphael en enfonçant le couteau dans le ventre du timonier.

Presque sans résistance, la lame transperce sa chemise et pénètre dans la chair et les intestins. Du sang chuinte au-dessus de la lame comme de la vapeur et éclabousse la main de Raphael et la manche de son survêtement. Avec un regard hébété, le timonier tente de faire un pas en arrière pour échapper au couteau, mais Raphael le suit en le regardant droit dans les yeux.

On entend toujours le violon : des notes légères et pétillantes.

— Il se peut que ça soit Axel Riessen, dit subitement le garde du corps. Il est peut-être sur écoute, il garde peut-être contact avec la police par…

Raphael retire le couteau du ventre du timonier et descend le large escalier à grandes enjambées.

Le timonier reste seul, la main sur le ventre, tandis que du sang goutte sur ses souliers noirs. Il tente de faire un pas mais glisse, tombe et fixe le plafond, immobile.

Le garde du corps au fusil d'assaut suit Raphael en regardant à travers les fenêtres de la salle à manger.

Axel arrête de jouer lorsque Raphael arrive en bas et le pointe avec le couteau ensanglanté.

— Traître, rugit-il. Comment est-ce que vous pouvez être aussi foutrement…

Le garde du corps décharge soudain son fusil d'assaut dans une série de détonations assourdissantes. Les balles traversent les fenêtres et les douilles dégringolent en bas de l'escalier en cliquetant.

112

RAFALES

Joona et Niko montent prudemment l'escalier extérieur, passent le pont inférieur et rejoignent l'immense pont arrière. La mer silencieuse s'étend à perte de vue comme une plaque de verre gigantesque. Soudain, Joona entend la musique d'un violon. Il s'efforce de distinguer quelque chose derrière les grandes baies vitrées réfléchissantes mais ne voit qu'une petite partie de la salle à manger. La musique continue fiévreusement. Lointaine, comme dans un rêve.

Joona et Niko attendent quelques secondes puis traversent en courant un espace à découvert en passant devant une piscine sans eau. Ils arrivent sous une terrasse qui surplombe le pont et se dirigent vers l'escalier métallique.

Des pas résonnent sur la terrasse au-dessus de leurs têtes et Niko désigne l'escalier. En silence, ils se cachent contre le mur vers le longeron. Ils entendent désormais plus distinctement les notes rapides du violon. C'est un véritable violoniste qui joue. Joona regarde avec précaution à l'intérieur d'une immense salle à manger où du matériel informatique a été installé sur les différentes tables. Il ne voit personne. Celui qui joue doit se trouver de l'autre côté du large escalier rouge.

Joona fait signe à Niko de le suivre et de couvrir ses arrières, en désignant la passerelle au-dessus d'eux.

Soudain, le violon s'arrête au milieu d'une magnifique roulade.

Brusquement.

Joona se jette derrière l'escalier au moment où il entend une rafale de tirs. Ce sont des détonations fortes et rapides. Les balles blindées percutent l'escalier où il se trouvait à l'instant et ricochent dans différentes directions.

Joona rampe plus loin derrière l'escalier et sent l'adrénaline monter en lui. Niko s'est mis à couvert derrière la grue des bateaux de sauvetage et riposte. Accroupi, Joona avance jusqu'à la rangée de trous dans la fenêtre obscure, des anneaux givrés autour de pupilles noires.

LA LAME DU COUTEAU

Le garde du corps descend l'escalier, son arme est toujours pointée sur les baies vitrées. De la fumée se répand autour du fusil d'assaut et les douilles sautillent sur les marches.

Peter s'est accroupi et se bouche les oreilles.

Sans un bruit, le garde du corps quitte la salle à manger par une porte latérale.

Axel s'éloigne entre les tables avec le violon et l'archet dans la main. Raphael le menace de son couteau.

— Comment est-ce que vous pouvez être aussi débile ? s'écrie-t-il en le suivant. Je vais vous tailler le visage, je vais…

— Papa, qu'est-ce qui se passe ? crie Peter.

— Va chercher mon pistolet et rejoins-moi à l'hélicoptère – on quitte le bateau !

Le garçon hoche la tête, il est pâle et son menton tremble. Raphael se rapproche d'Axel qui recule en renversant des chaises entre eux.

— Charge-le avec les Parabellum, les balles expansives, dit Raphael.

— Un chargeur ? demande le garçon d'une voix maîtrisée.

— Oui, ça suffira – mais dépêche-toi à la fin ! répond Raphael en écartant une chaise d'un coup de pied.

Axel tente d'ouvrir la porte de l'autre côté de la pièce mais elle est bloquée.

— Nous n'en avons pas terminé tous les deux, crie Raphael.

Axel tâtonne de sa main libre sur la porte et se rend compte qu'elle est fermée par un verrou d'écurie. Raphael est à seulement quelques mètres. Il s'approche dangereusement et Axel jette instinctivement le magnifique violon sur Raphael. L'instrument rouge scintille en tournoyant en l'air. Raphael fait un rapide pas de côté pour sauver le violon et trébuche sur une chaise renversée, il le manque de peu mais réussit à atténuer sa chute.

Le violon heurte le sol dans un étrange tintement.

Axel arrive à ouvrir la porte et se précipite dans un couloir encombré. Il y règne un tel désordre qu'il est difficile de passer. Il grimpe par-dessus une pile de coussins pour transat et glisse parmi des masques et des combinaisons de plongée.

— Me voilà, dit Raphael en le suivant, le violon dans une main, le couteau dans l'autre.

Axel trébuche sur un filet de tennis enroulé et se coince une jambe dans les mailles déchirées. Il rampe pour s'éloigner de Raphael qui s'approche à toute vitesse dans le couloir. Axel agite ses jambes dans tous les sens pour se dégager.

Les détonations fortes et brèves d'une arme automatique résonnent un peu plus loin.

La respiration saccadée, Raphael brandit son couteau, mais n'a pas le temps de l'atteindre avant qu'Axel ne se dépêtre. Il arrive maladroitement à se relever, recule et renverse un grand baby-foot devant Raphael. Il file jusqu'à la première porte, ses mains tâtonnent autour de la serrure et de la poignée, quelque chose est appuyé contre la porte mais il arrive tout de même à l'entrouvrir.

— Ce n'est pas une bonne idée, crie Raphael.

Axel tente de s'immiscer dans l'interstice, mais il est trop étroit. Un grand placard où sont empilés des pots en terre bloque le passage. Il se jette à nouveau contre la porte et le placard bouge de quelques centimètres. Axel sent la présence de Raphael derrière lui. Un frisson parcourt son dos. De toutes ses forces, il oblige son corps à passer dans la fente et ne se rend pas compte qu'il s'écorche sur la serrure.

Raphael tente de l'atteindre avec son couteau, il donne un coup et la lame érafle l'épaule d'Axel.

La douleur est saisissante.

Axel titube à l'intérieur d'une pièce claire au petit toit en verre. Peut-être une serre abandonnée. Il avance en touchant son épaule et sent la moiteur du sang sur ses doigts. Il percute un citronnier mort depuis longtemps.

Il marche le plus vite possible en se frayant un passage parmi les bâches et les plantes aux feuilles fanées.

Raphael donne de violents coups de pied dans la porte en soufflant lourdement à chaque impact. Les pots s'entrechoquent et le placard se décale lentement.

Axel n'a pas d'autres solutions que de se cacher et se faufile sous un banc, continue sur le côté, passe en dessous d'une bâche en plastique crasseuse et avance doucement entre des bassines et des seaux. Il espère de tout son cœur que Raphael va renoncer et quitter le bateau avec son fils.

Il y a un grondement près de la porte et quelques pots se brisent sur le sol.

Raphael entre dans la pièce en haletant et prend appui un instant sur une treille dont la vigne est morte.

— Venez embrasser ma main, crie Raphael.

Axel tente de respirer sans faire de bruit, recule doucement mais un grand placard l'empêche d'aller plus loin.

— Je promets de tenir mes promesses, dit Raphael en souriant. Il scrute la pièce en s'attardant sur chaque espace entre les bancs et les branches sèches des buissons. Le foie de votre frère vous attend et il vous suffit d'embrasser ma main pour l'obtenir.

A ces mots, Axel sent son estomac se nouer. Il tremble de peur et son cœur bat la chamade mais il s'efforce de ne pas faire le moindre bruit. Il regarde autour de lui pour trouver une issue et découvre une porte coulissante menant au pont avant à seulement cinq mètres de lui.

Il entend le grondement de l'hélicoptère.

Axel espère pouvoir ramper sous une table et courir sur les derniers mètres. Il commence en douceur à se décaler sur le côté. La porte semble n'être verrouillée qu'avec un crochet.

Il relève un peu la tête pour mieux évaluer la distance. A peine a-t-il le temps de penser qu'il pourrait être sur le pont avant en quelques secondes que son cœur paraît s'arrêter. Une lame froide est posée contre son cou. Il a l'impression que le métal lui brûle la peau. Raphael l'a repéré et s'est glissé dans son dos. L'adrénaline déferle dans tout son corps, qui semble se refroidir de l'intérieur. Il sent la respiration de Raphael sur sa nuque et perçoit l'odeur de sa transpiration. La lame tranchante repose sur sa gorge.

BATAILLE FINALE

Le garde du corps quitte silencieusement la salle à manger et se glisse au-dehors pour courir le long de la baie vitrée. Il porte l'arme couleur sable contre son épaule. Ses lunettes scintillent. Joona se rend compte qu'il se dirige vers Niko et qu'il va l'atteindre par-derrière.

Niko est complètement exposé.

Le garde du corps le met en joue et lève son doigt vers la détente.

Joona se relève rapidement, vise, fait un pas en avant pour ouvrir la ligne de feu et tire deux coups qui atteignent le garde du corps en pleine poitrine. L'homme titube en arrière et prend appui sur la balustrade au-dessus du bastingage pour ne pas tomber. Joona se dirige droit sur lui et repositionne son fusil pour l'avoir dans sa ligne de mire.

Joona découvre alors que le garde du corps porte un gilet pare-balles sous sa veste noire.

Joona parvient rapidement à sa hauteur, écarte le canon du fusil du revers de la main et le frappe simultanément avec son pistolet en pleine figure. C'est un coup puissant qui atterrit directement à la base de son nez, sur ses lunettes. Ses jambes s'affaissent et dans sa chute sa tête cogne contre le bastingage avec un bruit sourd. De la sueur et de la morve giclent autour de lui puis il s'effondre.

Joona et Niko se séparent et, chacun de leur côté, ils longent la salle à manger en direction de la proue. Le rotor de l'hélicoptère tourne de plus en plus vite.

— Allez ! Embarquez ! crie quelqu'un.

Joona court aussi près du mur que possible. Il ralentit et marche avec précaution sur les derniers mètres avant de passer la tête à l'angle de la baie vitrée pour voir le pont avant.

Le fils de Raphael Guidi est déjà installé dans l'hélicoptère. Les ombres des pales vacillent sur le plancher et la balustrade.

Joona entend des voix sur la passerelle au-dessus de lui, il fait un pas en avant mais l'autre garde du corps de Raphael l'a aperçu. L'homme blond est environ à vingt-cinq mètres et vise Joona qui n'a pas le temps de réagir avant que le coup ne parte. Il entend une brève détonation puis a la sensation de recevoir un coup de fouet sur le visage. Tout devient blanc. Il tombe tête la première contre un transat puis s'écroule sur le sol en métal. Sa nuque percute la balustrade et sa main cogne violemment contre les lattes. Son poignet manque de se briser et l'arme est éjectée à travers la balustrade. On entend un cliquetis lorsque son pistolet heurte l'étrave dans sa chute.

Joona cligne des yeux et, lorsqu'il commence à retrouver la vue, il rampe derrière un mur. Ses mains tremblent, il ne comprend pas ce qui s'est passé. Du sang chaud coule le long de sa joue et il tente de se relever. Il a besoin de l'aide de Niko mais avant tout il doit savoir où est le garde du corps.

Il s'essuie rapidement la joue. Une douleur l'assaille lorsqu'il tâte la peau de son visage. Il constate que la balle n'a fait que frôler sa tempe.

Il s'agit d'une blessure superficielle.

Un sifflement étrange sonne dans son oreille gauche.

Son cœur cogne dans sa poitrine.

Lorsqu'il se relève derrière le mur métallique, il ressent des douleurs lancinantes à la tête.

La sensation aiguë de la migraine grandit en lui.

Joona appuie fermement son pouce contre son front entre les sourcils pour chasser la douleur fulgurante.

Il regarde vers l'hélicoptère et tente d'apercevoir Niko. Ses yeux parcourent le pont avant et le bastingage.

Le navire armé de la marine s'approche telle une ombre noire sur la mer brillante.

Joona arrache la longue barre métallique d'un transat cassé.

Il se tasse contre le mur et voit soudain Raphael et Axel se déplacer à reculons en direction de l'hélicoptère. Raphael tient un couteau contre le cou d'Axel d'une main et un violon de l'autre.

Leurs vêtements et leurs cheveux volettent dans le courant d'air créé par les pales.

Le garde du corps qui a tiré sur Joona se déplace latéralement d'un pas souple pour le surprendre derrière le mur. Il n'est pas certain de l'avoir atteint à la tête, tout est allé trop vite.

Joona sait que le garde du corps est à sa recherche et tente de s'éloigner, mais son mal de tête engourdit tous ses mouvements.

Il est obligé de s'arrêter.

Pas maintenant, se dit-il en sentant la transpiration couler le long de son dos.

Le garde du corps dépasse l'angle et lève son arme. Il aperçoit l'épaule de Joona, devine son cou et sa tête.

Subitement, Niko Kapanen arrive en trombe derrière l'homme en le visant avec son fusil d'assaut. Le garde du corps est rapide, il pivote et tire. Quatre fois. Niko ne semble pas sentir la première balle qui l'atteint à l'épaule mais s'arrête net dès que la seconde pénètre son estomac en traversant l'intestin grêle. La troisième balle le manque, mais la quatrième l'atteint en pleine poitrine. Ses jambes se dérobent et Niko tombe sur le côté, contre le bord de l'hélistation. Il est grièvement blessé et ne se rend sans doute pas compte qu'il presse la détente de son fusil d'assaut en s'effondrant. Les balles partent de tous côtés. En deux secondes, il vide tout son chargeur face à la mer jusqu'à ce que l'arme cliquette dans le vide.

Niko halète, ses yeux roulent en arrière, il glisse sur le dos en laissant une trace sanglante derrière lui puis lâche son arme. Il éprouve une douleur terrible au niveau de la poitrine. Il ferme les yeux un moment, puis lève un regard trouble sur les boulons massifs sous l'hélistation. Il constate que la rouille a pénétré la couche blanche de peinture, mais ne s'aperçoit pas que son poumon droit se remplit de sang.

Il tousse faiblement, est sur le point de perdre connaissance, mais aperçoit soudain Joona, caché derrière le mur de la salle à manger, une barre de fer à la main. Leurs yeux se croisent et Niko réunit ses dernières forces pour lui envoyer le fusil d'assaut d'un coup de pied.

Axel est terrorisé, les détonations résonnent encore dans ses oreilles et il tremble de tout son corps. Raphael recule vers l'hélicoptère en se servant de lui comme bouclier. Ils avancent en titubant et la lame pénètre un peu plus dans sa chair. Axel sent le sang couler sur sa poitrine. Il voit le dernier garde du corps s'approcher de Joona Linna, mais ne peut rien faire.

Joona attrape le fusil chaud et le tire vers lui. Le garde du corps devant l'hélistation tire deux coups de feu dans sa direction. Ils ricochent sur les murs, le sol et la balustrade. Joona sort le chargeur vide du fusil et s'aperçoit que Niko fouille ses poches à la recherche d'autres munitions. Niko halète, il est très faible et est obligé de se reposer quelques secondes, la main appuyée contre son ventre ensanglanté. Le garde du corps crie à Raphael de s'installer. L'hélicoptère est prêt à décoller. Niko fouille une des poches situées plus bas sur la cuisse et en ressort sa main. Un papier de bonbon s'envole, mais dans sa paume une cartouche demeure. Niko tousse faiblement, regarde l'unique cartouche blindée et la fait rouler sur le sol jusqu'à Joona.

La douille en laiton et la pointe en cuivre miroitent en roulant vers lui.

Joona l'attrape et l'enfonce rapidement dans le chargeur.

Les yeux de Niko sont désormais fermés, une bulle de sang apparaît entre ses lèvres mais sa poitrine se soulève encore rapidement.

Les pas lourds du garde du corps résonnent sur le sol.

Joona introduit le chargeur dans le fusil, fait avancer l'unique cartouche, positionne l'arme contre son épaule, attend quelques secondes et quitte sa cachette.

Raphael recule en maintenant Axel devant lui. Son fils lui crie quelque chose depuis l'hélicoptère et le pilote fait signe à Raphael de venir.

— Vous auriez dû m'embrasser la main lorsque vous en aviez la chance, chuchote Raphael à l'oreille d'Axel.

Un choc fait tinter les cordes du violon.

Le garde du corps s'approche de Niko à grands pas, se penche par-dessus le bord de l'hélistation et pointe l'arme contre son visage.

— *Jonottakaa*, crie Joona en finlandais.

Il voit le garde du corps relever son arme pour la pointer vers lui. Il se décale rapidement en tentant de trouver la bonne ligne de tir. Cette balle doit l'atteindre.

Il ne dispose plus que de quelques secondes.

Juste derrière le garde du corps, Raphael appuie son couteau contre le cou d'Axel. Leurs vêtements sont désormais tiraillés dans tous les sens et des gouttes de sang éclaboussent le sol. Joona se baisse légèrement, lève le guidon de quelques millimètres et appuie sur la détente.

Jonottakaa, pense-t-il. Alignez-vous.

Il sent la violente décharge du recul contre son épaule. La balle blindée est expulsée du canon à une vitesse de huit cents mètres par seconde. Sans le moindre bruit, elle s'incruste dans le creux du cou du garde du corps puis ressort par sa nuque. Sans avoir perdu beaucoup de vitesse, elle pénètre dans l'épaule de Raphael et disparaît au-dessus de la mer.

Le bras de Raphael est projeté en arrière et le couteau tombe sur le pont.

Axel Riessen s'effondre.

Le garde du corps regarde Joona d'un air étonné, du sang s'écoule le long de sa poitrine, il lève son pistolet d'une main tremblante mais il retombe aussitôt. Il pousse un râle et tousse du sang.

Il s'assied, touche son cou d'une main faible, cligne des yeux deux fois. Ils s'ouvrent et restent écarquillés.

Raphael a les lèvres blanches, debout dans l'air tourbillonnant, il presse sa main qui tient encore le violon contre son épaule en fixant Joona droit dans les yeux.

— Papa, crie le garçon dans l'hélicoptère en lui jetant un pistolet.

Il heurte le sol, rebondit et s'immobilise aux pieds de Raphael.

Axel est assis dos au bastingage. Il a un regard vide et tente d'arrêter avec sa main le flot de sang qui coule sur son cou.

— Raphael ! Raphael Guidi ! Je suis là pour vous arrêter, crie Joona d'une voix forte.

Raphael est à cinq mètres de son hélicoptère. Sa veste de survêtement flotte autour de son corps. Péniblement, il se baisse et ramasse l'arme.

— Vous êtes soupçonné de trafic d'armes aggravé, enlèvement et meurtres, dit Joona.

Raphael a le visage en sueur et le pistolet tremble dans sa main.

— Lâchez votre arme, crie Joona.

Raphael tient le lourd pistolet dans sa main, mais son pouls s'accélère lorsqu'il rencontre le regard calme de Joona.

Axel fixe Joona et tente de lui crier de courir.

Joona reste immobile.

Tout se passe en quelques secondes.

Raphael pointe son pistolet sur Joona et appuie sur la détente, mais l'arme cliquette dans le vide. Il essaie à nouveau de tirer mais comprend que son fils n'a jamais rempli le chargeur comme il l'avait promis. Raphael sent une vague froide de solitude déferler sur lui. Il réalise qu'il est trop tard pour lâcher l'arme et abandonner la partie à l'instant où la première balle pénètre son corps. Trois coups sourds se succèdent. Les détonations résonnent sur la mer. Raphael a l'impression de recevoir un violent coup de poing dans la poitrine. Elle est suivie par une douleur lancinante lorsqu'il titube en arrière et perd la sensation dans ses jambes.

Le pilote ne peut plus attendre et l'hélicoptère décolle sans Raphael Guidi. Il prend de l'altitude, les moteurs grondants.

Le navire lance-missiles *FNS Hanko* de la marine finlandaise s'approche encore du yacht. Trois tireurs embusqués déchargent de nouveau leurs armes sur Raphael. Une seule détonation résonne. Il fait quelques pas en arrière et tombe, tente un instant de se relever, mais n'arrive plus à bouger.

Son dos est chaud, mais ses pieds sont déjà glacés.

Raphael fixe l'hélicoptère qui monte rapidement vers le ciel brumeux.

Assis dans le cockpit, Peter regarde le yacht rapetisser en contrebas. Son père gît sur la zone d'atterrissage, à l'intérieur des cercles, comme sur une cible.

Raphael Guidi tient encore le violon de Paganini dans la main.

Une mare de sang noir se répand rapidement sous lui, son regard est déjà mort.

Joona est le seul encore debout sur le pont avant du bateau.

Il reste immobile tandis que l'hélicoptère blanc disparaît.

Le ciel jette une lueur cristalline sur la scène. Trois navires flottent côte à côte, immobiles sur la mer scintillante, comme abandonnés.

Bientôt viendront les hélicoptères de sauvetage finlandais, mais pour l'heure un silence étrange règne, comme après la dernière note d'un concert.

115

CLÔTURE

Joona Linna, Axel Riessen, Niko Kapanen et le garde du corps aux cheveux gris ont été transportés en hélicoptère jusqu'à l'hôpital chirurgical HUCS de Helsinki. A leur arrivée, Axel avait demandé à Joona pourquoi il ne s'était pas éloigné lorsque Raphael avait ramassé le pistolet.

— Vous ne m'avez pas entendu crier ?

Joona l'avait regardé dans les yeux et lui avait expliqué qu'il avait déjà vu les tireurs embusqués sur le bateau et avait cru qu'ils déchargeraient leurs armes avant que Raphael n'ait le temps de tirer.

— Mais ça n'a pas été le cas, avait dit Axel.

— On ne peut pas toujours avoir raison, avait répondu Joona avec un sourire.

Niko était conscient lorsque Joona et Axel étaient entrés dans sa chambre pour lui dire au revoir. Il avait plaisanté et dit qu'il se sentait comme Vanhala dans *Soldats inconnus**.

— Vive la Suède, leur avait-il dit. Mais… la petite Finlande est coriace et mérite une bonne seconde place !

Les blessures de Niko étaient très graves, mais son pronostic vital n'était plus engagé. Il devait subir un certain nombre d'opérations dans les prochains jours avant de rentrer chez ses parents en fauteuil roulant deux semaines plus tard. Il lui faudrait attendre presque un an avant de pouvoir rejouer au hockey avec sa sœur.

---

* *Tuntematon sotilas*, roman écrit par l'auteur finlandais Väinö Linna en 1945, qui met en scène des soldats finlandais pendant la guerre de Continuation.

Le garde du corps de Raphael Guidi a été arrêté et conduit à la prison de Vanda dans l'attente de son procès. Joona Linna et Axel Riessen étaient rentrés à Stockholm.

*

Le grand cargo *M/S Icelus* n'a jamais quitté le port de Göteborg. Les munitions ont été déchargées et la cargaison transférée à l'entrepôt de la douane.

Jens Svanehjälm avait pris en charge l'interminable processus juridique, mais, en dehors du garde du corps de Raphael Guidi, tous les coupables étaient déjà morts.

Il a été impossible de prouver que d'autres personnes, à l'exception de Pontus Salman de Silencia Defence AB, avaient été impliquées dans une activité criminelle. Le seul à avoir commis une quelconque infraction était l'ancien directeur général, Carl Palmcrona.

Des soupçons de corruption et d'infraction à la législation sur les armes avaient pesé sur Jörgen Grünlicht, mais il n'avait finalement pas été inculpé. Les enquêteurs avaient conclu que l'Exportkontrollrådet, la commission parlementaire en charge du contrôle de l'export, et tous les politiciens suédois qui avaient été impliqués dans l'exportation avaient été trompés et avaient agi en toute bonne foi.

Les rapports des enquêtes pour corruption sur deux politiciens kényans ont été remis à Roland Lidonde, général anti-corruption et secrétaire de Governance and Ethics. Il en ressortira sans doute que les politiciens kényans n'avaient rien à se reprocher.

L'armateur Intersafe Shipping ignorait que les munitions allaient être acheminées depuis le port de Mombasa jusqu'au Sud-Soudan. Le transporteur kényan Trans Continent ignorait que les marchandises qu'il s'était engagé à acheminer jusqu'au Soudan étaient des munitions. Tous avaient été dupés.

AXEL RIESSEN

Axel Riessen sent les points de suture se tendre sur son cou lorsqu'il sort du taxi et marche jusque chez lui. Le bitume est pâle, presque blanc dans la lumière du soleil. La porte d'entrée s'ouvre au moment où il pose la main sur la grille. Robert l'attendait, posté à la fenêtre.

— Mais qu'est-ce qui t'est arrivé ? demande Robert en secouant la tête. J'ai parlé avec Joona Linna et il m'a un peu raconté, c'est complètement hallucinant…

— Tu sais bien que ton grand frère est un dur à cuire, dit Axel en souriant.

Ils s'étreignent et rejoignent la maison.

— Nous avons mis la table dans le jardin, dit Robert.

— Comment va le cœur ? Il bat encore ? demande Axel en suivant son frère.

— Il se trouve que j'avais rendez-vous à l'hôpital la semaine prochaine, répond Robert.

— Je ne savais pas, dit Axel en sentant un frisson lui parcourir la nuque.

— C'était pour qu'on me mette un pacemaker, je ne crois pas t'en avoir parlé…

— Une opération ?

— Oui, elle a été annulée depuis.

Axel regarde son frère et sent quelque chose se tordre au plus profond de lui.

Raphael avait déjà programmé l'opération de Robert, il était censé mourir sur la table d'opération et lui donner son foie.

Axel est obligé de s'arrêter un moment dans le vestibule pour se calmer avant de continuer. Son visage le brûle et il sent sa gorge se serrer.

— Tu viens ? demande Robert d'un ton léger.

Axel calme sa respiration avant de suivre son frère dans la maison pour rejoindre le jardin situé à l'arrière. La table a été installée sur la terrasse en marbre à l'ombre du grand arbre.

Il s'apprête à rejoindre Anette lorsque Robert lui agrippe le bras pour le retenir.

— On s'amusait bien quand on était petits, dit Robert avec un regard sérieux. Pourquoi on ne se parle plus ? Comment en est-on arrivés là ?

Etonné, Axel observe le visage de son frère, les rides au coin de ses yeux, ses cheveux ébouriffés autour de sa calvitie.

— Il se passe des choses dans la vie qui…

— Attends… je ne voulais pas te dire ça au téléphone, l'interrompt Robert.

— Qu'est-ce qu'il y a ?

— Beverly m'a dit que tu pensais que c'était ta faute si Greta avait mis fin à ses jours, mais je…

— Je ne veux pas en parler, le coupe aussitôt Axel.

— Il le faut. J'étais là lors du concours, j'ai tout entendu, j'ai entendu Greta parler avec son père, elle était en larmes, elle s'était trompée et son père était terriblement énervé…

Axel se libère de la main de son frère.

— Je sais déjà tout ce qui…

— Laisse-moi dire ce que j'ai à dire, insiste Robert.

— Vas-y.

— Axel… si seulement tu avais dit quelque chose, si seulement j'avais su que tu pensais que la mort de Greta était ta faute. J'ai entendu son père. C'était sa faute, c'était uniquement sa faute… ils ont eu une dispute terrible, je l'entendais dire des choses horribles, qu'elle lui faisait honte, qu'elle n'était plus sa fille. Elle devait quitter la maison, quitter l'école et s'installer chez sa mère camée à Mora.

— Il a dit ça ?

— Je n'oublierais jamais la voix de Greta, poursuit Robert les dents serrées. La peur dans sa voix lorsqu'elle essayait d'expliquer à son père que tout le monde peut se tromper, qu'elle avait fait de son mieux, que ce n'était pas grave, qu'il y aurait d'autres concours…

— Mais j'ai toujours…

Axel regarde autour de lui, perdu, toutes ses forces semblent le quitter, il s'affaisse lentement sur le sol en marbre et cache son visage dans ses mains.

— Elle pleurait et disait à son père qu'elle allait se suicider si on ne la laissait pas continuer la musique.

— Je ne sais pas quoi dire, chuchote Axel.

— Dis merci à Beverly.

BEVERLY ANDERSSON

Une pluie légère commence à tomber lorsque Beverly arrive sur le quai de la gare centrale de Stockholm. Le train qui l'amène vers le sud traverse un paysage estival qui se déploie sous une légère brume. Lorsqu'elle atteint Hässleholm, le ciel se découvre enfin. Après avoir changé de train à Lund et pris le bus depuis Landskrona, elle arrive à Svalöv.

Cela faisait longtemps qu'elle n'était pas rentrée.

Le Dr Saxéus lui avait promis que tout se passerait bien.

J'ai parlé avec ton père, disait le médecin. Il est sérieux.

Beverly traverse une place poussiéreuse et se rappelle qu'elle avait vomi là deux ans plus tôt. Quelques garçons lui avaient fait boire un alcool de contrebande. Ils avaient pris des photos d'elle avant de la déposer sur la place. C'était à la suite de cet incident que son père n'avait plus voulu d'elle à la maison.

Elle continue d'avancer. Son ventre se noue lorsqu'elle aperçoit la grand-route qui mène à la ferme trois kilomètres plus loin. C'était le long de cette route que les voitures la ramassaient autrefois. Désormais, elle ne se souvient plus pourquoi elle désirait tant les suivre. Elle pensait voir quelque chose dans leurs yeux. Comme une lueur.

Beverly change son lourd sac de main.

Au loin, une voiture avance dans la poussière.

Ne lui est-elle pas familière ?

Beverly sourit et fait signe de la main.

Papa arrive, papa arrive.

PENELOPE FERNANDEZ

L'église Roslags-Kulla est une petite église en bois rouge verni avec un clocher magnifique. Elle est située en pleine campagne, non loin du village de Vira bruk, légèrement à l'écart des routes de la commune d'Österåker. Le ciel est bleu et l'air est pur, le vent emporte dans son souffle l'odeur des fleurs sauvages.

Björn Almskog a été enterré la veille au cimetière Norra et quatre hommes en costume noir portent désormais Viola Maria Liselott Fernandez jusqu'à sa dernière demeure. Penelope Fernandez et sa mère Claudia suivent le cercueil avec le prêtre, deux oncles et deux cousines venus du Salvador.

Ils s'arrêtent près de la tombe ouverte. Une cousine, une petite fille qui doit avoir dans les neuf ans, pose un regard interrogateur sur son père. Lorsqu'il hoche la tête vers elle, elle sort sa flûte à bec et commence à jouer le psaume 97 tandis que le cercueil descend lentement dans la terre.

Penelope Fernandez tient la main de sa mère et le prêtre lit un passage de l'Apocalypse de Jean.

Et Dieu essuiera toute larme de leurs yeux ; et la mort ne sera plus.

Claudia regarde Penelope, remet son col droit et lui caresse la joue comme à un enfant.

Lorsqu'ils regagnent les voitures, un téléphone vibre dans le petit sac noir de Penelope. C'est Joona Linna. Penelope se libère délicatement de la main de sa mère et se met à l'ombre sous l'un des grands arbres du cimetière.

— Salut Penelope, dit Joona de sa voix chantante et sérieuse à la fois.

— Salut Joona.

— Je pensais que vous aimeriez savoir que Raphael Guidi est mort.

— Et les munitions pour le Darfour ?

— Nous avons arrêté le navire.

— Bien.

Penelope laisse son regard errer sur sa famille, ses amis, sa mère qui est reste là où elle l'a laissée, sa mère qui ne la quitte pas des yeux.

— Merci, dit-elle.

Elle retourne auprès de sa mère qui l'attend avec un visage inquiet. Penelope lui reprend la main et se dirige vers les personnes qui attendent près des voitures.

Penelope.

Elle s'arrête et se retourne. Elle pensait avoir entendu la voix de sa sœur. Un frisson parcourt sa nuque et une ombre passe lentement sur l'herbe verte. La petite fille qui jouait de la flûte la regarde entre les pierres tombales. Elle a perdu son ruban et ses cheveux flottent dans la brise estivale.

SAGA BAUER ET ANJA LARSSON

Les jours d'été n'en finissent pas, la nuit brille comme de la nacre jusqu'à l'aube.

C'est la fête du personnel des unités regroupées au sein de la Rikspolisstyrelsen, dans le jardin baroque devant le château de Drottningholm.

Joona Linna est installé avec ses collègues à une table sous un grand arbre.

Sur la piste de danse en bois rouge de Falun, les musiciens vêtus de costumes blancs jouent *Hårgalåten*.

Petter Näslund danse une *slängpolska** avec Fatima Zanjani qui est originaire d'Irak. Il lui dit quelque chose avec un sourire au coin des lèvres. Ça a l'air de la rendre heureuse.

La chanson raconte l'histoire du diable qui jouait si bien du violon que les jeunes ne voulaient jamais arrêter de danser. Lorsqu'ils commirent l'erreur de ne pas respecter le repos dominical sonné par la cloche, ils furent condamnés à danser à jamais. Ils pleuraient de fatigue. Leurs chaussures s'usaient jusqu'à la corde, leurs pieds s'usaient jusqu'à la moelle et il ne resta bientôt plus que leurs têtes qui sautillaient à la musique du violon.

Assise sur une chaise, Anja est vêtue d'une robe d'été à fleurs bleues. Elle fusille du regard les couples qui dansent sur la piste. Son visage maussade trahit sa déception. Mais lorsqu'elle voit Joona se lever, elle sent ses joues s'enflammer.

---

* Danse dérivée de la *polska* (diminutif de "danse polonaise" en suédois, une danse de couple à trois temps à ne pas confondre avec la polka). La *slängpolska* est une *polska* à double croche comportant également un tour de bras.

Saga Bauer danse sur la pelouse entre les arbres. Elle chasse des bulles de savon avec les jumeaux de Magdalena Ronander. Ses blonds cheveux tressés de rubans de couleur brillent au soleil. Deux femmes d'âge mûr se sont arrêtées et l'observent avec un regard étonné.

— Mesdames et messieurs, dit le chanteur après les applaudissements. Nous avons reçu une demande particulière…

Carlos Eliasson sourit et lorgne quelqu'un derrière la scène.

— Je suis originaire d'Oulu, poursuit le chanteur avec un sourire. Et c'est avec un grand plaisir que je vais vous chanter un tango qui s'appelle *Satumaa**.

Magdalena Ronander porte une couronne de fleurs dans les cheveux et s'approche de Joona en cherchant son regard. Anja fixe ses nouvelles chaussures.

L'orchestre commence à jouer le tango langoureux. Joona se tourne vers Anja, s'incline légèrement et demande à voix basse :

— Je peux ?

Le front, les joues et le cou d'Anja deviennent écarlates. Elle croise son regard et hoche la tête d'un air solennel.

— Oui, dit-elle. Oui, tu peux.

Elle prend son bras, jette un regard fier à Magdalena et se dirige vers la piste avec Joona, la tête haute.

Anja danse avec concentration, une fine ride s'est creusée sur son front. Mais rapidement, son visage rond exprime son calme et sa joie.

Ses cheveux laqués sont réunis en un complexe chignon sur sa nuque. Elle se laisse guider par Joona.

Lorsque la chanson touche à sa fin, Joona sent soudain qu'Anja lui mord doucement l'épaule.

Elle mord de nouveau, un peu plus fort et il se sent obligé de lui demander :

— Qu'est-cc que tu fais ?

Ses yeux brillent.

— Je ne sais pas, répond-elle honnêtement. Je voulais juste voir ce qui se passerait, on ne sait jamais avant d'essayer…

Au même moment, la musique s'arrête. Il la lâche délicatement et la remercie pour la danse. Avant qu'il n'ait le temps

*Le "tango national" de la Finlande écrit par Unto Mononen en 1955.

de la raccompagner à sa place, Carlos s'avance majestueusement et invite Anja à danser.

Joona reste un moment au bord de la piste pour regarder ses collègues qui dansent, mangent et boivent. Puis il se met à marcher en direction de sa voiture.

Des personnes habillées en blanc sont assises sur des couvertures de pique-nique ou flânent entre les arbres.

Joona rejoint sa place de parking et ouvre la portière de sa Volvo. Un énorme bouquet de fleurs est posé sur la banquette arrière.

Il s'installe dans sa voiture et appelle Disa. Sa messagerie se déclenche à la quatrième sonnerie.

DISA HELENIUS

Disa est assise devant son ordinateur dans son appartement près de Karlaplan. Elle porte ses lunettes et une couverture drape ses épaules. Son portable est posé sur son bureau à côté d'une tasse de café froid et d'un petit pain à la cannelle.

Elle observe une photo représentant un tas de pierres entouré de hautes herbes : ce sont les ruines du cimetière du choléra dans le quartier Skanstull à Stockholm.

Elle annote le document sur son ordinateur, s'étire et amène la tasse à sa bouche puis se ravise. Elle se lève pour faire un nouveau café lorsque le téléphone vibre sur le bureau.

Sans regarder de qui il s'agit, elle l'éteint et rejoint la fenêtre. Elle regarde un moment dehors. Des particules de poussière brillent à la lumière du soleil. Son cœur bat de plus en plus vite et elle s'installe de nouveau à son ordinateur. Elle ne compte plus jamais parler à Joona Linna.

JOONA LINNA

Une ambiance de week-end règne sur Stockholm et la circulation est fluide lorsque Joona descend lentement Tegnérgatan. Il a cessé d'essayer d'appeler Disa. Elle a éteint son téléphone et il suppose qu'elle a envie d'être seule. Joona contourne l'immeuble Blå tornet et continue sur Drottininggatan, vers le tronçon de la rue où il y a de nombreux antiquaires et des magasins. Près de la librairie New Age *Vattumannen*, une vieille femme feint de regarder la vitrine. Lorsque Joona passe, elle fait un geste vers l'intérieur du magasin et commence ensuite à le suivre à distance.

Il faut un moment à Joona pour remarquer qu'il est suivi.

Ce n'est qu'en arrivant au niveau de la clôture noire de l'église Adolphe-Frédéric qu'il se retourne. A dix mètres de lui, une femme qui doit avoir dans les quatre-vingts ans le regarde d'un air grave et lui tend quelques cartes.

— Ça, c'est vous, n'est-ce pas ? dit-elle en lui montrant une des cartes. Et voici la couronne, la couronne de mariée.

Joona Linna prend la carte. C'est une carte de *killelek*, l'un des plus anciens jeux de cartes d'Europe.

— Qu'est-ce que vous voulez ? demande-t-il calmement.

— Je ne veux rien, dit la femme. Mais j'ai un message de la part de Rosa Bergman.

— Il doit y avoir erreur, car je ne connais personne qui...

— Elle aimerait savoir pourquoi vous faites comme si votre fille était morte.

ÉPILOGUE

C'est le début de l'automne à Copenhague, l'air a déjà fraîchi lorsque le groupe arrive à la glyptothèque dans quatre limousines. Les hommes montent l'escalier, franchissent l'entrée, poursuivent leur chemin jusqu'au jardin d'hiver situé sous un haut plafond vitré. Leurs pas résonnent dans le couloir en pierre devant les sculptures antiques. Ils entrent dans une luxueuse salle des fêtes.

Le public est déjà installé et les musiciens du Tokyo String Quartet sont assis sur la scène avec leurs célèbres Stradivarius, ceux-là mêmes sur lesquels jouait autrefois Niccolò Paganini.

Les quatre retardataires prennent place autour d'une table installée près de la colonnade à l'écart du reste du public. Le plus jeune est un jeune homme blond élancé qui répond au nom de Peter Guidi. Ce n'est qu'un jeune homme, mais l'expression de ceux qui l'accompagnent dit tout autre chose, ils s'apprêtent à lui embrasser la main.

Les musiciens se font un signe de tête et entament le quatuor à cordes n° 14 de Schubert. Les premières notes résonnent avec gravité, comme avec une force retenue. Un violon leur répond douloureusement. La musique semble chercher son souffle une dernière fois avant de couler librement. La mélodie est gaie, mais les instruments lui confèrent un timbre chargé du chagrin d'autres âmes perdues.

Chaque jour sont fabriquées trente-neuf millions de cartouches pour différentes armes à feu. Au bas mot, les dépenses militaires du monde s'élèvent à 1 226 milliards de dollars par an. Malgré la grande quantité de matériel de guerre fabriqué, il est impossible de satisfaire la demande. Les neuf plus grands exportateurs d'armes conventionnelles dans le monde sont les Etats-Unis, la Russie, l'Allemagne, la France, la Grande-Bretagne, les Pays-Bas, l'Italie, la Suède et la Chine.

OUVRAGE RÉALISÉ
PAR L'ATELIER GRAPHIQUE ACTES SUD
REPRODUIT ET ACHEVÉ D'IMPRIMER
EN OCTOBRE 2011
PAR MARQUIS IMPRIMEUR INC.
POUR LE COMPTE DES ÉDITIONS
ACTES SUD
LE MÉJAN
PLACE NINA-BERBEROVA
13200 ARLES

DÉPÔT LÉGAL
1re ÉDITION : OCTOBRE 2011
(Imprimé au Canada)